HEYNE <

Das Buch

Die junge Buchhändlerin Margaret Lea lebt sehr zurückgezogen und liebt nichts mehr, als sich in alte Romane zu flüchten. Bis sie eines Tages einen Brief erhält von Englands bekanntester Autorin: Vida Winter. Die alte Dame hat ausgerechnet Margaret, die bisher keinen einzigen ihrer Bestseller gelesen hat, auserkoren, um ihr nun am Ende ihrer Tage die Wahrheit über ihre geheimnisumwobene Vergangenheit preiszugeben. Jahrzehntelang hat Vida Winter, die einstmals Adeline Angelfield genannt wurde, kein Wort darüber verloren, was in jener Nacht vor rund sechzig Jahren geschah, als der Familiensitz der Angelfields bei einer Feuersbrunst in Schutt und Asche gelegt wurde.

Vidas Geständnis führt weit zurück in die Vergangenheit. Sie erzählt von ihrem Großvater, mit dem der Niedergang der einst angesehenen Familie begonnen hat; von ihrer bildschönen Mutter, die jung dem Wahnsinn verfiel; und von ihrer gutmütigen, doch einfältigen Zwillingsschwester Emmeline. Sie buhlte damals um Emmelines Zuneigung und versuchte, die Welt, in der die beiden vollkommen zurückgezogen lebten, vor dem Untergang zu bewahren. Doch dann ging diese Welt in Flammen auf.

Nur zögerlich eröffnet Vida ihrer Biografin Margaret, wer die Tote gewesen war, die in jener Feuersnacht ums Leben kam, welches Schicksal Emmeline erlitten hat, welches Adeline – und wer Vida Winter wirklich ist.

Die Autorin

Diane Setterfield, Anfang vierzig, ist promovierte Romanistin. Sie lebte viele Jahre in Frankreich und wohnt heute in Harrogate, Yorkshire, wo sie Französisch unterrichtet. Gegenwärtig schreibt sie an ihrem zweiten Roman.

DIANE SETTERFIELD

# DIE DREIZEHNTE GESCHICHTE

Roman

Aus dem Englischen von
Anke und Eberhard Kreutzer

WILHELM HEYNE VERLAG
MÜNCHEN

Die Originalausgabe THE THIRTEENTH TALE erschien
bei Orion, London

Zert.-Nr. SGS-COC-001940
www.fsc.org


Verlagsgruppe Random House FSC-DEU-0100
Das für dieses Buch verwendete FSC-zertifizierte Papier
*München Super* liefert Mochenwangen.

6. Auflage
Vollständige deutsche Taschenbuchausgabe 07/2008

Printed in Germany 2010
Umschlaggestaltung: Nele Schütz Design, München, Übernahme
der Gestaltung durch Hauptmann & Kompanie Werbeagentur,
München-Zürich, unter Verwendung der US-Amerikanischen
Ausgabe von © Honi Werner
Satz: Uhl + Massopust, Aalen
Druck und Bindung: GGP Media GmbH, Pößneck
ISBN: 978-3-453-40549-3

www.heyne.de

*Im Gedenken an*
*Ivy Dora und Fred Harold Morris,*
*Corina Ethel und Ambrose Charles Setterfield*

»Alle Kinder mythologisieren ihre Geburt. Das ist nur allzu menschlich. Du willst jemanden wirklich kennen lernen? Mit Leib und Seele? Dann frag ihn, wann und wo er das Licht der Welt erblickt hat. Du wirst nicht die Wahrheit zu hören bekommen, sondern eine Geschichte. Und nichts ist so aufschlussreich wie eine Geschichte.«

*Geschichten von Wandel und Verzweiflung* von Vida Winter

# ANFANG

# Der Brief

Wir hatten November. Es war noch gar nicht so spät, als ich in die Laundress Passage einbog, und doch schon ziemlich dunkel. Vater hatte Feierabend gemacht, die Lichter im Geschäft ausgeknipst und die Klappläden geschlossen; nur die Lampe über der Treppe zur Wohnung hatte er angelassen, damit ich mich zurechtfinden konnte, wenn ich nach Hause kam. Durch die Scheibe in der Tür warf ihr heller Schimmer ein blasses Rechteck auf den nassen Bürgersteig, und in dem Moment, als ich, den Schlüssel im Schloss, in diesem Viereck stand, entdeckte ich den Brief. Dieses zweite weiße Karree befand sich unübersehbar auf der fünften Stufe von unten.

Ich zog die Tür hinter mir zu und legte den Ladenschlüssel an die gewohnte Stelle hinter Baileys *Grundlagen der höheren Geometrie.* Armer Bailey. Seit dreißig Jahren wurde seine graue Schwarte verschmäht. Manchmal fragte ich mich, was er von seiner Rolle als Ladenschlüsselhüter hielt. Wahrscheinlich hatte er sich für das Meisterwerk, an dem er zwanzig Jahre geschrieben hatte, ein anderes Schicksal erhofft.

Ein Brief. An mich. Das war schon für sich genommen ein Ereignis. Das an den Ecken steife und in der Mitte von seinem dick gefalteten Inhalt gewölbte Kuvert trug eine Handschrift, die dem Postboten einige Mühe bereitet haben musste. Trotz der überschwänglichen, altmodischen Schnörkel, besonders an den Großbuchstaben, erinnerte sie mich zunächst an die mühsamen Versuche eines Kindes. Die Buchstaben wirkten ungelenk. Ihre krakeligen Striche verloren sich entweder im Nichts oder gruben sich tief ins Papier. Dem Schriftzug, der meinen

Namen ergab, fehlte der Fluss; vielmehr hatte sich der Schreiber zu jeder Letter M A R G A R E T L E A einzeln aufgerafft. Doch ich kannte keine Kinder. In dem Moment kam mir der Gedanke, es könnte die Handschrift eines Invaliden sein.

Das war ein seltsames Gefühl. Gestern oder vorgestern hatte sich ganz im Stillen eine mir unbekannte Person – ein *Fremder* – die Mühe gemacht, diesen Umschlag mit meinem Namen zu versehen, während ich meinen alltäglichen Geschäften nachging. Wer mochte dieser Jemand sein, der, ohne dass ich etwas davon ahnte, mit seinen Gedanken bei mir war?

Noch in Hut und Mantel ließ ich mich auf der Treppe nieder, um den Brief zu lesen. (Ich lese grundsätzlich nur in einer sicheren Position. Das mache ich so, seit ich mit sieben einmal auf einer hohen Mauer gehockt und in *Die Wasserkinder* vertieft gewesen war; damals ließ ich mich so sehr von den Schilderungen der Unterwasserwelt gefangen nehmen, dass ich unbewusst die Muskeln entspannte und, statt schwerelos im feuchten Element zu schweben, das mich in meiner Phantasie umgab, unsanft zu Boden stürzte und das Bewusstsein verlor. Bis heute kann ich die Narbe unter meinem Pony fühlen. Lesen kann gefährlich sein.)

Ich öffnete den Brief und zog ein halbes Dutzend gefaltete Blätter heraus, alle in derselben angestrengten Handschrift. Dank meiner Arbeit habe ich Erfahrung im Entziffern unleserlicher Manuskripte. Es ist nichts Geheimnisvolles dabei. Geduld und Übung machen den Meister. Das und die Bereitschaft, einen schärferen Blick dafür zu entwickeln. Wenn man ein Manuskript studiert, das unter Wasser, Feuer, Licht oder auch nur dem Alter gelitten hat, dann muss das Auge nicht nur die Form der Buchstaben genau erfassen, sondern auch andere Merkmale. Das Gleiten der Feder. Den Druck der Hand auf die Seite. Ein Stocken im Fluss. Man muss sich entspannen. An gar nichts denken. Bis man in einer Art Wachtraum zugleich die Feder ist, die über die Seite eilt, und das Pergament selbst, das die Tinte wie ein leichtes Kitzeln spürt. Dann kann man es lesen. Die Absicht des Schreibers, seine Gedanken, sein Zögern, seine Sehnsucht und das, was er sagen will. Man kann all das so deutlich erkennen, als wäre man das Kerzenlicht, das das Blatt Papier erhellt.

Nicht, dass diese Handschrift auch nur annähernd so unleserlich gewesen wäre wie manch andere, die ich entziffert habe.

Der Brief begann mit einem knappen »Miss Lea«, danach fügten sich die Hieroglyphen rasch zu erkennbaren Schriftzeichen, dann Wörtern und schließlich Sätzen zusammen, und zwar wie folgt:

*Ich habe einmal dem* Banbury Herald *ein Interview gegeben. Ich such's bei Gelegenheit raus, für die Biografie. Seltsamer Bursche, den sie mir da geschickt haben. Obwohl so groß wie ein Mann, war er im Grunde noch ein Kind mit seinem Babyspeck. Linkisch in seinem neuen Anzug. Das gute Stück war braun und hässlich und für einen viel älteren Mann gedacht. Es war so einer, wie ihn eine Mutter für ihren Jungen kauft, der nach dem Schulabschluss seine erste Stelle antritt – in der Hoffnung, er wächst vielleicht noch hinein. Aber bloß, weil er die Schuluniform ablegt, ist ein Junge noch nicht erwachsen.*

*Da war etwas in seiner Art. Eine Intensität. Und ich fragte mich: Was führt der wohl im Schilde?*

*Dabei habe ich an und für sich nichts gegen Menschen, die sich der Wahrheit verschrieben haben, wenn man davon absieht, dass diese Zeitgenossen fade sind. Nur wenn sie einem dumm kommen, von wegen Ehrlichkeit und Geschichtenerzählen, so wie manche das gerne tun, da hört der Spaß für mich auf.*

*Im Grunde sind es nicht die Wahrheitsfanatiker, die mir Bauchschmerzen bereiten, es ist die Wahrheit selbst. Welche Hilfe, welchen Trost hat sie zu bieten im Vergleich zu einer Geschichte? Was nützt sie einem im Dunkeln um Mitternacht, wenn Blitze über die Schlafzimmerwände zucken und der Regen mit seinen langen Fingernägeln an die Scheiben trommelt? Nichts! Oder glauben Sie etwa, wenn man vor Angst und Kälte im eigenen Bett zur Salzsäule erstarrt, dass man sich von der beinharten Wahrheit irgendetwas erhoffen darf? Was man in dem Moment braucht, ist der plumpe Beschwichtigungsversuch einer Geschichte, einer Lüge, die einen einlullt und in Sicherheit wiegt.*

*Natürlich gibt es Schriftsteller, die keine Interviews mögen. »Immer dieselben alten Fragen«, stöhnen sie. Was erwarten sie denn? Reporter sind Schmierfinken. Nur wir verstehen uns auf unsere Kunst, und deshalb geben wir auf die immer gleiche Fragen nicht die gleichen sattsam bekannten Antworten. Ich meine, wir verdienen unseren Lebensunterhalt damit, uns Dinge auszudenken. Jahr für Jahr gebe ich Dutzende Interviews, und anfangs haben die Journalisten noch versucht, mich aufs Glatteis zu führen. Sie haben die eine oder andere Wahrheit in der Hinterhand, um mich im richtigen Moment zum Plaudern zu bringen. Ich musste schon auf der Hut sein; musste gezielt meine Köder auswerfen, ihnen, ehe sie es merkten, den Mund wässrig machen, damit sie bei einer schmackhafteren Geschichte anbissen als der, die sie verfolgten. Der Zipfel Wahrheit, an den sie sich geklammert hatten, glitt ihnen aus den Fingern und blieb unbeachtet auf der Strecke. Das hat noch immer funktioniert. Eine gute Geschichte macht eben mehr her als so ein Fitzelchen Wahrheit.*

*Seit ich berühmt bin, gehört ein Interview mit Vida Winter zu den höheren Weihen eines Journalisten. Sie wissen in etwa, was sie erwartet, und wären enttäuscht, ohne eine Geschichte von dannen zu ziehen. Die üblichen Fragen im Schnellverfahren und zum Ab-*

*schluss das, weswegen sie gekommen sind. An dieser Stelle legt sich immer ein verklärter Ausdruck auf ihre Gesichter. Sie sind wie kleine Kinder bei der Gutenachtgeschichte. »Und Sie, Miss Winter«, sagen sie dann, »erzählen Sie ein wenig von sich.«*

*Und ich habe erzählt. Belanglose, kleine Episoden. Nur ein paar Stränge zu einem gefälligen Muster verwoben, ein eingängiges Motiv hier, ein paar Glanzpunkte dort. Ein tiefer Griff in meine Klamottenkiste: ein Fundus an Stoffresten aus Romanen und Geschichten, aus Handlungsmustern, die sich verlaufen haben, Totgeburten an Charakteren, an pittoresken Szenerien, für die ich sonst keine Verwendung hatte. Schließlich werden die Säume vernäht, die Nähte versäubert, und fertig ist die nächste brandneue Biografie.*

*Den Notizblock in den Patschehändchen wie Kinder die Bonbons nach der Geburtstagsfeier, ziehen sie glücklich und zufrieden von dannen.*

*Doch dann kam dieser Junge vom* Banbury Herald. *Der sagte doch glatt: »Miss Winter, ich will die Wahrheit hören.« Was ist das nun für eine Masche? Es gibt keinen Trick, den sie nicht schon ausprobiert hätten, um mich aus der Reserve zu locken. Und dann das! Ich meine, was hat er denn erwartet?*

*Eine gute Frage. Was hat er erwartet? Seine Augen glänzten wie vom Fieber. Er sah mich so eindringlich an. So bohrend. Forschend. Er war auf etwas ganz Bestimmtes aus, da war ich mir sicher. Seine Stirn war schweißnass. Vielleicht machte ihn irgendetwas krank. »Ich will die Wahrheit hören«, sagte er.*

*Ich hatte ein komisches Gefühl im Bauch. Als ob die Vergangenheit zum Leben erwacht wäre. Als ob sich ein früheres Leben in meiner Fruchtblase rührte und eine Flutwelle losträte, die mir in die Adern steigen, die kühle Wellen schlagen und mir von innen gegen die Schläfen schwappen würde. Angstschauder. »Ich will die Wahrheit hören.«*

*Ich dachte über seine Forderung nach und erwog die möglichen*

*Folgen. Er verstörte mich, dieser Junge, mit seinem blassen Gesicht und seinen brennenden Augen.*

*»Meinetwegen«, sagte ich.*

*Eine Stunde später war er schon wieder weg. Mit einem leisen, geistesabwesenden »Auf Wiedersehen«, ohne sich noch einmal umzudrehen.*

*Ich habe ihm nicht die Wahrheit gesagt. Warum auch? Ich habe ihm einen kläglichen Schmachtlappen von einer Geschichte erzählt. Kein bisschen Glamour, kein Strass, nur ein paar fade, verblichene Flicken, notdürftig zusammengestoppelt, mit ungesäumten, ausgefransten Rändern. Die Art Geschichte, die man so für das wirkliche Leben hält, was ein gewaltiger Irrtum ist.*

*Ich sah dem Jungen vom Fenster aus nach. Er schlurfte mit hängenden Schultern und gesenktem Kopf die Straße entlang davon, als ob ihn jeder Schritt Mühe kostete. Die geballte Energie, die Dynamik, Verve – keine Spur mehr davon. Ich hatte sie zunichte gemacht. Nicht, dass ich mir allein die Schuld dafür geben würde. Er hätte wissen müssen, dass er mir nicht glauben darf.*

*Ich habe ihn nie wieder gesehen.*

*Dieses Gefühl, das ich hatte, dieses elektrisierende Gefühl im Bauch, in den Schläfen, sogar in den Fingerspitzen – das blieb noch eine ganze Weile. Es schwoll an und verebbte mit der Erinnerung an die Worte des Jungen. »Ich will die Wahrheit hören.« Nein, sagte ich. Immer und immer wieder. Nein. Aber es hörte nicht auf. Es ließ mir keine Ruhe. Schlimmer noch, es war eine Gefahr. Am Ende gab ich mich zu einer Abmachung her:* Noch *nicht. Es seufzte, es lehnte sich auf, doch irgendwann rührte es sich nicht mehr. Es verhielt sich so still, dass ich es beinahe vergaß.*

*Wie lange ist das schon her? Dreißig Jahre? Vierzig? Vielleicht noch länger. Die Zeit vergeht so schnell.*

*In letzter Zeit habe ich öfters an den Jungen denken müssen. »Ich will die Wahrheit hören.« Und dieses Gefühl von damals regt sich wieder. Es ballt sich in meinem Bauch zusammen. Es ist rund und hart, von der Größe einer Pampelmuse. Es saugt mir die Luft aus den Lungen und nagt mir das Mark aus den Knochen. Die lange Latenz hat es verändert. Es ist nicht mehr sanft und fügsam, sondern ein Rabauke. Es lässt nicht mit sich handeln, würgt jede Diskussion ab, besteht auf seinem Recht. Es akzeptiert kein Nein. Die Wahrheit, ruft es dem Jungen hinterher und starrt auf seinen Rücken, als er geht. Und dann dreht es sich zu mir um, schließt seinen Griff noch fester um meine Eingeweide und wringt sie mit den Händen aus. Wir haben eine Abmachung, weißt du noch?*

*Es ist so weit.*

*Kommen Sie am Montag. Ich schicke Ihnen einen Wagen an den Zug, der um halb fünf am Bahnhof Harrogate eintrifft.*

*Vida Winter*

Wie lange saß ich noch auf der Treppe, nachdem ich den Brief gelesen hatte? Ich weiß es nicht. Denn ich war wie gebannt. Worte haben diese Wirkung. In der Hand eines Könners, gezielt zum Einsatz gebracht, kann man sich ihnen nicht entziehen. Wie der Faden einer Seidenspinne winden sie sich einem um die Glieder, und wenn man dann so gefesselt ist, dass man sich nicht mehr rühren kann, dringen sie einem unter die Haut, ins Blut, betäuben einem die Gedanken. Tief drinnen entfalten sie ihre Magie. Als ich nach langer Zeit wieder zu mir kam, konnte ich nur raten, was sich im Dunkel meines Unbewussten abgespielt hatte. Was hatte der Brief mit mir gemacht?

Ich wusste sehr wenig über Vida Winter. Natürlich waren mir die verschiedenen Etiketten geläufig, die man mit ihrem Namen verband: Englands beliebteste Schriftstellerin, der Dickens unseres Jahrhunderts, die bekannteste lebende Autorin der Welt und dergleichen mehr. Natürlich wusste ich, dass sie populär war, auch wenn mich die Zahlen und Daten bei meinen späteren Recherchen dann doch erstaunten. Sechsundfünfzig Bücher in sechsundfünfzig Jahren und in neunundvierzig Sprachen übersetzt. Winter wurde von englischen Bibliotheken siebenundzwanzig Mal als die meistausgeliehene Autorin geführt. Neunzehn ihrer Romane wurden verfilmt. Und die Statistiker liefern sich einen heftigen Streit über die Frage, ob sich nun größere Stückzahlen von Vida Winters Büchern verkauft haben als von der Bibel. Dabei besteht das Problem nicht so sehr darin, herauszufinden, wie viele ihrer Bücher tatsächlich vertrieben wurden (eine stark schwankende Zahl in mehrfacher Millionenhöhe), als vielmehr darin, verlässliche Zahlen für die Bibel zu bekommen: Wie immer man zum Wort Gottes stehen mag, so sind seine Verkaufsziffern notorisch unzuverlässig. Die vielleicht interessanteste Zahl für mich war die zweiundzwanzig. So viele Biografen nämlich hatten es irgendwann aufgegeben, die Wahrheit über sie ans Licht zu bringen, sei es wegen der dürftigen Informationen oder der Drohungen seitens Miss Winters. Doch zu dem Zeitpunkt, als ich den Brief in den Händen hielt, wusste ich noch nichts von alledem. Ich kannte nur eine, für mich allerdings wesentliche Statistik: Wie viele Bücher von Vida Winter hatte ich, Margaret Lea, gelesen? Keines.

Ich zitterte dort auf der Treppe, gähnte einmal kräftig und streckte die Glieder. Als ich wieder bei Sinnen war, stellte ich fest, dass sich, während ich weggetreten war, meine Gedanken neu geordnet hatten. Vor allem zwei Erinnerungen waren aus meinem verschütteten Gedächtnis herausgeklaubt und mir vor Augen geführt worden.

Die erste war eine kleine Begebenheit mit meinem Vater, die sich im Laden abgespielt hatte. Wir öffnen gerade einen Karton mit Büchern aus der Auflösung einer Privatbibliothek – und der Karton enthält eine Reihe von Vida Winters Romanen.

Im Laden verkaufen wir keine zeitgenössische Erzählliteratur. »Die bringe ich in der Mittagspause zu Oxfam«, sage ich und lasse sie neben dem Schreibtisch liegen. Doch bevor es Mittag ist, sind drei der vier Bücher verschwunden. Verkauft. Eines an einen Priester, eines an einen Kartografen, eines an einen Militärhistoriker. Die Gesichter unserer Kundschaft – mit der typischen äußeren Blässe und der inneren Glut des Bücherwurms – scheinen sich aufzuhellen, sobald sie die satten Farben der Taschenbucheinbände sehen. Nach dem Mittagessen sind wir mit Auspacken, Katalogisieren und Einordnen in die Regale fertig und sitzen, wenn keine Kundschaft kommt, wie gewöhnlich über einer Lektüre. Es ist Spätherbst, es regnet, und die Fenster sind beschlagen. Im Hintergrund zischt der Gasofen, ohne dass wir es hören, weil wir uns, Seite an Seite, zusammen und meilenweit voneinander entfernt, in unsere Bücher vertiefen.

»Soll ich Tee machen?«

Keine Antwort.

Ich brühe trotzdem einen auf und stelle meinem Vater eine Tasse hin.

Eine Stunde später ist der Tee kalt. Ich mache eine frische Kanne Tee und stelle erneut eine dampfende Tasse neben ihn auf den Tisch. Er nimmt meine Bewegungen nicht wahr.

Behutsam drehe ich das Buch, das er in Händen hält, etwas zur Seite, um den Einband zu sehen. Es ist der vierte Roman von Vida Winter. Ich rücke es wieder zurecht und mustere das Gesicht meines Vaters. Er hört mich nicht. Er sieht mich nicht. Er ist in einer anderen Welt, und ich bin Luft für ihn.

Das war die erste Erinnerung.

Die zweite ist ein Bild. Im Dreiviertelprofil, kraftvoll aus Licht und Schatten gemeißelt, ragt ein Gesicht über die Pendlertraube am Bahnhof, die zwergenhaft darunter wartet. Es ist nur ein Werbefoto auf einer Reklametafel, doch es erinnert mich an längst vergessene Königinnen und Göttinnen, von alten Kulturen in Fels gebannt. Ich betrachte den Augenbogen, den glatten Schwung der Wangenknochen, die makellosen Linien und Proportionen der Nase und staune, dass die Willkür menschlicher Vielfalt solch übernatürliche Vollkommenheit hervorbringen kann. Künftigen Archäologen, die diese Knochen entdecken, müssen sie wie ein Artefakt erscheinen – nicht als das ungeschliffene Werk von Mutter Natur, sondern als höchster Ausdruck künstlerischen Strebens. Die Haut über diesen bemerkenswerten Knochen besitzt den opaken Schimmer von Alabaster; der Kontrast zu den sorgsam um den eleganten Hals gewundenen Locken des kupferfarbenen Haars lässt sie noch heller erscheinen.

Als sei dieses Übermaß an erlesener Schönheit nicht genug, sind da noch diese Augen. Durch einen fotografischen Kunstgriff zu übermenschlichem Grün verstärkt – wie Glas in einem Kirchenfenster oder Smaragde oder Geleebonbons –, blicken sie vollkommen ausdruckslos über die Köpfe der Pendler hinweg. Ich kann nicht sagen, ob die anderen Reisenden an diesem Tag dasselbe bei diesem Bild empfunden haben; sie hatten die Bücher gelesen, folglich hatten sie vielleicht eine andere Sicht. Ich dagegen konnte mich, als ich in die großen grünen Augen sah, nicht gegen die gängige Vorstellung wehren, dass Augen die Fenster der Seele sind. Ich weiß nur noch, wie mir bei diesen grünen Augen mit diesem blinden Blick der Gedanke kam, dass diese Frau keine Seele besitzt.

Das war an dem Abend, als ich den Brief erhalten hatte, schon alles, was ich über Vida Winter wusste. Nicht gerade viel, bei Lichte betrachtet, jedoch nicht weniger, als was jeder andere wusste. Denn obschon jeder Vida Winter kannte – ihren Namen, ihre Romane und ihr Gesicht –, kannte sie in Wahrheit keiner. Gleichermaßen berühmt für ihre Geheimnisse wie für ihre Geschichten, war sie ein Buch mit sieben Siegeln.

Glaubte ich diesem Brief, so wollte Vida Winter die Wahrheit über sich erzählen. Das war an sich schon rätselhaft genug, doch das größte Rätsel war: wieso ausgerechnet *mir*?

# Margarets Geschichte

Ich erhob mich von der Treppenstufe, auf der ich gesessen hatte, und trat in das Dunkel des Ladens. Ich brauchte den Lichtschalter nicht, um mich zurechtzufinden. Ich kenne den Laden so gut, wie man die Orte aus seiner Kindheit kennt. Der Geruch von Leder und altem Papier beruhigte mich sogleich. Ich strich mit den Fingerspitzen über die Buchrücken wie ein Pianist über die Tasten. Jeder Band hat seine eigene, unverwechselbare Note: die körnigen Leinenrücken von Daniels' *Geschichte der Kartografie*, das aufgesprungene Leder von Lakunins *Sitzungsprotokolle der St. Petersburger Kartografischen Akademie*, eine abgenutzte Mappe mit handgezeichneten und -kolorierten Karten. Man könnte mir die Augen verbinden und mich irgendwo in dem dreistöckigen Laden abstellen, und ich könnte anhand der Bücher unter meinen Fingerspitzen sagen, wo ich bin.

Wir haben wenig Kundschaft in Leas Antiquariat, im Durchschnitt kaum ein halbes Dutzend am Tag. Im September, wenn die Studenten kommen, um sich ihre Pflichtlektüre für das neue Jahr zu kaufen, und dann noch einmal im Mai, wenn sie dieselben Texte nach dem Examen zurückbringen, sind es etwas mehr. Mein Vater nennt diese Bücher Nomaden. Zu anderen Jahreszeiten können Tage vergehen, ohne dass wir einen Kunden zu Gesicht bekommen. Jeden Sommer verirrt sich der eine oder andere Tourist hierher, der von der üblichen Route abgekommen ist und den die Neugier hereintreibt. Er tritt aus der Sonne in den Laden, bleibt einen Moment stehen und blinzelt, um seine Augen an das Dunkel zu gewöhnen. Je nachdem, wie leid er es ist, Eiscreme zu essen und den Stakkähnen auf dem Fluss hinterherzusehen, verweilt er vielleicht und genießt den Schatten und die Ruhe oder auch nicht. Die Mehrzahl derer, die den Laden aufsuchen, folgen Empfehlungen von Freunden und machen, wenn sie schon mal in der Gegend sind, eigens einen Abstecher nach Cambridge. Sie sehen gespannt aus, wenn sie über die Schwelle treten, und entschuldigen sich nicht selten für die Störung. Sie sind nett, so unaufdringlich liebenswürdig wie die Bücher selbst. Meistens allerdings sind Vater, ich und die Bücher unter uns.

Wie wir davon leben können, mag man sich fragen, wenn man die spärliche Kundschaft sieht. Dazu muss man wissen, dass der Laden finanziell gesehen nur ein Nebenerwerbszweig ist. Das eigentliche Geschäft findet andernorts statt. Unseren Lebensunterhalt verdienen wir mit vielleicht einem halben Dutzend Transaktionen im Jahr.

Und so funktioniert's: Vater kennt alle großen Sammler der Welt, und er kennt die bedeutenden Sammlungen. Wenn man ihn auf den Auktionen oder Buchmessen beobachtet, dann würde einem nicht entgehen, wie oft ihn unauffällig gekleidete Personen ebenso unauffällig auf ein Wort unter vier Augen beiseite nehmen. Ihr Blick allerdings ist alles andere als unauffällig. Weiß er wohl zufällig etwas über…, fragen sie ihn, hat er irgendwo gehört, ob… Dann wird ein Buch genannt. Vater antwortet ausweichend. Er kann ihnen keine großen Hoffnungen machen. Diese Dinge führen gewöhnlich nicht weiter. Und falls er sie nicht schon hat, schreibt er sich die Adresse desjenigen in ein kleines grünes Notizbuch. Dann passiert eine ganze Weile nichts. Aber später – das kann ein paar Monate oder auch länger dauern, unmöglich im Voraus zu sagen – erkundigt er sich auf einer anderen Auktion oder Messe bei einer anderen Person sehr behutsam, ob vielleicht… und wieder wird das Buch erwähnt. Meistens war's das dann. Doch manchmal folgt diesen Unterhaltungen eine Korrespondenz. Vater verbringt eine Menge Zeit damit, Briefe zu verfassen. Auf Französisch, Deutsch, Italienisch, manchmal sogar Latein. In neun von zehn Fällen ist die Antwort eine kurze, wenn auch höfliche Absage. Hin und wieder allerdings – ein halbes Dutzend Mal im Jahr – bildet die Antwort den Auftakt zu einer Reise. Einer Reise, auf der Vater ein Buch an Punkt A entgegennimmt, um es an B abzuliefern. Er ist selten mehr als achtundvierzig Stunden weg. Sechs Mal im Jahr. Davon bestreiten wir unseren Lebensunterhalt.

Der Laden selbst wirft herzlich wenig ab. Er ist ein Ort, an dem man Briefe schreibt und empfängt. Ein Ort, an dem man sich die Wartezeit vor der nächsten internationalen Buchmesse vertreibt. Nach Meinung des Leiters unserer Bank ist das ein Luxus, den sich mein Vater mit seinem Erfolg verdient. In Wirklichkeit jedoch – in der Wirklichkeit, die mein Vater und ich uns teilen, denn ich behaupte ja nicht, die Wirklichkeit sei für alle gleich – ist der Laden das Herzstück des Ganzen. Er ist ein Aufbewahrungsort für Bücher, ein sicherer Hort für all die Bände, die einmal so hingebungsvoll geschrieben wurden und für die sich derzeit offenbar niemand interessiert.

Und es ist ein Ort zum Lesen.

A wie Austen, B wie Brontë, C wie Charles und D wie Dickens. Ich habe in diesem Laden das Alphabet gelernt. Indem mein Vater, mit mir auf dem Arm, die Regalreihen abschritt und mir das Buchstabieren zugleich mit der alphabetischen Reihenfolge der Bücher beibrachte. Ich habe dort auch schreiben gelernt; ich kritzelte Namen und Titel auf Karteikarten, die wir dreißig Jahre später noch immer in unserem Kasten haben. Der Laden war meine Arbeitsstelle wie auch mein Zuhause. Er war für mich eine bessere Schule, als es die Schule je war, und später dann meine eigene Privatuniversität. Er ist mein Leben.

Mein Vater hat mir nie ein Buch in die Hand gedrückt und mir nie eines verboten. Stattdessen ließ er mich selber stöbern und meine eigene mehr oder weniger gute Auswahl treffen. So las ich blutrünstige Erzählungen von historischen Heldentaten, die Eltern im neunzehnten Jahrhundert kindgerecht fanden, und schaurige Gespenstergeschichten, die es gewiss nicht waren; ich las Berichte von beschwerlichen Reisen durch tückische Gefilde, die alte Jungfern in Reifröcken unternahmen, und schmökerte in Handbüchern zu Benimm und Etikette für junge Damen aus gutem Hause; ich verschlang Bücher mit Bildern und Bücher ohne Bilder, Bücher auf Englisch, Bücher auf Französisch, Bücher in Sprachen, die ich nicht verstand und zu denen ich mir mithilfe einer Handvoll erratener Wörter Geschichten ausdachte. Bücher, Bücher und nochmals Bücher.

Zwar versuchte ich in der Schule, meine Lektüre geheim zu halten. Doch die Brocken archaisches Französisch, die ich aus alten Grammatiken kannte, schlichen sich in meine Aufsätze ein. Meine Lehrer aber hielten sie für Rechtschreibfehler, auch wenn es ihnen nie gelang, sie mir auszutreiben. Zuweilen rührte eine Geschichtsstunde an einen tiefen, wenn auch beliebigen Wissensfundus, den ich bei meiner planlosen Lektüre angehäuft hatte. Charlemagne? Karl der Große, dachte ich. Was, *mein* Charlemagne? Aus dem Laden? Bei solchen unverhofften Zusammenstößen zweier sonst so getrennter Welten verschlug es mir die Sprache.

Wenn ich nicht las, half ich meinem Vater bei seiner Arbeit. Mit neun durfte ich Bücher in braunes Packpapier einschlagen. Mit zehn lief ich mit diesen Paketen zum Postamt, um sie an unsere entfernten Kunden zu schicken. Mit elf nahm ich meiner Mutter ihre einzige Aufgabe im Laden ab: das Saubermachen. Mit Kopftuch und Hauskittel gegen Schmutz, Bakterien und die ganze Bösartigkeit bewaffnet, die in »alten Büchern« steckt, schritt sie, die Lippen fest zusammengepresst, um nichts Schädliches einzuatmen, mit ihrem unermüdlichen Wedel die Regale ab. Von Zeit zu Zeit wühlten die Federn eine imaginäre Staubwolke auf, und sie fuhr hüstelnd zurück. Unweigerlich blieb sie mit ihren Strümpfen an einer Bücherkiste hängen, die natürlich mit voller Absicht gerade hinter ihr stand. Ich bot ihr an, das Staubwischen für sie zu übernehmen, und sie war die Arbeit nur zu gerne los; von da an brauchte sie nicht mehr in den Laden zu kommen.

Mit zwölf ließ mich Vater nach verloren gegangenen Büchern suchen. Wir erklärten Bestände als verloren, wenn sie laut Kartei auf Lager waren, an ihrem angestammten Platz im Regal jedoch fehlten. Sie konnten gestohlen sein, waren vermutlich aber nur von jemandem, der in den Büchern geblättert hatte, geistesabwesend falsch eingeordnet worden. Der Laden verfügte über sieben Räume, mit Tausenden Büchern bis unter die Decke.

»Und wenn du schon dabei bist, überprüfe doch auch gleich die alphabetische Reihenfolge«, sagte Vater.

Das war ein endloses Unterfangen; heute frage ich mich, wie ernst es ihm mit diesem Auftrag war. Um ehrlich zu sein, spielte das im Grunde keine Rolle, denn *ich* habe mich mit aller Ernsthaftigkeit in diese Arbeit gestürzt.

Die Vormittage eines ganzen Sommers vergingen dabei, doch als Anfang September die Schule begann, hatte sich jedes verlorene Buch wieder eingefunden, war jeder verstellte Band zurück an seinem Platz. Davon abgesehen war noch etwas anderes geschehen, das im Nachhinein viel wichtiger scheint: Meine Finger waren, wenn auch nur kurz, mit jedem Buch im Geschäft einmal in Berührung gekommen.

Als Teenager ging ich meinem Vater dann so zur Hand, dass es an ruhigen Nachmittagen kaum noch Arbeit gab. War die Vormittagsroutine erledigt – die Neuzugänge in die Regale gestellt, die Briefe geschrieben, die Sandwiches draußen am Fluss gegessen und dabei die Enten gefüttert –, ging es zum Lesen zurück in den Laden. Allmählich war meine Lektüre weniger vom Zufall bestimmt. Immer öfter ertappte ich mich dabei, durchs zweite Geschoss zu schlendern. Literatur des neunzehnten Jahrhunderts, Biografien, Autobiografien, Memoiren, Tagebücher und Briefe.

Meinem Vater entging die gezielte Auswahl nicht, und so kam er von seinen Messen und Verkaufsreisen mit Lesestoff zurück, von dem er annahm, dass er mich interessieren könnte. Schäbige kleine Bücher, zumeist in Form von Manuskripten, vergilbte Seiten, mit einer Kordel oder Schleife zusammengehalten, manchmal auch von Hand gebunden. Das gewöhnliche Leben gewöhnlicher Menschen. Ich habe sie nicht einfach nur gelesen. Ich habe sie verschlungen. In dem Maße, wie mein Appetit beim Essen nachließ, war ich im Hinblick auf Bücher unersättlich. Es war der Anfang meiner Berufung.

Ich bin keine richtige Biografin, im Grunde darf ich mich so gar nicht nennen. Vor allem zu meinem eigenen Vergnügen habe ich eine Reihe kurzer biografischer Studien zu unbedeutenden Persönlichkeiten der Literaturgeschichte verfasst. Mein Interesse hat immer schon dem Schicksal von Leuten gegolten, die zu Lebzeiten im Windschatten des Ruhms gestanden hatten und nach ihrem Tod völlig in Vergessenheit geraten waren. Lebensläufe auszugraben, die seit mehr als hundert Jahren auf Archivregalen in ungeöffneten Tagebüchern geschlummert haben, bereitet mir mehr Vergnügen als irgendetwas sonst. Es gibt kaum etwas Reizvolleres für mich, als Memoiren neues Leben einzuhauchen, die seit Jahrzehnten vergriffen sind.

Von Zeit zu Zeit stoße ich dabei auf einen Gegenstand, der immerhin das Interesse eines Universitätsverlags erregt, und so habe ich es zu ein paar Publikationen unter meinem Namen gebracht. Keine Bücher. Nichts von Format. Im Grunde nur Essays, ein paar dürftige, in einem Schnellhefter gebündelte Seiten. Einer meiner Aufsätze, *Die brüderliche Muse,* über die Gebrüder Jules und Edmond Landier und das gemeinsame Tagebuch, das dieses Gespann hinterlassen hatte, fiel eines Tages einem Historiker ins Auge, der ihn in eine leinengebundene Anthologie über das Schreiben und die Familie im neunzehnten Jahrhundert aufnahm. Dieser Aufsatz musste mich wohl Vida Winter empfohlen haben, auch wenn er in dem Band nichts verloren hatte. Er reiht sich dort nämlich in die Arbeiten von gestandenen Akademikern und Autoren ein, sodass es den Anschein erweckt, als wäre ich eine richtige Biografin – und dabei bin ich doch nur eine *dilettante,* eine talentierte Amateurin.

Lebensläufe – die von Toten – sind nur ein Hobby von mir. Meine eigentliche Arbeit ist die Tätigkeit im Laden. Ich bin nicht für den Verkauf der Bücher zuständig – das macht mein Vater –, sondern *ich kümmere mich um sie.* Dabei ziehe ich immer mal wieder einen Band heraus und lese ein, zwei Seiten. Schließlich passe ich auf die Bücher auf, und sie zu lesen gehört in gewisser Weise dazu. Selbst wenn sie nicht alt genug sind, um für Sammler interessant zu sein, so sind mir auch diejenigen meiner Schützlinge lieb und teuer, deren Inhalt mich genauso wenig inspiriert wie ihre Hülle. Wie banal der Inhalt auch sein mag, so gibt es immer etwas, das mich berührt, denn jemand, der inzwischen verstorben ist, fand diese Worte einmal bedeutsam genug, um sie niederzuschreiben.

Menschen verschwinden, wenn sie sterben. Ihre Stimme, ihr Lachen, ihr warmer Atem. Ihr Fleisch. Irgendwann auch ihre Knochen. Doch einige entgehen dieser völligen Vernichtung, denn in den Büchern, die sie geschrieben haben, leben sie fort. Wir können sie wieder entdecken. Ihren Humor, ihren Tonfall, ihre Launen. Durch ihr geschriebenes Wort können sie einen ärgern oder glücklich machen. Sie können einen trösten, können verblüffen, können einen verändern. Und das alles, obwohl sie nicht mehr leben. Wie in Bernstein eingeschlossene Fliegen, wie Kadaver im ewigen Eis bleibt ihr Leben, das nach dem Gang der Natur hätte vergehen müssen, durch das Wunder der Tinte auf Papier gebannt. Das ist eine Form von Magie.

So wie man die Gräber der Toten hegt, so hege ich die Bücher. Ich reinige sie, nehme kleinere Reparaturen vor, halte sie in Stand. Und jeden Tag schlage ich ein, zwei Bände auf, lese ein paar Zeilen oder auch Seiten und erlaube den Stimmen der vergessenen Toten, in meinen Gedanken widerzuhallen. Spüren sie es, diese toten Verfasser, wenn ihre Bücher gelesen werden? Erscheint eine Nadelspitze Licht in ihrem Dunkel? Regt sich ihre Seele unter der federleichten Berührung eines anderen Geistes, der sich in ihre Gedanken vertieft? Ich hoffe, ja. Denn tot zu sein muss ziemlich einsam sein.

Auch wenn ich hiermit meine sehr persönlichen Vorlieben preisgebe, so ist mir dennoch klar, dass ich das Entscheidende hinausgezögert habe. Ich trage nun einmal nicht das Herz auf der Zunge: Es sieht vielmehr ganz so aus, als hätte ich in dem Bemühen, meine natürliche Verschlossenheit zu überwinden, alles Mögliche heruntergeschrieben, um ja nicht das eine schreiben zu müssen, das wirklich zählt.

Aber ich *werde* es tun. »Schweigen ist kein natürliches Umfeld für Geschichten«, hat Miss Winter einmal zu mir gesagt. »Sie sind auf Worte angewiesen, sonst werden sie blass, kränkeln dahin und sterben schließlich ab. Und dann lassen sie einen nicht mehr los.«

Da hat sie Recht. Hier also ist meine Geschichte.

Ich war zehn, als ich das Geheimnis lüftete, das meine Mutter vor mir hatte. Das war wichtig für mich, denn es stand ihr nicht zu, es zu bewahren; es betraf mein Leben.

Meine Eltern waren an jenem Abend aus. Sie gingen selten aus, doch wenn sie es einmal taten, schickten sie mich nach nebenan in Mrs. Robbs Küche. Die Raumaufteilung war im Nachbarhaus genau wie bei uns, nur spiegelverkehrt, und in dieser verdrehten Umgebung wurde mir speiübel, sodass ich, wenn wieder einmal ein elterlicher Ausgang drohte, sie erneut davon zu überzeugen versuchte, ich sei alt und vernünftig genug, um ohne Aufpasser zu Hause zu bleiben. Ich machte mir keine große Hoffnung, doch diesmal stimmte Vater zu. Mutter ließ sich nur unter der Bedingung überreden, dass Mrs. Robb um halb neun einmal nach dem Rechten sah.

Sie verließen das Haus um sieben, und ich begoss den Anlass mit einem Glas Milch, das ich auf dem Sofa trank – voller Bewunderung für meine eigene Größe. Margaret Lea, alt genug, um allein daheim zu sein. Nach der Milch war mir unerwartet langweilig. Was sollte ich mit der neuen Freiheit machen? Ich begab mich auf die Wanderung und schritt mein Territorium ab: das Esszimmer, den Flur, die Toilette im Erdgeschoss. Das alles war nicht anders als sonst. Aus keinem besonderen Grund fiel mir eine meiner Ängste ein, die mich als Kleinkind geplagt hatten, vor dem Wolf und den drei Schweinchen. »Ich werde husten und prusten / Und dir das Haus zusammenpusten.« Es wäre ihm ein Leichtes gewesen, das Haus meiner Eltern zusammenzupusten. Die unscheinbaren, dünnwandigen Räume waren nicht stabil genug, um standzuhalten; und die zarten, brüchigen Möbel brauchte der Wolf nur anzusehen, um sie wie Streichhölzer einknicken zu lassen. Ja, dieser Wolf bräuchte nur mit den Krallen zu schnippen, und er würde uns drei zum Frühstück verspeisen. Ich wünschte mir, ich wäre im Laden gewesen, da hatte ich nie Angst. Da mochte der Wolf so lange husten und prusten, wie er wollte. Inmitten des bücherverstärkten Gemäuers waren Vater und ich so sicher wie in einer Festung.

Oben schaute ich in den Badezimmerspiegel. Um mich zu vergewissern, wie ich als erwachsenes Mädchen aussah. Den Kopf nach links, dann nach rechts geneigt, betrachtete ich mich von allen Seiten und versuchte mit aller Macht, jemand anderen zu sehen als sonst. Aber da war nur ich.

Mein eigenes Zimmer gab nichts her. Ich kannte jeden Winkel, und das Zimmer kannte mich, wir hatten uns nicht mehr viel zu sagen. Stattdessen stieß ich die Tür zum Gästezimmer auf. Der leere Frisiertisch und der kahle Kleiderschrank deuteten halbherzig darauf hin, dass man sich hier die Haare kämmen und anziehen konnte, doch irgendwie wusste man auf Anhieb, dass sich hinter den Türen und in den Schubladen gähnende Leere befand. Das Bett mit seinen glatten, festgezurrten Decken und Bezügen war wenig einladend, und die dünnen Kissen sahen aus, als wäre ihnen das Leben wie Luft entwichen. Meine Eltern nannten es immer das Gästezimmer, doch wir hatten nie Gäste. Hier schlief meine Mutter.

Ratlos ging ich rückwärts aus dem Zimmer und blieb auf dem Treppenabsatz stehen.

Das war es. Der Initiationsritus. Erstmals allein daheim. Ich rückte in die Riege der älteren Kinder auf, und morgen würde ich auf dem Schulhof sagen können: Gestern Abend hat nicht unsere Nachbarin auf mich aufgepasst, ich bin allein zu Hause geblieben. Die anderen Mädchen würden große Augen machen. So lange schon hatte ich mir das gewünscht, und jetzt, da es so weit war, wusste ich nicht, was ich damit anfangen sollte. Ich hatte erwartet, dass ich augenblicklich und unwillkürlich in die neue Erfahrung hineinwachsen würde. Ich hatte gehofft, an diesem Abend einen ersten Blick auf die Person zu erhaschen, die ich einmal werden würde. Ich hatte mir gedacht, die vertraute, kindhafte Welt würde weichen, um mir das Geheimnis der erwachsenen Welt zu offenbaren. Stattdessen fühlte ich mich in meiner Unabhängigkeit nur noch kleiner. Stimmte etwas nicht mit mir? Würde ich je lernen, wie man erwachsen wird?

Ich überlegte tatsächlich, ob ich zu Mrs. Robb hinübergehen sollte. Nein. Es gab einen besseren Ort. Ich ging in das Zimmer meines Vaters und kroch unter sein Bett.

Der Abstand zwischen Boden und Gestell war geringer geworden, seit ich das letzte Mal unter dem Bett gelegen hatte. Der Ferienkoffer, bei Tage nicht weniger grau als jetzt im Dunkeln, drückte sich mir in die Schulter. Er enthielt unsere gesamte Sommerausstattung: Sonnenbrille, neue Filme für den Fotoapparat, den Badeanzug, den meine Mutter nie trug, aber trotzdem aufbewahrte. Auf der anderen Seite war ein Pappkarton. Ich fuchtelte mit den Fingern an den gewellten Deckelklappen herum, bahnte mir einen Weg hinein und wühlte darin herum. Die verdrehten Schnüre von einer Christbaum-Lichterkette. Federn am Rock des Engels. Damals, als ich ohne Probleme unter dieses Bett gepasst hatte, hatte ich noch an den Weihnachtsmann geglaubt. Jetzt nicht mehr. Konnte ich daraus schließen, dass ich groß geworden war?

Als ich mich unter dem Bett hervorwand, stieß ich gegen eine alte Keksdose aus Blech. Da war sie, zur Hälfte vom Volant des Betts bedeckt. Ich erinnerte mich an die Dose, sie war schon immer dort gewesen. Ein Bild mit schottischen Felsen und Fichten auf einem Deckel, der zu fest saß, um sich öffnen zu lassen. Halb in Gedanken versuchte ich, ihn zu lösen. Unter meinen älteren, kräftigeren Fingern gab er so leicht nach, dass ich erschrak. In dem Behälter fanden sich Vaters Pass und verschiedene Papiere unterschiedlichen Formats. Formulare, teils gedruckt, teils handgeschrieben. Hier und dort eine Unterschrift.

Für mich ist Sehen gleichbedeutend mit Lesen. So war es schon immer. Flüchtig ging ich die Dokumente durch. Die Heiratsurkunde meiner Eltern. Ihre Geburtsurkunden. Meine eigene Geburtsurkunde. Rot gedruckt auf cremeweißem Papier. Der Namenszug meines Vaters. Ich faltete sie wieder sorgsam zusammen, legte sie zu den anderen Formularen, die ich bereits gelesen hatte, und wandte mich der nächsten Urkunde zu. Sie war identisch mit meiner Geburtsurkunde. Ich war verwirrt. Wieso sollte ich zwei davon haben?

Dann sah ich es. Derselbe Vater, dieselbe Mutter, dasselbe Geburtsdatum, derselbe Geburtsort, *anderer Name.*

Was passierte in dem Moment mit mir? In meinem Kopf zerbrach alles in tausend Stücke und setzte sich anders wieder zusammen.

Ich hatte einen Zwilling.

Ich ignorierte den Aufruhr in meinem Kopf und entfaltete mit neugierigen Fingern ein zweites Blatt Papier.

Ein Totenschein.

Mein Zwilling war tot.

Jetzt wusste ich, was mit mir nicht stimmte.

Auch wenn mich die Entdeckung bestürzte, war ich nicht wirklich überrascht. Denn da war schon immer dieses Gefühl gewesen. Die Gewissheit – zu vertraut, als dass sie je der Worte bedurfte –, dass da etwas war. Eine andere Beschaffenheit der

Luft zu meiner Rechten. Eine Verstärkung des Lichts. Etwas Eigentümliches an mir, das leeren Raum in Schwingung versetzte. Mein blasser Schatten.

Indem ich mir die Hände in die rechte Seite stemmte, neigte ich den Kopf, sodass die Nase fast die Schulter berührte. Es war eine alte, unwillkürliche Geste bei Schmerz, Verwirrung oder unter irgendeinem Zwang. Zu vertraut, als dass ich mir bis zu diesem Moment, in dem ihre Bedeutung zu Tage trat, darüber Gedanken gemacht hätte. Es war die Suche nach meinem Zwilling. Da, wo er hingehörte. An meine Seite.

Als ich die beiden Papiere sah und als sich die Welt so weit erholt hatte, dass sie sich wieder gemächlich um ihre Achse drehte, dachte ich: Das ist es also. Verlust. Traurigkeit. Einsamkeit. Da war dieses Gefühl, das mich schon mein Leben lang abgesondert hatte und mein ständiger Begleiter gewesen war, und jetzt, da ich die Urkunden gefunden hatte, wusste ich, woher es kam. Von meiner Schwester.

Nach langer Zeit hörte ich, wie sich unten die Küchentür öffnete. Mit taubem Kribbeln in den Waden ging ich bis zum Treppenabsatz, und unten erschien Mrs. Robb.

»Alles in Ordnung, Margaret?«

»Ja.«

»Hast du alles, was du brauchst?«

»Ja.«

»Sonst komm einfach rüber.«

»Mach ich.«

»Dauert nicht mehr lange, bis sie wiederkommen, deine Mama und dein Papa.«

Sie ging.

Ich legte die Dokumente in die Dose zurück und schob sie wieder unters Bett. Dann verließ ich das Schlafzimmer und schloss die Tür hinter mir. Vor dem Badezimmerspiegel zuckte ich unter dem Schock des Augenkontakts zurück, als mein Blick auf den einer anderen traf. Unter ihren Augen brannte mein Gesicht. Ich spürte die Knochen unter der Haut.

Später dann die Schritte meiner Eltern auf der Treppe.

Ich öffnete die Tür, und auf dem Treppenabsatz nahm mich Vater in die Arme.

»Gut gemacht«, sagte er. »Eine glatte Eins.«

Mutter sah bleich und müde aus. Der Ausgang hatte ihr wahrscheinlich einen ihrer Migräneanfälle beschert.

»Ja«, sagte sie, »braves Mädchen.«

»Und? Wie war's, so ganz allein zu Hause?«

»Gut.«

»Hatte ich mir gedacht«, antwortete er. Und dann konnte er nicht an sich halten und umarmte mich noch einmal, so richtig mit beiden Armen, und küsste mich auf den Kopf. »Zeit zum Schlafen. Und lies nicht mehr so lange.«

»Nein.«

Später hörte ich meine Eltern zu Bett gehen. Wie Vater den Arzneischrank öffnete, um Mutter ihre Pillen zu holen, und dann ein Glas Wasser für sie besorgte. Seine Stimme mit den vertrauten Worten: »Wenn du erst geschlafen hast, wirst du dich besser fühlen.« Dann das Schließen der Tür zum Gästezimmer. Wenig später knarrte das Bett im anderen Zimmer, und ich hörte, wie das Licht bei meinem Vater ausgeknipst wurde.

Ich wusste über Zwillinge Bescheid. Aus einer Zelle, die eigentlich zu einem Menschen heranreifen soll, werden aus unerfindlichen Gründen zwei identische Wesen.

Ich war ein Zwilling.

Mein Zwilling war tot.

Was sagte das über mich?

Unter der Bettdecke drückte ich meine Hand gegen den

rosa-silbrigen Halbmond an meinem Rumpf. Den Schatten, den meine Schwester hinterlassen hatte. Wie eine auf Fleisch spezialisierte Archäologin untersuchte ich meinen Körper auf Spuren seiner im Dunkeln liegenden Geschichte. Ich fühlte mich so kalt an wie eine Leiche.

Den Brief noch immer in der Hand, verließ ich den Laden und ging nach oben in meine Wohnung. Auf jedem der drei mit Büchern voll gestopften Geschosse verengte sich die Treppe. Während ich das Licht hinter mir ausschaltete, legte ich mir Sätze für eine höfliche Absage zurecht. Ich sei, so viel könne ich ihr sagen, die falsche Biografin. Ich interessierte mich nicht für zeitgenössische Literatur und hätte keines ihrer Bücher gelesen. Ich sei in Büchereien und Archiven zu Hause und hätte noch keinen einzigen lebenden Schriftsteller interviewt. Ich fände mich besser mit Toten zurecht, die Lebenden dagegen machten mich, um ehrlich zu sein, eher nervös.

Der letzte Satz allerdings hatte in dem Brief nicht unbedingt etwas zu suchen. Ich konnte mich nicht dazu aufraffen, mir eine Mahlzeit zuzubereiten. Eine Tasse Kakao musste genügen. Ich wartete, bis die Milch heiß war, und sah aus dem Fenster. In der Scheibe erschien ein so bleiches Gesicht, dass der schwarze Himmel durchschimmerte. Wir drückten uns, Wange an kalte, glasige Wange, aneinander. Für jeden, der uns so gesehen hätte, wäre klar gewesen, dass man uns, sah man einmal von der Scheibe ab, nicht auseinander halten konnte.

# Dreizehn Geschichten

Ich will die Wahrheit hören. Die Worte aus dem Brief schwirrten mir im Kopf herum wie ein Vogel, der durch den Kamin hereingeflattert und nun unter der Schräge meiner Mansarde gefangen war. Es schien mir nur natürlich, dass die flehentliche Bitte des Jungen mir nicht gleichgültig war, nachdem ich selber nie die Wahrheit zu hören bekommen hatte, sondern allein und heimlich mit ihr konfrontiert wurde. Ich will die Wahrheit hören. *Ganz recht.*

Dennoch beschloss ich, mir die Worte und den Brief aus dem Kopf zu schlagen.

Es war bald so weit. Ich beeilte mich. Im Badezimmer seifte ich mir das Gesicht ein und putzte mir die Zähne. Um drei vor acht wartete ich im Nachthemd und in Schlappen darauf, dass der Kessel kochte. Schnell, schnell. Eine Minute vor acht. Meine Wärmflasche war fertig, und ich füllte ein Glas mit Wasser aus dem Hahn. Zeit war alles, denn um acht Uhr abends blieb die Welt für mich stehen. Es war Lesezeit.

Die Stunden zwischen acht Uhr abends und ein oder zwei Uhr früh sind schon immer meine magischen Stunden gewesen. Auf dem blauen Chenilleplüsch des Bettüberwurfs leuchteten die weißen Seiten meines aufgeschlagenen Buchs im Lichtkegel einer Lampe – das war das Tor zu einer anderen Welt. Doch an diesem Abend wirkte der Zauber nicht. Die Handlungsfäden, die über Nacht die Spannung gehalten hatten, waren tagsüber erschlafft und hingen durch, und ich merkte, dass ich nicht die Konzentration aufbrachte, um zu sehen, wie sie sich auf den nächsten Seiten verwoben. Ich setzte alles daran, mich an einem Erzählstrang festzuhalten, doch kaum war es mir gelungen, mischte sich eine Stimme ein: Ich will die Wahrheit hören. Die Spannung löste sich auf, sodass die Erzählfäden einzeln herunterbaumelten.

Dann wollte ich es mit den alten Lieblingsbüchern versuchen: *Die Frau in Weiß, Sturmhöhe, Jane Eyre…*

Doch da war nichts zu machen. Ich will die Wahrheit hören.

Ich machte das Licht aus, bettete meinen Kopf auf dem Kissen und versuchte zu schlafen.

Echos von fernen Stimmen, Teile einer Geschichte. Im Dunkeln wurden sie lauter. Ich will die Wahrheit hören.

Um zwei Uhr morgens stand ich dann wieder auf, zog mir Socken an, schloss die Wohnungstür auf und huschte die schmale Treppe hinunter in den Laden. Vom hinteren Teil geht ein winziger Raum ab, nicht viel größer als eine Kammer, in dem wir die Bücher zum Verschicken verpacken. Er verfügt über einen Tisch und, auf einem Regal, über Bögen Packpapier, ein Knäuel Bindfaden und eine Schere. Außerdem gibt es einen Wandschrank aus Holz mit etwa einem Dutzend Bücher.

Der Inhalt des Schränkchens bleibt fast immer unverändert. Würden Sie heute hineinsehen, dann sähen Sie darin dasselbe wie ich in jener Nacht: ein Buch ohne Einband, das auf der Seite liegt, und daneben ein Exemplar in einem hässlichen Ledereinband. Zwei aufrecht stehende Schwarten auf Latein. Eine alte Bibel. Drei Bände über Botanik, zwei über Geschichte und einer über Astronomie. Ein Buch auf Japanisch, ein weiteres auf Polnisch und eines mit altenglischen Gedichten. Wieso wir diese Bücher gesondert aufbewahren? Wieso sie nicht bei ihren Gefährten in unseren fein säuberlich gekennzeichneten Regalen stehen? In diesem Schrank bewahren wir die kostbaren Raritäten auf. Diese Bände sind so viel wert wie der gesamte übrige Laden, eher mehr.

Das Buch, auf das ich es abgesehen hatte – ein schmales Leinenbändchen, etwa zehn mal fünfzehn Zentimeter und nur etwa fünfzig Jahre alt –, fiel unter diesen Antiquitäten aus dem Rahmen. Es war erst vor wenigen Monaten aufgetaucht, von meinem Vater wohl versehentlich hier eingeordnet; bei Gelegenheit würde ich ihn danach fragen und es in eines der Regale stellen. Dennoch zog ich vorsichtshalber die weißen Handschuhe an. Wir halten sie im Schrank bereit, um sie zu tragen, wenn wir diese Bücher anfassen, denn, so paradox es auch klingt, erwecken wir die Bücher zwar durchs Lesen zum Leben, zerstören sie aber zugleich beim Blättern durch die Fette an unseren Fingerspitzen. Jedenfalls befand sich dieses Buch, das zu einer beliebten, anspruchsvollen Reihe eines nicht mehr existierenden Verlags gehörte, mit seinem unbeschädigten Schutzumschlag und den sauberen, spitzen Ecken in einem tadellosen Zustand. Ein wunderschöner Band und eine Erstausgabe, aber nicht das, was man in der Schatztruhe vermutete. Auf Flohmärkten und Volksfesten wechseln andere Bände aus der Reihe für wenige Pennys den Besitzer.

Der Schutzumschlag war cremefarben und grün: Ein regelmäßiges Motiv, das an Fischschuppen erinnerte, bildete den Hintergrund, und zwei Rechtecke waren frei gelassen – das eine für die Strichzeichnung einer Meerjungfrau, das andere für den Titel und den Namen der Verfasserin. Vida Winter, *Dreizehn Geschichten von Wandel und Verzweiflung.*

Ich schloss den Schrank wieder ab, legte den Schlüssel und die Taschenlampe an ihren Platz und kehrte die Treppe hinauf ins Bett zurück.

Ich hatte nicht vor zu lesen. Nicht richtig. Lediglich ein paar Sätze. Etwas Markantes, etwas Ungewöhnliches, das die Worte aus dem Brief, die mir im Kopf widerhallten, verstummen ließ.

Den Teufel mit dem Beelzebub austreiben, wie der Volksmund sagt. Ein paar Sätze, vielleicht eine Seite, dann würde ich schlafen können.

Ich entfernte den Schutzumschlag und legte ihn zur Sicherheit in das eigens dafür vorgesehene Schubfach. Selbst mit Handschuhen kann man nicht vorsichtig genug sein. Sobald ich das Buch aufschlug, atmete ich tief ein. Der Geruch von alten Büchern, so scharf, so trocken, dass man ihn schmecken kann.

Das Motto. Nur ein paar spärliche Worte.

Doch kaum hatte ich die erste Zeile überflogen, konnte ich mich nicht mehr lösen.

> »Alle Kinder mythologisieren ihre Geburt. Das ist nur allzu menschlich. Du willst jemanden wirklich kennen lernen? Mit Leib und Seele? Dann frag ihn, wann und wo er das Licht der Welt erblickt hat. Du wirst nicht die Wahrheit zu hören bekommen, sondern eine Geschichte. Und nichts ist so aufschlussreich wie eine Geschichte.«

Es war wie ein Sprung ins Wasser.

Prediger und Prinzen, Büttel und Bäckersbursch, Eselstreiber und Elfen schienen auf Anhieb vertraut. Ich hatte diese Geschichten hundert, ja schon tausend Mal gelesen. Es waren Geschichten, die jeder kannte. Doch während ich las, fiel nach und nach das Vertraute von ihnen ab. Sie wurden fremd. Sie wurden neu. Diese Charaktere waren nicht die bunten Knirpse aus den Bilderbüchern meiner Kindheit. Es waren *Menschen.* Das Blut, das vom Finger der Prinzessin tropfte, als sie das Spinnrad berührte, war nass, und es hinterließ den strengen Geschmack von Metall auf ihrer Zunge, als sie es sich ableckte, bevor sie in tiefen Schlummer fiel. Beim Anblick seiner bewusstlosen Tochter brannte dem König das Salz seiner Tränen auf den Wangen. Die Geschichten schillerten in einer irritierenden Stimmung. Jedem erfüllte sich sein Herzenswunsch: Die Tochter des Königs wurde durch den Kuss eines Fremden wieder zum Leben erweckt, das Biest warf den Pelz ab und blieb als nackter Mann zurück, die Seejungfer konnte laufen; doch erst, als es zu spät war, erkannten sie, welchen Preis sie dafür zahlen mussten, ihrem Schicksal zu entrinnen. Jedes »Glücklich bis ans Ende ihrer Tage« hatte einen bitteren Beigeschmack. Das Schicksal, das sich erst so gefügig, so kompromissbereit gezeigt hatte, forderte am Ende einen grausamen Tribut.

Die Geschichten waren schneidend und herzzerreißend brutal. Ich liebte sie.

Noch während ich die Geschichte von der Seejungfer – die zwölfte Geschichte – las, überkam mich eine Unruhe, die nichts mit dem Verlauf der Erzählung selbst zu tun hatte. Ich war verwirrt. Mein Daumen und mein rechter Zeigefinger schickten mir ein Signal: Nicht mehr viele Seiten übrig. Dieser Gedanke setzte mir so lange zu, bis ich das Buch umdrehte, um nachzusehen. Es stimmte. Die dreizehnte Geschichte war demnach sehr kurz.

Ich las die zwölfte zu Ende und blätterte weiter.

Eine leere Seite.

Ich blätterte zurück und wieder vor. Nichts.

*Es gab keine dreizehnte Geschichte.*

Mir rauschte das Blut im Kopf. Mir wurde flau, ich fühlte mich wie ein Tiefseetaucher, der zu schnell an die Oberfläche schwimmt.

Nach und nach blieb mein Blick wieder an den Einzelheiten meines Zimmers haften. Der Überwurf auf dem Bett, das Buch in meiner Hand, die Lampe, die immer noch blass im ersten Tageslicht schien, das durch die dünnen Gardinen kroch.

Es war Morgen.

Ich hatte die ganze Nacht gelesen.

Es gab keine dreizehnte Geschichte.

Im Laden saß mein Vater, den Kopf in die Hände gestützt, am Schreibtisch. Er hörte mich die Treppe herunterkommen und sah mit bleichem Gesicht auf.

»Was ist passiert?«, fragte ich und schoss auf ihn zu.

Er war zu schockiert, um etwas zu sagen; er hob die Arme zu einer stummen, verzweifelten Geste, bevor er die Hände langsam wieder über die vor Entsetzen aufgerissenen Augen legte. Er stöhnte.

Meine Hände schwebten über Vaters Schultern, doch ich bin es nicht gewöhnt, andere zu berühren, und so ließ ich sie auf seine Strickjacke sinken, die über der Stuhllehne hing.

»Gibt es irgendetwas, das ich tun kann?«, fragte ich.

»Wir werden die Polizei rufen müssen. Gleich. Gleich …« Es klang, als verkündete er das Ende der Welt.

»Die Polizei? Vater – was ist passiert?«

Ich sah mich verdutzt im Laden um. Alles schien in bester Ordnung. Die Schreibtischschubladen ließen keine Zeichen von Gewalteinwirkung erkennen, die Regale waren nicht durchwühlt, die Fenster nicht eingeschlagen.

»Der Schrank«, sagte er, und mir dämmerte es.

»Die *Dreizehn Geschichten.*« Ich sprach in festem Ton. »Oben in meiner Wohnung. Ich hab sie mir ausgeborgt.«

Vater sah zu mir auf. In seinem Gesicht mischte sich Erleichterung mit äußerstem Staunen.

»Du hast sie dir *ausgeborgt?*«

»Ja.«

»*Du?*«

»Ja.« Ich war irritiert. Er wusste, dass ich mir Bücher aus dem Laden borgte.

»Aber *Vida Winter*...?«

Ich war ihm tatsächlich eine Erklärung schuldig.

Ich las Romane aus *früheren* Jahrhunderten. Es gibt einen schlichten Grund dafür: Ich bevorzuge ein richtiges Ende. Heirat und Tod, ein selbstloses Opfer, eine wundersame Wiederherstellung des Rufs, eine tragische Trennung, ein unverhofftes Wiedersehen, ein tiefer Absturz und die Erfüllung eines Traums. Ein solcher Schluss ist meiner Meinung nach das Warten wert. Es sollte auf Abenteuer und Gefahren, auf scheinbar ausweglose Konflikte folgen – Krönung und Auflösung der gesamten Handlung. Einen solchen Schluss trifft man eher bei alten als bei neuen Romanen an, und deshalb lese ich die alten.

Zeitgenössische Literatur ist eine Welt, von der ich wenig weiß. Mein Vater hatte mich in unseren täglichen Gesprächen über Bücher zu diesem Thema ins Gebet genommen. Er liest genauso viel wie ich, aber vielseitiger, und ich habe großen Respekt vor seiner Meinung. Er hat mir in präzisen, wohlgesetzten Worten die schöne Trostlosigkeit beschrieben, die er beim Schluss eines Romans empfindet, dessen Botschaft da lautet: Dem menschlichen Leid ist kein Ende gesetzt, man kann es nur mit Würde ertragen. Er hat mir von Schlüssen erzählt, die, obwohl verhalten, länger im Gedächtnis nachklingen als die lauten, explosiveren Enden. Er hat mir erklärt, weshalb ihn Ambiguität mehr berührt als glückliche Hochzeit oder tragischer Tod, wie ich sie liebe.

Bei diesen Gesprächen höre ich ihm mit größter Aufmerksamkeit zu und nicke, ohne dann aber meine alten Gewohnheiten aufzugeben. Nicht, dass er mir dafür Vorwürfe macht.

In einer Hinsicht herrscht zwischen uns Einigkeit: Es gibt zu viele Bücher, um sie in einer Lebensspanne zu lesen, man muss folglich irgendwo die Grenze ziehen.

Einmal erzählte mir Vater sogar von Vida Winter. »Es gibt da eine lebende Autorin, die dir gefallen würde.«

Aber ich hatte trotzdem nie etwas von ihr gelesen. Wieso auch, es gab für mich noch so viele tote Autoren zu entdecken.

Bis gestern. Mein Vater hatte guten Grund, sich zu fragen, wieso ich mir die *Dreizehn Geschichten* aus dem Schrank geholt hatte.

»Ich hab einen Brief bekommen«, fing ich an.

Er nickte.

»Er war von Vida Winter.«

Vaters Augenbrauen schnellten hoch, doch er hörte mir weiter schweigend zu.

»Sie lädt mich ein. Sie bietet mir an, ihre Biografie zu schreiben.«

Seine Brauen hoben sich noch ein paar Millimeter.

»Ich konnte nicht schlafen, deshalb bin ich runtergekommen, um mir das Buch zu holen.«

Ich wartete darauf, dass er etwas sagte, doch er schwieg immer noch. Er überlegte und runzelte die Stirn. Nach einer Weile fragte ich: »Weshalb hebst du es im Schrank auf? Was ist so wertvoll daran?«

Vater riss sich von seinen Gedanken los, um mir zu antworten. »Zunächst einmal, weil es die Erstausgabe des ersten Buchs der berühmtesten lebenden englischsprachigen Schriftstellerin ist. Vor allem aber, weil es einen Makel hat. Sämtliche weiteren Ausgaben sind *Geschichten von Wandel und Verzweiflung* betitelt. Keine Dreizehn. Du hast sicher gemerkt, dass es nur zwölf Geschichten sind?«

Ich nickte.

»Vermutlich waren ursprünglich dreizehn geplant, aber nur zwölf wurden eingereicht. Doch sie müssen dann die beiden Entwürfe für den Umschlag verwechselt haben, und das Buch wurde mit dem ursprünglichen Titel und nur zwölf Geschichten gedruckt. Sie sahen sich zu einer Rückrufaktion gezwungen.«

»Aber dein Exemplar ...«

»Ist ihnen durchs Netz gegangen. Ein Stapel wurde an ein Geschäft in Dorset ausgeliefert, und ein Kunde hatte bereits ein Exemplar gekauft, bevor der Laden die Nachricht bekam, die Bücher wieder einzupacken und zurückzuschicken. Vor dreißig Jahren wurde ihm bewusst, welchen Wert das Buch haben könnte, und er verkaufte es an einen Sammler. Im September kam dessen Nachlass unter den Hammer, und ich habe es gekauft. Von dem Erlös aus dem Avignon-Geschäft.«

»Dem Avignon-Geschäft?« Diese Transaktion hatte er zwei Jahre lang angebahnt. Sie zählte zu Vaters einträglichsten Erfolgen.

»Du hattest natürlich Handschuhe an?«, fragte er verlegen.

»Wofür hältst du mich?«

Er lächelte, bevor er fortfuhr: »Die ganze Mühe umsonst.«

»Wie meinst du das?«

»Dass sie das Buch zurückgerufen haben, weil der Titel falsch war. Die Leute nennen es immer noch *Dreizehn Geschichten*, obwohl es seit einem halben Jahrhundert als *Geschichten von Wandel und Verzweiflung* aufgelegt wird.«

»Und wie kommt das?«

»Die Mischung aus Ruhm und Geheimniskrämerei macht's. Da man so wenig über Vida Winters wirkliches Leben weiß, bekommen Informationssplitter, wie die Sache mit dem Rückruf der ersten Ausgabe, übermäßiges Gewicht. Das ist ein Teil des Mythos, der sich um sie rankt. Das Geheimnis der dreizehnten Geschichte – das ist der Stoff für Spekulationen.«

Es herrschte kurzes Schweigen. Dann richtete er den Blick irgendwo vage auf halbe Distanz und murmelte wie nebenbei vor sich hin, sodass es mir überlassen war, ob ich seine Worte aufgreifen oder überhören wollte. »Und jetzt eine Biografie … Wer hätte das für möglich gehalten.«

Ich dachte an den Brief, meine Angst, dass dem Urheber nicht zu trauen sei. Ich dachte an die nachdrücklichen Worte des jungen Mannes: Ich will die Wahrheit hören. Ich dachte an die *Dreizehn Geschichten* – schon die ersten Sätze hatten von mir Besitz ergriffen und mich die ganze Nacht nicht mehr losgelassen. Ich wollte noch einmal gefangen genommen werden.

»Ich weiß nicht, was ich machen soll«, sagte ich zu meinem Vater.

»Es ist anders als das, was du bisher gemacht hast. Vida Winter lebt. Das heißt Interviews statt Archive.«

Ich nickte.

»Aber du möchtest den Menschen kennen lernen, der die *Dreizehn Geschichten* geschrieben hat?«

Wieder nickte ich. Mein Vater legte die Hände auf die Knie und seufzte. Er weiß um die Kraft, die das Lesen birgt.

»Wann sollst du kommen?«

»Am Montag«, antwortete ich.

»Ich bring dich zum Bahnhof, einverstanden?«

»Danke. Und …«

»Ja?«

»Kann ich mir ein paar Tage freinehmen? Ich sollte noch ein bisschen lesen, bevor ich da rauffahre.«

»Ja«, sagte er mit einem Lächeln, das seine Sorge nicht verbergen konnte. »Ja, natürlich.«

Es folgten die wundervollsten Momente seit meiner Kindheit. Zum allerersten Mal stapelten sich auf meinem Nachttisch brandneue Hochglanz-Taschenbücher, die ich in einem gewöhnlichen Buchladen erstanden hatte. *Zwischen allen Stühlen* von Vida Winter, *Einmal ist keinmal* von Vida Winter, *Heimsuchungen* von Vida Winter, *Aus den Augen, aus dem Sinn* von Vida Winter, *Nach allen Regeln der Not* von Vida Winter, *Das Geburtstagskind* von Vida Winter, *Das Puppentheater* von Vida Winter. Die Umschläge, alle vom selben Illustrator, strotzten vor heißblütiger Kraft: bernsteinfarben und purpurrot, golden und tiefviolett. Ich kaufte sogar ein Exemplar der *Geschichten von Wandel und Verzweiflung*; der Titel wirkte ohne das Wort dreizehn, das dem Exemplar meines Vaters seinen Wert verlieh, so nackt. Seine Ausgabe hatte ich wieder in den Schrank gelegt.

Natürlich hofft man immer auf etwas Besonderes, wenn man sich in die Bücher eines unbekannten Autors vertieft, und bei den Büchern von Miss Winter packte mich dieselbe Erregung wie beispielsweise bei meiner Entdeckung der Landier-Tagebücher. Aber es ging darüber hinaus. Ich bin schon immer eine Leseratte gewesen, ich habe in jeder Phase meines Lebens gelesen; es gab keine Zeit, in der nicht Lesen mein allergrößtes Vergnügen gewesen wäre. Und doch kann ich nicht von mir behaupten, dass die Lektüre heute auf mich dieselbe Wirkung ausübt wie in den Kindheitstagen. Ich glaube noch immer an Geschichten. Ich vergesse bei einem guten Buch noch immer alles um mich herum. Und dennoch ist es nicht dasselbe. Ich muss dazu sagen, dass Bücher für mich das Wichtigste im Leben sind; dabei kann ich allerdings nicht vergessen, dass sie früher banaler und zugleich zentraler für mich waren. In meiner Kindheit waren Bücher mein Ein und Alles. Und so habe ich bis heute eine nostalgische Sehnsucht nach dieser inzwischen *verlorenen* Freude an Büchern. Es ist eine Art von Sehnsucht, die keine Hoffnung auf Erfüllung in sich trägt. In diesen Tagen jedoch, in denen ich den ganzen Tag und die halbe Nacht mit Lesen verbrachte, in denen ich unter einem quer über die Tagesdecke verstreuten Haufen Bücher schlief und nach einem kurzen, schwarzen, traumlosen Schlaf erwachte, um weiterzulesen, kehrten die verloren geglaubten Freuden zurück. Miss Winter gab mir die Jungfräulichkeit des Leseneulings wieder und ergriff mit ihren Geschichten von mir Besitz.

Von Zeit zu Zeit klopfte Vater an meine Tür, trat ein – und starrte mich an. Ich musste diesen benommenen Blick haben, der vom Rückzug in eine andere Welt zeugt. »Du vergisst hoffentlich nicht zu essen?«, fragte er und reichte mir eine Tüte mit Lebensmitteln oder eine Flasche Milch.

Am liebsten wäre ich für immer und ewig mit diesen Büchern in meiner Wohnung geblieben. Doch wenn ich nach Yorkshire wollte, um dort Miss Winter zu besuchen, musste ich mich noch auf andere Weise vorbereiten. Ich unterbrach meine Lektüre für einen Tag und ging in die Bücherei. Im Zeitungsarchiv durchforstete ich die Rezensionsseiten der überregionalen Blätter, immer kurz nach Erscheinen des jeweils neuesten Winter-Romans, und studierte die Kritiken. Bei jedem Buch hatte Miss Winter ein Journalistenheer in ein Hotel in Harrogate bestellt, wo sie sich mit einem nach dem anderen zusammensetzte und ihre so genannte Lebensgeschichte zum Besten gab. Es mussten Dutzende, vielleicht Hunderte solcher Geschichten in Umlauf sein. Ich fand auf Anhieb nahezu zwanzig.

Nach der Veröffentlichung von *Zwischen allen Stühlen* war sie das geheime Kind eines Priesters und einer Lehrerin. Ein Jahr darauf nach der Publikation von *Heimsuchungen* sorgte die Variante für Wirbel, wie sie als Kind einer persischen Kurtisane durchgebrannt war. Für *Das Puppentheater* war sie für unterschiedliche Blätter eine in einem Schweizer Nonnenkloster aufgezogene Waise, ein Straßenkind aus den Hinterhöfen des East End und das einzige unterdrückte Mädchen in einer Familie mit zehn ungestümen Jungen. Besonders gefiel mir die Version, in der sie in Indien durch Zufall von ihren schottischen Missionarseltern getrennt wurde und auf den Straßen von Bombay als Geschichtenerzählerin notdürftig ihr Dasein fristete. Sie gab Geschichten von Kiefern zum Besten, die nach Koriander riechen, von Bergen, so schön wie der Taj Mahal, von Haggis, das tausend Mal köstlicher schmeckt als jedes Pakora am Stand um die Ecke, und von Dudelsäcken. Ach, der Klang des Dudelsacks! So schön, dass er jeder Beschreibung spottet! Als sie Jahre später nach Schottland heimkehrte – in ein Land, das sie als kleines Kind verlassen hatte –, war sie herb enttäuscht. Die Fichten rochen gar nicht nach Koriander. Schnee war kalt. Haggis schmeckte fade. Und der Dudelsack …

Trocken und sentimental, tragisch und hart, komisch und verschmitzt – jede einzelne dieser Geschichten war für sich ein kleines Meisterwerk. Jede einzelne wäre für einen Autor bescheideneren Formats die Krönung seines Schaffens. Für Vida Winter waren sie jedoch nichts weiter als Abfallprodukte. Ich glaube nicht, dass sie irgendjemand für bare Münze nahm.

Es war Sonntag, der Tag vor meiner Abreise, und ich verbrachte ihn im Haus meiner Eltern. Es bleibt sich immer gleich; ein einziges wölfisches Prusten könnte es in Schutt und Asche legen.

Meine Mutter begrüßte mich mit einem zarten, angespannten Lächeln und plapperte bei Tee und Kuchen munter vor sich hin. Der Nachbarsgarten, Bauarbeiten in der Stadt, ein neues Parfüm, von dem sie Ausschlag bekam. Unbeschwertes, leeres Geschwätz als Bollwerk gegen das Schweigen, die Stille, in der ihre Dämonen lauerten. Sie schlug sich gut: Nichts verriet, dass sie es kaum ertrug, das Haus zu verlassen, dass ihr schon ein unbedeutendes, unerwartetes Ereignis Migräne bereitete, dass sie aus Angst, mit unwillkommenen Gefühlen konfrontiert zu werden, kein Buch zu lesen wagte.

Vater und ich warteten, bis Mutter in die Küche ging, um frischen Tee zu kochen, bevor wir über Miss Winter sprachen.

»Es ist nicht ihr richtiger Name«, erzählte ich ihm. »Sonst wäre es leicht, ihre wahre Geschichte aufzustöbern. Aber früher oder später hat es jeder aus Mangel an Informationen aufgegeben. Niemand weiß auch nur das Geringste über sie.«

»Schon seltsam.«

»Es ist, als käme sie aus dem Nichts. Als hätte sie überhaupt nicht existiert, bevor sie Schriftstellerin geworden war. Als hätte sie sich zusammen mit ihrem ersten Buch erfunden.«

»Wenigstens wissen wir, welches Pseudonym sie sich ausgesucht hat. Das sagt auch schon etwas über sie aus«, wandte mein Vater ein.

»Vida. Aus dem Lateinischen, *vita*, Leben. Obwohl, ich kann mir nicht helfen, aber ich muss auch ans Französische denken.«

Französisch *vide* heißt leer. Die Leere. Das Nichts. Doch in meinem Elternhaus spricht man solche Wörter nicht aus, daher überließ ich die Schlussfolgerungen meinem Vater.

»Richtig.« Er nickte. »Und Winter?«

Winter. Ich sah aus dem Fenster, um mich inspirieren zu lassen. Hinter dem Gespenst meiner Schwester reckten sich kahle Äste über den dunklen Himmel, und die Blumenbeete bestanden aus nackter, brauner Erde. Die Scheibe bot keinen

Schutz vor der Kälte; trotz des Gasfeuers schien der Raum von trostloser Verzweiflung erfüllt. Welche Bedeutung hatte Winter für mich? Nur eine: Tod.

Es herrschte Schweigen. Als es unumgänglich wurde, etwas zu sagen, damit nicht der vorangegangene Wortwechsel drückend schwer im Raume stand, sagte ich: »Es ist ein widerborstiger Name. V und W. Vida Winter. Äußerst widerborstig.«

Meine Mutter kam zurück. Während sie Tassen auf die Untertassen stellte und Tee eingoss, plauderte sie weiter und ließ ihrer Stimme innerhalb ihrer streng gehüteten Lebensparzelle freien Lauf, als handelte es sich um sieben Morgen Land.

Ich war mit den Gedanken woanders. Auf dem Kaminsims über dem Feuer befand sich der einzige Gegenstand im Raum, den man als dekorativ bezeichnen konnte. Eine Fotografie. Immer wieder einmal spricht meine Mutter davon, das Bild in eine Schublade zu stecken, wo es nicht verstaubt. Aber mein Vater sieht es gerne, und da er ihr so selten widerspricht, gibt sie ihm in dieser Frage nach. Es ist das Foto einer jungen Braut mit ihrem Bräutigam. Vater ist wie immer: unaufdringlich gut aussehend, mit dunklen, nachdenklichen Augen; die Jahre haben ihn nicht verändert. Die Frau jedoch ist kaum als meine Mutter zu erkennen. Ein spontanes Lächeln, ein Lachen in den Augen, Wärme in ihrem Blick, der meinem Vater gilt. Sie sieht glücklich aus.

Tragödien ändern alles.

Ich kam zur Welt, und die Frau auf dem Hochzeitsfoto verschwand.

Ich blickte in den toten Garten. Gegen das schwindende Licht schwebte mein Schatten im Glas und schaute in das tote Zimmer. Was mag sie wohl von uns halten?, fragte ich mich. Was hält sie von unseren Versuchen, uns einzureden, das hier sei Leben und wir führten tatsächlich eines?

# Ankunft

Ich reiste an einem gewöhnlichen Wintertag ab, und viele Meilen weit fuhr der Zug unter einem Himmel aus weißer Gaze. Dann stieg ich um, und die Wolken verdichteten sich. Sie schwollen an und wurden dunkler, aufgedunsener, je weiter ich nach Norden kam. Jeden Moment rechnete ich damit, dass die ersten Regentropfen an die Scheibe prasselten. Doch der Regen blieb aus.

In Harrogate machte Miss Winters Fahrer, ein dunkelhaariger, bärtiger Mann, wenig Anstalten, mit mir ins Gespräch zu kommen. Ich war ganz froh, denn seine Schweigsamkeit gab mir die Möglichkeit, die ungewohnte Aussicht zu genießen. Noch nie hatte mich etwas Richtung Norden geführt. Zu meinen Recherchen musste ich nach London und ein, zwei Mal über den Ärmelkanal zu Bibliotheks- und Archivbesuchen nach Paris. Die Grafschaft Yorkshire kannte ich nur aus Romanen, noch dazu Romanen aus einem anderen Jahrhundert. Kaum hatten wir die Stadt hinter uns gelassen, verlor sich die Gegenwart, und so konnte ich mich der Fiktion überlassen, nicht nur aufs Land, sondern auch in die Vergangenheit zu reisen. Die Dörfer mit ihren Kirchen und Pubs und steinernen Cottages waren entzückend. Je weiter wir fuhren, desto kleiner wurden sie und desto größer wurde der Abstand zwischen ihnen, bis nur noch vereinzelte Bauernhäuser in die winterlich kahlen Felder eingestreut waren. Schließlich befanden wir uns fern jeglicher Behausung, und die Dunkelheit brach herein. Die Scheinwerferkegel ließen ein farbloses Einerlei der Landschaft erkennen: keine Zäune, keine Mauern, keine Hecken, keine Gebäude. Nur eine unbefestigte Straße und zu beiden Seiten vage, wellenförmige Finsternis.

»Ist das hier das Hochmoor?«, fragte ich.

»Ja«, sagte der Fahrer, und ich lehnte mich näher ans Fenster, konnte jedoch nichts weiter sehen als den voll gesogenen Himmel, der klaustrophobisch auf die Landschaft, auf die Straße und den Wagen drückte. Ab einer gewissen Entfernung verlosch sogar unser Scheinwerferlicht.

An einer nicht gekennzeichneten Kreuzung bogen wir von der Straße ab und holperten ein paar Meilen auf einem steinigen Feldweg entlang. Der Fahrer hielt zwei Mal an, um ein Tor zu öffnen und wieder hinter uns zu schließen, und wir ließen uns eine weitere Meile durchrütteln.

Miss Winters Haus lag im Dunkeln zwischen zwei sanften Hügeln, die in einer Talsohle ineinander übergingen. Erst in der letzten Kurve unserer Fahrt war das Haus zu sehen. Der Himmel glühte jetzt in Indigo, Violett und Eisengrau, und das niedrige, lang gestreckte Haus duckte sich tiefschwarz darunter. Der Fahrer öffnete mir den Wagenschlag. Als ich ausstieg, sah ich, dass er bereits meinen Koffer abgeladen hatte und Anstalten machte, sofort wieder abzufahren und mich allein vor einer unbeleuchteten Eingangstür zurückzulassen. Geschlossene Läden verdunkelten die Fenster; nichts gab zu erkennen, ob das Haus bewohnt war oder nicht. Verriegelt und verrammelt, schien es Besucher abzuweisen.

Ich drückte die Klingel. Sie klang in der feuchten Luft eigentümlich gedämpft. Während ich wartete, sah ich in den Himmel. Die Kälte kroch mir durch die Schuhsohlen, und ich schellte erneut. Es kam immer noch niemand an die Tür.

Als ich gerade zum dritten Mal klingeln wollte, öffnete sich die Tür zu meiner Überraschung vollkommen geräuschlos.

Die Frau im Eingang schenkte mir ein dienstbeflissenes Lächeln und entschuldigte sich dafür, dass sie mich hatte warten lassen.

Auf den ersten Blick wirkte sie vollkommen unscheinbar. Ihr kurzes, ordentliches Haar war von ähnlich blasser Farbe wie ihre Haut, und ihre Augen waren weder blau noch grau noch grün. Mehr jedoch als durch den Mangel an Farbe machte sie wegen ihrer Ausdruckslosigkeit einen faden Eindruck. Mit ein wenig Gefühl oder Wärme hätten ihre Augen vermutlich einen lebendigen Schimmer gehabt, und während sie meinen prüfenden Blick ungerührt erwiderte, kam mir der Gedanke, dass ihre Undurchdringlichkeit gespielt war.

»Guten Abend«, sagte ich. »Mein Name ist Margaret Lea.«

»Die Biografin. Wir haben Sie schon erwartet.«

Wie kommt es eigentlich, dass wir glauben, andere Menschen durchschauen zu können? Immerhin verstand ich in diesem Moment sehr deutlich, dass sie beunruhigt war. Vielleicht haben Emotionen einen Geruch oder Geschmack; vielleicht senden wir sie eher unbewusst durch atmosphärische Schwingungen aus. Wie dem auch sei, ich wusste im selben Moment, dass nicht meine Person sie alarmierte, sondern allein der Umstand, dass eine Fremde gekommen war.

Sie bat mich herein und schloss die Tür hinter mir. Ohne ein Geräusch zu machen, drehte sich der Schlüssel im Schloss, und auch, als die gut geölten Riegel vorgeschoben wurden, war nichts zu hören.

Während ich noch im Mantel in der Eingangshalle stand, erlebte ich zum ersten Mal etwas äußerst Seltsames an diesem Ort. Miss Winters Haus war vollkommen still.

Die Frau stellte sich mir als Judith vor und erklärte, sie sei die Haushälterin. Sie fragte mich, wie die Reise gewesen sei, und erwähnte die Zeit für die Mahlzeiten und wann am sichersten mit heißem Wasser zu rechnen sei. Ihr Mund ging auf und zu, doch kaum waren ihr die Worte über die Lippen gekommen, wurden sie von der Stille, die sich wie eine Decke über uns legte, erstickt. Dieselbe Stille schluckte unsere Schritte, dämpfte das Öffnen und Schließen von Türen, als sie mir das Esszimmer, dann das Wohnzimmer und das Musikzimmer zeigte.

Man brauchte keine übernatürliche Erklärung für diese Stille: Sie kam von den Einrichtungsstoffen. Üppige Plüschsofas, auf denen sich Samtkissen türmten, gepolsterte Schemel, Chaiselongues und Armlehnstühle, Tapisserien hingen an den Wänden oder dienten als Überdecken auf den ohnehin schon weichen Möbeln. Jeder Boden verschwand unter Teppichware, auf der wiederum Perserbrücken lagen. So wie Löschpapier Tinte, so sogen diese Textilien alle Geräusche auf, wenn auch mit einem Unterschied: Wo Löschpapier nur ein Übermaß an Flüssigkeit absorbiert, schienen sie die Essenz der Worte zu schlucken.

Ich folgte der Haushälterin. Wir wandten uns nach links, nach rechts, dann wieder nach rechts, gingen anschließend links um die Ecke, Treppen hoch und hinunter, bis ich die Orientierung vollkommen verloren hatte. Auch kam mir das Gefühl dafür abhanden, wie dieses labyrinthische Innere zum unscheinbaren Äußeren des Hauses passte. Das Haus war im Lauf der Zeit verändert worden, hatte den einen oder anderen Anbau bekommen; vermutlich befanden wir uns gerade in einem solchen neuen Flügel, der von außen nicht zu sehen war. »Sie gewöhnen sich schon dran«, beantwortete die Haushälterin meine stumme Frage, und ich konnte ihr die Bemerkung nur von den Lippen lesen. Schließlich kehrten wir einem Treppenabsatz auf einem Zwischengeschoss den Rücken und blieben stehen. Sie schloss eine Tür auf, die in ein Wohnzimmer führte. Es verfügte über drei weitere Türen. »Badezimmer«, sagte sie beim Öffnen der ersten Tür, »Schlafzimmer« beim Öffnen der zweiten und »Arbeitszimmer« beim Öffnen der dritten. Die Zimmer waren genauso mit Kissen, Gardinen und Wandbehängen ausstaffiert wie das übrige Haus.

»Wollen Sie Ihre Mahlzeiten im Esszimmer einnehmen oder lieber hier?«, fragte sie und wies auf den kleinen Tisch und den Stuhl am Fenster.

Ich wusste nicht, ob Mahlzeiten im Esszimmer bedeuteten, dass ich mit meiner Gastgeberin aß, und da ich nicht ganz sicher war, welchen Status ich im Haus genoss (war ich nun Gast oder Angestellte?), zögerte ich und überlegte, welche Wahl die höflichere war. Als ob sie den Grund meines Schweigens ahnte, fügte die Haushälterin hinzu: »Miss Winter speist immer allein«, und es schien sie Mühe zu kosten, gegen ihre gewohnte Schweigsamkeit anzukämpfen.

»Wenn es für Sie keine zusätzliche Mühe macht, esse ich dann lieber hier.«

»Ich bringe Ihnen jetzt sofort Suppe und Sandwiches, ja? Nach der Zugfahrt müssen Sie Hunger haben. Kaffee und Tee können Sie sich gleich hier zubereiten.« Sie öffnete einen Schrank in der Schlafzimmerecke, in dem ein Kessel und die anderen Utensilien und Zutaten für heiße Getränke zum Vorschein kamen, darunter sogar ein winzig kleiner Kühlschrank. »Dann müssen Sie nicht immer extra zur Küche runterlaufen«, fügte sie mit einem verlegenen Lächeln hinzu, mit dem sie sich, wie mir schien, dafür entschuldigte, dass ich in ihrer Küche unerwünscht war.

Sie entfernte sich, und ich konnte meine Sachen auspacken. Im Schlafzimmer hatte ich in einer Minute meine wenigen Kleider, meine Bücher und den Inhalt meines Kulturbeutels ausgebreitet. Ich schob den Tee und den Kaffee zur Seite und ersetzte die Packungen durch meinen Kakao, den ich von daheim mitgebracht hatte. Danach blieb mir gerade genug Zeit, das hohe, antike Bett auszuprobieren – es war so üppig mit Kissen bedeckt, dass sich noch so viele Erbsen unter der Matratze verstecken mochten, bemerken würde ich sie nicht –, bevor die Haushälterin mit einem Tablett zurückkam.

»Miss Winter lädt Sie ein, sich um acht in der Bibliothek mit ihr zu treffen.«

Sie tat ihr Bestes, damit es wie eine Einladung klang, doch mir war sehr wohl bewusst, dass es eine Order war und auch so verstanden werden sollte.

# Begegnung mit Miss Winter

Ob durch Zufall oder Glück, kann ich nicht sagen, jedenfalls fand ich die Bibliothek bereits zwanzig Minuten vor dem verabredeten Termin. Für mich kein Problem. Wo hätte ich mir besser die Zeit vertreiben können als in einer Bibliothek? Und was sonst verriet so viel über einen Menschen wie die Auswahl seiner Bücher?

Zuerst richtete ich meine Aufmerksamkeit auf den Raum, der sich deutlich vom Rest des Hauses unterschied. In den anderen Zimmern stauten sich die erstickten Wortleichen. Hier in der Bibliothek hatte man Luft zum Atmen. Statt mit Textilien waren die Wände mit Holz verkleidet. Der Raum hatte einen Dielenboden, Klappläden an den hohen Fenstern, massive Eichenregale an den Wänden.

Die Bibliothek war hoch und wesentlich tiefer als breit. An einer Seite reichten fünf Bogenfenster von der Decke bis fast an den Boden, und auf ihren Simsen befanden sich Sitze. Ihnen gegenüber waren fünf ähnlich geformte Spiegel so angebracht, dass sich darin der Blick nach draußen fing, jetzt am Abend allerdings nur der auf die Läden. Zwischen den Bücherregalen, die ins Zimmer ragten, waren Nischen; in jeder davon stand eine Lampe mit honigfarbenem Glasschirm auf einem kleinen Tisch. Abgesehen von dem Feuer am anderen Ende des Raums, spendeten sie das einzige Licht und tauchten jeweils eine Nische in ein weiches, warmes Gold, das an den Bücherreihen mit der Dunkelheit verschmolz.

Langsam schritt ich den Raum in der Mitte ab. Nach meinen ersten Eindrücken ertappte ich mich dabei, wie ich unwillkürlich nickte. Es war eine anständige Bibliothek nach allen Regeln der Kunst, systematisch und sauber alphabetisch geordnet. Ich hätte sie nicht besser führen können. Sämtliche meiner Lieblingsbücher waren vertreten, darunter eine ganze Reihe seltene, wertvolle Ausgaben neben gewöhnlicheren, viel gelesenen Exemplaren. Nicht nur *Jane Eyre, Sturmhöhe* und *Die Frau in Weiß*, sondern auch *Die Burg von Otranto, Lady Audleys Geheimnis, Die Geisterbraut.* Ich war entzückt, als ich auf eine äußerst seltene Ausgabe von *Dr. Jekyll und Mr. Hyde* stieß, an deren Existenz mein Vater schon lange nicht mehr glauben mochte.

So stöberte ich mich voller Staunen über die reiche Auswahl an Büchern in Miss Winters Bibliothek langsam bis zum Kamin auf der anderen Seite durch. In der letzten Nische zur Rechten setzte sich ein Regal schon aus der Ferne von den anderen ab: Statt der blassen, weichen Farben, der vielen Brauntöne, in denen sich die älteren Buchrücken wie Streifen aneinander reihten, waren diese Fächer mit dem Silberblau, Salbeigrün und Rosabeige der jüngeren Dekaden gefüllt. Es waren die einzigen modernen Bücher im Raum. Miss Winters eigene Werke. Von ihren frühesten Titeln in den obersten Reihen reichten sie chronologisch bis nach unten, wobei jeder Roman in seinen verschiedenen Ausgaben sowie seinen Übersetzungen vertreten war. Ich konnte keine Ausgabe von *Dreizehn Geschichten* entdecken, den irrtümlichen Titel, den ich mir aus unserem Laden geliehen hatte; unter dem späteren Namen *Geschichten von Wandel und Verzweiflung* standen hier mehr als ein Dutzend verschiedene Editionen.

Ich nahm ein Exemplar von Miss Winters jüngstem Werk zur Hand. Auf Seite eins betritt eine ältere Nonne ein kleines Haus in einer schmalen Nebenstraße einer namenlosen Stadt, die in Italien zu liegen scheint. Sie wird in einen Raum geführt, wo sie ein aufgeblasener junger Mann, in dem wir Leser einen Engländer oder Amerikaner vermuten, mit einiger Verwunderung begrüßt. (Ich blätterte um. Die ersten Absätze hatten mich auch diesmal – wie jedes Mal, wenn ich eines von Vida Winters Büchern aufschlug – in die Handlung hineingezogen, und ohne es zu wollen, fing ich richtig zu lesen an.) Anders als der Leser begreift der junge Mann nicht gleich, dass seine Besucherin in gewichtiger Mission gekommen ist, die sein Leben auf ungeahnte Weise verändern wird. Sie setzt zu einer Erklärung an und überbringt geduldig ihre Nachricht (ich blätterte weiter und hatte die Bibliothek, Miss Winter und mich selbst vergessen), während er sie mit der Leichtfertigkeit eines verwöhnten Kindes behandelt.

Und dann störte etwas meine Lektüre und zerrte mich aus der Geschichte heraus. Ein prickelndes Gefühl im Nacken. *Jemand beobachtete mich.*

Ich weiß, dass dieses Gefühl nichts Ungewöhnliches ist; und trotzdem hatte ich es zuvor noch nie gehabt. Wie bei vielen allein lebenden Menschen sind meine Sinne auf die Anwesenheit anderer Menschen geeicht, und ich bin mehr daran gewöhnt, die heimliche Beobachterin in einem Raum zu sein, als heimlich beobachtet zu werden. Jedenfalls beobachtete mich jemand, und nicht nur das: Er hatte es schon seit einer Weile getan. Wie lange hatte ich dieses unverwechselbare Kribbeln ignoriert? Ich rief mir die zurückliegenden Minuten in Erinnerung und versuchte, meinem Gefühl trotz der Überlagerung durch die Lektüre nachzugehen. Hatte es angefangen, als die Nonne die ersten Worte an den Mann richtet? Als sie ins Haus geführt wird? Oder schon davor? Den Kopf über die Seite gebeugt, als hätte ich nichts bemerkt, dachte ich nach, ohne einen Muskel zu rühren.

Dann wurde es mir klar.

Ich hatte es schon bemerkt, bevor ich das Buch zur Hand nahm.

Ich brauchte einen Moment, um mich zu fassen, und blätterte weiter, als läse ich noch.

»Sie machen mir nichts vor.«

Gebieterisch, deklamatorisch, autoritär.

Es blieb mir nichts anderes übrig, als mich umzudrehen und ihr ins Gesicht zu sehen.

Vida Winters Erscheinung zielte nicht darauf ab, ihr Licht unter den Scheffel zu stellen. Sie war eine antike Königin, Zauberin oder Göttin. Ihre steife Gestalt erhob sich majestätisch aus einer Fülle praller violetter und roter Kissen. Der Faltenwurf eines türkisgrünen Tuchs, das sie sich um die Schultern geschlungen hatte und das ihren ganzen Körper bedeckte, konnte das Starre ihrer Erscheinung nicht mildern. Ihr leuchtend kupferfarbenes Haar war zu einem aufwändigen Gebilde aus Kringeln, Locken und Kräuseln arrangiert. Ihr Gesicht, wie eine Landkarte von einem Gespinst aus Linien durchzogen, war weiß gepudert und mit kräftigem, scharlachrotem Lippenstift akzentuiert. Die Hände in ihrem Schoß glichen einer Traube Rubine, Smaragde und weißer, spitzer Knöchel, und nur ihre unlackierten, wie bei mir kurz und gerade geschnittenen Nägel passten nicht ins Bild.

Mehr als alles andere irritierte mich ihre Sonnenbrille. Obwohl ich ihre Augen nicht sehen konnte, schienen ihre dunklen Gläser die Kraft von Suchscheinwerfern zu entwickeln, während ich mich an die unmenschlichen grünen Augen auf dem Plakat erinnerte: Ich hatte das Gefühl, als dringe ihr Blick mir tief unter die Haut.

Ich hüllte mich in einen Schleier, verbarg mich hinter der Maske der Neutralität, zog mich hinter mein sichtbares Äußeres zurück.

Einen Moment lang war sie, glaube ich, erstaunt, dass ich nicht durchsichtig war, doch sie fasste sich schnell, schneller, als ich dachte.

»Nun ja«, sagte sie brüsk, wobei ihr Lächeln mehr ihr selber galt als mir. »Zur Sache. Ihr Brief gibt mir zu verstehen, dass Sie gegen den Auftrag, den ich Ihnen anbiete, gewisse Vorbehalte hegen.«

»Also, ja, das heißt …«

Die Stimme fuhr fort, als habe sie die Unterbrechung nicht registriert. »Ich könnte Ihnen einen neuen Vorschlag zu Ihrem monatlichen Gehalt unterbreiten und das Gesamthonorar erhöhen.«

Ich leckte mir über die Lippen und rang nach den richtigen Worten. Bevor ich etwas sagen konnte, waren Miss Winters dunkle Brillengläser einmal hoch- und heruntergeschnellt, während sie meinen glatten, braunen Pony, den geraden Rock und die marineblaue Strickjacke musterte. Ein verhaltenes, mitleidiges Lächeln huschte über ihr Gesicht, und sie ignorierte meine Absicht, etwas zu sagen. »Aber pekuniäre Interessen sind Ihnen offensichtlich wesensfremd. Schon seltsam.« Sie sagte es in trockenem Ton. »Ich habe zwar über Menschen geschrieben, die sich aus Geld nichts machen, aber ich habe nicht damit gerechnet, je die Bekanntschaft einer solchen Person zu machen.« Sie lehnte sich in die Kissen zurück. »Somit nehme ich an, das Problem hat eher etwas mit Integrität zu tun. Menschen, denen eine gesunde, ausgewogene Liebe zum Geld abgeht, leiden an einer schrecklichen Obsession hinsichtlich ihrer persönlichen Integrität.«

Noch bevor ich ein Wort über die Lippen gebracht hatte, winkte sie mit einer herrischen Geste ab. »Sie haben Angst, eine autorisierte Biografie zu übernehmen, weil das Ihre Unabhängigkeit kompromittieren könnte. Sie hegen den Verdacht, ich wollte über den Inhalt Ihres fertigen Buchs bestimmen. Sie wissen, dass ich in der Vergangenheit Biografen widerstanden habe, und Sie fragen sich, welche Hintergedanken mich zu meinem Sinneswandel bewogen haben könnten. Vor allem aber«, wieder dieser dunkle Brillenblick, »haben Sie Angst, ich wollte Sie belügen.«

Ich machte den Mund auf, um zu protestieren, wusste aber nicht, was ich sagen sollte. Sie hatte Recht.

»Sehen Sie? Darauf fällt Ihnen nichts ein. Ist es Ihnen peinlich, dass Sie mich verdächtigen, Sie belügen zu wollen? Die meisten Menschen werfen anderen nicht gerne vor, sie zu belügen. Und um Himmels willen, setzen Sie sich.«

Ich setzte mich.

»Ich werfe Ihnen überhaupt nichts vor«, sagte ich in wohlwollendem Ton, doch sie unterbrach mich augenblicklich.

»Seien Sie nicht so höflich. Wenn ich eines nicht ausstehen kann, dann Höflichkeit.«

Ihre Stirn zuckte, und eine Augenbraue ragte über die Brille. Ein kräftiger schwarzer Bogen, der nicht die geringste Ähnlichkeit mit einer natürlichen Braue hatte.

»Höflichkeit. Der Inbegriff des Spießertums. Was ist so großartig an angenehmen Manieren? Kann doch jeder. Man braucht kein besonderes Talent, um höflich zu sein. Im Gegenteil, nett sein kann man immer noch, wenn man bei allem anderen gescheitert ist. Leute, die Ehrgeiz haben, machen sich nicht das Geringste aus dem, was andere von ihnen halten. Ich kann mir nicht vorstellen, dass der Gedanke, er könnte jemandes Gefühle verletzt haben, Wagner schlaflose Nächte bereitet hat. Aber er war ein Genie.«

Sie sprudelte ohne Punkt und Komma drauflos, während sie sich über das Genie und seinen engsten Verbündeten, den Egoismus, ausließ, und bei ihrem Redefluss bewegten sich die

Falten in ihrem Überwurf nicht ein einziges Mal. Sie muss aus Stahl sein, dachte ich.

Irgendwann endete ihre Gardinenpredigt mit den Worten: »Höflichkeit ist eine Tugend, die ich weder besitze noch an anderen schätze. Damit brauchen wir uns nicht aufzuhalten.« Und mit dem Anspruch, zu diesem Thema das letzte Wort gesagt zu haben, verstummte sie.

»Sie haben das Thema Lügen angeschnitten«, sagte ich. »Damit sollten wir uns vielleicht befassen.«

»In welcher Hinsicht?« Durch die Sonnengläser konnte ich so eben sehen, wie sich Miss Winters Lider bewegten. Sie zogen sich zitternd um ihre Augen zusammen wie die langen Beine einer Spinne um ihren Leib.

»Sie haben allein in den vergangenen zwei Jahren Journalisten knapp zwanzig verschiedene Versionen Ihrer Lebensgeschichte erzählt. So viele habe ich schon bei einer flüchtigen Recherche gefunden. Es gibt sicherlich viel mehr. Vermutlich Hunderte.«

Sie zuckte die Achseln. »Das ist mein Beruf. Ich bin eine Märchentante.«

»Und ich bin Biografin. Ich arbeite mit Fakten.«

Sie warf den Kopf zurück, und ihre steifen Locken bewegten sich wie aus einem Guss. »Wie entsetzlich langweilig. Ich könnte nie und nimmer Biografin sein. Finden Sie nicht, dass man die Wahrheit viel besser mit einer Geschichte sagen kann?«

»Nicht in den Geschichten, die Sie der Öffentlichkeit bisher erzählt haben.«

Das räumte Miss Winter mit einem Nicken ein. »Miss Lea«, sagte sie. Sie sprach nicht mehr so schnell. »Ich hatte meine Gründe dafür, meine Vergangenheit in Nebel zu hüllen. Diese Gründe, das kann ich Ihnen versichern, besitzen keine Geltung mehr.«

»Was für Gründe?«

»Das Leben ist ein Komposthaufen.«

Ich sah sie verständnislos an.

»Sie halten das für abwegig, aber es stimmt. Meine ganze Lebenserfahrung, die Dinge, die mir widerfahren sind, die Menschen, denen ich begegnet bin, meine sämtlichen Erinnerungen, Träume, Phantasien, alles, was ich je gelesen habe, all das ist auf einem Komposthaufen gelandet, wo es mit der Zeit zu einem dunklen, fruchtbaren, organischen Mulch verrottet ist. Der Auflösungsprozess des Zellgewebes macht eine unkenntliche Masse daraus. Andere Menschen nennen das Phantasie. Für mich ist es ein Komposthaufen. In regelmäßigen Abständen nehme ich eine Idee, pflanze sie in den Komposthaufen und warte. Sie bezieht von dem schwarzen Zeug, das einmal ein Leben war, ihre Nahrung, ihre Energie. Sie keimt. Schlägt Wurzeln. Entwickelt Triebe. Und so weiter und so fort, bis ich eines Tages eine Geschichte habe oder einen Roman.«

Ich nickte, denn mir gefiel die Analogie.

»Leser«, fuhr Miss Winter fort, »sind Narren. Sie glauben, alles, was man schreibt, sei autobiografisch. Das ist es natürlich auch, aber nicht so, wie sie denken. Das Leben eines Schriftstellers braucht Zeit für den Fäulnisprozess, bevor es einer Erzählung als Nahrung dienen kann. Es muss sich erst einmal zersetzen. Deshalb konnte ich Journalisten und Biografen nicht erlauben, in meiner Vergangenheit herumzuwühlen und darin irgendwelche Bruchstücke hervorzukramen, um sie in ihren eigenen Worten zu konservieren. Ich musste dafür sorgen, dass man meine Vergangenheit in Ruhe lässt und ihr die Zeit gibt, die sie braucht; sonst hätte ich meine Romane nicht schreiben können.«

Ich dachte über ihre Antwort nach, bevor ich sie fragte: »Und was ist jetzt auf einmal anders?«

»Ich bin alt. Ich bin krank. Nehmen Sie die beiden Fakten zusammen, Frau Biografin, und was schließen Sie daraus? Das Ende einer Geschichte, denke ich.«

Ich biss mir auf die Lippen. »Und weshalb schreiben Sie das Buch nicht selbst?«

»Ich hab's zu lange aufgeschoben. Und wer würde mir, nebenbei gesagt, glauben? Ich habe zu oft blinden Alarm geschlagen.«

»Haben Sie vor, mir die Wahrheit zu sagen?«, fragte ich.

»Ja«, sagte sie, doch das Zögern war mir nicht entgangen, auch wenn es nur den Bruchteil einer Sekunde währte.

»Und wieso wollen Sie sie ausgerechnet mir erzählen?«

Sie schwieg. »Wissen Sie, dass ich mir die letzte Viertelstunde lang genau dieselbe Frage gestellt habe? Was für ein Mensch sind Sie eigentlich, Miss Lea?«

Ich rückte meine Maske zurecht, bevor ich antwortete. »Ich arbeite in einem Antiquariat und bin Amateurbiografin. Vermutlich haben Sie meinen Essay über die Gebrüder Landier gelesen?«

»Das gibt nicht viel her, oder? Wenn wir zusammenarbeiten sollen, muss ich schon ein bisschen mehr über Sie wissen. Ich kann wohl kaum vor einer Fremden meine ganze Lebensgeschichte ausbreiten. Erzählen Sie mir also von sich. Was sind Ihre Lieblingsbücher? Wovon träumen Sie? Wen lieben Sie?«

Ich war erst einmal so vor den Kopf geschlagen, dass ich nichts sagen konnte.

»Was ist, antworten Sie! Verflixt noch mal! Soll ich mit einer Fremden unter einem Dach leben? Eine Fremde für mich arbeiten lassen? Das wäre bar jeder Logik. Verraten Sie mir erst mal, ob Sie an Gespenster glauben.«

Ich folgte einem stärkeren Impuls als meinem Verstand und erhob mich aus meinem Sessel.

»Was soll das? Wo wollen Sie hin? Warten Sie!«

Ich machte einen Schritt nach dem anderen und versuchte, nicht zu rennen, indem ich dem rhythmischen Klang meiner Schritte auf den Dielen lauschte, während sie mir in einem Anflug von Panik hinterherrief: »Kommen Sie zurück! Ich erzähle Ihnen eine Geschichte – eine großartige Geschichte!«

Ich blieb nicht stehen.

»Es war einmal ein Haus, in dem es spukte …«

Ich hatte die Tür erreicht. Meine Finger legten sich um die Klinke.

»Es war einmal eine Bibliothek …«

Ich öffnete die Tür und wollte gerade in den dunklen, leeren Gang treten, als sie mit einer vor Angst heiseren Stimme die Worte vom Stapel ließ, bei denen ich abrupt stehen blieb.

»Es waren einmal *Zwillinge* …«

Ich wartete, bis die Worte nicht länger nachhallten, dann blickte ich mich gegen meinen Willen um. Ich sah einen Hinterkopf und Hände, die sich zitternd vor die abgewandten Augen legten.

Zögernd machte ich einen Schritt ins Zimmer zurück.

Beim Geräusch meiner Schritte wandten sich die kupferfarbenen Locken um.

Ich war verblüfft. Die Brille war verschwunden. Smaragdgrüne Augen, so klar wie Glas, blickten mir mit einem flehentlichen Ausdruck entgegen. Einen Moment lang starrte ich nur zurück. Dann sagte eine zittrige Stimme, in der ich nur von ferne Vida Winters Stimme erkannte: »Miss Lea, wollen Sie sich nicht bitte setzen?«

Etwas, das stärker war als ich, zog mich magisch an, und so ging ich zu dem Sessel und nahm Platz.

»Ich kann Ihnen nichts versprechen«, sagte ich müde.

»Das kann ich auch nicht verlangen«, kam die Antwort in kläglichem Ton.

Waffenstillstand.

»Wie sind Sie auf mich gekommen?«, fragte ich erneut, und diesmal bekam ich eine Antwort.

»Durch Ihre Arbeit über die Gebrüder Landier. Weil Sie etwas von Geschwistern verstehen.«

»Und werden Sie mir die Wahrheit sagen?«

»Ich werde Ihnen die Wahrheit sagen.«

So unzweideutig die Worte waren, hörte ich doch das Beben heraus, das ihre Glaubwürdigkeit untergrub. Sie wollte mir die Wahrheit sagen, daran hegte ich keinen Zweifel. Sie hatte es sich fest vorgenommen. Nur war sie sich selbst nicht sicher, ob sie es wirklich fertig brachte. Ihr Versprechen, ehrlich zu sein, sollte mindestens so sehr sie selber überzeugen wie mich, und sie hörte nicht weniger als ich heraus, dass ihren Worten letztlich die Überzeugungskraft fehlte.

Und so machte ich einen Vorschlag. »Ich werde Sie drei Dinge fragen. Dinge, die dokumentiert sein müssen. Nach meiner Abreise werde ich in der Lage sein, sie zu überprüfen. Wenn ich feststelle, dass Sie mir die Wahrheit gesagt haben, nehme ich Ihren Auftrag an.«

»Ach ja, die Dreierregel … Die magische Zahl. Drei Prüfungen, bevor der Prinz die Hand der schönen Prinzessin erringt. Drei Wünsche, die der Butt dem Fischer gewährt. Drei Bären für Goldlöckchen und die drei Ziegenböcke Gruff. Miss Lea, hätten Sie zwei Fragen oder auch vier verlangt, hätte ich Sie vielleicht belügen können, aber drei …«

Ich zog meinen Bleistift aus der Ringbindung meines Notizbuchs und öffnete den Deckel.

»Wie heißen Sie mit richtigem Namen?«

Sie schluckte. »Sind Sie sicher, dass das der beste Anfang

ist? Ich könnte Ihnen eine Gespenstergeschichte erzählen, eine wirklich gute, wenn ich so sagen darf. So kommen wir dem Kern der Sache vielleicht näher.«

Ich schüttelte den Kopf. »Sagen Sie mir, wie Sie heißen.«

Das Knäuel aus Fingerknöcheln und Rubinen bewegte sich in ihrem Schoß; die Steine funkelten im Schein des Feuers.

»Ich heiße tatsächlich Vida Winter. Ich habe sämtliche juristischen Schritte unternommen, um mich ehrlich und rechtens so nennen zu dürfen. Sie wollen den Namen wissen, den ich vor dem Einschnitt trug. Der Name lautet ...«

Sie zögerte, um einen inneren Widerstand zu überwinden, und als sie den Namen nannte, kam er ihr in einem derart gleichgültigen Ton, bar jeder Sprechmelodie über die Lippen, als sei es ein Wort aus irgendeiner anderen Sprache, die sie nicht vorhatte zu lernen. »Ich hieß Adeline March.«

Als wollte sie auch die kleinste Schwingung dieses Namens neutralisieren, fügte sie ziemlich schnippisch hinzu: »Ich hoffe, Sie fragen mich nicht als Nächstes, wann ich geboren bin. Ich habe ein Alter erreicht, bei dem es mir die Etikette erlaubt, mich nicht zu erinnern.«

»Das wird nicht nötig sein, wenn Sie mir Ihren Geburtsort verraten.«

Sie gab einen irritierten Seufzer von sich. »Ich könnte es Ihnen viel besser erzählen, wenn Sie mir überließen, wie ...«

»Wir haben eine Abmachung. Drei Fakten, die öffentlich dokumentiert sind.«

Sie schürzte ihre Lippen. »Sie werden nachprüfen können, dass Adeline March im St. Bartholomew's Hospital in London geboren wurde. Sie werden wohl kaum erwarten, dass ich für den Wahrheitsgehalt dieser Aussage eine persönliche Garantie übernehme. Ich mag ein außergewöhnlicher Mensch sein, aber so außergewöhnlich nun auch wieder nicht, dass ich mich an meine eigene Geburt erinnern könnte.«

Ich schrieb es mir auf.

Und nun zur dritten Frage. Ich hatte mir, wie ich zugeben musste, keine dritte Frage überlegt. Sie wollte mir ihr Alter nicht preisgeben, und ihr Geburtsdatum war kaum von Belang. Nach ihrer langen Veröffentlichungsgeschichte zu urteilen und nach dem Erscheinen ihres ersten Buchs, musste sie mindestens dreiundsiebzig oder vierundsiebzig sein, und nach ihrem Äußeren zu urteilen, an dem auch Krankheit und Makeup ihren Anteil hatten, konnte sie höchstens achtzig sein. Doch die Ungewissheit spielte keine Rolle: Mithilfe des Namens und des Geburtsorts konnte ich das Datum in jedem Fall selber eruieren. Dank der ersten beiden Auskünfte konnte ich herausbekommen, ob eine Person namens Adeline March überhaupt existierte. Was sollte ich als Nächstes fragen? Vielleicht wünschte ich mir ja, dass Miss Winter mir eine Geschichte erzählte, doch ich hatte noch eine dritte Frage offen, und ich würde meine Chance nutzen.

»Sagen Sie mir«, fing ich langsam und bedächtig an. In den Geschichten mit Zauberern ist es immer der dritte Wunsch, der einem verhängnisvollerweise alles wieder entreißt, was so hart errungen war. »Erzählen Sie mir etwas, das Ihnen passiert ist, bevor Sie Ihren Namen geändert haben – und was für mich nachprüfbar ist.« Schulische Erfolge, dachte ich. Sportabzeichen. Jene kleinen Triumphe, die für stolze Eltern und die Nachwelt aufgezeichnet werden.

In der vollkommenen Stille, die folgte, schien Miss Winter ihr Äußeres in ihr Inneres zurückzuziehen, sodass es ihr vor meinen Augen gelang, sich von ihrer eigenen Person zu entfernen, und mir dämmerte, wieso ich sie vorhin nicht wahrgenommen hatte. Ich betrachtete ihre Hülle und staunte darüber, wie ganz und gar unmöglich es war, hinter diese Fassade zu blicken.

Und dann tauchte sie wieder auf.

»Wissen Sie, weshalb meine Bücher so erfolgreich sind?«

»Ich denke, dafür gibt es eine Menge Gründe.«

»Mag sein. Vor allem liegt es daran, dass sie einen Anfang, eine Mitte und ein Ende haben. Natürlich haben das alle Geschichten; das Entscheidende ist jedoch, sie in der richtigen Reihenfolge niederzuschreiben. Deshalb mögen die Leute meine Bücher.«

Sie seufzte und fuchtelte nervös mit ihren Händen herum. »Ich werde Ihre Frage beantworten. Ich werde Ihnen etwas erzählen, das geschehen ist, bevor ich Schriftstellerin wurde und meinen Namen änderte, und das ist auch öffentlich dokumentiert. Es ist das Wichtigste, was mir je passiert ist. Allerdings hatte ich nicht damit gerechnet, es Ihnen schon so früh zu erzählen. Ich werde dazu eine meiner Regeln brechen müssen und Ihnen das Ende meiner Geschichte erzählen, bevor Sie den Anfang hören.«

»Das *Ende* Ihrer Geschichte? Aber wie ist das möglich, wenn es passiert ist, bevor Sie mit Schreiben angefangen haben?«

»Ganz einfach, weil meine Geschichte – meine eigene Geschichte – endete, bevor ich zum Schreiben gekommen bin. Das Geschichtenerzählen ist immer nur ein Lückenbüßer gewesen, seit alles ein Ende gefunden hat.«

Ich wartete, und sie holte Luft wie ein Schachspieler, der feststellt, dass seine Hauptfigur in der Klemme sitzt.

»Ich würde es Ihnen lieber nicht erzählen. Aber ich hab's versprochen, nicht wahr? Die Dreierregel. Mir bleibt keine Wahl. Der Zauberer mag den Jungen noch so sehr bitten, auf seinen dritten Wunsch zu verzichten, da er weiß, dass es in einer Katastrophe endet, aber der Junge macht es doch, und der

Zauberer muss es ihm gewähren, da das die Spielregeln sind. Sie haben mich gebeten, Ihnen über drei Dinge die Wahrheit zu sagen, und ich muss mich fügen, wegen der Dreierregel. Aber zuerst möchte ich Sie um etwas bitten.«

»Was?«

»Danach wird nicht mehr in der Geschichte herumgesprungen. Von morgen an werde ich Ihnen meine Geschichte erzählen und mit dem Anfang beginnen, mit der Mitte weitermachen und aufhören mit dem Ende. Alles da, wo es hingehört. Kein Schummeln. Keine Vorschau. Keine Fragen. Kein heimliches Schielen auf die letzte Seite.«

Stand es ihr zu, an unsere Abmachung Bedingungen zu knüpfen, nachdem sie bereits eingewilligt hatte? Eigentlich nicht. Dennoch nickte ich.

»Ich bin einverstanden.«

Sie konnte mir nicht recht ins Gesicht sehen, während sie weitersprach.

»Ich wohnte in Angelfield.«

Ihre Stimme bebte, als sie den Ortsnamen aussprach, und in einer unbewussten Geste kratzte sie sich die Innenfläche der Hand.

»Ich war sechzehn.«

Ihr Ton wurde gestelzt und abgehackt.

»Ein Feuer brach aus.«

Die Worte drangen ihr hart und trocken wie Steine aus der Kehle.

»Ich verlor alles.«

Und dann der Aufschrei, der hervorbrach, bevor sie es verhindern konnte. »Ach, Emmeline!«

Manche Kulturen glauben, dass ein Name die ganze mystische Kraft eines Menschen birgt; dass ein Name nur Gott und demjenigen, dem er gehört, bekannt sein sollte, und sonst nur wenigen Auserwählten. Einen solchen Namen auszusprechen, sei es der eigene oder der eines anderen, beschwört Gefahr herauf, für sich oder für den anderen. Das hier schien ein solcher Name zu sein.

Miss Winter presste die Lippen zusammen, doch zu spät. Ein Zittern ging durch die Muskeln unter ihrer Haut.

Jetzt wusste ich, dass ich von der Geschichte nicht mehr loskommen würde. Ich war über den Kern des Lebenslaufs gestolpert, den ich erzählen sollte. Es ging um Liebe. Und Verlust. Denn was sonst hatte diesen Aufschrei heraufbeschworen, wenn nicht ein schmerzlicher Verlust? Für einen kurzen Moment sah ich hinter die Maske aus weißem Make-up und exotischem Behang. Ein paar Sekunden lang schien es mir, als reichte mein Blick unmittelbar in Miss Winters Herz. Ihr Innerstes lag für mich offen zu Tage: Wie konnte es auch anders sein? Wir waren beide Hinterbliebene von Zwillingen. Als mir das klar wurde, spürte ich die Geschichte wie eine straff gezogene Leine um meine Handgelenke, und in meine Aufregung mischte sich Angst.

»Wo ist dieser Brand dokumentiert?«, fragte ich und versuchte, mir meine Verwirrung nicht anmerken zu lassen.

»In der Lokalzeitung. Dem *Banbury Herald.*«

Ich nickte, machte mir eine Notiz und schlug den Deckel des Notizbuchs zu.

»Allerdings ist er auch noch anderweitig dokumentiert, das können Sie sich schon jetzt ansehen.«

Ich zog eine Augenbraue hoch.

»Kommen Sie näher.«

Ich stand auf und machte einen Schritt auf sie zu.

Langsam hob sie den rechten Arm und hielt mir eine geschlossene Faust entgegen, die, wie mir schien, zu drei Vierteln mit Edelsteinen in klauenartigen Fassungen bedeckt war.

Mit einer Bewegung, die offensichtlich große Mühe bereitete, drehte sie die Hand um und öffnete sie, als hielte sie darin ein Geschenk, mit dem sie mich überraschen wollte.

Doch da war kein Geschenk. Die Überraschung war die Hand selbst.

So etwas wie das Fleisch der Innenfläche hatte ich noch nie gesehen. Die weißen Grate und violetten Furchen hatten nichts mit der rosigen runden Fläche meiner Hand gemein oder mit der blassen Mulde in der Mitte. Ihr Fleisch war vom Feuer geschmolzen und anschließend zu einer nicht wieder zu erkennenden Landschaft erkaltet, so wie ein Lavastrom eine Gegend für immer verwandelt. Ihre Finger lagen nicht offen, sondern wurden von geschrumpftem, gespanntem Narbengewebe zu einer Klaue zusammengezogen. In der Mitte des Tellers hatte sich innerhalb der Narbe, dort, wo das Fleisch wie verdorrt war, ein groteskes Mal eingebrannt. Es lag sehr tief in der Höhlung, so tief, dass ich mich unter einer Woge der Übelkeit fragte, was mit dem Knochen passiert war, der dort hingehörte. Es erklärte die eigentümliche Stellung ihrer Hand am Gelenk, die Art, wie sie ihr am Arm hing, als besäße sie kein eigenes Leben. Das Mal war ein in die Handfläche eingebetteter Kreis, und davon ging Richtung Daumen eine kurze Linie aus.

Im Nachhinein ist mir klar, dass sich das Zeichen am ehesten als ein Q beschreiben lässt, doch in dem Moment, unter dem Schock der unerwarteten und qualvollen Enthüllung schien es mir nicht so deutlich, und es verstörte mich so ähnlich, wie wenn auf einer englisch beschriebenen Seite ein unbekanntes grafisches Zeichen aus einer verloren gegangenen, nicht entzifferten alten Sprache erschien.

Mich erfasste plötzlich ein Schwindelgefühl, und ich griff hinter mir nach dem Sessel.

»Tut mir Leid«, hörte ich sie sagen. »Man gewöhnt sich so sehr an die eigenen Schrecken, dass man vergisst, wie sie auf andere wirken müssen.«

Ich setzte mich, und langsam trat das Schwarz am Rand meines Gesichtsfelds zurück.

Miss Winter schloss erneut die Finger ihrer zerstörten Hand, drehte sie um und zog die von Juwelen strotzende Faust wieder in ihren Schoß zurück. Wie zum Schutz legte sie die Finger ihrer anderen Hand darum.

»Schade, dass Sie meine Gespenstergeschichte nicht hören wollten, Miss Lea.«

»Ich werde sie mir ein andermal anhören.«

Unser Gespräch war zu Ende.

Auf dem Weg zu meinem Quartier dachte ich an den Brief, den ich von ihr bekommen hatte. Die bemühte, penible Schrift, wie ich noch keine gesehen hatte. Ich hatte es einer Krankheit zugeschrieben. Arthritis vielleicht. Jetzt wusste ich, was es war. Vom ersten Buch an und ihre gesamte Laufbahn hindurch hatte sie ihre Meisterwerke mit links geschrieben.

Die Gardinen in meinem Arbeitszimmer waren grün, und die Wände bedeckte ein blassgelber Watermark-Satin. Der Raum gefiel mir, trotz der wollenen Stille, die von einem breiten Holzschreibtisch und einem schlichten Lehnstuhl unter dem Fenster unterbrochen wurde. Zuerst knipste ich die Schreibtischlampe an, dann legte ich den mitgebrachten Packen Papier zurecht und meine zwölf Bleistifte dazu. Sie waren brandneu: noch nicht gespitzte rote Säulen, genau das Richtige für ein neues Projekt. Das Letzte, was ich aus meiner Tasche zog, war mein Bleistiftspitzer. Ich schraubte ihn an der Tischkante fest und stellte den Papierkorb darunter.

Ich folgte einem spontanen Impuls und kletterte auf den

Schreibtisch, um hinter der Gardine nach ihrer Stange zu greifen. Ich tastete nach den oberen Säumen, den Haken und Ösen, mit denen sie befestigt war. Eigentlich gehörten zwei dazu, die bodenlange, doppelt gefütterte Schabracke abzunehmen, und ihr Gewicht auf meiner Schulter erdrückte mich fast. Doch nach wenigen Minuten hatte ich sie gefaltet in einem Schrank verstaut. Ich stand im Zimmer und betrachtete mein Werk.

Das Fenster bestand aus einer großen, dunklen Scheibe, in deren Mitte mein Gespenst düster-transparent zu mir herüberstarrte. Ihre Welt war meiner nicht unähnlich: die blassen Umrisse eines Schreibtischs jenseits der Scheibe und weiter hinten ein Chesterfield-Sessel im Lichtkegel einer Stehlampe. Doch während mein Sessel rot war, war ihrer grau; und wo meiner, inmitten von hellgoldenen Wänden, auf einem indischen Teppich stand, schwebte ihrer gespenstisch über einer unbestimmten, endlosen dunklen Fläche, in der schemenhafte Formen gleich Wellen sich leicht zu bewegen und zu atmen schienen.

Zusammen machten wir uns an das kleine Ritual, den Schreibtisch vorzubereiten. Wir teilten einen Stoß Papier in kleinere Stapel auf und blätterten jeden einmal durch, um Luft dranzulassen. Dann spitzten wir nacheinander jeden Bleistift an und sahen dabei zu, wie sich die langen Späne aufrollten und in den Papierkorb segelten. Als der letzte Stift eine scharfe Spitze hatte, legten wir ihn nicht einfach zu den anderen, sondern behielten ihn in der Hand.

»So«, sagte ich zu ihr. »Die Arbeit kann beginnen.«

Sie öffnete die Lippen, schien mit mir zu sprechen. Ich konnte nicht hören, was sie sagte.

Ich habe kein Steno gelernt. Während des Gesprächs hatte ich einfach Stichworte notiert, in der Hoffnung, dass sie meinem Gedächtnis auf die Sprünge helfen würden, wenn ich mich sofort danach an die Niederschrift machte. Und von der ersten Sitzung an funktionierte das perfekt. Während ich ab und zu einen Blick in mein Notizbuch warf, füllte ich die Mitte meiner Blätter mit Miss Winters Worten, indem ich ihr Bild heraufbeschwor, ihre Stimme, ihre Manierismen. Schon bald nahm ich meine Notizen kaum noch wahr, sondern folgte Miss Winters Diktat in meinem Kopf.

Ich ließ breite Ränder. Auf dem linken notierte ich sämtliche Eigenarten, Mienen und Gesten, die das, was sie sagen wollte, unterstrichen. Den rechten Rand ließ ich frei. Er sollte mir später, wenn ich das Geschriebene las, dazu dienen, meine eigenen Überlegungen, Kommentare und Fragen festzuhalten.

Ich musste Stunden gearbeitet haben. Einen Moment lang tauchte ich auf, um mir eine Tasse Kakao zu bereiten, doch auch währenddessen schien die Zeit stillzustehen, sodass der Gedankenfluss nicht stockte. Ich kehrte zu meiner Arbeit zurück und nahm den Faden wieder auf, als hätte es keine Unterbrechung gegeben.

»Man gewöhnt sich so sehr an die eigenen Schrecken, dass man vergisst, wie sie auf andere wirken müssen«, schrieb ich schließlich in die mittlere Spalte und bemerkte links daneben, wie sie die Finger ihrer gesunden Hand um die geschlossene Faust der geschädigten gelegt hatte.

Unter der letzten Zeile zog ich eine Doppellinie und streckte die Glieder. Im Fenster tat mein anderes Ich dasselbe. Sie nahm die Stifte, deren Spitzen stumpf geworden waren, und spitzte sie einen nach dem anderen.

Sie gähnte gerade, als etwas mit ihrem Gesicht geschah. Zuerst verschwamm nur die Mitte ihrer Stirn wie zu einer Blase. Ein weiteres Zeichen erschien auf ihrer Wange, dann unter dem Auge, der Nase, den Lippen. Jeder neue Makel wurde von einem dumpfen Aufprall begleitet, einem Trommeln, das immer schneller wurde. Binnen weniger Sekunden hatte sich ihr ganzes Gesicht in nichts aufgelöst.

Doch es war nicht das Werk des Todes, sondern nur der Regen. Der lang ersehnte Regen.

Ich öffnete das Fenster, ließ mir die Hand durchweichen und wischte mir dann das Wasser über Augen und Gesicht. Ich zitterte. Zeit, ins Bett zu gehen.

Ich ließ das Fenster einen Spalt offen, sodass ich auf den Regen lauschen konnte, der gleichmäßig, gedämpft und sanft gegen die Scheibe fiel. Ich hörte ihn, während ich mich auszog, während ich las und während ich schlief. Er begleitete meine Träume wie ein schlecht justiertes Radio, das man über Nacht angelassen hat, sodass es ein verschwommenes weißes Rauschen sendet, vom kaum hörbaren Geflüster in anderen Sprachen und Fetzen fremder Musik untermalt.

# Und so fingen wir an

Am nächsten Morgen schickte Miss Winter um neun Uhr nach mir, und ich begab mich in die Bibliothek.

Bei Tageslicht wirkte der Raum ganz anders. Die Läden waren aufgeklappt, und durch die hohen Fenster strömte das blasse Licht des Himmels. Der vom nächtlichen Platzregen noch nasse Garten schimmerte in der Morgensonne. Die exotischen Pflanzen neben den Fenstersitzen schienen ihre Blätter an die der robusteren, feuchteren entfernten Verwandten hinter der Scheibe zu schmiegen, und die zarten Sprossen, die die Scheiben fassten, schienen nicht fester zu sein als die glitzernden Fäden eines Spinngewebes, das sich von Ast zu Ast über einen Gartenpfad spannt. Die Bibliothek selbst, die mir weniger wuchtig und breit vorkam als am Abend, wirkte wie eine Fata Morgana aus Büchern im nassen winterlichen Garten.

Im Kontrast zum blassblauen Himmel und der milchweißen Sonne war Miss Winter ganz Hitze und Feuer, eine exotische Blume, die inmitten nördlicher Kälte im Gewächshaus gedeiht. Heute verzichtete sie auf die Sonnenbrille, sodass ich ihr in die Augen blicken konnte: Zu violettem Puder hatte sie dicken Lidstrich nach Art der Kleopatra aufgetragen, und wie gestern war der Wimpernkranz stark getuscht. Im klaren Tageslicht sah ich, was mir am Abend nicht aufgefallen war: einen schmalen, schlohweißen Streifen im kupferfarbenen Haar.

»Sie haben unsere Abmachung nicht vergessen?«, fing sie an, als ich mich auf der anderen Seite des Feuers in den Sessel setzte, »Anfang, Mitte und Ende, alles in der richtigen Reihenfolge. Kein Schummeln. Keine Vorschau. *Keine Fragen.*«

Ich war müde. Ein fremdes Bett in einem fremden Haus. Außerdem war ich mit einer monotonen, atonalen Melodie aufgewacht, die mir im Kopf widerhallte. »Fangen Sie an, wo Sie möchten«, sagte ich.

»Ich werde mit dem Anfang beginnen. Auch wenn der Anfang natürlich nie da ist, wo man ihn vermutet. Unser Leben ist uns so kostbar, dass wir meinen, es beginnt mit unserer Geburt. Zuerst war nichts, dann kam *ich* zur Welt. Aber so ist es nicht. Ein einzelnes Leben ist nicht ein Stück Garn, das man aus dem Knäuel der anderen Stränge dröseln kann. Familien sind verwobene Gebilde. Unmöglich, einen Teil davon zu berühren, ohne das Übrige in Schwingung zu versetzen. Unmöglich, einen Teil davon zu verstehen, ohne ein Gefühl für das Ganze zu bekommen.

Bei meiner Geschichte geht es nicht nur um mich, sondern um die von Angelfield. Dem Dorf Angelfield. Dem Haus Angelfield. Und der Familie Angelfield selbst. Um George und Mathilde, ihre Kinder Charlie und Isabelle; Isabelles Kinder Emmeline und Adeline. Ihr Haus, ihr Geschick, ihre Sorgen. Und ihr Gespenst. Man sollte den Geistern immer Beachtung schenken, nicht wahr, Miss Lea?«

Sie sah mich scharf an; ich tat so, als bemerkte ich es nicht.

»Es beginnt nicht wirklich mit der Geburt. Anfänglich gehört unser Leben noch nicht uns; wir setzen nur die Geschichte von jemand anderem fort. Nehmen Sie zum Beispiel mich. Wenn Sie mich jetzt sehen, würden Sie vielleicht denken, meine Geburt müsste etwas Besonderes gewesen sein, nicht wahr? Von ominösen Zeichen begleitet, mit Hexen und Feen als Patentanten. Ganz und gar nicht. Als ich geboren wurde, war ich nichts weiter als eine Nebenhandlung.

Aber woher ich die Geschichte kennen will, die meiner Geburt vorausgeht?, höre ich Sie fragen. Wo sind die Quellen? Woher stammen die Informationen? Nun ja, woher stammen überhaupt alle Informationen zu einem Haus wie Angelfield? Von den Bediensteten natürlich. Besonders von der Haushälterin, der Missus. Nicht, dass ich alles direkt aus ihrem Mund gehört hätte. Zuweilen schwelgte sie in der Vergangenheit, während sie das Silber putzte, und offenbar vergaß sie, dass ich anwesend war. Sie runzelte die Stirn bei der Erinnerung an Dorftratsch und Gemunkel. Ereignisse und Gespräche und Szenen kamen ihr über die Lippen und erwachten über den Küchentisch hinweg zu neuem Leben. Doch früher oder später führte eine solche Geschichte zu Begebenheiten, die für Kinderohren nicht taugten, die besonders für *meine* Ohren nicht taugten – da erinnerte sie sich plötzlich, dass ich bei ihr saß, brach mitten im Satz ab und fing an, wie wild an dem Besteck zu rubbeln, wie um die Vergangenheit wegzupolieren. Doch in einem Haus mit Kindern kann es keine Geheimnisse geben. Ich machte mir auf meine Weise einen Reim auf die Geschichte. Wenn die Missus über ihrem Frühstückstee mit dem Gärtner plauderte, lernte ich, mir die plötzlichen Gesprächspausen, die regelmäßig scheinbar harmloses Geplauder unterbrachen, auf meine Art zu deuten. Ich tat, als merkte ich nichts, wenn sie bei bestimmten Worten stumme Blicke wechselten. Und wenn sie dachten, sie wären allein und könnten offen reden, täuschten sie sich. Auf diese Weise begriff ich die Geschichte meiner Herkunft. Und als die Missus später nicht mehr die Frau war, die sie einmal gewesen war, als das Alter sie verwirrte und ihr die Zunge löste, bestätigten ihre verschlungenen Gedankengänge das, was ich mir im Lauf der Jahre zusammengereimt hatte. Diese Geschichte, die sich mir nur aus Andeutungen, viel sagenden Blicken und Gesprächspausen erschlossen hat, werde ich für Sie in Worte kleiden.«

Miss Winter räusperte sich, um anzufangen.

»Isabelle Angelfield war anders.«

Die Stimme schien ihr zu entgleiten, und sie hielt überrascht inne. Als sie einen zweiten Anlauf nahm, wechselte sie in einen bedachten Ton.

»Isabelle Angelfield kam während eines heftigen Regens zur Welt.«

Es passierte wieder, dieses plötzliche Versagen der Stimme.

Sie war so sehr daran gewöhnt, die Wahrheit zu verbergen, dass sie in ihrem Innern verkümmert war. Doch nach diesem erneuten Fehlstart fand sie zu sich wie eine begnadete Musikerin, die nach Jahren ihr Instrument noch einmal zur Hand nimmt.

Sie erzählte mir die Geschichte von Isabelle und Charlie.

❧

Isabelle Angelfield war anders.

Sie kam während eines heftigen Regens zur Welt.

Es lässt sich unmöglich sagen, ob zwischen diesen beiden Fakten ein Zusammenhang besteht. Doch als Isabelle ein Vierteljahrhundert später das Haus verließ, blickten die Leute im Dorf zurück und erinnerten sich an den endlosen Regen am Tag ihrer Geburt. Für einige schien es wie gestern, dass der Arzt sich verspätete, weil der Fluss über die Ufer getreten war und er sich durch die Fluten kämpfen musste. Andere wussten noch ohne den Schatten eines Zweifels, dass sich die Nabelschnur um den Hals des Babys geschlungen hatte und es fast erstickt wäre. Ja, es war wahrlich eine schwierige Geburt gewesen, denn war nicht die Mutter, als um Punkt sechs das Baby das Licht der Welt erblickte und der Doktor die Klingel zog, verstorben und in die jenseitige Welt hinübergegangen? Hätte es also gutes Wetter gegeben und wäre der Arzt früher eingetroffen und hätte das Kind nicht wegen der Nabelschnur an Sauerstoffmangel gelitten und wäre die Mutter nicht gestorben …

Hätte, wäre, wenn. Solche Überlegungen führen zu nichts. Isabelle war, wie sie war, und mehr gibt es dazu nicht zu sagen.

Das Baby, ein weißer Wicht voller Wut, war mutterlos. Und anfangs sah es ganz danach aus, als sei es ebenso vaterlos. Denn Isabelles Vater, George Angelfield, entwickelte Anzeichen geistigen Verfalls. Er schloss sich in der Bibliothek ein und weigerte sich schlicht, einen Fuß rauszusetzen. Das mochte unangemessen sein, denn nach zehn Jahren Ehe ist man gewöhnlich von ehelicher Zuneigung geheilt, doch Angelfield war ein seltsamer Bursche, Punktum. Er hatte seine Frau geliebt – seine launige, faule, egoistische und hübsche Mathilde. Er hatte sie mehr geliebt als seine Pferde, sogar mehr als seinen Hund. Und was den Sohn Charlie betrifft, einen neunjährigen Jungen, so war es George nie in den Sinn gekommen, sich zu fragen, ob er ihn mehr oder weniger liebte als Mathilde, denn Tatsache war, dass er überhaupt nicht an Charlie dachte.

In tiefer Trauer, halb wahnsinnig vor Gram, saß George Angelfield in der Bibliothek und wollte nichts essen und niemanden sehen. Und er verbrachte auch die Nächte dort, auf der Bettcouch, auf der er, statt zu schlafen, mit roten Augen den Mond anstarrte. Das ging Monate so. Seine bleichen Wangen wurden noch bleicher, er wurde dünn und hörte auf zu sprechen. Aus London wurden Spezialisten geholt. Der Pastor kam und ging. Der Hund siechte vor mangelnder Zuwendung dahin, und als er starb, schenkte George Angelfield diesem Umstand kaum Beachtung.

Am Ende hatte die Missus genug von alledem. Sie hob Isabelle aus der Krippe im Kinderzimmer und nahm sie mit nach unten. Sie schritt am Butler vorbei, für dessen Protest sie taube Ohren hatte, und trat ohne anzuklopfen in die Bibliothek. Dort marschierte sie geradewegs zum Schreibtisch und ließ das Baby ohne ein Wort George Angelfield in die Arme plumpsen. Dann machte sie kehrt, ging hinaus und knallte die Tür hinter sich zu.

Der Butler wollte George Angelfield zu Hilfe eilen und ihm das Baby abnehmen, doch die Missus hob den Finger und zischte: »Dass Sie es ja nicht wagen!« Er war zu verblüfft, um sich zu widersetzen. Die Bediensteten scharten sich ratlos vor der Bibliothekstür zusammen. Doch die Überzeugungskraft der Missus hatte sie wie gelähmt, und so unternahmen sie nichts.

Es war ein langer Nachmittag, an dessen Ende eines der untergeordneten Hausmädchen nach oben ins Kinderzimmer rannte und rief: »Er ist rausgekommen! Der Herr ist rausgekommen!«

Gleichmütig und ohne Eile stieg die Missus die Treppe hinunter, um zu hören, was geschehen war.

Die Hausangestellten hatten stundenlang in der Diele herumgestanden, an der Tür gelauscht und durchs Schlüsselloch gespäht. Zuerst saß ihr Dienstherr nur da und sah das Baby mit einem dumpfen, verwirrten Ausdruck an. Das Baby zappelte und gluckste. Als man George Angelfield zur Erwiderung gurren und schnalzen hörte, tauschte die Dienerschaft erstaunte Blicke; noch mehr staunten sie allerdings, als sie plötzlich Wiegenlieder hörten. Die Kleine schlief, und es herrschte Stille. Ihr Vater, so berichteten die Zeugen später, wandte nicht einmal das Gesicht von seiner Tochter ab. Dann wachte sie hungrig auf und fing an zu weinen. Ihr Geschrei wurde immer schriller, bis irgendwann die Tür aufflog.

Da stand mein Großvater mit seinem Baby im Arm.

Als er die Dienerschaft untätig herumlungern sah, funkelte er sie wütend an und sagte mit donnernder Stimme: »Lässt man in diesem Haus ein Baby verhungern?«

Von dem Tag an kümmerte sich George Angelfield persönlich um seine Tochter. Er fütterte sie, badete sie, holte ihr Bettchen zu sich ins Zimmer, für den Fall, dass sie nachts allein Angst hatte und weinte, fertigte eine Kindertrage, um sie zum Reiten mitzunehmen, las ihr vor (Geschäftsbriefe, die Sportseiten und Liebesromanzen) und teilte alle seine Gedanken und Pläne mit ihr. Er benahm sich, kurz gesagt, als sei Isabelle eine vernünftige, angenehme Gefährtin und nicht ein wildes, unwissendes Kind.

Vielleicht lag es an ihrem Aussehen, dass ihr Vater sie liebte. Charlie, der vernachlässigte, neun Jahre ältere Sohn, kam ganz nach dem Vater: ein grobschlächtiger, käsiger Rotschopf mit klobigen Füßen und einem schwerfälligen Gesichtsausdruck. Isabelle dagegen hatte ihr Äußeres von beiden Eltern geerbt. Während das Haar des Vaters wie auch das des Sohnes rotblond war, leuchtete es bei der Tochter in üppigem roten Kastanienbraun. Die Angelfield'sche blasse Haut lag bei ihr über feinen französischen Knochen. Sie hatte vom Vater das bessere Kinn und von der Mutter den hübscheren Mund. Von Mathilde hatte sie auch die schräg gestellten Augen und langen Wimpern; doch wenn sie den Blick hob, sah man in das erstaunliche Smaragdgrün, das Markenzeichen der Familie. Sie war, zumindest in physischer Hinsicht, ein Bild der Vollkommenheit.

Der Haushalt passte sich an die ungewöhnliche Situation an. Es wurde zum ungeschriebenen Gesetz, so zu tun, als sei es ganz und gar normal, dass ein Vater sein Töchterchen so abgöttisch liebt. Es galt demnach nicht als unmännlich oder unstandesgemäß oder lächerlich, dass er sie unablässig um sich hatte.

Aber was ist mit Charlie, dem Bruder des Babys? Er war ein begriffsstutziger Junge, bei dem sich alles um seine wenigen Leidenschaften und Obsessionen drehte, ohne dass man ihn dazu hätte bringen können, neue Ideen aufzunehmen oder logisch zu denken. Er ignorierte das Baby und begrüßte die Veränderungen, die das neue Familienmitglied mit sich brachte. Vor Isabelles Geburt hatte es zwei Elternteile gegeben, denen die Missus schlechtes Betragen hatte melden können, zwei, deren Reaktionen unmöglich vorherzusehen waren. Seine Mutter war eine inkonsequente Zuchtmeisterin gewesen, die ihn für seine Vergehen das eine Mal verdreschen ließ und das nächste Mal nur darüber lachte. Sein Vater war zwar streng, aber nicht ganz bei der Sache, sodass die von ihm verhängten Strafen oft vergessen waren, bevor sie zur Durchführung kamen. Wenn er den Jungen aber zufällig sah, dämmerte ihm, dass es da noch etwas zu ahnden gab, und so vertrimmte er ihn mit dem Argument, dass es, falls er es nicht jetzt verdiente, vorsorglich fürs nächste Mal war. Der Junge lernte daraus, seinem Vater besser aus dem Weg zu gehen.

Mit dem Eintreffen von Baby Isabelle wurde alles schlagartig anders. Mama war verschwunden, Papa so gut wie, zu sehr mit seiner Kleinen beschäftigt, um die hysterischen Meldungen der Hausmädchen ernst zu nehmen – über Mäuse, die zusammen mit dem Sonntagsbraten im Ofen schmorten, über Stecknadeln, die böswillige Hände tief in der Seife vergruben. Charlie konnte tun und lassen, was er wollte, und es gefiel ihm nun mal, auf der obersten Treppenstufe zum Dachgeschoss Dielenbretter zu entfernen und zuzusehen, wie die Hausmädchen hinunterfielen und sich die Knöchel verstauchten.

Die Missus mochte schimpfen, wie sie wollte. Charlies neues Leben gab ihm die Möglichkeit, nach Herzenslust zu verstümmeln und zu verletzen und zu wissen, dass er ungeschoren davonkommen würde. Konsequentes Verhalten Erwachsener soll Kindern ja gut tun, und diesem Kind kam die konsequente Vernachlässigung zupass, denn in diesen frühen Jahren seiner Halbwaisenzeit war Charlie Angelfield so glücklich, wie der Tag lang war.

George Angelfields abgöttische Liebe zu seiner Tochter bestand sämtliche Proben, auf die ein Kind seine Eltern stellen kann. Als sie zu sprechen begann, fand er sie außergewöhnlich begabt, ein wahres Orakel, und er fing an, sie zu allem und jedem um Rat zu fragen, bis der ganze Haushalt den Launen einer Dreijährigen unterstand.

Gäste kamen selten, und sowie das Haus verkam und von einem exzentrischen in einen verwahrlosten Zustand überging, machten sie sich in Angelfield noch rarer. Irgendwann fingen die Bediensteten an zu murren. Der Butler ging, bevor das Kind zwei Jahre alt war. Die Köchin hielt es noch ein Jahr länger mit den unregelmäßigen Mahlzeiten aus, die das Kind verlangte, dann kam der Tag, an dem auch sie ihre Kündigung einreichte. Sie nahm das Küchenmädchen mit, und am Ende war es an der Missus, zu den unmöglichsten Zeiten für Kuchen und Götterspeise zu sorgen. Die Hausmädchen fühlten sich in keiner Weise verpflichtet, die Arbeit zu erledigen. Nicht ganz zu Unrecht waren sie der Meinung, dass ihre mageren Löhne sie bestenfalls für Schnittwunden und Prellungen sowie verstauchte Knöchel und Magenverstimmungen entschädigten, die sie Charlies sadistischen Experimenten verdankten. Sie gingen und wurden durch eine ständige Prozession an Aushilfen ersetzt, von denen keine lange blieb. Schließlich musste man auch auf die Aushilfen verzichten.

In Isabelles fünftem Lebensjahr war der Hausstand schließlich auf George Angelfield, die zwei Kinder, die Missus, den Gärtner und den Wildhüter geschrumpft. Der Hund war tot, und die Katzen, vor Charlie auf der Hut, hielten sich vom Hause fern und suchten bei schlechtem Wetter im Gartenschuppen Unterschlupf.

Falls George Angelfield ihre Isolation und den verkommenen Haushalt überhaupt bemerkte, so schien es ihn nicht zu stören. Er war glücklich: Er hatte Isabelle.

Wenn überhaupt irgendjemand die Dienerschaft vermisste, dann Charlie. Ohne sie fehlten ihm die Versuchspersonen für seine Experimente. Und so fiel sein Blick auf der Suche nach einem Menschen, dem er wehtun konnte, unvermeidlich irgendwann auf seine Schwester.

Er konnte es sich nicht leisten, sie in Gegenwart ihres Vaters zum Weinen zu bringen, und da sie ihrem Papa kaum von der Seite wich, sah sich Charlie einem Problem gegenüber: Wie konnte er sie vom Vater loseisen?

Durch Überredungskünste. Indem er ihr etwas von Magie und Überraschungen zuflüsterte, lockte Charlie Isabelle aus der Seitentür, über das eine Ende des Irrgartens zwischen den ausgedehnten Rabatten, dann durch den Ziergarten und schließlich die Buchenallee entlang in den Wald. Dort gab es eine Stelle, die Charlie kannte. Einen alten Schuppen, feucht und fensterlos – ein geheimnisträchtiger Ort.

Kleiner und schwächer, trottete ihm seine Schwester hinterher. Doch sie war seltsam eigenwillig, und sie war schlau, und so kam es nicht immer ganz wie geplant.

Charlie zog seiner Schwester den Ärmel hoch und ratschte ihr mit einem Stück orangebraunem, rostigem Draht die weiße Innenseite des Arms entlang. Sie starrte auf die roten Blutperlen, die in einer bläulichen Linie hervorquollen, dann fiel ihr Blick auf ihn. Vor Überraschung, in die sich etwas wie Freude mischte, machte sie große Augen. Als sie die Hand nach dem Draht ausstreckte, gab er ihn ihr, ohne nachzudenken. Sie krempelte ihren anderen Ärmel hoch, löcherte ihre Haut und zog den Draht hingebungsvoll bis zum Handgelenk vor. Ihre Kerbe war tiefer als die, die er ihr zugefügt hatte, und das Blut schoss augenblicklich hoch und bildete Tropfen. Sie betrachtete ihr Werk und stieß einen zufriedenen Seufzer aus, bevor sie sich das Blut ableckte. Dann gab sie ihm den Draht zurück und deutete an, jetzt sei er an der Reihe.

Charlie war verblüfft. Dennoch bohrte er sich den Draht in den Arm, weil sie es wollte, und lachte trotz des Schmerzes.

Statt eines Opfers hatte Charlie eine höchst sonderbare Verschwörerin gefunden.

Das Leben ging für die Angelfields ohne Gäste, ohne Jagdgesellschaften, ohne Hausmädchen und ohne die meisten Dinge weiter, die für Menschen ihres Standes in jenen Tagen selbstverständlich waren. Sie kehrten den Nachbarn den Rücken, überließen den Grundbesitz den Pächtern und die kleinen täglichen Geschäfte mit der Außenwelt, die fürs Überleben notwendig waren, ganz der Gutmütigkeit und Ehrlichkeit der Missus und des Gärtners.

George Angelfield vergaß die Welt, und eine Zeit lang vergaß die Welt ihn. Doch dann erinnerte sie sich plötzlich seiner: des Geldes wegen.

In der Nachbarschaft waren einige Herrenhäuser, und dort lebten mehr oder weniger aristokratische Familien. Darunter war ein Mann, dem sein Geld sehr am Herzen lag. Er suchte immer wieder Rat, investierte große Summen, wo es die Klugheit gebot, und kleine Summen, wo das Verlustrisiko größer war als der Profit, im Erfolgsfalle aber der Profit enorm. Die großen Summen verlor er ganz. Die kleinen brachten einen wenn auch bescheidenen Gewinn. Er steckte in einem Dilemma. Außerdem hatte er noch einen faulen, verschwenderischen Sohn und eine Tochter mit Glupschaugen und dicken Fußgelenken. Es musste etwas geschehen.

George Angelfield bekam nie jemanden zu Gesicht, also bekam er auch nie finanzielle Tipps. Wenn sein Anwalt Empfehlungen aussprach, ignorierte er sie, und wenn seine Bank ihm Briefe schrieb, beantwortete er sie nicht. Infolgedessen wurde das Angelfield-Vermögen nicht auf der Jagd nach dem neuesten Deal in Umlauf gebracht, sondern lungerte im Tresorraum der Bank herum und wurde fett.

Geld ist geschwätzig. Und so wurde es bekannt, dass bei dem alten Angelfield etwas zu holen war.

»Hat George Angelfield nicht einen Sohn?«, fragte die Frau des nahezu bankrotten Nachbarn. »Wie alt mag der jetzt sein? Sechsundzwanzig?«

Und falls nicht der Sohn für Sybilla, warum nicht das Mädchen für Roland?, dachte die Frau. Sie müsste inzwischen im heiratsfähigen Alter sein. Und würde nicht mit leeren Händen kommen. Denn alle wussten, dass der Vater sie vergötterte.

»Prächtiges Wetter für ein Picknick«, sagte die Frau, und ihrem Mann entging – typisch Mann – der Zusammenhang.

Die Einladung lag zwei Wochen lang unbeachtet auf der Fensterbank im Wohnzimmer, und sie wäre womöglich dort liegen geblieben, bis die Tinte in der Sonne verblichen wäre, hätte nicht Isabelle sie entdeckt. Auf der Suche nach Abwechslung kam sie eines Nachmittags die Treppe herunter, blies gelangweilt die Backen auf, nahm den Brief und öffnete ihn.

»Was ist das?«, fragte Charlie.

»Eine Einladung«, sagte sie. »Zu einem Picknick.«

Ein Picknick? Charlie dachte kurz darüber nach. Komisch. Doch er zuckte die Achseln und vergaß die Sache.

Isabelle stand auf und ging zur Tür.

»Wo willst du hin?«

»In mein Zimmer.« Charlie wollte ihr nach, doch sie hielt ihn zurück. »Lass mich in Frieden«, sagte sie. »Ich bin nicht in Stimmung.«

Er maulte, nahm eine Handvoll ihres Haars und strich ihr mit den Fingern über den Nacken, wo die beiden Prellungen, die er ihr das letzte Mal zugefügt hatte, ineinander übergingen. Doch sie duckte sich weg, rannte nach oben und schloss sich ein.

Als er sie eine Stunde später auf der Treppe hörte, ging er zur Tür. »Komm mit mir in die Bibliothek«, bat er sie.

»Nein.«

»Dann zum Wildgehege.«

»Nein.«

Er sah, dass sie sich umgezogen hatte. »Was hast du da denn an?«, fragte er. »Wie dämlich.«

Sie trug ein Sommerkleid, das ihrer Mutter gehört hatte, aus einem minderwertigen weißen, grün eingefassten Stoff. Statt in ihre üblichen Tennisschuhe mit den ausgefransten Schnürsenkeln war sie in ein Paar grüne Satinsandalen geschlüpft, die ihr eine Nummer zu groß waren und ebenfalls von ihrer Mutter stammten. Dazu hatte sie sich mit einem Kämmchen eine Blume ins Haar gesteckt. Sie trug Lippenstift.

Sein Gemüt verfinsterte sich. »Wo willst du hin?«, fragte er.

»Zum Picknick.«

Er packte sie am Arm, grub ihr die Finger in die Haut und zog sie Richtung Bibliothek.

»Nein!«

Er zog fester.

Sie zischte ihn an: »*Charlie, ich habe Nein gesagt!*«

Daraufhin ließ er sie los. Wenn sie in diesem Ton mit ihm sprach, dann wusste er, dass sie es ernst meinte. Hörte er nicht auf, das hatte er schon häufig erlebt, dann konnte sie tagelang schlechte Laune haben.

Sie kehrte ihm den Rücken zu und öffnete die Haustür.

Wutschäumend sah sich Charlie nach etwas um, das er werfen konnte. Doch er hatte bereits alles zerbrochen, was zerbrechlich war. Die Dinge, die noch heil waren, konnten mehr seinen Handknöcheln schaden als er diesen Gegenständen. Seine Fäuste entspannten sich; er folgte Isabelle aus der Tür und zum Picknick.

Aus der Ferne gaben die jungen Leute am See in ihren Sommerkleidern und weißen Hemden ein hübsches Bild ab. Die Gläser, die sie in Händen hielten, waren mit einer Flüssigkeit gefüllt, die in der Sonne funkelte, und das Gras zu ihren Füßen sah weich genug aus, um barfuß zu gehen. In Wahrheit kam die Picknickrunde in ihren Kleidern vor Hitze fast um, der Champagner war warm, und hätte jemand tatsächlich daran gedacht, die Schuhe auszuziehen, hätte er durch Gänsekot waten müssen. Dennoch waren sie bereit, sich fröhlich zu geben, in der Hoffnung, dass die echte Stimmung noch aufkommen würde.

Ein junger Mann am Rand der Gruppe sah, dass sich zwei Menschen vom Haus aus auf sie zubewegten: ein seltsam gekleidetes Mädchen neben einem Klotz von einem Mann. Sie hatte etwas Besonderes an sich. Ihr Anblick zog ihn in den Bann, und er reagierte nicht auf den Scherz eines seiner Gefährten. Dieser blickte auf, um zu sehen, was seinen Freund abgelenkt hatte, und schwieg nun seinerseits. Eine Gruppe junge Frauen, die selbst dann genau registrierten, was die jungen

Männer machten, wenn sie ihnen den Rücken zuwandten, drehte sich um, als es plötzlich still hinter ihnen wurde. Alle blickten den Neuankömmlingen nun schweigend entgegen.

Isabelle schritt über die weitläufige Rasenfläche. Sie näherte sich der Gruppe. Die teilte sich für sie wie das Meer für Moses, und sie ging bis vor ans Ufer. Dort blieb sie auf einem flachen Felsen stehen, der über den See hervorragte. Jemand kam mit einem Glas und einer Flasche zu ihr, doch sie winkte ab. Die Sonne schien hell, es war ein langer Fußweg gewesen, sie brauchte mehr als Champagner, um sich abzukühlen. Sie zog die Schuhe aus, hängte sie in einen Baum und ließ sich mit ausgestreckten Armen ins Wasser fallen.

Alle waren starr vor Staunen, als sie an die Oberfläche kam und das Wasser an ihr herunterlief, was an die Geburt der Venus erinnerte.

Dieser Sprung in den See war etwas, an das sich die Leute noch nach Jahren erinnerten – in einer Mischung aus Mitleid und Verdammung schüttelten sie darüber die Köpfe. Das Mädchen hatte es schon immer faustdick hinter den Ohren gehabt, doch an dem Tag schrieb man es einfach einer übermütigen Stimmung zu, und die Leute waren ihr dankbar. Ganz allein brachte Isabelle Schwung in die Party.

Einer der jungen Männer, der draufgängerischste, mit blondem Haar und einem lauten Lachen, streifte die Schuhe ab, zog die Krawatte aus und sprang zu ihr in den See. Ein Trio seiner Freunde folgte. Im Handumdrehen waren die jungen Männer alle im Wasser, tauchten, spritzten, brüllten und übertrafen einander an Athletentum.

Die Mädchen kombinierten blitzschnell und sahen, dass es für sie nur die Flucht nach vorne gab. Sie hängten ihre Sandalen in die Zweige, machten die aufgeregtesten Gesichter, klatschten in den See und stießen dabei Schreie aus, die unbekümmert klingen sollten, während sie alles taten, um das Wasser von ihren Frisuren fern zu halten.

Ihre Mühe war vergeblich. Die Männer hatten nur Augen für Isabelle.

Charlie folgte seiner Schwester nicht. Er blieb in einigem Abstand stehen und sah zu. Mit seinem roten Haar und seiner Blässe war er für Regen und fürs Haus geschaffen. Sein Gesicht war in der Sonne rosa angelaufen, und der Schweiß, der ihm von der Stirn rann, brannte ihm in den Augen. Doch er zwinkerte kaum einmal. Er ertrug es nicht, Isabelle nicht im Blick zu haben.

Wie viele Stunden noch, bis er wieder mit ihr allein war? Es schien ihm wie eine Ewigkeit. Durch Isabelles Gegenwart belebt, dauerte das Picknick viel länger als erwartet, und doch verging es im Flug. Alle wären gern noch geblieben, doch dann wurde das Picknick mit dem tröstlichen Gedanken an künftige Zusammenkünfte und mit einer Runde versprochener Einladungen und feuchter Küsse aufgehoben.

Als Charlie auf sie zukam, hatte Isabelle ein Herrenjackett um die Schultern gelegt und den jungen Besitzer an der Hand. Nicht allzu weit dahinter blieb ein Mädchen zögerlich stehen, das offenbar nicht wusste, ob seine Anwesenheit erwünscht war. Obwohl plump und unscheinbar, ließ die dennoch unverkennbare Ähnlichkeit mit dem jungen Mann darauf schließen, dass sie seine Schwester war.

»Komm schon«, sagte Charlie unwirsch zu seiner Schwester.

»So früh? Ich dachte, wir könnten noch einen Spaziergang machen. Mit Roland und Sybilla.«

Sie lächelte Rolands Schwester charmant zu, und Sybilla strahlte, über die unerwartete Freundlichkeit erstaunt, zurück.

Zu Hause wusste sich Charlie, wenn auch nicht immer, bei Isabelle durchzusetzen – er tat ihr dann weh, doch in Gegenwart anderer wagte er das nicht. Und so gab er zähneknirschend nach.

Was geschah während dieses Spaziergangs? Es gab keine Zeugen, deshalb wurde auch wenig geklatscht. Anfänglich zumindest. Doch man muss kein kluger Kopf sein, um aus den späteren Ereignissen abzuleiten, was unter dem Baldachin des Sommerlaubs an diesem Abend vor sich gegangen war.

In etwa dies:

Isabelle musste einen Vorwand gefunden haben, um die Männer loszuwerden. »Meine Schuhe! Ich hab sie im Baum hängen lassen!« Und sie hatte wohl Roland geschickt, sie zu holen, und Charlie nach einem Schal von Sybilla oder dergleichen.

Nachdem die Männer gegangen waren, machten es sich die Mädchen auf dem weichen Boden bequem. Sie warteten, vom Champagner ein wenig schläfrig, und atmeten die letzte Hitze des Tages ein und etwas Dunkleres – den Wald und die Nacht. Durch ihre Körperwärme verflüchtigte sich langsam die Feuchtigkeit ihrer Kleider, und sowie der Stoff trocknete, löste er sich von der Haut und kitzelte. Isabelle wusste, was sie wollte: Zeit allein mit Roland. Doch dafür musste sie ihren Bruder loswerden.

Sie begann das Gespräch, mit dem Rücken an einen Baum gelehnt. »Welcher ist denn nun dein Verehrer?«

»Ich hab eigentlich keinen Verehrer«, gab Sybilla zu.

»Solltest du aber.« Isabelle rollte sich auf die Seite, nahm das fedrige Blatt eines Farns und strich sich damit über die Lippen. Danach über die Lippen ihrer Gefährtin.

»Das kitzelt«, murmelte Sybilla.

Und noch einmal berührte sie mit dem Farnblatt Sybillas

Mund. Sybilla lächelte mit halb geschlossenen Augen und wehrte sich nicht, als sie ihr mit dem weichen Blatt den Hals hinunter und um den Ausschnitt ihres Kleides strich, wobei sie besonders die Wölbungen ihrer Brüste nachfuhr. Sybilla entschlüpfte ein leicht näselndes Kichern. Als das Blatt zu ihrer Taille und über die Hüfte glitt, öffnete sie die Augen.

»Du hast aufgehört«, beklagte sie sich.

»Hab ich nicht«, sagte Isabelle. »Du kannst es nur durch dein Kleid nicht spüren.« Und sie zog Sybillas Rocksaum hoch und strich ihr mit dem Farn die Knöchel entlang. »Besser?«

Sybilla schloss wieder die Augen.

Von den etwas dicken Fußgelenken bahnte sich der Farn seinen Weg zu einem stämmigen Knie. Dem Mädchen entfuhr ein leises Murmeln. Sie rührte sich nicht, bis der Wedel am oberen Ende ihrer Schenkel angekommen war, und erst als Isabelle das Grünzeug durch ihre eigenen zarten Finger ersetzte, stöhnte sie. Isabelle wandte nicht ein einziges Mal den Blick vom Gesicht des älteren Mädchens, und in dem Moment, als Sybillas Lider zum ersten Mal flackerten, zog sie die Hand zurück.

»Was du eigentlich brauchst«, sagte sie in sehr sachlichem Ton, »ist ein Verehrer.«

Sybilla, vorzeitig aus ihrer Verzückung gerissen, begriff nicht gleich.

»Zum Kitzeln«, musste Isabelle ihr erklären. »Mit einem Verehrer ist das viel besser.«

Und kaum fragte Sybilla ihre neue Freundin, »Woher willst du das wissen?«, hatte Isabelle die Antwort schon auf den Lippen. »Charlie.«

Als die jungen Männer mit Schuhen und Schal wiederkamen, hatte Isabelle erreicht, was sie bezweckte. Sybilla, deren Rock und Unterrock ein wenig durcheinander geraten waren, betrachtete Charlie mit einem Ausdruck lebhaftesten Interesses.

Charlie, völlig blind für die faszinierten Blicke, hatte jedoch nur Augen für Isabelle.

»Ist dir eigentlich die Ähnlichkeit zwischen Isabelle und Sybilla aufgefallen?«, fragte Isabelle in unbekümmertem Ton. Charlie funkelte sie wütend an. »Der Klang der Namen, meine ich. Fast austauschbar, findest du nicht?« Sie warf ihrem Bruder einen scharfen Blick zu, der ihn zwang zu begreifen. »Roland und ich gehen noch ein Stück. Aber Sybilla ist müde. Bleib du bei ihr.« Damit nahm Isabelle Roland am Arm.

Charlie sah Sybilla kalt an, und dabei fiel ihm ihr verrutschtes Kleid auf. Sie erwiderte seinen Blick aus großen Augen und mit leicht geöffneten Lippen.

Als er sich wieder zu Isabelle umdrehte, war sie bereits verschwunden. Nur ihr Lachen schallte noch durch die Dunkelheit zu ihm zurück, und das leise Grollen von Rolands Stimme. Er würde es ihr später heimzahlen, darauf konnte sie sich verlassen. Immer und immer wieder sollte sie dafür bezahlen.

Bis dahin musste er seinen Gefühlen anderweitig Luft machen. Und er wandte sich Sybilla zu.

Den ganzen Sommer über gab es jede Menge Picknicks und für Charlie jede Menge Sybillas. Für Isabelle allerdings nur einen Roland. Jeden Tag machte sie sich, von Charlie unbemerkt, aus dem Staub. Charlie kam nie dahinter, wo sich das Paar traf, und war zu langsam, um Isabelle zu folgen, wenn sie auf dem Rad strampelnd und mit flatternden Haaren verschwand. Manchmal kehrte sie erst nach Einbruch der Dunkelheit zurück, manchmal nicht einmal dann. Wenn er mit ihr schimpfte, lachte sie ihn aus oder kehrte ihm den Rücken zu, als wäre er Luft. Er versuchte, ihr wehzutun, doch jedes Mal, wenn sie ihm wieder entwischt und wie Wasser durch die Finger geglitten war, wurde ihm klar, wie sehr ihre Spiele von ihrer Bereitschaft abhängig waren. Wie stark er auch war, sie konnte sich ihm immer mit ihrer Wendigkeit und Schläue entziehen. Wie ein Bär, den eine Biene in Rage versetzt, war er machtlos ihr gegenüber.

Ab und zu gab sie seinem Flehen um des Friedens willen nach. Ein, zwei Stunden lang überließ sie sich ihm dann, sodass er sich in der Illusion wiegen konnte, sie sei endgültig zu ihm zurückgekommen und zwischen ihnen sei alles beim Alten. Doch das war jedes Mal eine Illusion, und ihr Verschwinden nach diesen Intermezzi quälte ihn umso mehr.

Nur für Augenblicke vergaß Charlie seinen Schmerz bei seinen Sybillas. Eine Weile bahnte seine Schwester diese Beziehungen an, doch je mehr Vergnügen sie an Roland fand, desto mehr sah Charlie sich gezwungen, seine eigenen Vorkehrungen zu treffen. Ihm ging die Raffinesse seiner Schwester ab. Es gab einen Vorfall, der zum Skandal zu werden drohte, und eine entnervte Isabelle machte ihm klar, wenn er sich weiter so benehmen wolle, dann müsse er sich an eine andere Sorte Frauen halten. Und so wandte er sich nicht länger den Töchtern der Kleinaristokraten zu, sondern denen der Hufschmiede, Holzfäller und Habenichtse. Er sah nicht recht, was das für einen Unterschied machte, doch die Leute schienen damit weniger Probleme zu haben.

So häufig er auf diese Art Zerstreuung suchte, so flüchtig waren die Momente des Vergessens. Die schockierten Augen, die Prellungen an den Armen, die blutigen Schenkel waren aus seinem Blickfeld verschwunden, sobald er ihnen den Rücken kehrte. Nichts kam der großen Leidenschaft seines Lebens gleich: seinen Gefühlen für Isabelle.

Eines Morgens, gegen Ende des Sommers, blätterte Isabelle die leeren Seiten ihres Tagebuchs weiter und zählte die Tage. Sie klappte das Buch zu und verstaute es geistesabwesend in der Schublade. Als sie eine Entscheidung getroffen hatte, ging sie nach unten in das Arbeitszimmer ihres Vaters.

Ihr Vater sah auf. »Isabelle!« Er freute sich, sie zu sehen. Seit sie sich angewöhnt hatte, häufiger auszugehen, war er besonders dankbar, wenn sie von sich aus seine Gesellschaft suchte.

»Liebster Papa!« Sie lächelte ihn an.

Er bemerkte ein gewisses Glitzern in ihren Augen. »Führst du etwas im Schilde?«

Ihr Blick wanderte in einen Winkel der Zimmerdecke, sie lächelte noch immer. Ohne die dunkle Ecke aus den Augen zu lassen, erklärte sie ihm, sie würde gehen.

Zuerst begriff er kaum, was sie sagte. Er fühlte ein Pulsieren in den Ohren, sah plötzlich verschwommen. Er schloss die Augen, doch in seinem Kopf brachen Vulkane aus, schlugen Meteoriten ein und explodierten. Als die Flammen verloschen und in seinem Innern nur noch eine reglose, verwüstete Landschaft übrig war, öffnete er die Augen.

Was hatte er getan?

Er hielt eine Haarsträhne in der Hand, an deren einem Ende ein blutiger Hautklumpen hing. Isabelle stand, die Hände hinter sich, mit dem Rücken zur Tür. Eines der schönen grünen Augen war blutunterlaufen, eine Wange gerötet und leicht geschwollen. Aus ihrer Kopfhaut sickerte Blut, lief auf die Augenbraue zu und wurde seitlich abgelenkt.

Er war über sich selbst und sie entsetzt. Schweigend wandte er sich von ihr ab, und sie verließ den Raum.

Danach saß er stundenlang da und zwirbelte sich die rotbraune Haarsträhne, die er in seiner Hand entdeckt hatte, immer enger um den Finger, bis sie ihm tief in die Haut einschnitt und so verfilzt war, dass er sie nicht mehr herunterbekam. Und als er sich nach geraumer Zeit des Schmerzes endlich bewusst wurde, weinte er.

Charlie war an dem Tag nicht im Haus und kehrte erst um Mitternacht zurück. Nachdem er Isabelles Zimmer leer vorgefunden hatte, wanderte er durchs Haus, und ein sechster Sinn sagte ihm, dass eine Katastrophe geschehen war. Als er seine Schwester nirgends finden konnte, ging er ins Arbeitszimmer seines Vaters. Ein Blick auf das aschgraue Gesicht des Mannes verriet ihm genug. Vater und Sohn sahen sich eine Weile an, doch der gemeinsame Verlust einte sie nicht. Sie konnten nichts füreinander tun.

In seinem Zimmer sank Charlie auf den Stuhl in der Nähe des Fensters und blieb – eine Silhouette im mondhellen Fensterrechteck – sitzen. Irgendwann zog er eine Schublade auf und holte die Pistole heraus, die er von einem Wilderer im Dorf erpresst hatte, und hob sie sich zwei, drei Mal an die Schläfe. Jedes Mal sank sie, gezogen von der Schwerkraft, zurück auf seinen Schoß.

Um vier Uhr morgens legte er die Waffe weg und nahm stattdessen die lange Nadel, die er vor gut zehn Jahren aus dem Nähkasten der Missus stibitzt und die ihm seither gute Dienste geleistet hatte. Er zog ein Hosenbein hoch, schob die Socke hinunter und stach sich ein neues Muster in die Haut. Während seine Schultern zuckten, ritzte er sich mit ruhiger Hand ein einziges Wort ins Schienbein: Isabelle.

Isabelle war zu diesem Zeitpunkt längst über alle Berge. Sie war noch einmal kurz in ihr Zimmer zurückgekehrt und hatte es dann über die Hintertreppe, die in die Küche führte, verlassen. Dort hatte sie die Missus einmal fest umarmt, was ihr gar nicht ähnlich sah, bevor sie aus dem Nebeneingang huschte und durch den Küchengarten zum Tor in der Gartenmauer rannte. Schon seit Langem ließ die Sehkraft der Missus nach, doch sie hatte die Fähigkeit entwickelt, die Schwingungen der Luft zu deuten, und sie hatte das Gefühl, dass Isabelle einen winzigen Augenblick gezögert hatte, bevor sie das Gartentor hinter sich schloss.

Als es für George Angelfield offensichtlich wurde, dass Isabelle gegangen war, begab er sich in die Bibliothek und sperrte sich ein. Er verweigerte Nahrung, er wies Besucher ab. Ohnehin kamen nur noch der Pastor und der Arzt vorbei, und mit beiden machte er kurzen Prozess: »Sagen Sie Ihrem Gott, er soll zur Hölle fahren!« und »Lassen Sie gefälligst ein verwundetes Tier in Ruhe sterben!« Mehr brachte er nicht heraus.

Wenige Tage später kamen sie jedoch wieder und befahlen dem Gärtner, die Tür einzurammen. George Angelfield war tot. Nach einer kurzen Untersuchung stand fest, dass er an Blutvergiftung gestorben war, verursacht von einer Strähne menschlichen Haars, die sich an seinem Ringfinger tief ins Fleisch geschnitten hatte.

Charlie starb nicht, was ihn verwunderte. Er wanderte durchs Haus und hinterließ eine Fußspur im Staub, der er jeden Tag aufs Neue folgte, vom obersten Stockwerk langsam nach unten. Die Mansarden, die seit Jahren unbewohnt waren, die Zimmer der Bediensteten, die der Familie vorbehaltenen Räume, das Arbeitszimmer, die Bibliothek, das Musikzimmer, Wohnzimmer, die Küche. Es war eine rastlose, endlose, hoffnungslose Suche. Des Nachts verließ er das Haus, um draußen auf dem Gutsbesitz umherzustreifen, unermüdlich trugen ihn die Beine weiter, weiter, immer weiter. Währenddessen fingerte er unentwegt an der Nadel der Missus in seiner Tasche herum. Seine Fingerspitzen waren eine einzige blutige Masse. Er vermisste Isabelle.

So lebte Charlie den ganzen September, Oktober, November, Dezember, Januar und Februar hindurch, bis Isabelle Anfang März wiederkam.

Charlie war auf seiner täglichen Runde gerade in der Küche, als er Hufgetrappel und das Geräusch von Rädern hörte. Missmutig trat er ans Fenster. Er konnte keine Besucher brauchen.

Eine vertraute Gestalt stieg aus, und sein Herz stand still. Im selben Moment hatte er die Tür erreicht, die Treppe, die Kutsche, und *Isabelle war da.*

Er starrte sie an.

Isabelle lachte. »Hier«, sagte sie, »halt mal.« Damit reichte sie ihm ein schweres, in Stoff gewickeltes Bündel. Sie griff in den Wagenfond und holte noch eines heraus. »Und das hier.« Er klemmte sich beide gehorsam unter die Arme. »Und jetzt wünsche ich mir nichts auf der Welt so sehr wie einen großen Brandy.«

Sprachlos folgte Charlie Isabelle ins Haus und ins Arbeitszimmer. Sie steuerte geradewegs den Barschrank an, um zwei Gläser und eine Flasche herauszuholen. Sie goss sich großzügig ein und leerte ihr Glas in einem Schluck, sodass ihre weiße Kehle zu sehen war; dann schenkte sie sich nach und füllte ihrem Bruder das andere Glas. Er stand wie angewurzelt da, immer noch die fest geschnürten Bündel in den Armen. Wieder schallte ihm Isabelles Lachen in die Ohren, und es klang, als befände er sich zu dicht an einer riesigen Kirchenglocke. Ihm drehte sich alles im Kopf, und Tränen schossen ihm in die Augen. »Leg sie irgendwo hin«, wies ihn Isabelle an. »Wir bringen einen Toast aus.« Er nahm das Glas und sog den Dunst der Spirituose ein. »Auf die Zukunft!« Er schluckte den Brandy auf einmal hinunter und hustete, als es ungewohnt in der Kehle brannte.

»Du hast sie noch nicht mal gesehen, oder?«, fragte sie.

Er runzelte die Stirn.

»Guck mal.« Isabelle drehte die Bündel um, die er auf dem Schreibtisch abgelegt hatte, zog die weiche Hülle weg und trat zurück, um besser sehen zu können. Es waren Babys. Zwei Babys. Zwillinge. Er blinzelte. War sich vage bewusst, dass irgendeine Reaktion von ihm erwartet wurde, doch er wusste nicht, was er sagen oder machen sollte.

»Charlie, wach auf, verflucht noch mal!«, rief sie, nahm seine beiden Hände und zerrte ihn in einem wilden Tanz quer durchs Zimmer. Sie wirbelte ihn immer weiter herum, bis er vor lauter Schwindel einen klaren Kopf bekam, und als sie stehen blieben, umfasste sie sein Gesicht mit ihren Händen und sagte: »Roland ist tot, Charlie. Es gibt jetzt nur noch uns beide. Hast du das verstanden?«

Er nickte.

»Gut. Und wo ist Papa?«

Als er es ihr sagte, bekam sie einen hysterischen Anfall. Die Missus, von den schrillen Schreien aus der Küche aufgeschreckt, brachte sie in ihrem alten Zimmer zu Bett, und als sie wieder zu sich gekommen war, fragte sie: »Diese Babys – wie heißen sie?«

»March«, antwortete Isabelle.

Doch das war der Missus nicht neu. Das Gerücht von der Heirat war vor einigen Monaten bis zu ihr gedrungen, ebenso die Nachricht von der Geburt (sie brauchte die Monate nicht an den Fingern abzuzählen, doch sie tat es trotzdem und schürzte die Lippen). Sie wusste, dass Roland vor ein paar Wochen an Lungenentzündung gestorben war; wusste auch, wie die alten Eltern, Mr. und Mrs. March, niedergeschmettert vom Tod ihres einzigen Sohnes und abgestoßen von der nassforschen Gefühllosigkeit ihrer neuen Schwiegertochter, nunmehr Isabelle und ihre Kinder mieden, um ungestört zu trauern.

»Und die Vornamen?«

»Adeline und Emmeline«, sagte Isabelle schläfrig.

»Und wie hältst du sie auseinander?«

Doch da schlief die Kind-Witwe bereits. Und während sie in ihrem alten Bett träumte, vergaß sie ihre Eskapade und kehrte zu ihrem Mädchennamen zurück. Als sie am nächsten Morgen erwachte, war ihr, als hätte es ihre Ehe nie gegeben, und in den Babys sah sie nicht ihre eigenen Kinder – es steckte kein Funken Mütterlichkeit mehr in ihr –, sondern bloße Hausgespenster.

Auch die Babys schliefen. In der Küche beugten sich die Missus und der Gärtner über ihre glatten, blassen Gesichter und redeten mit gedämpfter Stimme.

»Welche ist welche?«, fragte er.

»Ich weiß nicht.«

Zu beiden Seiten der alten Krippe betrachteten sie die Kinder. Zwei halbmondförmige Wimpernkränze, zwei gespitzte Mündchen, zwei flaumige Köpfe. Da klimperte eines der Babys mit den Lidern und öffnete ein Auge halb. Der Gärtner und die Missus hielten den Atem an. Doch das Auge klappte wieder zu, und das Baby schlief weiter.

»Dann könnte das hier Adeline sein«, flüsterte die Missus. Sie nahm ein gestreiftes Geschirrtuch aus einer Schublade und schnitt Streifen aus. Die Streifen flocht sie zu zwei gleich langen Zöpfen und band das rote dem Baby ums Handgelenk, das aufgewacht war, und das weiße der schlafenden Schwester.

So hielten Haushälterin und Gärtner, je eine Hand an der Krippe, Wache. Bis die Missus dem Gärtner ein frohes und zärtliches Gesicht zuwandte und sagte: »Zwei Babys. Also mal ehrlich, Dig, in unserem Alter!«

Als er den Blick von den Kindern losriss, sah er die Tränen, die ihre runden, braunen Augen netzten. Seine braune, raue Hand griff über die Krippe. Sie wischte sich ihre albernen Gefühle ab und reichte ihm mit einem Lächeln ihre kleine plumpe Hand. Er fühlte, wie sich die Nässe von den Tränen an seine Finger drückte.

Unter dem Bogen ihrer verschränkten Hände, unter ihren Blicken träumten die Babys.

ൿ

Es war schon spät, als ich die Geschichte von Isabelle und Charlie niedergeschrieben hatte. Draußen war es dunkel, und das Haus schlief. Den ganzen Nachmittag und Abend sowie einen Teil der Nacht hindurch hatte ich mich über meinen Schreibtisch gebeugt und mit dem Bleistift über das Blatt gekratzt, um Zeile für Zeile damit zu füllen, was mir wie ein Diktat in den Ohren widerhallte. Meine Seiten waren dicht beschrieben: Miss Winters eigener Wortschwall war hier gewissenhaft wiedergegeben. Von Zeit zu Zeit wanderte meine Hand nach links, und ich machte mir auf dem frei gelassenen Rand eine Notiz, wenn ihr Ton oder eine Geste Teil der Geschichte selbst zu sein schienen.

Jetzt schob ich das letzte Blatt Papier von mir und legte meinen Stift zur Seite, um meine schmerzenden Finger zu krümmen und zu strecken. Stundenlang hatte Miss Winters Stimme eine andere Welt heraufbeschworen und für mich die Toten zum Leben erweckt, und ich hatte über diesem Puppentheater alles rings um mich herum vergessen. Doch als ihre Stimme in meinem Kopf verstummte, blieb ihr Bild lebendig, und ich erinnerte mich an den grauen Kater, der plötzlich wie von Zauberhand erschienen war und es sich auf ihrem Schoß bequem gemacht hatte. Stumm hatte er unter ihrer streichelnden Hand gesessen und mich mit seinen runden, gelben Augen fixiert.

Falls er meine Gespenster, meine Geheimnisse sehen konnte, dann schien er nicht im Mindesten betroffen, sondern blinzelte nur und starrte mich weiter unverwandt an.

»Wie heißt er?«, hatte ich gefragt.

»Shadow«, antwortete sie geistesabwesend.

Endlich im Bett, knipste ich das Licht aus und schloss die Augen. Ich fühlte noch immer die Stelle an meiner Fingerspitze, wo der Stift eine Delle hinterlassen hatte. In meiner rechten Schulter war ein harter Knoten noch nicht bereit, sich zu entspannen. Obwohl ich die Augen geschlossen hatte, sah ich ein Blatt Papier, Zeile um Zeile meiner eigenen Handschrift zwischen breiten Rändern. Der rechte Rand zog meine Aufmerksamkeit auf sich. Unberührt und unbeschriftet, leuchtete er weiß, sodass er mir in die Augen stach. Es war der Rand, den ich für meine eigenen Kommentare, Notizen und Fragen frei gelassen hatte.

In der Dunkelheit legten sich meine Finger um einen imaginären Stift und zuckten zur Antwort auf die Fragen, die mir ins schläfrige Bewusstsein drangen. Ich dachte an die Tätowierung, die Charlie sich ins Schienbein geritzt hatte, so tief, dass der Name seiner Schwester sogar auf dem Knochen prangte. Wie lange mochte diese Inschrift wohl überdauert haben? Konnte ein lebender Knochen sich regenerieren? Oder war ihm das Mal bis in den Tod geblieben? Wenn ja, trat der Name Isabelle in der Dunkelheit des Grabes an die Oberfläche, sobald das Fleisch an den Knochen verrottet war? Dann Roland March, der so schnell vergessene Ehemann. Isabelle und Charlie. Charlie und Isabelle. Wer war der Vater der Zwillinge? Schließlich drängte sich die Narbe in Miss Winters Hand in den Vordergrund. Sie sah aus wie der Buchstabe Q (gleich *question,* wie ein Fragezeichen), in menschliches Fleisch gebrannt.

Kaum hatte ich angefangen, meine Fragen im Schlaf zu formulieren, schien sich der weiße Rand auf meinem Blatt auszudehnen. Das Papier pulsierte plötzlich im Licht. Es schwoll an und hüllte mich von allen Seiten ein, bis ich beklommen und staunend erkannte, dass ich mitten in der Körnung steckte, im weißen Innern der Geschichte selbst. Schwerelos wanderte ich die ganze Nacht hindurch in der Geschichte von Miss Winter umher, steckte deren Landschaft ab, maß die Konturen und spähte auf Zehenspitzen über ihre Ränder, um einen Blick auf die Geheimnisse jenseits der Grenzen zu erhaschen.

# GÄRTEN

Ich erwachte früh. Zu früh. Der monotone Fetzen einer Melodie quälte mich. Da ich noch über eine Stunde hatte, bis Judith mit dem Frühstück klopfen würde, machte ich mir eine Tasse Kakao, trank ihn heiß und ging nach draußen.

Miss Winters Garten erschloss sich mir nicht sofort. Zunächst einmal war die schiere Größe überwältigend. Was ich anfänglich für die äußere Begrenzung gehalten hatte – die Eibenhecke hinter den Beeten –, erwies sich als eine innere Markierung, die einen Teil der Anlage von einem anderen trennte. Und der Garten war voll von solchen Untergliederungen. Es gab Weißdorn-, Blutbuchen- und Ligusterhecken, Steinmauern, die von Efeu und Winter-Clematis überwuchert waren; die nackten, weit verzweigten Stämme von Kletterrosen und jede Menge Zäune – sei es aus säuberlichen Staketen oder geflochtener Weide.

Immer den Pfaden nach wanderte ich von einem Abschnitt zum nächsten, ohne den Plan der Anlage zu ergründen. Hecken, die von vorne fest geschlossen wirkten, überraschten aus einem schrägen Blickwinkel heraus mit einem Durchgang. Es gab Gesträuch, in das man leicht hineinlaufen konnte, aus dem jedoch nur schwer herauszufinden war. Brunnen und Statuen, die ich längst hinter mir glaubte, tauchten erneut vor mir auf. Ich verbrachte viel Zeit damit, reglos dazustehen, mich verdutzt in alle Richtungen zu drehen und verständnislos den Kopf zu schütteln. Die Natur hatte sich zu einem Irrgarten formiert und gab sich alle Mühe, mir auf Schritt und Tritt Hindernisse in den Weg zu legen.

Als ich um eine Ecke spazierte, stieß ich auf den einsilbigen, bärtigen Mann, der mich vom Bahnhof abgeholt hatte. »Alle nennen mich Maurice«, stellte er sich widerstrebend vor.

»Wie schafft man es, sich nicht zu verlaufen?«, wollte ich wissen. »Gibt es dabei einen Trick?«

»Kommt mit der Zeit«, sagte er, ohne von seiner Arbeit aufzuschauen. Er stand über ein Stück umgegrabenen Boden gebeugt, den er mit dem Rechen glättete, bevor er um die Wurzeln herum die Erde festklopfte.

Maurice, das spürte ich, war meine Anwesenheit im Garten nicht recht. Da ich selber ein Einzelgänger bin, machte mir das nichts aus. Von da an schlug ich jedes Mal, wenn ich ihn sah, einen Weg in die entgegengesetzte Richtung ein, und ich glaube, er nahm dieselbe Rücksicht, denn ein, zwei Mal beobachtete ich aus dem Augenwinkel heraus eine Bewegung und merkte, als ich aufsah, wie Maurice an einem Durchgang zurückwich und plötzlich in eine andere Richtung schwenkte. Auf diese Weise gelang es uns, einander in Ruhe zu lassen. Es gab genug Platz für uns beide, und wir mussten uns keinen Zwang antun.

Später traf ich mich mit Miss Winter, und sie erzählte mir mehr über den Haushalt in Angelfield.

❧

Die Missus hieß Mrs. Dunne, doch für die Kinder der Familie war sie immer die Missus gewesen und offenbar schon seit einer Ewigkeit im Haus. Das war eine Seltenheit: Das Personal kam und ging in Angelfield, und da immer mehr Hausangestellte gingen, als dass neue kamen, trat irgendwann die Situation ein, dass es außer der Missus kein Personal mehr gab. Auch wenn sie offiziell Haushälterin war, verrichtete sie tatsächlich die ganze Arbeit selbst. Sie schrubbte Töpfe und schürte Feuer wie ein niederes Hausmädchen; sie kochte, und wenn es Zeit war, servierte sie auch das Essen. Doch als die Zwillinge geboren wurden, machte sich bei ihr allmählich das Alter bemerkbar. Sie hörte schwer, sie sah nicht mehr gut, und sosehr sie es leugnen mochte, gab es eine Menge Dinge, die sie nicht mehr schaffte.

Dabei wusste die Missus, wie man Kinder erzieht: geregelte Mahlzeiten, geregelte Schlafenszeiten, hin und wieder ein Bad. Isabelle und Charlie waren verwöhnt und zugleich auch vernachlässigt aufgewachsen, und es brach ihr das Herz zu sehen, was aus ihnen geworden war. In deren Vernachlässigung der Zwillinge sah sie ihre eigene Chance, den Teufelskreis zu durchbrechen. Sie hatte einen Plan. Unter ihren Augen, inmitten all des Chaos, war sie entschlossen, zwei normale kleine Mädchen großzuziehen. Drei anständige Mahlzeiten am Tag, um sechs ins Bett, am Sonntag in die Kirche.

Doch das war schwerer als gedacht. Zunächst einmal gab es die Raufereien. Adeline ging oft auf ihre Schwester los, trat und prügelte auf sie ein, zerrte sie an den Haaren und landete Treffer, wo sie nur konnte. Sie jagte Emmeline mit rot glühenden Kohlen in der Feuerzange und versengte ihr damit die Haare. Dabei wusste die Missus nicht recht, was ihr mehr zu schaffen machte: Adelines erbarmungslose Aggression oder Emmelines Bereitschaft, alles klaglos hinzunehmen. Denn Emmeline flehte ihre Schwester zwar an, sie nicht länger zu quälen, schlug aber nicht ein einziges Mal zurück. Stattdessen neigte sie, ihrem Schicksal ergeben, den Kopf und ließ die Schläge, die auf Schultern und Rücken niederprasselten, über sich ergehen. Nie hatte die Missus gesehen, wie Emmeline gegen Adeline die Hand erhoben hatte. Sie vereinte die Güte für zwei in einer Person, Adeline dagegen die Boshaftigkeit für zwei. So ergab es, dachte die Missus, irgendwie einen Sinn.

Dann war da das leidige Thema Essen. Zu den Mahlzeiten waren die Kinder häufig nirgends zu finden. Emmeline liebte Essen, was aber nicht bedeutete, dass sie sich an geregelte Mahlzeiten hielt. Ihr Hunger war drei Mal täglich nicht zu stillen; er war ein unersättlicher, eigenwilliger Geselle. Zehn, zwanzig, fünfzig Mal am Tag meldete er sich zu Wort und verlangte heftig nach Nahrung. Mit ein paar Happen war er befriedigt, und Essen wurde zur Nebensache. Außerdem waren Emmelines Taschen ständig mit Brot und Rosinen gefüllt, die das plumpe Mädchen naschte, wann immer ihm danach war. Sie kam nur zu Tisch, um ihre Vorräte aufzufüllen, bevor sie sich verzog, um am Kamin oder draußen in einem Feld zu dösen.

Ihre Schwester war das genaue Gegenteil. Adeline schien wie ein Stück Draht mit verdickten Stellen an Ellbogen und Knien. Sie wurde von einem anderen Treibstoff in Gang gehalten als gewöhnliche Sterbliche. Mahlzeiten waren ihre Sache nicht. Niemand sah sie je essen: Wie ein Perpetuum mobile oder ein geschlossener Stromkreis speiste sie sich von einer wundersamen, inneren Quelle. Doch das Rad, das sich ewig dreht, ist ein Mythos, und wenn die Missus am Morgen einen leeren Teller entdeckte, auf dem am Vorabend noch eine Scheibe Schinken gelegen hatte, oder einen Laib Brot, in den ein großer Krater gerissen worden war, konnte sie sich denken, wo das Essen geblieben war, und nur die Achseln zucken. Wieso wollten ihre Mädchen nicht wie normale Kinder vom Teller essen?

Vielleicht wäre alles anders gekommen, wäre die Missus jünger gewesen. Oder wären es nicht zwei Mädchen, sondern nur eines gewesen. Doch das Blut der Angelfields enthielt einen Code, den noch so gute Kinderstube und strenge Routine nicht umschreiben konnten. Sie wollte es nicht wahrhaben und verschloss lange die Augen davor, doch irgendwann hatte sie es begriffen. Die Zwillinge waren eigenartig, da gab es nichts zu deuteln. Sie waren durch und durch höchst eigenartig.

Wie sie zum Beispiel sprachen. Sie sah sie oft durch das Küchenfenster – zwei verschwommene Gestalten, deren Mundwerke nie stillzustehen schienen. Wenn sie auf das Haus zugingen, schnappte sie Fetzen ihres Geschnatters auf. Und dann kamen die beiden herein. Schweigend. »Nun sagt schon was!«, forderte die Missus sie ständig auf. Doch sie wurde allmählich taub, und die Mädchen waren schüchtern; ihr Geplauder ging nur sie beide etwas an. »Sei nicht albern!«, sagte sie zu Dig, als er behauptete, die Mädchen könnten nicht richtig reden. »Wenn sie mal loslegen, kennen sie kein Halten.«

Erst eines schönen Wintertages musste das auch die Missus erkennen. Ausnahmsweise einmal waren beide Mädchen im Haus; Adeline hatte sich von Emmeline überreden lassen, drinnen am warmen Feuer zu bleiben, statt nach draußen in den Regen zu gehen. Gewöhnlich lebte die Missus in einem diffusen Nebel; an diesem Tag war sie ausnahmsweise mit einer unerwartet klaren Sicht und einem ungewohnt scharfen Gehör gesegnet, und als sie an der Tür zum Wohnzimmer vorbeikam, schnappte sie etwas von ihren Geräuschen auf und blieb stehen. Laute flogen zwischen den Mädchen hin und her wie Tennisbälle in einem Match, Laute, die sie zum Lachen brachten oder bei denen sie sich böse Blicke zuwarfen. Ihre Stimmen erhoben sich zu wildem Gekreisch und senkten sich ebenso abrupt zu leisem Flüstern. Aus jeder Entfernung hätte man diese Geräusche für das sprudelnde Geplapper gewöhnlicher Kinder gehalten. Doch ihr wurde schwer ums Herz. Es war keine Sprache, die sie schon jemals gehört hatte. Nicht Englisch und nicht Französisch, an dessen Klang sie sich zu Lebzeiten von Georges Mathilde gewöhnt hatte und das Charlie immer noch mit Isabelle sprach. Dig hatte Recht. Sie konnten nicht richtig sprechen.

Unter dem Schock der Erkenntnis stand sie wie gelähmt in der Tür. Und wie es schon mal passieren kann, führte eine Erleuchtung zur anderen. Die Uhr auf dem Kaminsims schlug die volle Stunde, und wie immer schickte der Mechanismus unter Glas einen kleinen Vogel aus seinem Käfig, der mit flatternden Flügeln einen Kreis beschrieb, bevor er im Käfig auf der anderen Seite verschwand. Zwei Paar weit geöffnete grüne Augen sahen, ohne mit der Wimper zu zucken, zu, wie sich der Vogel in der Glasglocke voranarbeitete – Flügel hoch, Flügel runter, Flügel hoch, Flügel runter.

Es lag nichts besonders Kaltes, besonders Unmenschliches in ihrem Blick. Es war einfach nur so, wie Kinder unbelebte, bewegte Objekte betrachten. Doch der Missus schnürte es den Hals zu. Denn genauso sahen die Mädchen sie an, wenn sie schimpfte, tadelte oder mahnte.

Sie merken nicht, dass ich lebendig bin, dachte sie. Sie wissen nicht, dass außer ihnen irgendjemand lebendig ist.

Es ist ihrer Güte zuzuschreiben, dass sie die Kinder nicht für Monster hielt. Stattdessen empfand sie nur Mitleid mit ihnen: Wie einsam müssen sie sein. Wie schrecklich einsam.

Damit wandte sie sich um und schlurfte davon.

Von diesem Tag an hegte die Missus keine Erwartungen mehr an die Mädchen. Geregelte Mahlzeiten, regelmäßiges Baden, Kirche am Sonntag, zwei nette, normale Kinder – all diese Träume warf sie über Bord. Eine Aufgabe blieb: die Mädchen zu beschützen.

Je mehr sie darüber nachdachte, desto besser glaubte sie, das Ganze zu begreifen. Zwillinge, immer zusammen, immer zu zweit. Wenn es in ihrer Welt normal war, zwei zu sein, wie mussten ihnen dann andere Menschen, die nicht als Paar, sondern als Einzelne existierten, wohl erscheinen? Wir müssen für sie wohl Hälften sein, überlegte die Missus. Und sie erinnerte sich an ein Wort, das sie damals seltsam gefunden hatte und das Menschen bezeichnete, die Teile von sich verloren hatten: Amputierte. Das sind wir für sie: Amputierte.

Normal? Nein. Die Mädchen waren nicht normal und würden es auch nie werden. Aber, so redete sie sich ein, da die Dinge nun mal so lagen, wie sie lagen, und die Zwillinge eben Zwillinge waren, war das Seltsame an ihnen nur *natürlich.*

Selbstverständlich sehnen sich alle Amputierten nach dem Zustand der Zwillingshaftigkeit. Gewöhnliche Menschen, Nichtzwillinge, suchen die verwandte Seele, nehmen sich einen Geliebten, feiern Hochzeit. Unter der Qual ihrer Unvollständigkeit versuchen sie, Teil eines Paars zu sein. Die Missus bildete keine Ausnahme von der Regel. Und sie hatte ihre andere Hälfte: John-the-dig.

Die beiden waren kein Paar im herkömmlichen Sinne. Sie waren nicht verheiratet, nicht einmal ein Liebespaar. Sie war zwölf, vielleicht auch fünfzehn Jahre älter als er und somit nicht alt genug, um seine Mutter zu sein, aber doch älter, als er sich seine Ehefrau vorstellte. Als sie sich das erste Mal begegneten, hatte sie ein Alter erreicht, in dem sie nicht mehr damit rechnete, irgendjemanden zu heiraten. Wohingegen er, ein Mann in seinen besten Jahren, sich eine Frau nehmen wollte, es dann aber doch nicht tat. Außerdem gewöhnte er es sich ab, die Gesellschaft junger Frauen zu suchen, seit er mit der Missus zusammenarbeitete, jeden Morgen Tee mit ihr trank und jeden Abend am Küchentisch saß, um zu essen, was sie zubereitet hatte. Mit ein wenig Phantasie wären sie vielleicht über den Schatten ihrer Erwartungen gesprungen; hätten sie ihre Gefühle als das erkannt, was sie waren: tiefe, von größtem Respekt getragene Liebe. In einer anderen Zeit, einer anderen Kultur hätte er sie vielleicht gefragt, ob sie seine Frau werden wollte, und sie hätte vielleicht Ja gesagt. Zumindest aber kann man sich vorstellen, wie er eines Freitagabends nach ihrem Fisch mit Kartoffelpüree, nach ihrem Früchtekuchen mit Vanillepudding ihre Hand nimmt – oder sie die seine – und sie einander in schüchternem Schweigen zu dem einen oder anderen Bett geleiten. Doch dergleichen kam ihnen nie in den Sinn. Und so wurden sie ähnlich wie ein altes Ehepaar gute Freunde und genossen die zärtliche Treue, die die Glücklichen jenseits der Leidenschaft erwartet, ohne dass sie je die Leidenschaft selbst gelebt hatten.

Er hieß John-the-dig. John Digence für alle, die ihn nicht kannten. Da er seit der Schulzeit (die er kurz und schmerzlos hinter sich gebracht hatte) nicht viel fürs Schreiben übrig hatte, gewöhnte er sich an, die letzten Buchstaben seines Nachnamens wegzulassen, um Zeit zu sparen. Die ersten drei Buchstaben schienen mehr als angemessen, wenn man bedenkt, dass sie das, was er war und was er beruflich machte, noch knapper und präziser zum Ausdruck brachten als sein voller Name. Also unterzeichnete er mit John Dig und wurde für die Kinder zu John-the-dig.

Er war ein farbenfroher Mann. Blaue Augen wie zwei Stück blaues Glas, durch das die Sonne scheint. Weißes Haar, das wie Pflanzen, die sich dem Licht entgegenstrecken, auf seiner Schädeldecke senkrecht in die Höhe wuchs. Und Wangen, die vor Anstrengung leuchtend rosa anliefen, wenn er die Erde umgrub – niemand konnte graben wie er. Er gärtnerte nach seinem eigenen Plan. Die Mondphasen spielten dabei eine Rolle. Bei zunehmendem Mond pflanzte er an. Er maß nach Zyklen. Abends brütete er über Zahlentabellen und errechnete für alles die beste Zeit. Sein Urgroßvater hatte schon so gegärtnert, ebenso sein Großvater und sein Vater. Sie hatten das Wissen bewahrt.

In John-the-digs Familie waren die Männer schon immer Gärtner in Angelfield gewesen. In den guten alten Zeiten, als das Haus neben dem Gärtnermeister noch sieben Gehilfen beschäftigte, hatte sein Urgroßvater unter einem Fenster eine Buchsbaumhecke mit Wurzeln ausgehoben und, um nichts zu verschwenden, Hunderte kurze Triebe als Stecklinge genommen. Die ließ er in einem Setzbeet wachsen, und als sie zwanzig, dreißig Zentimeter hoch waren, verpflanzte er sie in den Garten. Einige schnitt er zu niedrigen, scharfkantigen Hecken zurecht, andere ließ er sprießen, bis sie breit genug waren, um mit der Schere Kugeln daraus zu formen. Einige, erkannte er, wollten Pyramiden werden, andere Kegel oder auch Zylinder. Um seinem grünen Material die richtige Form zu verleihen, brachte dieser Mann mit den großen, rauen Händen die Geduld eines Spitzenklöpplers auf. Er schuf keine Tiere, keine menschlichen Figuren. Mit den Pfauen, Löwen oder lebensgroßen Figuren, die man in anderen Gärten sah, hatte er nichts zu schaffen. Er mochte es entweder geometrisch oder ausladend abstrakt.

In seinen letzten Lebensjahren war der Garten mit den Formschnittpflanzen sein Ein und Alles. Stets bemüht, sein Tagwerk möglichst schnell hinter sich zu bringen, wollte er nichts weiter, als in »seinem« Garten sein, wo er mit den Händen über die Formen strich, die er geschaffen hatte, und sich dabei ausmalen, wie sein Werk wohl in fünfzig, vielleicht hundert Jahren aussehen würde, wenn es voll ausgewachsen war. Als er starb, erbte sein Sohn die Heckenschere und Jahrzehnte später sein Enkel. Als dann dieser Enkel starb, hatte John-the-dig seine Lehre in einem fünfzig Kilometer entfernten Garten abgeschlossen, und er kam zurück, um die Stelle anzutreten, die keinem anderen zustand. Obwohl er nur Gärtnergehilfe war, lag die Verantwortung für den Formschnittgarten von Anfang an in seinen Händen. Wie hätte es auch anders sein können? Er nahm die Schere, deren Holzgriff von den Händen seiner Väter abgetragen war, und fühlte, dass seine Finger in die Mulden passten. Er war daheim.

Obwohl in den Jahren nach dem Tod von Mathilde Angelfield die Zahl der Bediensteten so dramatisch geschrumpft war, blieb John-the-dig. Gärtner gingen und wurden nicht ersetzt. Bereits in jungen Jahren wurde er, ganz automatisch, Gärtnermeister. Das Arbeitspensum war enorm; sein Brotherr zeigte kein Interesse; seine Mühe wurde ihm nicht gedankt. Es gab andere Stellen in anderen Gärten. Wo immer er sich beworben hätte, da hätte man ihn gern genommen: Man musste ihn nur sehen, um ihm zu vertrauen. Doch er verließ Angelfield nicht. Wie denn auch? Wenn er im Formschnittgarten arbeitete, wenn er in der Abenddämmerung die Schere in die Lederscheide steckte, dann brauchte er nicht eigens darüber nachzudenken, dass er die Bäume beschnitt, die sein Urgroßvater gepflanzt hatte, und dass die Routine und die Bewegungsabläufe seiner Tätigkeit seit vier Generationen die gleichen waren. All dies hatte er so verinnerlicht, dass es keiner Überlegung bedurfte. Es war selbstverständlich. Wie seine Bäume war auch er in Angelfield verwurzelt.

Was mochte er wohl empfunden haben, als er an jenem Tag in seinen Garten kam und ihn verwüstet fand? Klaffende

Wunden in den Seiten der Eiben, das braune Herzstück ihrer Stämme freigelegt. Die Wuschelköpfe enthauptet, die kugelrunden Kronen zu ihren Füßen. Die vollkommene Symmetrie der Pyramiden zur Seite gekippt, die Kegel rundum zerstückelt, die Zylinder zerhackt und zerfetzt. Er starrte auf die langen Äste, die – immer noch grün, immer noch frisch – über den Rasen verstreut lagen. Noch waren sie nicht verschrumpelt und leblos zusammengerollt.

Fassungslos stand er da und versuchte zu begreifen, was geschehen war, während ein Zittern ihm vom Herzen in die Beine und durch die Füße in den Boden fuhr. War es irgendein Donnerkeil vom Himmel, der eine solche Zerstörungswut an seinem Garten ausgelassen hatte? Doch wo gab es ein derart monströses Gewitter, das lautlos zuschlug?

Nein. Das war das Werk von Menschen.

Hinter der nächsten Ecke fand er den Beweis. Auf dem taunassen Gras lagen mit weit gespreizten Klingen die große Heckenschere und daneben die Säge.

Als er nicht zum Mittagessen erschien, ging die Missus ihn voller Sorge suchen. Kaum erreichte sie den Formschnittgarten, fuhr ihr vor Schreck die Hand vor den Mund, und sie ging, während sie die Schürze zwischen den Fingern zerknüllte, umso alarmierter weiter.

Sie fand ihn und zog ihn vom Boden hoch. Er lehnte sich schwer gegen sie, als sie ihn voller Anteilnahme zur Küche führte und auf einem Stuhl absetzte. Sie machte Tee, süß und heiß, und er starrte mit leerem Blick geradeaus. Ohne ein Wort zu sagen, hielt sie ihm die Tasse an die Lippen und flößte ihm die brühwarme Flüssigkeit in kleinen Schlückchen ein. Endlich irrte sein Blick zu ihrem Gesicht, und als sie den Verlust darin sah, merkte sie, wie ihr selbst die Tränen in die Augen stiegen.

»Ach Dig, ich weiß, ich weiß!«

Seine Hände packten ihre Schultern, und das Beben in seinem ganzen Körper erfasste auch sie.

Die Zwillinge ließen sich an diesem Nachmittag nicht blicken, und die Missus ging sie auch nicht suchen. Als sie am Abend auftauchten, saß John noch immer bleich und verhärmt auf seinem Stuhl. Bei ihrem Anblick zuckte er zusammen. Mit distanzierter Neugier wanderten die grünen Augen der Mädchen über sein Gesicht wie einige Zeit zuvor über die Uhr im Wohnzimmer.

Bevor sie die Zwillinge zu Bett brachte, verband die Missus die Schnittwunden, die sie von der Säge und der Schere an den Händen hatten. »Lasst die Finger von den Sachen in Johns Schuppen«, brummte sie. »Sie sind scharf, ihr tut euch nur weh.« Und dann, ohne Hoffnung, dass sie auf sie hören würden: »Wieso habt ihr das getan? Wie konntet ihr das nur tun? Ihr habt ihm das Herz gebrochen.«

Sie fühlte, wie eine Kinderhand die ihre berührte. »Missus traurig«, sagte das Mädchen. Es war Emmeline.

Erschrocken zwinkerte die Missus den Tränenfilm von ihren Augen und starrte sie an.

Das Kind sagte: »John-the-dig traurig.«

»Ja«, flüsterte die Missus. »Wir sind traurig.«

Das Mädchen lächelte. Es war kein boshaftes Lächeln. Auch kein schuldbewusstes. Sie hatte Tränen gesehen. Das hatte sie verwundert. Doch jetzt hatte sie die Lösung des Rätsels gefunden: Es war Traurigkeit.

Die Missus schloss die Tür und ging nach unten. Dies war ein Durchbruch. Es war Kommunikation und vielleicht der Anfang für etwas Größeres. War es möglich, dass das Mädchen eines Tages vielleicht doch etwas empfand?

Sie öffnete die Küchentür, um John in seiner Verzweiflung Gesellschaft zu leisten.

❧

In jener Nacht hatte ich einen Traum.

Beim Spaziergang durch Miss Winters Garten begegnete ich meiner Schwester. Strahlend öffnete sie ihre weiten, goldenen Schwingen, als wollte sie mich umarmen, und ich war von Freude überwältigt. Doch als ich näher kam, sah ich, dass ihre Augen blind waren und sie mich nicht sehen konnte. Da packte mich die Verzweiflung.

Als ich erwachte, rollte ich mich zusammen, bis die stechende Hitze in meiner Seite verebbte.

# Merrily und der Kinderwagen

Miss Winters Haus war so entlegen und das Leben seiner Bewohner so isoliert, dass ich erstaunt war, als ich während meiner ersten Woche dort ein Fahrzeug auf dem Kiesweg vor dem Haus vorfahren hörte. Durch das Bibliotheksfenster sah ich, wie die Tür der großen schwarzen Limousine aufflog, und ich erhaschte einen Blick auf einen hoch gewachsenen, dunkelhaarigen Mann. Er verschwand im Windfang, und ich hörte es kurz klingeln.

Am nächsten Tag sah ich ihn wieder. Ich war im Garten, vielleicht drei Meter vom Haupteingang entfernt, als ich das Knirschen von Reifen auf dem Kiesweg hörte. Ich stand still, zog mich innerlich zurück. Für jeden, der sich die Mühe machte, hinzuschauen, war ich sichtbar, doch wenn man damit rechnet, nichts zu sehen, dann sieht man nichts. Der Mann bemerkte mich tatsächlich nicht.

Sein Gesicht war ernst. Seine wuchtige Stirn überschattete die Augen, während auf seinem übrigen Gesicht eine auffällige Starre lag. Er griff in den Wagen und holte sein Köfferchen heraus, knallte die Tür zu und ging die Eingangsstufen hinauf, um zu läuten.

Ich hörte, wie die Tür aufging. Weder er noch Judith sprachen ein Wort, und er verschwand im Haus.

Später erzählte mir Miss Winter die Geschichte von Merrily und dem Kinderwagen.

❧

Als die Zwillinge älter wurden, weiteten sie ihre Erkundungen aus, bis sie sämtliche Bauerngehöfte und Gärten auf dem Anwesen kannten. Sie besaßen keinen Sinn für Grenzen, keinen Respekt vor Eigentum, und so gingen sie nach Herzenslust überallhin. Sie öffneten Tore, ohne sie wieder zu schließen. Sie kletterten über Zäune, wo sie ihnen in die Quere kamen. Sie versuchten sich an Küchentüren, und wenn sie nicht abgesperrt waren – damals in Angelfield die Regel –, dann gingen sie hinein. Sie bedienten sich in der Speisekammer bei allem, was ihnen schmeckte, und wenn sie müde waren, legten sie sich ein Stündchen in die Betten im Obergeschoss, bevor sie Löffel und Töpfe mitnahmen, um in den Feldern Vögel aufzuschrecken.

Die Familien, die in der Gegend wohnten, waren über diese Vorgänge verärgert. Doch jedes Mal, wenn sich jemand beschwerte, hatte ein anderer die Zwillinge zur fraglichen Zeit andernorts gesehen, zumindest eines der Mädchen; das jedenfalls glaubten sie. Und so kamen ihnen plötzlich die alten Gespenstergeschichten wieder in den Sinn. Kein altes Haus ohne seine alten Geschichten, kein altes Haus ohne seine Gespenster. Allein schon das Zwillingsein hat etwas Spukhaftes an sich. Etwas stimmte nicht mit den beiden, da waren sich alle einig, und ob es nun an den Mädchen selber lag oder an etwas anderem, so dauerte es nicht lange, bis Erwachsene wie Kinder, aus Angst vor dem, was dort wohl zu sehen war, das alte Haus mieden.

Mit der Zeit jedoch überwog die Belästigung durch die Eindringlinge das Gruseln der Gespenstergeschichten, und die Frauen wurden wütend. Immer wieder erwischten sie die Mädchen auf frischer Tat und herrschten sie an. Der Zorn verzerrte ihre Gesichter zu solchen Grimassen, und ihre Münder bewegten sich mit solcher Geschwindigkeit, dass die Mädchen darüber lachen mussten. Die Frauen begriffen nicht, dass ihr eigener Wortschwall die Zwillinge verwirrte. Sie hielten ihr Lachen für die reine Boshaftigkeit und brüllten nur noch mehr. Eine Weile blieben die beiden, um sich das Spektakel der aufgebrachten Dorfbewohner anzusehen, dann drehten sie sich um und gingen.

Wenn ihre Ehemänner von den Feldern kamen, beklagten sich die Frauen, verlangten, dass sie etwas unternahmen, und die Männer sagten nur: »Du vergisst wohl, dass das die Kinder vom Herrenhaus sind.« Und die Frauen hielten dagegen: »Herrenhaus oder nicht, Kinder haben kein Recht, sich wie toll aufzuführen, so wie diese beiden Mädel. Das geht einfach nicht. Da muss was geschehen.« Dann saßen die Männer schweigend über ihrem Teller mit Kartoffeln und Fleisch, schüttelten bedächtig den Kopf, und nichts geschah.

Bis zu dem Vorfall mit dem Kinderwagen.

Es lebte eine Frau namens Mary Jameson im Dorf. Sie war die Frau von Fred Jameson, einem der Landarbeiter, und sie wohnte zusammen mit ihrem Mann und dessen Eltern in einem der Cottages. Das Paar war frisch vermählt, und vor ihrer Heirat hatte die Frau Mary Leigh geheißen, was den Namen erklärt, den die Zwillinge in ihrer eigenen Sprache für sie erfunden hatten: Sie nannten sie Merrily, und der Name passte zu der fröhlichen Frau. Manchmal lief sie ihrem Mann bei seiner Heimkehr von den Feldern entgegen, und dann saßen sie am Ende eines Arbeitstages zusammen im Schutz einer Hecke, während er eine Zigarette rauchte. Er war ein hoch gewachsener, sonnengebräunter Mann mit großen Füßen, und er legte ihr den Arm um die Taille, kitzelte sie und pustete ihr die Vorderseite ihres Kleides hinunter, um sie zum Lachen zu bringen. Sie versuchte, es zu unterdrücken und ihn damit zu ärgern, doch eigentlich wollte sie lachen und tat es auch irgendwann.

Ohne dieses Lachen wäre sie eine unscheinbare Frau gewesen. Ihr Haar war von einer schmutzigen Farbe, zu dunkel, um als blond durchzugehen, ihr Kinn war groß und ihre Augen klein. Doch sie hatte dieses Lachen, und es klang so schön, dass man meinte, sie mit den Ohren zu sehen, und plötzlich war sie wie verwandelt. Ihre Augen verschwanden völlig hinter den dicken Wangen ihres Mondgesichts, und dann bemerkte man plötzlich den Mund. Volle, kirschrote Lippen und gleichmäßige, weiße Zähne – in ganz Angelfield hatte niemand Zähne wie diese – sowie eine kleine rosa Zunge wie von einem Kätzchen. Und der Klang. Diese melodische, unaufhaltsame Musik, die aus ihrer Kehle sprudelte wie ein unterirdischer Quell. Es war ein Laut der Freude. Er heiratete sie dafür. Und wenn sie dann lachte, sprach er ganz leise, legte ihr die Lippen an den Hals und sagte ihren Namen, Mary, immer und immer wieder. Die Vibration seiner Stimme an ihrer Haut kitzelte sie, sodass sie immer weiter lachte.

Merrily bekam im Winter, als die Zwillinge den Garten und Park nicht verließen, ein Baby. An den ersten warmen Frühlingstagen war sie im Garten und hängte winzige Kleidungsstücke auf eine Leine. Hinter ihr stand ein schwarzer Kinderwagen. Gott weiß, woher sie den hatte. Ein Mädchen vom Lande besaß so etwas üblicherweise nicht; zweifellos war es eine Errungenschaft, die die Familie aus zweiter oder dritter Hand preisgünstig erstanden hatte (auch wenn er sehr teuer aussah), um die Bedeutung dieses ersten Kindes und Enkelkindes zu feiern. Jedenfalls, während sich Merrily nach dem nächsten Hemdchen und Westchen bückte, um die Stücke an der Leine festzuklammern, sang sie wie einer der Vögel, die ebenfalls tirilierten, und ihr Lied schien für den schönen schwarzen Kinderwagen bestimmt. Seine Räder waren silbern und sehr hoch, wodurch das Gefährt trotz des wuchtigen, rundlichen Gehäuses Schwerelosigkeit und Geschwindigkeit vermittelte.

Den Garten trennte am hinteren Ende nur eine Hecke von den angrenzenden Feldern. Merrily wusste nicht, dass sich im Schutz dieser Hecke zwei grüne Augenpaare in den Kinderwagen bohrten.

Babys verursachen eine Menge Wäsche, und Merrily war eine fleißige und fürsorgliche Mutter. Jeden Tag war sie draußen im Garten, hängte die Wäsche auf und holte sie wieder herein. Alle fünf Minuten, so schien es, sauste sie hinaus, um das Verdeck vor- oder zurückzuschieben, eine zusätzliche Decke zu bringen oder nur zu singen.

Nicht nur Merrily hatte ein ständiges Auge auf den Kinderwagen. Emmeline und Adeline waren vollkommen vernarrt in das Ding.

Eines Tages trat Merrily mit einem Wäschekorb unter dem Arm von der Veranda, und der Kinderwagen war nicht da. Sie blieb ruckartig stehen. Ihr Mund ging auf, und ihre Hände flogen an die Wangen; der Korb purzelte ins Blumenbeet, sodass sich Kragen und Socken über die Gelbveilchen ergossen. Merrily verschwendete nicht einen Blick an den Zaun und die Brombeersträucher. Vielmehr drehte sie den Kopf nach links und rechts, als könne sie ihren Augen nicht trauen, immer wieder nach links und nach rechts, während ihr die Panik bis zum Halse stand und sie am Ende einen schrillen, kreischenden Laut ausstieß, der in den blauen Himmel gellte, als könnte er ihn in zwei Hälften spalten.

Mr. Griffin, der drei Türen weiter wohnte, sah von seinem Gemüsebeet auf und kam an den Zaun gerannt. Nebenan runzelte die alte Granny Stokes am Spülstein in der Küche die Stirn und stürzte auf ihre Veranda hinaus. Entgeistert sahen sie Merrily an und fragten sich, ob ihre lachende Nachbarin zu einem solchen Laut wirklich fähig war. Und Merrily blickte mit einem wilden Ausdruck stumm zurück, als hätte der Schrei ihr für den Rest ihres Lebens die Sprache verschlagen.

Irgendwann brachte sie es heraus: »Mein Baby ist weg.«

Kaum war es ausgesprochen, folgten den Worten Taten. Mr. Griffin sprang im Handumdrehen über drei Zäune, nahm Merrily am Arm und führte sie zur Vorderseite des Hauses. »Weg? Wo ist der Kleine denn hin?« Granny Stokes verschwand von ihrer Gartenveranda, und eine Sekunde später erschallte ihr Hilferuf vom Vorgarten in alle Richtungen.

Und dann ein wachsendes Stimmengewirr: »Was ist los? Was ist passiert?«

»Entführt! Aus dem Garten! Im Kinderwagen!«

»Ihr zwei geht in diese Richtung, die anderen nach da.«

»Jemand sollte laufen und ihren Mann herholen.«

All der Lärm, all das Theater an der Vorderseite des Hauses.

Hinten war es ruhig. Merrilys Wäsche baumelte träge im Sonnenschein, Mr. Griffins Spaten ruhte friedlich in der umgegrabenen Erde. Emmeline streichelte die Silberspeichen in blinder, stummer Ekstase, und Adeline schubste sie aus dem Weg, damit sie das Ding in Bewegung setzen konnten.

Die beiden Mädchen hatten einen Namen dafür. Es war das Brrm.

Sie zogen den Kinderwagen an den Rückseiten der Häuser vorbei. Es war mühsamer als gedacht. Der Kinderwagen war schwerer, als er schien, und der Boden sehr uneben. Am Rand war das Feld ein wenig abschüssig, wodurch das Brrm in Schräglage geriet. Sie hätten alle vier Räder auf den ebenen Teil stellen können, doch dort war die frisch gepflügte Erde weich, und die Räder sanken in die Schollen. Erstaunlich, dass die Mädchen nicht schon nach den ersten zwanzig Metern das Interesse daran verloren. Doch sie waren in ihrem Element. Jetzt schoben sie mit aller Macht, um dieses Vehikel nach Hause zu bringen, und schienen die Anstrengung kaum zu spüren. Sie rissen sich die Finger blutig, indem sie die Disteln aus den Rädern zerrten, doch unverdrossen liefen sie weiter. Dabei sang Emmeline dem Vehikel ein leises Liebeslied, streichelte es von Zeit zu Zeit verstohlen mit den Fingern und küsste es.

Endlich hatten sie das Ende der Felder erreicht, und das Haus kam in Sicht. Doch statt es direkt anzusteuern, bogen sie zu den Hängen des Wildparks ab. Sie wollten spielen. Als sie den Kinderwagen mit ihrer unermüdlichen Energie bis zur höchsten Stelle des längsten Hangs geschoben hatten, brachten sie ihn in Position. Sie hoben das Baby heraus, legten es auf den Boden, und Adeline hievte sich selber hinein. Das Kinn auf den Knien, das Gesicht ganz weiß, hielt sie sich an den Seiten fest. Auf ein Zeichen mit den Augen nahm Emmeline alle Kraft zusammen und schob den Wagen an.

Zuerst fuhr er langsam. Der Boden war uneben und das Gefälle hier oben gering. Doch dann gewann er an Fahrt. Das schwarze Gefährt blitzte in der späten Sonne, während die Räder sich immer schneller drehten. Schneller und immer schneller, bis die Speichen verschwammen. Das Gefälle wurde steiler, und die Erhebungen im Boden schüttelten den Wagen hin und her, bis er umzukippen drohte.

Ein Laut erfüllte die Luft.

»Aaaaaaaaaaaaaaaaaaa!«

Adelines Freudenschrei auf der rasanten Fahrt nach unten, bei der ihr Knochen und Sinne durchgeschüttelt wurden.

Plötzlich war klar, was passieren würde.

Ein Rad stieß gegen einen großen Stein, der aus der Erde ragte. Als sich kreischend Metall an Stein rieb, sprühte es Funken, und der Kinderwagen sauste plötzlich nicht mehr den Hang hinunter, sondern durch die Luft, mit den Rädern nach oben der Sonne entgegen. Er beschrieb eine beschwingte Kurve gegen den blauen Himmel, bis der Boden sich mächtig hob, um ihn zu erfassen, und dann dieses entsetzliche Geräusch, wie wenn etwas zerbricht. Nachdem das Echo von Adelines Geschwindigkeitsrausch verhallt war, herrschte plötzlich absolute Stille.

Emmeline rannte den Hang hinunter. Das Rad, das sich in den Himmel reckte, war eingeknickt und halb aus der Halterung gerissen, das andere drehte sich noch langsam, ohne jede Eile.

Aus dem Hohlraum des schwarzen Gefährts ragte ein weißer Arm, der in einem seltsamen Winkel ausgestreckt auf dem steinigen Boden lag. Auf der Hand sah Emmeline purpurne Brombeerflecken und Distelkratzer.

Emmeline kniete sich hin.

Im Innern des Hohlraums war es völlig dunkel.

Doch es bewegte sich etwas. Ein Paar grüne Augen starrten sie an.

»Wumm!«, sagte Adeline und lächelte.

Das Spiel war aus. Es war Zeit, nach Hause zu gehen.

❧

Abgesehen von der Geschichte selbst, sprach Miss Winter bei unseren Treffen wenig. Anfänglich begrüßte ich sie, »Wie geht's?«, wenn ich in der Bibliothek eintraf, doch sie sagte nur: »Schlecht. Und Ihnen?« Dabei sagte mir ihr missmutiger Unterton, das sei ja wohl das Dümmste, was ich fragen könne. Ich habe ihre Frage nie beantwortet, und sie hat auch nicht damit gerechnet, und so waren unsere Wortwechsel bald erschöpft.

Ich schlich mich exakt eine Minute vor der Zeit hinein, setzte mich in den Sessel auf der anderen Seite des Feuers und holte meine Mappe mit dem Notizbuch aus der Tasche. Dann nahm sie ohne jede Vorrede ihre Erzählung genau da auf, wo sie sie unterbrochen hatte. Das Ende dieser Sitzungen richtete sich nicht nach der Uhrzeit. Manchmal redete Miss Winter, bis sich am Schluss einer Episode ein natürlicher Einschnitt ergab. Sie betonte die letzten Worte, und das Finale hatte etwas Unabweisliches. Dann folgte eine Stille, die nicht minder eindeutig war als das Weiß einer Seite am Ende eines Kapitels. Ich machte mir eine letzte Notiz, klappte den Deckel zu, steckte meine Sachen ein und verabschiedete mich. Bei anderen Gelegenheiten kam es dagegen vor, dass sie überraschend mitten in einer Szene abbrach, manchmal mitten in einem Satz, und wenn ich aufsah, blickte ich in ein weißes Gesicht, das vor Qual zur Maske erstarrt war. »Kann ich irgendetwas tun?«, fragte ich, als ich sie das erste Mal so sah. Doch sie schloss nur die Augen und gab mir ein Zeichen, ich solle gehen.

Als sie mit der Geschichte von Merrily und dem Kinderwagen fertig war, steckte ich den Stift und die Mappe in meine Tasche und sagte, während ich mich erhob: »Ich muss für ein paar Tage weg.«

»Nein.« Sie war gestreng.

»Ich fürchte, ich muss. Ich war ursprünglich nur auf ein paar Tage eingerichtet, und jetzt bin ich schon seit einer Woche hier. Für einen längeren Aufenthalt habe ich nicht genug dabei.«

»Maurice kann Sie in die Stadt fahren, und Sie kaufen sich, was Sie brauchen.«

»Ich brauche meine Bücher …«

Sie zeigte auf die Regale ihrer Bibliothek.

Ich schüttelte den Kopf. »Es tut mir Leid, aber ich muss wirklich weg.«

»Miss Lea, Sie scheinen zu glauben, wir hätten alle Zeit der Welt. Sie vielleicht schon, aber ich bin, wenn ich Sie daran erinnern darf, eine viel beschäftigte Frau. Ich will nichts mehr hören. Sie bleiben. Lassen wir es dabei bewenden.«

Ich biss mir auf die Lippe und war einen Moment lang eingeschüchtert. Doch ich fing mich schnell. »Erinnern Sie sich an unsere Vereinbarung? Drei wahre Dinge? Ich muss etwas recherchieren.«

Sie zögerte. »Sie glauben mir nicht?«

Ich ignorierte ihre Frage. »Drei wahre Dinge, die ich überprüfen kann. Sie haben mir Ihr Wort gegeben.«

Verärgert presste sie die Lippen aufeinander, doch sie gab nach.

»Sie können am Montag fahren. Drei Tage. Nicht mehr. Maurice bringt Sie zum Bahnhof.«

Ich war gerade darin vertieft, die Geschichte von Merrily und dem Kinderwagen niederzuschreiben, als es klopfte. Es war noch nicht Zeit fürs Abendessen, daher war ich erstaunt; Judith hatte mich noch nie bei der Arbeit gestört.

»Würden Sie wohl ins Wohnzimmer kommen?«, fragte sie. »Dr. Clifton ist da. Er hätte Sie gerne gesprochen.«

Als ich den Raum betrat, erhob sich der Mann, den ich schon bei seiner Ankunft am Haus gesehen hatte. Mir liegt das Händeschütteln nicht, und so war ich froh, als er offenbar beschloss, mir nicht die Hand zu reichen, doch so mussten wir einen anderen Anfang finden.

»Sie sind Miss Winters Biografin, nicht wahr?«

»Ich bin mir nicht sicher.«

»Nicht sicher?«

»Falls sie die Wahrheit sagt, dann bin ich ihre Biografin. Anderenfalls bin ich nur eine Schreibgehilfin.«

»Hmm.« Er schwieg. »Macht das einen Unterschied?«

»Für wen?«

»Für Sie.«

Darauf wusste ich keine Antwort, doch eines wusste ich mit Sicherheit: Seine Frage war dreist, und deshalb ließ ich sie unbeantwortet.

»Sie sind Miss Winters Arzt, nehme ich an?«

»Ja.«

»Weshalb wollten Sie mich sprechen?«

»Eigentlich hat Miss Winter mich gebeten, mit Ihnen zu sprechen. Sie möchte sicherstellen, dass Sie über ihren Gesundheitszustand im Bilde sind.«

»Verstehe.«

Mit ungeschminkter, wissenschaftlicher Deutlichkeit erklärte er mir daraufhin, wie es um Miss Winter stand. In wenigen Worten legte er mir dar, wie die Krankheit, die sie zu Grunde richtete, hieß, an welchen Symptomen sie litt, wie schlimm die Schmerzen waren und zu welchen Tageszeiten die Medikamente, die sie dagegen nahm, sie jeweils am wirksamsten beziehungsweise am wenigsten wirksam unterdrückten. Er erwähnte noch ein paar andere Krankheiten, an denen sie litt und die für sich genommen schon tödlich verlaufen würden, allerdings würde ihnen die Hauptkrankheit wahrscheinlich zuvorkommen. Und er legte, so weit möglich, den weiteren Krankheitsverlauf dar, die Notwendigkeit, die Dosen in begrenztem Maße heraufzusetzen, um für später noch etwas in Reserve zu haben, wenn sie es, wie er sich ausdrückte, wirklich brauchen würde.

»Wie lange?«, fragte ich, als er seine Ausführungen beendet hatte.

»Das kann ich nicht sagen. Andere wären längst erlegen. Doch Miss Winter ist aus anderem Holz geschnitzt. Und seit

Sie hier sind …« Wie jemand, der sich kurz vor einem unbeabsichtigten Vertrauensbruch auf die Zunge beißt, brach er mitten im Satz ab.

»Seit *ich* hier bin?«

Er sah mich nachdenklich an und kam zu einem Schluss. »Seit Sie hier sind, scheint sie ein bisschen besser zurechtzukommen. Sie führt es auf die anästhetische Wirkung des Geschichtenerzählens zurück.«

Ich war mir nicht sicher, was ich davon halten sollte. Bevor ich meine Gedanken ordnen konnte, fuhr der Doktor fort: »Wie ich höre, reisen Sie ab …«

»Hat sie Sie deshalb gebeten, mit mir zu reden?«

»Sie sollen nur wissen, dass der Zeitfaktor von entscheidender Bedeutung ist.«

»Sagen Sie ihr, ich bin mir dessen bewusst.«

Nachdem unser Gespräch beendet war, hielt er die Tür für mich auf, und als ich an ihm vorbei nach draußen ging, sprach er mich noch einmal an, diesmal in unerwartetem Flüsterton: »Die dreizehnte Geschichte? Sie wird doch nicht …«

Über sein ansonsten ungerührtes Gesicht huschte, wie mir nicht entging, die Ungeduld des Lesers, der einer Geschichte entgegenfiebert.

»Sie hat nichts dergleichen erwähnt«, erwiderte ich. »Und selbst wenn, stünde es mir nicht zu, es Ihnen zu sagen.«

Sein Blick kühlte ab, und die Partie zwischen Mund und Nase zitterte ein wenig.

»Auf Wiedersehen, Miss Lea.«

»Auf Wiedersehen, Doktor.«

# Dr. und Mrs. Maudsley

An meinem vorerst letzten Tag erzählte mir Miss Winter von Dr. und Mrs. Maudsley.

❧

Tore offen stehen zu lassen und in die Häuser anderer Leute zu spazieren, war eine Sache, mit einem Baby in seinem Kinderwagen davonzulaufen, eine andere. Der Umstand, dass das Kind, als man es fand, durch sein vorübergehendes Verschwinden keinen Schaden erlitten hatte, spielte dabei keine Rolle. Die Dinge waren außer Kontrolle geraten; es musste etwas unternommen werden.

Die Dorfbewohner sahen sich außer Stande, Charlie direkt darauf hinzuweisen. Sie wussten, dass es im Haus nicht mit rechten Dingen zuging, und die Vorstellung, dort vorzusprechen, machte ihnen Angst. Ob Charlie oder Isabelle oder das Hausgespenst der Grund war, weshalb sie Abstand hielten, ist schwer zu sagen. Stattdessen gingen sie zu Dr. Maudsley. Das war nicht der Arzt, dessen verspätetes Erscheinen möglicherweise schuld daran war, dass Isabelles Mutter im Kindbett starb, sondern ein neuer Mann, der zu diesem Zeitpunkt seit acht oder neun Jahren in Angelfield praktizierte.

Dr. Maudsley war nicht jung, doch obwohl Mitte vierzig, hatte er sich etwas Jugendliches bewahrt. Er war nicht groß und auch nicht sonderlich muskulös, doch er versprühte Kraft und Vitalität. Er hatte verhältnismäßig lange Beine und legte mühelos einen gewaltigen Schritt an den Tag. Er konnte schneller laufen als irgendjemand sonst, ertappte sich des Öfteren dabei, vor sich hin zu reden, bis er sich umdrehte und feststellte, dass sein Weggefährte einige Meter zurückgefallen war und keuchend versuchte, Schritt zu halten. Mit dieser physischen Energie ging eine große geistige Wendigkeit einher. Sein scharfer Verstand schlug sich in seiner Sprechweise nieder, die ruhig war, aber schnell, mit einer Gabe, zur richtigen Zeit die richtigen Worte für die richtige Person zu finden. Man konnte es auch in seinen Augen lesen. Dunkelbraun und sehr strahlend, waren sie so aufmerksam und konzentriert wie bei einem Vogel, mit kräftigen, gepflegten Brauen.

Maudsley hatte eine Gabe dafür, Energie zu versprühen, keine schlechte Sache für einen Arzt. Kaum war sein Schritt auf dem Kies zu hören, sein Klopfen an der Tür, und seine Patienten fühlten sich bereits besser. Und sie mochten ihn, was nicht zu unterschätzen ist. Der Mann war an sich schon ein Tonikum, dieser Ruf eilte ihm voraus. Und ihm war es nicht egal, ob seine Patienten ihre Krankheiten überlebten oder daran starben, und wenn sie weiterlebten, was an den meisten Fällen zutraf, dann war ihm wichtig zu wissen, wie und wodurch.

Dr. Maudsley liebte es sehr, sich intellektuell zu betätigen. Krankheit war für ihn eine Art Rätsel, und er setzte alles daran, es zu lösen. Die Patienten gewöhnten sich daran, dass er am Morgen bei ihnen auf der Matte stand, um ihnen eine letzte Frage zu stellen, nachdem er die Nacht über den Symptomen gebrütet hatte. Und war er erst zu einer Diagnose gelangt, dann stellte er sich der Herausforderung, die richtige Therapie zu finden. Er konsultierte natürlich Bücher, war mit sämtlichen gängigen Behandlungsmethoden vertraut, doch er war ein origineller Denker, der auf so simple Dinge wie eine Halsentzündung zurückkam, um sie von einer anderen Warte aus zu betrachten. Ständig hielt er Ausschau nach winzigen

Bausteinen medizinischen Wissens, mit deren Hilfe er nicht nur die vorliegende Halsentzündung kurieren, sondern dem Phänomen an sich ein ganz neues Verständnis abgewinnen konnte. Tatkräftig, intelligent und liebenswürdig, war er ein außergewöhnlich guter Arzt und ein überdurchschnittlich guter Mann. Auch wenn er, wie alle Männer, seine blinden Flecken hatte.

Die Abordnung der männlichen Dorfbewohner setzte sich aus dem Vater des Babys und dem Großvater sowie dem Gastwirt zusammen, einem verdrießlich wirkenden Mann, der es grundsätzlich nicht leiden konnte, irgendwo nicht dabei zu sein. Dr. Maudsley begrüßte das Trio und hörte aufmerksam zu, als zwei der drei Männer ihre Geschichte erzählten. Sie fingen bei den offen gelassenen Toren an, berichteten dann von der ärgerlichen Sache mit den Töpfen und gelangten schließlich zum Höhepunkt ihrer Geschichte: der Entführung des Babys.

»Die sind verwildert«, verkündete der jüngere Fred Jameson sein abschließendes Urteil.

»Außer Kontrolle«, bekräftigte der ältere.

»Und was meinen Sie?«, fragte der Doktor den Dritten. Wilfred Bonner hatte bis dahin abseits gestanden und geschwiegen.

Mr. Bonner nahm seine Mütze vom Kopf und holte mit einem Pfeifton langsam Luft. »Na ja, ich versteh nix von Medizin und sone Sachen, kommt mir aber so vor, als dass die Mädels im Kopf nich ganz richtig sind.« Dabei unterstrich er das Gesagte mit einem sehr viel sagenden Blick und klopfte sich, um ja richtig verstanden zu werden, ein, zwei, drei Mal auf den kahlen Schädel.

Alle drei Männer hatten den ernsten Blick auf ihre Schuhe gesenkt.

»Überlassen Sie die Sache mir«, sagte der Doktor. »Ich rede mit der Familie.«

Und die Männer gingen. Sie hatten ihren Teil getan. Der Rest war Sache des Doktors, des Dorfältesten sozusagen.

Obwohl er versprochen hatte, sofort mit der Familie zu reden, besprach er sich zuerst mit seiner Frau. »Ich bezweifle, dass sie es böse meinen«, sagte sie, als er ihr die ganze Geschichte erzählt hatte. »Du weißt doch, wie Mädchen sind. Es macht einfach viel mehr Spaß, mit einem Baby zu spielen als mit einer Puppe. Sie hätten ihm nichts getan. Trotzdem muss man ihnen sagen, dass sie es nicht wieder tun dürfen. Arme Mary!«

Sie schaute von ihrer Näharbeit auf und sah ihrem Mann in die Augen.

Mrs. Maudsley war eine überaus attraktive Frau. Sie hatte große, braune Augen mit langen Wimpern, die sich hübsch nach oben bogen, und ihr dunkles Haar, in dem noch keine Spur von Grau zu entdecken war, trug sie so streng zurückgekämmt, wie es nur eine wahre Schönheit kleidete. Wenn sie sich bewegte, besaß ihre Gestalt eine weiche, weibliche Grazie.

Der Doktor wusste, dass seine Frau eine Schönheit war, doch nach so vielen Ehejahren war das eine Selbstverständlichkeit für ihn.

»Im Dorf glauben sie, die Mädchen seien geistig zurückgeblieben.«

»Das sind sie mit Sicherheit nicht!«

»Das glaubt zumindest Wilfred Bonner.«

Sie schüttelte verwundert den Kopf. »Er hat Angst vor ihnen, weil sie Zwillinge sind. Der arme Wilfred. Das ist nur altmodische Ignoranz. Gott sei Dank bringt die junge Generation mehr Verständnis auf.«

Der Doktor war ein Mann der Wissenschaft. Obwohl es, wie er wusste, statistisch gesehen unwahrscheinlich war, dass die Zwillinge an irgendeiner geistigen Störung litten, wollte er die Möglichkeit nicht ausschließen, bis er sie gesehen hatte. Dabei überraschte es ihn nicht, dass seine Frau, der es die Religion verbot, schlecht von anderen zu denken, das Gerücht ganz selbstverständlich für unbegründet hielt.

»Du hast sicher Recht«, murmelte er in einem Ton, der besagte, dass sie irrte. Er hatte es aufgegeben, sie zum Glauben an Fakten zu bekehren; sie war zu einer Frömmigkeit erzogen worden, die zwischen dem Wahren und dem Guten keinen Unterschied sehen wollte.

»Und was hast du jetzt vor?«, fragte sie.

»Mit der Familie zu reden. Charles Angelfield hat was von einem Eremiten, aber wenn ich hingehe, wird er mich empfangen müssen.«

Mrs. Maudsley nickte – ihre Art, ihrem Mann zu zeigen, dass sie anderer Meinung war, doch das wusste er nicht. »Was ist mit der Mutter? Was weißt du über sie?«

»Sehr wenig.«

Der Doktor dachte weiter schweigend nach, und Mrs. Maudsley widmete sich wieder ihrer Näharbeit, bis nach einer Viertelstunde der Doktor sagte: »Vielleicht gehst besser du, Theodora? Die Mutter lässt vielleicht lieber eine andere Frau herein als einen Mann. Was meinst du?«

Und so traf drei Tage später Mrs. Maudsley beim Herrenhaus ein und klopfte an die Tür. Erstaunt, dass niemand öffnete, runzelte sie die Stirn – immerhin hatte sie ihren Besuch mit einem kurzen Schreiben angekündigt – und ging ums Haus. Die Küchentür war nur angelehnt, und so trat sie nach kurzem Klopfen ein. Es war niemand da. Mrs. Maudsley sah sich um. Auf dem Tisch lagen drei Äpfel, braun und verschrumpelt und kurz davor, in sich zusammenzufallen, ein schwarzes Geschirrtuch neben einem Spülstein mit aufgetürmtem schmutzigem Geschirr und das Fenster so verdreckt, dass man drinnen den Tag nicht von der Nacht unterscheiden konnte. Sie schnüffelte einmal mit dem empfindlichen, weißen Näschen und wusste, was sie wissen musste. Sie schürzte die Lippen, straffte die Schultern, legte die Finger fest um den Schildpattgriff ihrer Tasche und stürzte sich in ihren Kreuzzug. Auf der Suche nach Isabelle ging sie von Zimmer zu Zimmer und nahm auf dem Weg den Dreck, das Durcheinander, die Verwahrlosung in sich auf, die in jedem Winkel lauerten.

Die Missus wurde schnell müde, das Treppengehen fiel ihr schwer, und sie sah immer schlechter. Oft glaubte sie irrtümlich, sie hätte irgendwo geputzt, oder nahm es sich vor und vergaß es dann – vielleicht auch, weil sie wusste, dass es keinen wirklich kümmerte. So konzentrierte sie sich die meiste Zeit darauf, das Essen für die Mädchen zuzubereiten, und sie konnten von Glück sagen, dass ihr das noch gelang. Folglich war das Haus verstaubt und verdreckt; wenn ein Bild an einem wackeligen Nagel hing, dann gleich für zehn Jahre, und als Charlie eines Tages den Papierkorb in seinem Arbeitszimmer nicht fand, warf er das Papier einfach in die Ecke, in der gewöhnlich der Papierkorb stand; dabei wurde ihm klar, dass es weniger Arbeit machte, es einmal im Jahr zu entsorgen als einmal die Woche.

Mrs. Maudsley missfiel, was sie zu sehen bekam. Beim Anblick halb geschlossener Gardinen verzog sie das Gesicht, das angelaufene Silber entlockte ihr einen Seufzer; als sie die Kochtöpfe auf der Treppe sah und die in der Diele quer über den Boden verstreuten Notenblätter, schüttelte sie nur noch den Kopf.

Im Wohnzimmer bückte sie sich unwillkürlich nach einer Spielkarte, der Pik-Drei, die heruntergefallen und unbeachtet auf dem Boden liegen geblieben war, doch als sie sich im Zimmer nach den übrigen Karten umsah, wusste sie in dem Chaos nicht weiter. Hilflos betrachtete sie die Pik-Drei und bemerkte die Staubschicht, die sie bedeckte; reinlich, wie sie war, versuchte sie, den Schmutzfänger loszuwerden, sie wusste nur nicht, wohin damit. Einen Moment lang war sie hin und her gerissen zwischen dem Wunsch, ihren makellos weißen Handschuh vor der Berührung mit dieser schmierigen Karte zu schützen, und ihrem Widerwillen, sie irgendwo zu lassen, wo sie nicht hingehörte. Schließlich legte sie sie mit einem unübersehbaren Schauder auf die Lehne des Ledersessels und verließ erleichtert den Raum.

Die Bibliothek schien weniger schlimm. Es war staubig, gewiss, aber immerhin standen die Bücher an Ort und Stelle. Doch als sie gerade gewillt war, dieser in Dreck und Chaos versinkenden Familie einen letzten Rest von Ordnungsliebe zu bescheinigen, stieß sie just in der Bibliothek auf ein behelfsmäßiges Bett. Das Lager in einer dunklen Ecke zwischen zwei Bücherregalen bestand aus einer verwanzten Decke und einem schmuddeligen Kissen, und auf den ersten Blick hielt sie es für das Nest einer Katze. Bei genauerem Hinsehen entdeckte sie allerdings, dass unter dem Kissen die Ecke eines Buchs hervorlugte. Sie zog es heraus. Es war *Jane Eyre*.

Von der Bibliothek aus setzte sie ihren Erkundungsgang im Musikzimmer fort, wo ihr dieselbe Unordnung wie in den anderen Räumen entgegenschlug. Das Mobiliar war auf bizarre Weise zum Versteckenspielen aufgestellt. Eine Chaiselongue war mit der Sitzfläche zur Wand gedreht, ein Stuhl halb hinter einer Truhe versteckt, die von ihrem angestammten Platz unter einem Fenster vorgerückt schien, denn auf einem breiten Streifen Teppich dahinter lag der Staub nicht ganz so dick, sodass die grüne Farbe kräftiger zum Vorschein kam. Auf dem Klavier steckten schwarze, bröselige Stängel in einer Vase, um die ein Kranz von papiernen Blütenblättern wie Asche lag. Mrs. Maudsley griff mit der Hand nach einem davon, und er zerstäubte ihr zwischen den Fingern, wo er hässliche, graugelbe Flecken an ihren Handschuhen hinterließ.

Mrs. Maudsley sackte auf die Bank am Flügel.

Die Frau des Doktors war kein schlechter Mensch. Sie war sich ihrer Wichtigkeit genügend bewusst, um zu glauben, dass Gott tatsächlich alles sah, was sie tat, und alles hörte, was sie sagte, und sie war zu sehr davon in Anspruch genommen, ihren Stolz auf die eigene Frömmigkeit auszumerzen, um sich noch anderer Schwächen bewusst zu sein. Sie war eine Weltverbesserin, das heißt, sie merkte nicht, wie viel Schaden sie anrichtete.

Was ging wohl in ihr vor, als sie dort auf der Klavierbank hockte und ins Leere starrte? Die Leute hier schafften es nicht einmal, ihre Vasen frisch aufzufüllen, kein Wunder, dass sich ihre Kinder danebenbenahmen! Mit einem Schlag hatten ihr die verwelkten Blumen das ganze Ausmaß des Problems offenbart. Gedankenverloren zog sie die Handschuhe aus und breitete die Hände über die grauen Tasten.

Der Klang, der im ganzen Zimmer widerhallte, war unvorstellbar dissonant. Das lag zum Teil daran, dass der Flügel seit Jahren unbespielt, ungestimmt und vernachlässigt war. Hinzu kam, dass sich in die Schwingung der Saiten im selben Moment ein anderer schriller Missklang mischte. Es war eine Art zischendes Gejaule, ein erschrockenes, wildes Kreischen wie von einer Katze, der jemand auf den Schwanz getreten ist.

Mrs. Maudsley wurde augenblicklich aus ihren Tagträumen gerissen. Ungläubig starrte sie auf das Instrument, riss die

Hände an die Wangen und schoss in die Höhe. In ihrer Verwirrung blieben ihr nur Sekunden, um zu begreifen, dass sie nicht allein war.

Dort drüben erhob sich von der Chaiselongue eine zarte Gestalt in Weiß.

Arme Mrs. Maudsley.

Sie bemerkte nicht, dass dieses weiß gewandete Wesen eine Violine bedrohlich schwang und dass dieses Geschoss sehr schnell und mit großer Wucht auf ihren Schädel zielte. Bevor sie dies alles erfassen konnte, traf sie die Geige am Kopf. Es wurde schwarz um sie, und sie fiel bewusstlos zu Boden.

Die Hände so von sich gestreckt, wie sie gefallen waren, das blütenreine Taschentuch immer noch ins Uhrenarmband geklemmt, sah sie aus, als wäre jeder Funken Leben aus ihr gewichen. Die Staubwölkchen, die sie bei ihrem Sturz aufgewirbelt hatte, senkten sich wieder auf den Teppich.

Dort lag sie nun eine gute halbe Stunde, bis die Missus zurückkam, die bei einem Hof in der Nachbarschaft Eier geholt hatte. Als sie am Musikzimmer vorbeiging und einen Blick durch die Tür warf, sah sie etwas Dunkles auf dem Teppich, wo vorher nichts Dunkles gewesen war.

Von einer Gestalt in Weiß nirgends eine Spur.

༄

Während ich aus dem Gedächtnis niederschrieb, schien Miss Winters Stimme mein Zimmer mit derselben greifbaren Präsenz zu füllen wie eben noch die Bibliothek. Sie hatte eine Art zu sprechen, die sich mir so tief und verlässlich ins Gedächtnis einprägte wie eine Grammofonaufnahme. Doch an diesem Punkt, als sie sagte, »Von einer Gestalt in Weiß nirgends eine Spur«, hatte sie eine Pause eingelegt, und so legte jetzt auch ich, den Stift in der Schwebe über dem Blatt, eine Pause ein, um zu überlegen, wie es weitergegangen war.

Ich war so in die Geschichte versunken gewesen, dass ich eine Weile brauchte, um mich von der hingestreckten Ehefrau des Doktors loszureißen und mich auf die Erzählerin selber zu konzentrieren. Als es mir gelang, war ich bestürzt. Miss Winters gewöhnliche Blässe war einem hässlichen Gelbgrün gewichen, und ihre, wie man ihr lassen muss, immer kerzengerade aufgerichtete Gestalt schien sich für eine unsichtbare Attacke zu stählen. Sie zitterte um die Mundwinkel, und ich vermutete, dass sie den krampfhaften Versuch, die Lippen zu einer geraden Linie zusammenzupressen, jeden Moment aufgeben würde. Ihr Gesicht würde sich vor Schmerz verziehen.

Erschrocken stand ich auf, ohne zu wissen, was ich machen sollte.

»Miss Winter«, rief ich hilflos. »Was ist denn mit Ihnen?«

»Mein Wolf«, glaubte ich, sie sagen zu hören. Doch das Sprechen fiel ihr so schwer, dass ihr vor Anstrengung die Lippen zitterten. Sie schloss die Augen und schien nur mit Mühe gleichmäßig atmen zu können. Als ich schon drauf und dran war, Judith zu holen, hatte sich Miss Winter wieder unter Kontrolle. Das Heben und Senken ihrer Brust ließ nach, das Zittern in ihrem Gesicht hörte auf, und obgleich immer noch sterbensbleich, öffnete sie die Augen und sah mich an.

»Besser«, sagte sie schwach.

Langsam kehrte ich auf meinen Platz zurück.

»Ich glaube, Sie haben etwas von einem Wolf gesagt«, fing ich an.

»Ja. Dieses schwarze Biest, das an meinen Knochen nagt, wann immer es die Gelegenheit dazu wittert. Die meiste Zeit lauert der Kerl irgendwo in einem Winkel oder hinter einer Tür. Vor denen hier hat er nämlich Angst.« Sie zeigte auf die weißen Pillen auf dem Tisch neben ihr. »Aber die wirken nicht ewig. Es ist fast zwölf, und sie lassen nach. Er schnüffelt mir im Nacken. Um halb eins schlägt er mit Zähnen und Klauen zu. Bis ich um eins die nächste Tablette nehmen kann und er sich wieder in seine Ecke verkriechen muss. Wir sehen ständig auf die Uhr, er und ich. Jeden Tag stürzt er fünf Minuten früher los. Aber ich kann meine Tabletten nicht fünf Minuten früher nehmen. Da ändert sich nichts.«

»Kann der Doktor denn nicht…«

»Natürlich. Einmal die Woche oder alle zehn Tage passt er die Dosis an. Nur reicht es nie ganz. Sehen Sie, er will nicht derjenige sein, der mir den Garaus macht. Das überlässt er dem Wolf, wenn es so weit ist.« Sie sah mich vollkommen nüchtern an, bevor sie sich entspannte. »Schauen Sie, die Pillen stehen hier bereit; und ein Glas Wasser. Wenn ich wollte, könnte ich es selber zu Ende bringen. Jederzeit. Also haben Sie kein Mitleid mit mir. Ich habe es so gewollt, weil ich noch ein paar Dinge zu erledigen habe.«

Ich nickte.

»Also erledigen wir sie, lassen Sie uns weitermachen, einverstanden? Wo waren wir stehen geblieben?«

»Die Frau des Doktors. Im Wohnzimmer. Mit der Geige.«

Und so arbeiteten wir weiter.

&

Charlie hatte kein Interesse daran, Lösungen für seine Probleme zu finden. Und er *hatte* Probleme. Eine ganze Menge. Ein undichtes Dach, zerbrochene Fensterscheiben, Tauben, die in den Dachkammern verfaulten – doch er ignorierte sie allesamt. Oder lebte so in seiner eigenen Welt, dass er sie gar nicht bemerkte. Wenn in ein Zimmer zu viel Wasser eindrang, schloss er es einfach ab und zog in ein anderes. Schließlich war das Haus groß genug. Es ist schwer zu sagen, ob er in seiner Einfalt überhaupt begriff, dass andere Leute etwas unternahmen, um ihre Häuser in Stand zu halten. Doch Verfall war seine natürliche Umgebung. Er fühlte sich darin zu Hause.

Die Frau eines Arztes, die offenbar tot in seinem Musikzimmer lag, war allerdings etwas, das er schlecht ignorieren konnte. Wäre es nur jemand von uns gewesen … Aber *jemand von draußen.* Das war etwas anderes. Es musste etwas geschehen, auch wenn er keine Ahnung hatte, was, und so starrte er betroffen auf die Gestalt am Boden, die jetzt mit der Hand nach dem pochenden Schädel griff und stöhnte. Er mochte nicht helle sein, doch er wusste, was das zu bedeuten hatte. Eine Katastrophe bahnte sich an.

Die Missus schickte John-the-dig nach dem Arzt, der wenig später kam. Zunächst schien es fast so, als wären die bösen Vorahnungen unbegründet, denn wie sich herausstellte, war die Frau des Doktors gar nicht ernstlich verletzt – eine leichte Gehirnerschütterung, das war's. Einen Schluck Brandy lehnte sie ab, einen Tee nahm sie an, und es dauerte nicht lange, da war sie schon wieder putzmunter. »Es war eine Frau«, sagte sie. »Eine Frau in Weiß.«

»Unsinn«, sagte die Missus so nachdrücklich wie zur Beruhigung. »Wir haben keine Frau in Weiß im Haus.«

Mrs. Maudsley standen die Tränen in den braunen Augen, doch sie ließ nicht locker. »Doch, eine Frau, zierlich, dort auf der Chaiselongue. Sie hat das Klavier gehört und ist aufgestanden und …«

»Hast du sie lange gesehen?«, fragte Dr. Maudsley.

»Nein, nur für einen Moment …«

»Na also. Es kann nicht sein«, unterbrach sie die Missus, und obgleich sie einen mitfühlenden Ton anschlug, klang es auch bestimmt. »Es gibt keine Frau in Weiß. Sie müssen ein Gespenst gesehen haben.«

An dieser Stelle meldete sich zum ersten Mal John-the-dig zu Wort. »Es wird aber schon gemunkelt, dass es hier spukt.«

Einen Moment lang starrte die Schar auf die zerbrochene Violine am Boden und setzte sie zu der Beule in Beziehung, die sich an Mrs. Maudsleys Schläfe bildete, doch bevor jemand Zeit hatte, sich zu der These zu äußern, erschien Isabelle in der Tür. Sie war gertenschlank und geschmeidig, trug ein zitronenfarbenes Kleid; das zu einem Dutt zusammengebundene Haar wirkte ungepflegt und der Blick in ihren schönen Augen wild.

»Ist das vielleicht die Gestalt, die du gesehen hast?«, fragte der Doktor seine Frau.

Mrs. Maudsley glich Isabelle mit dem Bild in ihrem Gedächtnis ab. Um wie viele Nuancen unterscheidet sich Weiß von Hellgelb? Was genau trennt zart gebaut von schlank? Wie stark leidet die Erinnerung unter einem Schlag auf den Kopf? Sie schwankte, bis sie zu den smaragdgrünen Augen eine genaue Entsprechung abgespeichert fand und sich sicher war.

»Ja, das ist sie.«

Die Missus und John-the-dig wagten nicht, sich anzusehen.

In dem Moment vergaß der Doktor seine Frau, denn seine ganze Aufmerksamkeit galt Isabelle. Er sah sie eindringlich, freundlich, doch mit einem besorgten Ausdruck an und stellte ihr alle möglichen Fragen. Als sie sich weigerte, ihm zu antworten, hakte er unbeeindruckt nach, und als sie sich zu ein paar Antworten bequemte – abwechselnd schelmisch, unsinnig, schlau und genervt –, hörte er ganz genau zu und nickte, während er sich auf seinem Block Notizen machte. Als er ihr Handgelenk nahm, um ihren Puls zu fühlen, entdeckte er alarmiert die Schnittwunden und Narben an der Innenseite ihrer Unterarme.

»Macht sie das selber?«

Ungern, doch ehrlich murmelte die Missus: »Ja.« Und der Arzt presste die Lippen zu einer besorgten, schmalen Linie zusammen.

»Kann ich Sie einen Augenblick sprechen, Sir?«, fragte er Charlie. Charlie sah ihn verständnislos an, doch der Arzt nahm ihn beim Ellbogen: »Vielleicht in der Bibliothek?« Und damit führte er ihn entschlossen hinaus.

Die Missus und die Frau des Doktors warteten im Musikzimmer und taten so, als schenkten sie den Geräuschen, die aus der Bibliothek herüberdrangen, keine Beachtung. Durch die Tür vernahmen sie den gleichmäßigen sonoren Laut nicht zweier, sondern nur einer Stimme, ruhig und gemessen. Als diese verstummte, hörten sie laut und deutlich »Nein« und noch einmal »Nein!« von Charlie, und dann wieder den verhaltenen Tonfall des Arztes. Die beiden blieben eine Weile im anderen Zimmer, und immer wieder hörten sie Charlies Protest, bis endlich die Tür aufflog und der Doktor mit ernster, erschütterter Miene ins Zimmer trat. Hinter ihm erhob sich ein hilfloses, verzweifeltes Heulen und Zetern, er zuckte jedoch nur einmal kurz zusammen und zog die Tür zu.

»Ich werde mich mit der Anstalt in Verbindung setzen und alles Nötige in die Wege leiten«, erklärte er der Missus. »Ich kümmere mich um den Transport. Würde vierzehn Uhr passen?«

Benommen nickte sie, und Mrs. Maudsley stand auf, um zu gehen.

Pünktlich um zwei erschienen drei Männer am Haus und führten Isabelle zu einem zweisitzigen Brougham in der Einfahrt. Sie überließ sich ihnen willig wie ein Lamm, sank gehorsam auf den Sitz und sah kein einziges Mal hinaus, als die Pferde die Einfahrt entlang Richtung Eingangspforte trotteten.

Die Zwillinge zogen unbekümmert mit den Zehen Kreise in den Kies vor dem Haus.

Charlie stand auf der Eingangstreppe und blickte dem Zweisitzer hinterher, der langsam seinen Blicken entschwand. Er sah aus wie ein Kind, dem man sein Lieblingsspielzeug weggenommen hat und das nicht fassen kann – jedenfalls noch nicht ganz –, dass das alles wirklich passiert.

Von der Eingangshalle aus beobachteten ihn die Missus und John-the-dig besorgt, während sie darauf warteten, dass ihm die volle Tragweite dessen, was passierte, endlich bewusst wurde.

Der Wagen erreichte die Pforte und verschwand. Drei, vier, fünf Sekunden lang starrte Charlie weiterhin durch das offene Tor. Dann öffnete er den Mund. Eine zuckende, kreisrunde Höhle, in der die bebende Zunge und das rote Fleisch in seinem Schlund zu sehen waren, und Fäden von Spucke zogen sich quer über den Gaumen. Wie gebannt starrten ihn alle an und warteten auf den schrecklichen Laut, der aus diesem klaffenden, zitternden Mund kommen musste, doch er ließ auf sich warten. Quälende Sekunden lang bahnte er sich an, staute er sich auf, bis sein ganzer Körper voll gepumpt schien. Endlich fiel er auf die Knie, und der Schrei kam heraus. Es war nicht das gewaltige Trompeten eines Elefanten, mit dem sie gerechnet hatten, sondern ein feuchtes, nasales Schnauben.

Nur für einen Moment sahen die Mädchen von ihren Kreisen auf, dann zogen sie sie unbeeindruckt weiter. John-the-dig presste die Lippen zusammen und kehrte zum Garten und zu seiner Arbeit zurück. Hier gab es für ihn nichts zu tun. Die Missus trat zu Charlie, legte ihm tröstend eine Hand auf die Schulter und redete ihm zu, wieder ins Haus zu gehen, doch gegen alle guten Worte taub, schniefte er nur und quiekste wie ein enttäuschtes Kind.

Und das war's.

❧

Das war's? Lapidarer hätte das Verschwinden von Miss Winters Mutter wohl kaum abgehandelt werden können. Es war ganz offensichtlich, dass Miss Winter von Isabelles mütterlichen Talenten herzlich wenig zu halten schien; allein die Vokabel Mutter stand offensichtlich nicht in ihrem Lexikon. Vielleicht verständlich: Soweit ich sehen konnte, war Isabelle eine denkbar unmütterliche Frau gewesen. Doch was gab mir das Recht, anderer Leute Beziehung zu ihren Müttern zu beurteilen?

Ich klappte mein Notizbuch zu, klemmte den Bleistift in die Spirale und stand auf.

»Ich bin für drei Tage weg«, erinnerte ich sie. »Ich komme am Donnerstag wieder.«

Ich ließ sie mit ihrem Wolf allein.

# Dickens' Arbeitszimmer

Ich schrieb die Notizen des Tages nieder. Das ganze Dutzend Bleistifte war stumpf, da kam Arbeit auf mich zu. Einen nach dem anderen steckte ich in den Spitzer. Manchmal, wenn man den Griff langsam und gleichmäßig dreht, hängt das bleigeränderte Holz in einer einzigen Spirale bis hinunter in den Papierkorb, doch an diesem Abend war ich müde und unkonzentriert, und es riss immer wieder unter seinem eigenen Gewicht ab.

Ich dachte über die Geschichte nach. Mit der Missus und John-the-dig war ich warm geworden. Charlie und Isabelle machten mich nervös. Der Doktor und seine Frau ließen sich zwar von den lautersten Motiven leiten, doch ich hegte den leisen Verdacht, dass ihr Eingriff in das Leben der Zwillinge nichts Gutes nach sich ziehen würde.

Die Zwillinge selber waren mir ein Rätsel. Ich wusste, wie andere über sie dachten. John-the-dig war der Meinung, sie könnten nicht richtig sprechen; die Missus glaubte, sie begriffen nicht, dass andere Menschen lebendige Wesen sind; die Leute im Dorf vermuteten, sie seien nicht richtig im Kopf. Dagegen wusste ich nicht – und das war mehr als seltsam –, was die Verfasserin der Geschichte von ihnen hielt. Beim Erzählen war Miss Winter wie Licht, das alles außer sich selbst erhellt. Sie war der Fluchtpunkt im Herzen der Erzählung. Sie sprach öfter in der Sie- als der Wir-Form; was mich verwirrte, war das Fehlen eines Ich. Was mochte sie nur veranlasst haben, sich auf diese Weise von ihrer Geschichte zu distanzieren?

Würde ich ihr dazu Fragen stellen, wüsste ich die Antwort im Voraus. »Miss Lea, wir haben eine Verabredung getroffen.« Ich hatte sie bereits zu ein, zwei Details der Erzählung befragt, und obwohl sie hin und wieder antwortete, erinnerte sie mich bei anderer Gelegenheit, wenn sie nicht wollte, an unsere erste Begegnung. »Kein Schummeln. Keine Vorschau. Keine Fragen.«

Mit der Zeit gewöhnte ich mich an meine unbefriedigte Neugier. Doch wie es der Zufall wollte, geschah an genau diesem Abend etwas, das ein wenig Licht in die Sache brachte.

Ich hatte meinen Schreibtisch aufgeräumt und wollte gerade packen, als es klopfte. Ich öffnete, und Judith stand vor der Tür.

»Miss Winter lässt fragen, ob Sie einen Augenblick Zeit für sie hätten.« Das war Judiths höfliche Version von: »Holen Sie mir Miss Lea her.« Da war ich mir sicher.

Ich faltete eine Bluse noch fertig zusammen, legte sie weg und ging in die Bibliothek hinunter. Miss Winter saß an ihrem gewohnten Platz, im Kamin loderte ein Feuer, doch ansonsten herrschte Dunkelheit im Raum.

»Soll ich vielleicht ein paar Lampen anmachen?«, fragte ich vom Eingang her.

»Nein.« Ihre Antwort drang wie von ferne an mein Ohr, und so ging ich zwischen den Regalen auf sie zu. Die Fensterläden waren geöffnet, sodass der dunkle, sternenübersäte Himmel in den Spiegeln funkelte.

Als ich sie erreichte, sah ich im tanzenden Schein des Feuers, dass Miss Winter in Gedanken war. Schweigend setzte ich mich und starrte, während ich mich von der Wärme einhüllen ließ, in die Spiegel der Bibliothek. Es verging eine Viertelstunde, in der sie ihren Gedanken nachhing, und ich wartete.

Und dann: »Kennen Sie das Bild von Dickens in seinem Arbeitszimmer? Es stammt, glaube ich, von einem Mann namens Buss. Irgendwo hab ich einen Druck davon, ich suche ihn mal für Sie raus. Jedenfalls hat er auf dem Bild seinen Stuhl vom Schreibtisch zurückgeschoben und döst, das bärtige Kinn auf der Brust, mit geschlossenen Augen. Er trägt Pantoffeln. Rund um seinen Kopf schweben Figuren aus seinen Büchern wie Zigarrenrauch in der Luft; einige drängen sich um die Papiere auf dem Tisch, andere schwirren hinter seinem Rücken umher oder sinken zu Boden, als trauten sie sich zu, auf eigenen Füßen zu stehen. Und wieso auch nicht? Sie werden mit denselben festen Konturen gezeichnet wie der Schriftsteller selbst, weshalb also sollten sie nicht genauso real sein wie er? Jedenfalls sind sie realer als die Bücher auf den Regalen, die nur mit wenigen Strichen angedeutet sind und an manchen Stellen zu einer gespenstischen Wesenlosigkeit verblassen. Wieso mir dieses Bild gerade jetzt einfällt, werden Sie sich fragen. Ich erinnere mich nur deshalb so gut daran, weil es treffend beschreibt, wie ich mein eigenes Leben geführt habe. Ich habe die Tür meines Arbeitszimmers vor der Welt verschlossen und mich darin mit Leuten aus meiner Phantasie verschanzt. Knapp sechzig Jahre lang habe ich ungestraft heimlich Leute beobachtet und belauscht, die nicht existieren. Schamlos habe ich die verborgenen Gefühle und Badezimmerschränke ausspioniert. Ich habe ihnen über die Schulter geblickt und bin dem Fluss der Feder gefolgt, wenn sie Liebesbriefe, Testamente oder Beichten verfassten. Ich habe zugesehen, wie Liebende lieben, Mörder morden und Kinder ihre Rollen spielen. Bordelle und Gefängnisse haben ihre Pforten für mich geöffnet, Galeonen mich übers Meer und Kamelkarawanen durch die Wüste gebracht; auf meinen Fingerzeig sind Jahrhunderte vergangen und Kontinente zerfallen. Ich habe die Missetaten der Mächtigen ausgekundschaftet und war Zeugin der guten Werke demütiger Menschen. Ich habe mich so tief über Schlafende in ihren Betten gebeugt, dass sie meinen Atem auf ihrem Gesicht spüren mussten. Ich habe ihre Träume gesehen.

In meinem Arbeitszimmer wimmelt es von Figuren, die darauf warten, zum Leben erweckt zu werden. Phantasiegestalten, die an meinem Ärmel zupfen und betteln: ›Dann bin ich aber dran! Mach schon! Jetzt ich!‹ Ich muss wählen. Und habe ich erst gewählt, halten sich die anderen zehn, zwölf Monate lang still im Hintergrund, bis ich mit meiner Geschichte zu Ende bin und das Geschrei von vorne losgeht.

Und dann habe ich in all den Jahren, in denen ich geschrieben habe, immer mal wieder – am Ende eines Kapitels oder in einer stillen Gedankenpause nach einer Todesszene – von der Seite aufgeschaut und ganz hinten in der Menge ein Gesicht gesehen. Ein vertrautes Gesicht. Blasse Haut, rotes Haar, ein unverwandter Blick aus grünen Augen. Ich weiß genau, wer sie ist, und dennoch bin ich jedes Mal erstaunt, sie zu sehen. Es ist ihr noch jedes Mal gelungen, mich zu überrumpeln. Oft hat sie den Mund geöffnet, um mir etwas zu sagen, doch jahrzehntelang war sie zu weit weg, als dass ich sie hätte hören können, und außerdem habe ich jedes Mal, wenn ich ihre Gegenwart bemerkte, weggeschaut und so getan, als hätte ich sie nicht gesehen. Sie ist, glaube ich, nicht darauf hereingefallen.

Viele fragen sich, wie ich so produktiv sein konnte. Na ja, es ist wegen ihr. Wenn ich fünf Minuten, nachdem ich ein Buch beendet habe, das nächste anfange, dann liegt es daran, dass ich ihr in die Augen sehen muss, wenn ich vom Schreibtisch aufschaue.

So sind die Jahre vergangen, die Zahl meiner Titel in den Regalen der Buchläden ist gewachsen, und im gleichen Maße ist die Zahl der Figuren, die in meinem Arbeitszimmer herumgeistern, geschrumpft. Mit jedem Buch, das ich geschrieben habe, ist das Stimmengewirr leiser geworden und der Tumult in meinem Kopf verebbt. Immer weniger Gesichter buhlen um meine Aufmerksamkeit, doch die ganze Zeit über hat sie hinter allen anderen gewartet, nach jedem Buch stand sie ein Stück weiter vorne. Das Mädchen mit den grünen Augen.

Dann kam der Tag, an dem ich die endgültige Fassung meines letzten Titels fertig hatte. Ich schrieb den letzten Satz, setzte den letzten Punkt. Ich wusste, was jetzt kam. Der Stift glitt mir aus den Fingern, und ich machte die Augen zu. ›Nun‹, hörte ich sie sagen, oder vielleicht auch mich selber: ›Jetzt sind es nur noch wir beide.‹

Ich stritt mich ein bisschen mit ihr. ›Das kann nicht funktionieren‹, sagte ich. ›Es ist zu lange her, ich war noch ein Kind, ich hab's vergessen.‹ Auch wenn es nur ein lahmer Vorwand war. ›Aber *ich* habe es nicht vergessen‹, sagte sie. ›Weißt du noch, wie…‹

Selbst ich sehe das Unvermeidliche, wenn es mir ins Auge springt. Ich erinnere mich ganz genau.«

Die zarte Schwingung in der Luft hörte auf. Ich riss mich von den Sternen los und wandte mich zu Miss Winter um. Ihre grünen Augen waren auf eine Stelle im Zimmer fixiert, als sähen sie genau in dem Moment das grünäugige Mädchen mit dem kupferfarbenen Haar.

»Das Mädchen sind Sie.«

»Ich?« Miss Winters Augen wanderten langsam von dem unsichtbaren Kind in meine Richtung. »Nein, nicht ich. Sie ist…« Sie hielt inne. »Sie ist jemand, der ich einmal war. Dieses Kind hat vor langer, langer Zeit aufgehört zu existieren. Ihr Leben war so sicher zu Ende, als wäre sie in den Flammen umgekommen. Die Person, die Sie vor sich sehen, ist ein Nichts.«

»Aber Ihre Karriere … Die Geschichten …«

»Wenn man ein Nichts ist, dann erfindet man. Um die Leere zu füllen.«

Danach saßen wir schweigend da und starrten ins Feuer. Von Zeit zu Zeit rieb sich Miss Winter geistesabwesend die Innenseite der Hand.

»Ihr Aufsatz über Jules und Edmond Landier«, sagte sie nach einer Weile.

Widerstrebend sah ich sie an.

»Was hat Sie bewogen, sich mit diesem Thema zu befassen? Irgendetwas muss Ihr Interesse geweckt haben. Etwas besonders Faszinierendes?«

Ich schüttelte den Kopf. »Nichts Besonderes, nein.«

Und dann blieben nur noch die Stille der Sterne und das Knistern des Feuers.

Es musste wohl etwa eine Stunde vergangen sein, als das Feuer heruntergebrannt war und sie zum dritten Mal das Wort ergriff.

»Margaret«, ich glaube, es war das erste Mal, dass sie mich beim Vornamen nannte. »Wenn Sie morgen abreisen …«

»Ja?«

»Sie kommen doch wieder, nicht wahr?«

Es war schwer, im flackernden Schein der letzten glimmenden Scheite ihren Gesichtsausdruck zu erkennen, und es war ebenso schwer zu sagen, inwieweit das Zittern in ihrer Stimme von der Erschöpfung oder der Krankheit herrührte, doch in den Sekunden, bevor ich antwortete, »Ja, selbstverständlich komme ich wieder«, war ich mir ziemlich sicher: Miss Winter hatte Angst.

Am nächsten Morgen fuhr mich Maurice zum Bahnhof, und ich nahm den Zug Richtung Süden.

# Die Almanache

Wo sonst sollte ich mit meiner Suche beginnen als im Laden?

Alte Almanache faszinierten mich. Seit meiner Kindheit hatte es mich, sooft ich mich langweilte oder ängstigte, zu diesen Regalen getrieben, wo ich die Seiten mit den Namen und Daten und Anmerkungen umblätterte, eine nach der anderen. Zwischen diesen Buchdeckeln war das Leben früherer Menschen in ein paar brutal neutralen Zeilen zusammengefasst. Es war eine Welt, in der Männer Barone und Bischöfe waren oder Minister und Parlamentarier und Frauen Gattinnen und Töchter. Nichts verriet einem, ob diese Männer Nierchen zum Frühstück mochten, ebenso wenig, wen sie liebten und welche Gestalt die Schatten in ihrem dunklen Zimmer annahmen, wenn sie abends die Kerze ausgeblasen hatten. Alles Persönliche fehlte. Was faszinierte mich dann so an diesen kargen Notizen über das Leben der Toten? Nur, dass sie Menschen waren, die einmal gelebt hatten und nun längst unter der Erde lagen.

Wenn ich über sie las, rührte sich etwas in mir. Wenn ich mir diese Einträge ansah, erwachte der Teil von mir, der schon jenseits der Schwelle war, und streichelte mich.

Ich habe nie jemandem erklärt, weshalb die Almanache mir so viel bedeuten, ich habe nicht einmal verraten, *dass* das so ist. Doch mein Vater bemerkte meine Vorliebe, und jedes Mal, wenn ein solcher Band auf einer Auktion versteigert wurde, gab er ein Gebot ab. So kam es, dass sich die berühmten Toten des Landes in ihrem Leben nach dem Tod über mehrere Generationen auf den Regalen in unserem zweiten Stock versammelt hatten. Und ich ihnen Gesellschaft leistete.

Dort, im zweiten Geschoss, hockte ich auf der Fensterbank und blätterte in den Namen. Ich hatte bereits Miss Winters Großvater, George Angelfield, gefunden. Er war weder Baron noch Minister und ebenso wenig Bischof, aber trotzdem fand sich ein Eintrag. Die Familie hatte aristokratische Wurzeln, es hatte einmal einen Adelstitel gegeben; doch ein paar Generationen früher hatte sich die Familie gespalten, und der Titel war in die eine Richtung, der Besitz in die andere gegangen. George gehörte zur Seite des Besitzes. Zwar tendierten die Almanache mehr zur Seite der Titel, doch der Verwandtschaftsgrad war immerhin so eng, dass er einen Eintrag verdiente, und da war er nun: Angelfield, George, sein Geburtsdatum; wohnhaft in Haus Angelfield in Oxfordshire; verheiratet mit Mathilde Monnier aus Reims, Frankreich; ein Sohn, Charles. Nachdem ich die Almanache aus späteren Jahren durchforstet hatte, fand ich mit zehn Jahren Abstand eine Berichtigung: ein Sohn, Charles, eine Tochter, Isabelle. Nach einigem weiteren Blättern fand ich auch George Angelfields Tod bestätigt und, unter M wie March, Roland, Isabelles Ehemann.

Für einen Moment erschien mir der Gedanke amüsant, dass ich den weiten Weg nach Yorkshire gemacht hatte, um Miss Winters Geschichte zu hören, während sie die ganze Zeit schon hier in den Almanachen geschlummert hatte, nur ein kurzes Stück unterhalb meines Betts. Doch dann dachte ich nach. Was war mit dieser Papierspur schon bewiesen? Lediglich, dass Leute wie George und Mathilde und ihre Kinder Charles und Isabelle existiert hatten. Nichts gab mir Aufschluss darüber, ob Miss Winter sie nicht auf demselben Wege gefunden hatte wie ich, indem sie ein Buch durchgeblättert hatte. Diese Almanache standen überall in den Bibliotheken herum. Wer wollte, konnte darin stöbern. Könnte sie nicht einfach ein paar Namen und Daten gefunden und sie dann zu ihrer eigenen Unterhaltung mit einer Geschichte ausgeschmückt haben?

Neben diesen Vorbehalten hatte ich noch ein zweites Problem. Roland March war gestorben, und mit seinem Tod verlief sich die Papierspur zu Isabelle. Die Welt der Almanache war recht bizarr. In Wirklichkeit verzweigten sich Familien wie Bäume, vererbte sich das durch Heirat vermischte Blut von einer Generation zur nächsten, sodass sich das Geäst um immer neue Triebe erweiterte. Adelstitel dagegen gingen von einem Mann auf den nächsten über, und der Almanach konzentrierte sich vorzugsweise auf diese schmale, lineare Erbfolge. Auf jeder Seite dieser direkten Linie mit dem Titel gab es ein paar jüngere Brüder, Neffen und Cousins, die ihr nahe genug gestanden hatten, um vom Almanach erfasst zu werden. Die Männer, die Lord oder Baron hätten werden können und es, auch wenn das nicht nachzulesen war, immer noch werden konnten, falls es zu einer entsprechenden tragischen Verkettung von Umständen kam. Doch nach einer gewissen Anzahl von Verästelungen im Familienstammbaum purzelten die Namen über die Seitenränder in den Äther. Keine noch so schicksalsträchtige Verquickung aus Erdbeben, Schiffbruch und Pest hätte die Macht besessen, diese Vettern dritten Grades erneut ins Rampenlicht zu rücken. Der Almanach hatte seine Grenzen. Und so war es auch mit Isabelle. Sie war eine Frau; ihre Babys waren Mädchen; ihr Ehemann (kein Lord) war tot. Der Almanach schnitt sie einfach von den Familienbanden ab und ließ sie auf dem weiten Ozean der gewöhnlichen Sterblichen treiben, deren Geburt und Tod und Vermählung wie ihre Zuneigungen und Ängste oder ihre

Frühstücksvorlieben zu unbedeutend waren, um für die Nachwelt aufgezeichnet zu werden.

Charlie dagegen war männlichen Geschlechts. Da drückte der Almanach schon mal ein Auge zu, um jemanden einzubeziehen. Auch wenn das trübe Licht der Bedeutungslosigkeit bereits seine Schatten warf. Die Informationen waren dürftig. Er hieß Charles Angelfield. Er war geboren worden. Er lebte in Angelfield. Er war nicht verheiratet. Er war nicht tot. Nach den Maßstäben des Almanachs hatte das zu genügen.

Ich nahm einen Band nach dem anderen heraus und stieß jedes Mal auf dasselbe lückenhafte halbe Leben. Bei jedem neuen Jahrgang dachte ich, ab hier lassen sie ihn fallen. Doch dann fand er sich wieder ein, immer noch Charles Angelfield, immer noch in Angelfield, immer noch unverheiratet. Ich dachte an das, was Miss Winter mir über Charlie und seine Schwester erzählt hatte, und biss mir auf die Lippen, während ich mir darüber klar zu werden versuchte, was sein Junggesellenstatus zu bedeuten hatte.

Und dann, als er Ende vierzig gewesen sein musste, stieß ich auf eine Überraschung. Sein Name, sein Geburtsdatum, sein Wohnsitz und ein seltsames Kürzel – R. E. v. T. –, das mir zum ersten Mal ins Auge fiel. Ich schlug das Abkürzungsverzeichnis auf: R. E. v. T. – Amtliche Todesbescheinigung.

Ich kehrte zu Charlies Eintrag zurück und starrte ihn lange stirnrunzelnd an, als müsste, sah ich nur ganz genau hin, die Körnung oder das Wasserzeichen im Papier das Geheimnis lüften.

In diesem Jahr war er rechtskräftig für tot erklärt worden. Soviel ich wusste, kam es zu einer solchen amtlichen Erklärung, wenn eine Person verschollen war und ihre Familie nach einer gewissen Zeit aus erbrechtlichen Gründen davon ausgehen durfte, dass sie gestorben war, auch wenn das nicht erwiesen war und es keinen Leichnam gab. Ich meinte mich zu erinnern, dass jemand sieben Jahre spurlos verschwunden sein musste, bevor man ihn für tot erklären durfte. Derjenige konnte irgendwann in diesem Zeitraum gestorben oder sogar noch am Leben sein und irgendwo unerkannt durch die Weltgeschichte irren, wenn es nur weit genug weg von allen Menschen war, die ihn irgendwann einmal gekannt hatten. Tot nach dem Gesetz, nicht notwendigerweise in persona. Was für eine Art von Leben, fragte ich mich, mochte ein so vages, unbefriedigendes Ende nehmen? *R. E. v. T.*

Ich schlug den Almanach zu, schob ihn an seinen Platz im Regal zurück und ging in den Laden hinunter, um mir einen Kakao zu kochen.

»Was weißt du über die rechtliche Verfahrensweise, um jemanden für tot zu erklären?«, rief ich zu Vater hinüber, während ich mich über den Topf mit Milch auf der Kochplatte beugte.

»Vermutlich nicht mehr als du«, antwortete er.

Dann erschien er in der Tür und reichte mir eine unserer zerfledderten Kundenkarteikarten. »Das ist der Mann, den du fragen musst. Emeritierter Juraprofessor. Wohnt inzwischen in Wales, aber er kommt jeden Sommer zum Stöbern vorbei, nach einem Spaziergang am Fluss. Netter Kerl. Wie wär's, wenn du ihm ein paar Zeilen schreibst? Bei der Gelegenheit könntest du ihn fragen, ob ich diese *Justitiae Naturalis Principia* weiter für ihn zurücklegen soll.«

Als ich meinen Kakao ausgetrunken hatte, wandte ich mich wieder meinem Almanach zu, um zu sehen, was ich sonst noch über Roland March und seine Familie herausbekommen konnte. Sein Onkel hatte sich als Künstler versucht; und als ich den Abschnitt unter Kunstgeschichte aufschlug, um der Sache nachzugehen, erfuhr ich, dass seine Porträts – die heute als mittelmäßig gelten – für kurze Zeit groß in Mode gewesen waren. Immerhin war in Mortimers *Porträtmalerei der englischen Provinz* ein frühes Porträt von Lewis Anthony March mit dem Titel *Roland, Neffe des Malers* abgebildet. Es mutet seltsam an, in das Gesicht eines noch nicht ganz erwachsenen jungen Mannes zu sehen, um darin nach Ähnlichkeiten mit einer alten Frau zu suchen, die seine Tochter ist. Einige Minuten lang studierte ich seine fleischigen, sinnlichen Züge, das glänzende blonde Haar, die Lässigkeit, mit der er den Kopf zur Seite neigte.

Dann klappte ich das Buch zu. Ich verschwendete nur meine Zeit. Und wenn ich den ganzen Tag und die ganze Nacht danach forschte, wusste ich, dass ich keine Spur von ihm an der Frau entdecken würde, deren Vater er angeblich war.

# In den Archiven des Banbury Herald

Am nächsten Morgen nahm ich den Zug nach Banbury, um dem *Banbury Herald* einen Besuch abzustatten.

Ein junger Mann führte mich ins Archiv. Für jemanden, der sich mit Archiven nicht auskennt, mag das Wort beeindruckend klingen, aber für eine wie mich, die seit Jahren ihre Ferien an solchen Orten zubringt, kam es nicht weiter überraschend, als ich zu einer Art großem Einbauschrank in einem fensterlosen Kellerraum geleitet wurde.

»Ein Feuer in einem Haus in Angelfield«, erklärte ich kurz, »vor über sechzig Jahren.«

Der junge Mann zeigte mir das Regal mit den Beständen aus der fraglichen Zeit.

»Ich hol Ihnen die entsprechenden Kästen runter, ja?«

»Und noch den Rezensionsteil von vor rund vierzig Jahren, wenn ich auch nicht sicher bin, aus welchem Jahr genau.«

»Rezensionsteil? Wüsste nicht, dass der *Herald* je einen gehabt hätte.« Damit schob er seine Leiter ein Stück weiter, holte noch einen Stapel Kästen herunter und stellte ihn neben den ersten auf einen langen Tisch unter eine grelle Lampe.

»So, das hätten wir dann«, sagte er vergnügt und ließ mich allein.

Der Brand in Angelfield ging, wie ich erfuhr, vermutlich auf einen Unfall zurück. Damals war es nicht unüblich, sich einen Brennstoffvorrat zu halten, und aus diesem Grund breitete sich das Feuer so rasant aus. Außer den beiden Nichten des Eigentümers hatte sich niemand im Haus befunden; beide waren entkommen und wurden ins Krankenhaus eingeliefert.

Der Eigentümer selbst soll sich zu dem Zeitpunkt im Ausland aufgehalten haben (soll sich … Ich dachte nach. Ich notierte mir rasch die Daten: Bis zu dem R.E.v.T. sollten damals noch sechs Jahre vergehen). Der Artikel endete mit einigen Bemerkungen über die architektonische Bedeutung des Hauses, und es wurde erwähnt, das Gebäude sei in seinem gegenwärtigen Zustand nicht bewohnbar.

Ich schrieb die Meldung ab und überflog die Schlagzeilen in den anschließenden Nummern nach Folgeartikeln, fand jedoch keine und verstaute die Zeitungen wieder an ihrem Platz, bevor ich mich den anderen Kisten zuwandte.

»Ich will die Wahrheit hören«, hatte er gesagt. Der junge Mann in dem altmodischen Anzug, der Vida Winter vor vierzig Jahren für den *Banbury Herald* interviewt hatte. Und dessen Worte sie nie vergessen hatte.

Von dem Interview war nirgends eine Spur. Auch von einem Rezensionsteil im eigentlichen Sinne konnte nicht die Rede sein. Die einzigen literarischen Beiträge waren gelegentliche Buchbesprechungen unter der Rubrik »Empfehlenswerte Lektüre« von einer Rezensentin namens Miss Jenkinsop. In diesen Artikeln stieß ich zwei Mal auf Miss Winters Namen. Ihr Lob war zu Recht enthusiastisch, wenn auch nicht in die Worte eines professionellen Kritikers gefasst, doch es gab keinen Zweifel, dass sie der Autorin nie persönlich begegnet war und mit dem Mann im braunen Anzug nichts zu tun haben konnte.

Ich schlug die letzte Zeitung zu und legte sie säuberlich gefaltet in ihre Kiste.

Der Mann im braunen Anzug war Fiktion. Ein Trick, um mich zu ködern, eine Fliege an der Angel, um den Fisch an den Haken zu bekommen. Was hatte ich denn erwartet? Vielleicht hatte mir die Existenz von George und Mathilde, von

Charlie und Isabelle zu große Hoffnungen gemacht. Die zumindest waren Menschen aus Fleisch und Blut, der Mann im braunen Anzug dagegen nicht.

Ich zog Hut und Handschuhe an und verließ das Büro des *Banbury Herald.*

Während ich auf der Suche nach einem Café durch die winterlichen Straßen eilte, ging mir der Brief durch den Kopf, den Miss Winter mir geschrieben hatte. Ich dachte daran, wie die Worte des jungen Mannes im braunen Anzug in den Dachsparren meiner Mansarde nachgehallt hatten. Dabei war er ein reines Phantasieprodukt. Ich hätte es wissen müssen. Immerhin war sie eine Märchentante, nicht wahr? Eine fabulierende Geschichtenerzählerin. Eine Schwindlerin. Und der Appell, der mir so unter die Haut gegangen war – »Ich will die Wahrheit hören« –, stammte von einem Mann, den es nie gegeben hatte.

Die bittere Enttäuschung, die ich empfand, konnte ich mir selber nicht erklären.

# Ruine

Von Banbury aus nahm ich den Bus.

»Angelfield?«, fragte der Fahrer. »Nein, das liegt an keiner Linie. Bis jetzt jedenfalls nicht. Kommt vielleicht noch, wenn sie das Hotel gebaut haben.«

»Da wird gebaut?«

»Irgendsone alte Ruine, die sie abreißen wollen. Soll ein Luxushotel draus werden. Dann lohnt sich vielleicht ein Bus für die Angestellten, aber vorerst steigen Sie am besten bei Hare and Hounds auf der Cheneys Road aus und gehen von da aus zu Fuß. Ne Meile, über den Daumen.«

Angelfield hatte nicht viel zu bieten. Eine einzige Straße, an deren Rand ein Holzschild angebracht war, auf dem in bestechender Logik stand: »The Street«. Ich ging an einem Dutzend Doppelhäuser im Cottage-Stil vorbei. Hier und da unterschieden sie sich durch eine markante Besonderheit – eine mächtige Eibe, eine Kinderschaukel, eine Bank –, ansonsten glich jedes Haus mit dem sauber gefassten Reetdach, den weißen Giebeln und dem gediegenen Mauerwerk seinen Nachbarn wie ein Ei dem anderen. Die Cottage-Fenster lagen nach hinten in Richtung der heckengesäumten Felder, in die hier und da eine Baumgruppe eingestreut war. Noch weiter entfernt grasten Schafe und Kühe, an deren Weiden dichter Wald angrenzte – laut meiner Karte das Wildgehege. So etwas wie einen Bürgersteig suchte man vergeblich, doch da es auch kaum Verkehr gab, machte das nichts. Genauer gesagt war weit und breit kein Mensch zu sehen, bis ich zum letzten Cottage kam, Post und Gemischtwarenladen in einem.

Zwei Kinder in gelben Ölhäuten kamen aus dem Laden gerannt und stürmten vor ihrer Mutter auf die Straße. Die kleine, blonde Frau blieb am Briefkasten stehen und bemühte sich, Marken auf ihre Briefe zu kleben, ohne die unter den Arm geklemmte Zeitung fallen zu lassen. Das ältere Kind, ein Junge, reckte sich, um ein Bonbonpapier in den Abfalleimer an einem Laternenpfahl an der Straße zu werfen. Er wollte auch das Bonbonpapier der Schwester wegschmeißen, doch die Kleine wehrte sich. »Kann ich selber! Kann ich selber!« Ohne auf den Protest ihres Bruders zu hören, stellte sie sich auf Zehenspitzen, streckte die Hand in die Höhe und versuchte, das Papier über den Rand des Abfalleimers zu werfen. Es wurde von einer Brise erfasst und wirbelte über die Straße.

»Ich hab's dir gesagt!«

Beide Kinder drehten sich um und wollten zu ihrer Mutter rennen, als sie bei meinem Anblick ruckartig stehen blieben. Zwei blonde Ponyschöpfe fielen über zwei gleich braunen Augenpaaren in die Stirn. Zwei Münder verzogen sich gleichermaßen erstaunt. Keine Zwillinge, nein, einander aber trotzdem sehr ähnlich. Ich bückte mich nach dem Papier und hielt es ihnen entgegen. Das Mädchen wollte es sich nehmen und kam näher. Ihr vorsichtigerer Bruder versperrte ihr mit dem ausgestreckten Arm den Weg und rief: »Mama!«

Die Mutter hatte vom Briefkasten aus zugesehen. »Schon gut, Tom«, rief sie zurück. »Lass sie.« Das Mädchen nahm mir das Papier aus der Hand, ohne mich anzusehen. »Sag Dankeschön«, mahnte die Mutter. Die Kinder murmelten ihren Dank, drehten sich um und sprangen erleichtert davon. Diesmal hob die Frau ihre Tochter hoch, sodass sie an den Eimer kam, und sah mich und meinen Fotoapparat mit heimlicher Neugier an.

In Angelfield konnte ich mich nicht unsichtbar machen.

Sie schenkte mir ein reserviertes Lächeln. »Schönen Spaziergang noch«, sagte sie und drehte sich zu ihren Kindern um, die schon wieder die Straße entlang in Richtung der Cottages liefen.

Ich sah den dreien hinterher.

Die Kinder rannten, stürzten sich aufeinander und wichen einander aus, als sei ein unsichtbares Band zwischen ihnen gespannt. Sie änderten willkürlich die Richtung, wechselten überraschend das Tempo, und dies alles wie telepathisch synchronisiert: zwei Tänzer, die sich nach derselben inneren Musik bewegten, zwei Blätter, von derselben Brise erfasst. Es war unheimlich und doch vollkommen vertraut. Ich hätte ihnen gerne länger zugesehen. Doch aus Angst, sie könnten sich umdrehen und merken, dass ich sie anstarrte, riss ich mich los.

Nach ein paar hundert Metern tauchte das Pförtnertor in der Ferne auf. Die Torflügel selbst waren nicht nur geschlossen, sondern durch Efeuranken, die sich um die kunstvolle Schmiedearbeit wanden, unlöslich mit dem Boden und miteinander verwachsen. Oberhalb des Tors wölbte sich ein Steinbogen hoch über der Straße, dessen Seiten in zwei kleinen Ein-Zimmer-Häuschen mit je einem Fenster ausliefen. In einem der Fenster war ein Zettel angebracht. Als zwanghafter Leser konnte ich nicht widerstehen; ich stapfte mühsam durch das hohe, nasse Gras, um die Schrift zu entziffern. Doch es war ein Schild von Geisterhand. Das farbige Logo eines Bauunternehmens hatte überlebt, doch darunter waren nur noch zwei graue Flecken auszumachen, die je einen Absatz markierten, und dann, einen Hauch dunkler, der Schatten einer Unterschrift. Das Ganze erinnerte vage an ein Dokument, doch die Schrift war von der monatelangen Sonneneinstrahlung ausgeblichen.

Ich beschloss, um das Grundstück herumzulaufen, um irgendwo einen Eingang zu finden, und war überrascht, als ich schon nach wenigen Schritten auf ein kleines Holztor in einer Mauer stieß, das nur mit einem Schnappriegel verschlossen war.

Die Auffahrt war ursprünglich einmal kiesbedeckt gewesen, jetzt dagegen traten zwischen den Steinen unter meinen Füßen blanke Erde und struppiges Gras hervor. Der Weg führte in einem weiten Bogen bis zu einer Flintsteinkapelle mit überdachtem Friedhofstor und von dort aus in einer gegenläufigen Kurve hinter einer Reihe Bäume und Büsche entlang, die den Blick verstellten. Die Ränder des Wegs waren zu beiden Seiten überwuchert; die Zweige unterschiedlicher Büsche kämpften um den knappen Platz, und zu ihren Füßen breiteten sich Gras und Unkraut bis in die letzten Winkel aus.

Ich ging zur Kapelle. Trotz ihres Wiederaufbaus in viktorianischer Zeit hatte sie sich die Schlichtheit ihres mittelalterlichen Ursprungs bewahrt. Klein und in klarer Linie wies der Turm gen Himmel, ohne gleich ein Loch hineinzustechen. Die Kapelle stand am Scheitelpunkt der Kurve, und als ich näher kam, ließ ich den Blick vom Tor über die Aussicht schweifen, die sich auf der anderen Seite bot. Mit jedem Schritt weitete sich der Horizont, bis schließlich die bleiche Steinmasse von Haus Angelfield vor mir aufragte und ich abrupt stehen blieb.

Das Haus stand in einem schiefen Winkel. Von der Einfahrt aus stieß man auf eine Ecke, und es war keineswegs klar, welche Seite des Gebäudes die Vorderfront sein sollte. Es machte fast den Eindruck, als wüsste das Haus zwar sehr wohl, dass es sich dem Ankömmling von vorne präsentieren sollte, doch im letzten Moment hatte es der Versuchung nicht widerstehen können, sich dem Wildpark und dem Wald am Ende der Terrassen zuzuwenden. Und so zeigte es dem Besucher kein Willkommenslächeln, sondern die kalte Schulter.

Auch sonst hatte das Haus etwas Linkisches. Es war asymmetrisch gebaut. Drei große Erker, jeder vier Stockwerke hoch, ragten aus dem Baukörper hervor, und ihre zwölf hohen und breiten Fenster waren alles, was das Gebäude an Ordnung und Harmonie zu bieten hatte. Am übrigen Bau waren die Fenster beliebig zusammengewürfelt, keine zwei gleich, keines auf derselben Höhe wie die benachbarten, ob nun oben oder unten oder links oder rechts. Über dem dritten Stock versuchte eine Balustrade die unvereinbaren Architekturelemente in einer einzigen Umarmung zusammenzuhalten, doch hier und da kam sie gegen einen Steinsims, eine Fensterbucht, ein deplatziertes Fenster nicht an; sie verschwand und lief jenseits des Hindernisses weiter. Über dieser Balustrade erhob sich ein unebenes Dach mit honigfarbenen Türmen, Türmchen und Schornsteingruppen.

Eine Ruine? Größtenteils sah der ockerfarbene Stein so sauber und frisch aus wie am ersten Tag. Natürlich war das Zierwerk der Steinmetzarbeit an den Türmchen ein wenig verwittert, die Balustrade hier und da zerbröckelt, doch trotz alledem war das Haus noch keine Ruine. So wie es unter dem blauen Himmel vor mir lag, wie die Vögel um seine Türme kreisten und die Rasenflächen sich saftig grün in alle Richtungen dehnten, fiel es mir überhaupt nicht schwer, mir das Anwesen bewohnt vorzustellen.

Dann setzte ich die Brille auf und begriff.

In den Fenstern fehlten die Scheiben, die Rahmen waren verfault oder verbrannt. Was ich rechts oben für Schatten gehalten hatte, waren die Rußspuren vom Brand. Und die Vögel, die sich über dem Haus in den Himmel erhoben, stürzten nicht hinter dem Bauwerk hinab, sondern flogen hinein. Es gab kein Dach. Es war kein Haus. Nur eine Hülle.

Ich nahm die Brille wieder ab, und die Szene verwandelte sich erneut in ein intaktes elisabethanisches Gebäude. Ob man wohl ein düster-bedrohliches Gefühl bekam, wenn sich der Himmel indigoblau verfärbte und der Mond plötzlich hinter einer Wolke verschwand? Vielleicht. Doch vor dem wolkenlosen Blau an diesem Tag bot sich ein Bild der reinen Unschuld.

Das Haus und seine Auffahrt waren mit einem Zaun abgesperrt; daran hing ein Schild mit der Aufschrift: »Achtung Lebensgefahr. Zutritt verboten.« Ich entdeckte eine Stelle, wo die Segmente ineinander gesteckt waren, schob eines davon zurück, schlüpfte hindurch und zog es hinter mir zu.

Ich bog um die Ecke und gelangte an die Vorderfront. Zwischen dem ersten und dem zweiten Erker führten sechs breite, niedrige Stufen zu einem getäfelten Doppelportal hinauf. Die Treppe wurde von zwei niedrigen Sockeln flankiert, die ein Paar riesige, aus einem dunklen, polierten Material gemeißelte Katzen trugen. Ihre sanft geschwungenen Körperformen waren so täuschend echt herausgearbeitet, dass ich unwillkürlich mit der Hand darüber strich und – als hätte ich mit weichem Fell gerechnet – bei der Berührung mit dem harten, kalten Stein ein wenig zurückzuckte.

Das Erdgeschossfenster des dritten Erkers hatte die dunkelsten Brandflecke davongetragen. Ich stieg auf einen Brocken, der aus dem Mauerwerk herausgefallen war, und konnte durchs Fenster sehen. Bei dem Anblick, der sich mir bot, schnürte es mir den Hals zu. Die Vorstellung von dem, was einen Raum ausmacht, ist universal. Auch wenn mein Schlafzimmer über dem Laden und mein Kinderzimmer im Haus meiner Eltern und auch das Zimmer bei Miss Winter höchst verschieden sind, so stimmen sie doch in den wesentlichen Merkmalen überein, die nach allgemeiner Übereinkunft einen Raum ausmachen. Selbst in einem Feldlager hat man eine Art Dach über dem Kopf, das vor Wind und Wetter schützt; dann eine Öffnung zum Betreten, eine Bodenfläche zum Begehen und eine Begrenzung zwischen innen und außen. Hier gab es nichts dergleichen.

Die Balken waren heruntergesackt, ein paar nur an einem Ende, sodass sie von ihrer Verankerung in der Decke aus diagonal durchs Zimmer schnitten und irgendwo in dem Haufen aus Holz, Schutt und Trümmern endeten, der den Raum bis unters Fenster füllte. Alte Nester klemmten in verschiedenen Nischen und Winkeln. Die Vögel mussten Samen hereingetragen haben; die Sonne, aber auch Schnee und Regen hatten den Raum durchflutet, und so wuchsen inmitten der Zerstörung Pflanzen. Ich entdeckte die winterlich braunen Zweige von Schmetterlingsflieder und Holundersträuchern, die sich dem Licht entgegenreckten. Wie ein Tapetenmuster überzogen Efeuranken die Wände. Ich verrenkte mir den Hals, um nach oben zu sehen, doch ich blickte wie in einen dunklen Tunnel. Vier hohe Wände waren noch intakt, doch statt einer Decke gab es dort oben nur vier dicke Balken mit unterschiedlichen Zwischenräumen und darüber wieder gähnende Leere, bevor die nächste Lage vereinzelter Sparren zu erkennen war, und darüber noch zwei Lagen. Am Ende des Tunnels war Licht. Der Himmel.

Hier konnte nicht einmal ein Gespenst überleben.

Kaum vorzustellen, dass es einmal Gardinen, Möbel und Gemälde gegeben hatte, die im Glanz von Kronleuchtern erstrahlten, wo heute ungehindert die Sonne eindrang. Als was hatte dieser Raum gedient? Als Wohn-, Musik- oder Speisezimmer?

Ich warf einen Blick auf das Gerümpel. In der undefinierbaren Masse fiel mir etwas ins Auge. Zuerst hatte ich es für einen herabgestürzten Balken gehalten, doch dafür schien es nicht dick genug. Und dieses Holzbrett war offenbar einmal mit der Wand verbunden gewesen. Da war noch eines davon. Und dort ein drittes. Diese Bretter hatten in regelmäßigen Abständen Fugen, als wären darin einmal ähnliche Teile im rechten Winkel verankert gewesen. Tatsächlich hatten dort in der Ecke noch ein paar überlebt.

Es lief mir heiß den Rücken herunter, als die Erkenntnis dämmerte. Diese Bretter waren Regale. Dieses Gemenge aus Natur und Trümmern war einmal eine Bibliothek gewesen.

Im nächsten Moment war ich durch das scheibenlose Fenster gestiegen und im Haus.

Behutsam tastete ich mich Schritt für Schritt voran. Ich spähte in Ecken und dunkle Spalten, doch Bücher fand ich nirgends. Nicht, dass ich wirklich welche erwartet hätte. Sie hätten diese Verhältnisse nie überlebt. Doch ich konnte nicht anders, als zu suchen.

Ein paar Minuten lang konzentrierte ich mich auf das Fotografieren. Ich hielt die leeren Fensterrahmen fest, die Holzfächer, in denen einmal Bücher gestanden hatten, die schwere Eichentür in ihrem massiven Rahmen.

Um den großen steinernen Kamin im besten Winkel einzufangen, neigte ich mich aus der Taille heraus ein wenig zur Seite, als ich zusammenfuhr. Ich schluckte, merkte, dass mein Herz ein wenig schneller schlug. War es ein Geräusch gewesen? Ein Gefühl? Hatte sich tief in dem Trümmerhaufen unter meinen Füßen etwas verschoben? Aber nein. Es war nichts. Dennoch balancierte ich behutsam bis zur gegenüberliegenden Wand, wo ein Loch im Mauerwerk groß genug war, um hindurchzutreten.

Ich stand in der Eingangshalle. Hier befand sich das hohe, zweiflüglige Eingangsportal, das ich von draußen gesehen hatte. Die Treppe war aus Stein und hatte daher den Brand überstanden. Trotz des Efeus, der Geländer und Balustraden überwucherte, war die klare architektonische Linie deutlich zu erkennen: ein eleganter, ausladender Bogen, der sich in die Höhe schwang und am unteren Ende zu einer muschelartigen Spirale auslief – ein prächtiger, umgekehrter Apostroph.

Die Treppe führte zu einer Galerie, die sich über die gesamte Breite der Halle erstreckt haben musste. Auf der einen Seite war nur noch der gezackte Rand eines Dielenbodens zu erkennen, der schräg nach unten hing. Die andere Seite war beinahe unversehrt: die Reste eines Geländers an der Empore, dahinter ein Flur. Eine Decke, fleckig zwar, doch intakt, ein Boden, sogar Türen. Dieser Teil des Hauses war offenbar der allgemeinen Verwüstung entkommen. Das hier sah nach Wohnraum aus.

Ich machte ein paar Schnappschüsse und arbeitete mich weiter Richtung Flur voran, indem ich bei jedem Schritt die Dielen testete, bevor ich das Gewicht verlagerte.

Die erste Tür öffnete sich in einen jähen Abgrund – nur Zweige und blauer Himmel. Keine Wände, keine Decke, kein Boden, nur frische Luft.

Ich zog die Tür wieder zu und tastete mich, fest entschlossen, mich von der Gefahr, die das Gemäuer barg, nicht irritieren zu lassen, weiter den Flur entlang. Ohne den Boden unter den Füßen aus den Augen zu lassen, erreichte ich die zweite Tür. Ich drückte die Klinke und machte auf.

Da bewegte sich etwas!

*Meine Schwester!*

Um ein Haar wäre ich auf sie zugesprungen.

Dann sah ich, was es war. Ein Spiegel. Unter einer dicken Schmutzschicht und halb blind, mit Flecken, die wie Tinte wirkten.

Ich senkte den Blick zu der Stelle, auf die ich fast getreten wäre. Wo Dielen zu erwarten waren, klaffte ein etwa sechs Meter tiefes Loch mit einem Steinboden darunter.

Obwohl ich jetzt wusste, was ich gesehen hatte, raste mein Puls vor Aufregung. Ich schaute erneut hin, und da war sie wieder. Ein bleichgesichtiges Schmuddelkind mit dunklen Augen und einer schemenhaften Gestalt, die in dem düsteren Rahmen zitterte.

Sie hatte mich gesehen. Sie stand da und streckte mir sehnsüchtig die Hand entgegen, als bräuchte ich nichts weiter zu tun, als vorzutreten und sie zu nehmen. Und wäre es letztlich nicht die einfachste Lösung, um endlich mit ihr vereint zu sein?

Wie lange blieb ich dort stehen und betrachtete sie?

»Nein«, flüsterte ich, doch sie winkte mich immer noch zu sich. »Es tut mir Leid.« Langsam ließ sie den Arm sinken. Dann nahm sie einen Fotoapparat und knipste mich.

Sie tat mir Leid. Fotos durch Glas werden nichts. Ich musste es wissen. Ich hab's probiert.

Ich hatte die Hand an der Klinke der dritten Tür. Die Dreierregel, hatte Miss Winter gesagt. Doch ich hatte keine Lust mehr auf ihre Geschichte. Ihr gefährliches Haus ohne Dach über dem Kopf mit Vexierspiegeln hinter den Türen hatte seinen Reiz verloren.

Ich wollte gehen. Vielleicht um die Kapelle zu fotografieren? Nicht einmal das. Ich wollte zum Dorfladen hinüber. Mir ein Taxi rufen, zum Bahnhof und zurück nach Hause.

Genau das würde ich gleich tun. Für den Augenblick wollte ich so bleiben und, den Kopf gegen die Tür gelehnt, die Finger an der Klinke, ohne wissen zu wollen, was sich dahinter verbarg, einfach abwarten, bis die Tränen aufhörten und ich mich gefangen hatte.

Ich wartete.

Da senkte sich unter meinem Griff die Klinke ganz von allein.

# Der freundliche Riese

Ich rannte los, sprang über die Löcher in den Dielenböden, nahm die Treppe nach unten drei Stufen auf einmal, stolperte, suchte am Geländer Halt. Ich erwischte eine Handvoll Efeu, verlor das Gleichgewicht, fing mich so eben und taumelte weiter. Die Bibliothek? Nein. In die andere Richtung. Ein Torbogen. Holunder- und Fliederzweige verhakten sich in meinen Kleidern. Mehrfach fiel ich hin, als ich mich durch Schutt und Trümmer des eingefallenen Hauses wühlte.

Irgendwann kam es, wie es kommen musste. Ich stürzte, und mir entfuhr ein wilder Schrei.

»Oh je, oh je. Hab ich Sie erschreckt? Oh je, oh je.«

Ich starrte durch den Bogen zurück.

Über die Galeriebrüstung gelehnt, sah ich nicht das Skelett oder Monster, das ich mir ausgemalt hatte, sondern einen Riesen. Er kam eilends die Treppe herunter, bahnte sich geschickt und unerschrocken einen Weg durch den Schutt und türmte sich schließlich mit einem höchst besorgten Gesicht über mir auf.

»Du liebes bisschen.«

Er musste über eins neunzig sein und dazu breit, ein Hüne, gegen dessen Statur das Haus zu schrumpfen schien.

»Das hab ich wirklich nicht gewollt… Ich dachte doch bloß… Weil Sie doch schon eine Weile da waren, und… Aber das ist auch egal, fragt sich jetzt nur, haben Sie sich wehgetan, meine Liebe?«

Ich fühlte mich wie ein kleines Kind. Doch trotz seiner Körpergröße hatte auch dieser Mann etwas von einem Kind. Zu plump für Falten, hatte er ein rundes, engelhaftes Gesicht und einen Kranz silberblonder Kringellöckchen um seine beginnende Glatze. Die Augen waren so rund wie der Rahmen seiner Brille. Sie waren freundlich und wasserblau.

Ich wirkte wohl benommen und blass. Er kniete sich neben mich und nahm mein Handgelenk.

»Du liebes bisschen, sind Sie da runtergestürzt! Hätte ich doch nur … Ich hätte auf keinen Fall … Puls ist ein wenig hoch. Hmm.«

Mir brannte das Kinn. Ich griff nach einem Riss in der Hose über dem Knie und zog die Finger blutig zurück.

»Auwei, auwei. Es ist das Bein, nicht wahr? Ist es gebrochen? Können Sie es bewegen?« Ich drehte den Fuß nach rechts und links, und dem Mann stand die Erleichterung ins Gesicht geschrieben.

»Gott sei Dank. Das hätte ich mir nie verziehen. Also, Sie rühren sich nicht von der Stelle, ich hol nur rasch … bin gleich wieder da.« Weg war er. Seine Füße tanzten geschickt zwischen den gezackten Holzenden hindurch und sprangen flink die Treppe hinauf, während sein Oberkörper fröhlich darüber schwebte, als ginge ihn die akrobatische Beinarbeit nichts an.

Ich holte tief Luft und wartete.

»Ich hab den Kessel aufgesetzt«, verkündete er, als er zurückkam. Was er in der Hand hielt, war ein richtiger Erste-Hilfe-Kasten, weiß mit einem roten Kreuz darauf, und er holte ein antiseptisches Mittel und eine Mullbinde heraus.

»Hab ja immer gesagt, dass sich irgendwann mal jemand in diesem alten Gemäuer verletzt. Hab den Kasten schon seit Jahren. Besser Vorsicht als Nachsicht. Mei au mei.«

Er zuckte schmerzlich zusammen, als er mir den brennenden Bausch auf die Schnittwunde drückte.

»Schön tapfer sein, ja?«

»Haben Sie hier denn Strom?«, fragte ich. Ich war verblüfft.

»Strom? Aber das ist doch eine Ruine.« Er starrte mich fragend an, als könnte ich bei meinem Sturz vielleicht eine Gehirnerschütterung erlitten und den Verstand verloren haben.

»Ich dachte nur, weil Sie gesagt haben, Sie hätten den Kessel aufgesetzt.«

»Ach so! Nein! Ich hab einen Campingkocher. Ich hatte auch mal eine Thermosflasche, aber...« Er rümpfte die Nase. »Tee aus der Thermoskanne schmeckt nicht so gut, hab ich Recht? Und, brennt es sehr schlimm?«

»Nur etwas.«

»Tapferes Mädchen. Ganz schöner Sturz. Also, der Tee, mit Zucker und Zitrone? Hab leider keine Milch. Ist kein Kühlschrank da.«

»Mit Zitrone, danke.«

»Gut. Dann machen wir es uns mal bequem. Der Regen hat aufgehört. Trinken wir den Tee im Garten?« Er ging zu der großen alten Doppelflügeltür an der Eingangsseite und zog den Riegel zurück. Mit einem viel leiseren Quietschen, als man erwartet hätte, gingen die Flügel auf, und ich versuchte, mich aufzurappeln.

»Nein, nicht!«

Der Riese tänzelte zu mir zurück, beugte sich herunter und hob mich hoch. Ich fühlte, wie ich schwebte, und schon trug er mich sachte nach draußen. Er setzte mich quer auf den Rücken einer der beiden Katzen, die ich zuvor bewundert hatte.

»Warten Sie hier, und wenn ich zurück bin, trinken wir beide ein gutes Tässchen!« Er verschwand erneut im Haus. Sein mächtiger Rücken glitt die Treppe hinauf, verschwand im Flur und schließlich in der dritten Tür.

»So angenehm?«, fragte er, als er wieder auftauchte.

Ich nickte.

»Großartig.« Sein Lächeln zeigte, dass er meinte, was er sagte. »Und jetzt machen wir uns erst mal miteinander bekannt. Ich heiße Love. Aurelius Alphonse Love. Für Sie Aurelius.« Er sah mich erwartungsvoll an.

»Margaret Lea.«

»Margaret.« Er strahlte. »Prächtig, ganz prächtig. Und jetzt essen Sie was.«

Zwischen die Ohren der großen Katze hatte er übereck eine Serviette gebreitet, und in der Mulde lag ein dunkles, klebriges, ziemlich großes Stück Kuchen. Ich biss hinein. Es war der ideale Kuchen für einen kalten Tag: mit Ingwer gewürzt, süß und scharf zugleich. Der Fremde goss den Tee in zierliche Tassen aus Porzellan. Er reichte mir eine Schale Würfelzucker und holte einen blauen Samtbeutel aus der Brusttasche, den er aufzog, um einen Silberlöffel mit einem länglichen A in der Form eines stilisierten Engels am Griff herauszuziehen. Ich nahm ihn, rührte meinen Tee um und gab ihm den Löffel zurück.

Während ich aß und trank, saß mein Gastgeber auf der zweiten Katze, die unter seinem Körperumfang zu einem Miezekätzchen schrumpfte. Er aß schweigend, mit guten Manieren und voller Konzentration. Dabei schaute er mir zu, um zu sehen, ob es mir schmeckte.

»Das war wunderbar«, sagte ich. »Vermutlich selbst gebacken?«

Die Katzen standen etwa drei Meter auseinander, und um uns zu verständigen, mussten wir ein wenig lauter sprechen, wodurch unsere Unterhaltung etwas Theatralisches bekam, als deklamierten wir auf der Bühne. Und tatsächlich hörte uns jemand zu. Im klaren Licht, der Regen hatte inzwischen aufgehört, stand kurz vor dem Waldrand stocksteif ein Reh und sah uns neugierig entgegen. Wachsam, mit zuckenden Nasenflügeln rührte es sich nicht vom Fleck. Als es merkte, dass ich es entdeckt hatte, machte es keine Anstalten zu fliehen, sondern beschloss, keine Angst zu haben.

Mein Gegenüber wischte sich die Finger an seiner Serviette ab, schüttelte sie aus und faltete sie vier Mal. »Dann schmeckt er Ihnen? Das Rezept hab ich von Mrs. Love. Den Kuchen hab ich schon als Kind gebacken. Mrs. Love konnte wunderbar kochen und backen. Sie war überhaupt eine wunderbare Frau. Natürlich ist sie nicht mehr unter uns. Hat ein gesegnetes Alter erreicht. Auch wenn man sich gewünscht hätte … Aber es sollte eben nicht sein.«

»Verstehe.« Auch wenn ich mir da nicht sicher war. Handelte es sich bei Mrs. Love um seine Frau? Aber er hatte gesagt, er hätte diesen Kuchen schon als Kind gebacken. Er meinte doch wohl nicht seine Mutter? Wieso sollte er von Mrs. Love reden, wenn er seine Mutter meinte? Zweierlei stand fest. Er hatte sie geliebt, und sie war tot. »Das tut mir Leid«, sagte ich.

Zwar nahm er mein Mitgefühl mit trauriger Miene entgegen, doch dann hellten sich seine Züge auf. »Immerhin ist es eine gute Art, ihr Andenken zu bewahren, finden Sie nicht? Der Kuchen, meine ich.«

»Auf jeden Fall. Ist es lange her? Dass Sie Mrs. Love verloren haben?«

Er überlegte. »Fast zwanzig Jahre. Auch wenn es mir viel länger vorkommt. Oder auch kürzer, je nachdem.«

Ich nickte. Ich war so schlau wie zuvor.

Wir schwiegen eine Weile. Mein Blick schweifte zum Wildpark hinüber. Am Waldrand erschienen weitere Rehe. Sie wanderten mit der Sonne über die Rasenflächen des Parks.

Das Brennen in meinem Bein hatte nachgelassen. Ich fühlte mich besser.

»Sagen Sie …«, fing der Fremde an, und ich hatte den Eindruck, als müsse er seinen ganzen Mut zusammenkratzen, um mit seinem Anliegen herauszurücken. »Haben Sie eine Mutter?«

Ich zuckte ein wenig unter der Frage zusammen. Für gewöhnlich nehmen die Menschen nicht lange genug von mir Notiz, um mir persönliche Fragen zu stellen.

»Wenn ich fragen darf? Bitte nehmen Sie es mir nicht übel, aber … Wie soll ich sagen? Familien sind eine Sache von … Aber wenn es Ihnen unangenehm ist …«

»Schon in Ordnung«, sagte ich gedehnt. »Es macht mir nichts aus.« Und das entsprach der Wahrheit. Vielleicht lag es an der ganzen Reihe Schocks, die ich bereits erlitten hatte, oder auch an dem bizarren Ambiente, jedenfalls schien es mir, dass alles, was ich hier diesem Mann von mir preisgeben würde, nicht über diesen Ort und diesen Menschen hinausgelangen würde. Und so beantwortete ich ihm die Frage. »Ja, ich habe eine Mutter.«

»Eine Mutter! Wie … Ach, wie …« Ihm blitzte auf einmal eine seltsame Intensität, eine Wehmut in den Augen. »Was könnte schöner sein, als eine Mutter zu haben!«, rief er nach einer Weile, eine Aufforderung, mehr zu verraten.

»Dann haben Sie keine?«, fragte ich.

Aurelius' Gesicht zuckte zusammen. »Leider … habe ich mir immer gewünscht … oder auch einen Vater. Oder auch nur Geschwister … irgendeinen, der zu mir gehört. Als Kind hab ich oft so getan, als ob. Ich hab mir eine ganze Familie ausgedacht. Mit mehreren Generationen! Sie hätten gelacht!« Sein Gesicht war alles andere als komisch. »Aber eine richtige Mutter, eine leibhaftige Mutter, die man kennt … Natürlich hat jeder eine Mutter, nicht wahr? Das weiß ich auch. Es geht darum, dass man weiß, wer es ist. Und ich hab mir immer gewünscht, eines Tages ... Denn es ist nicht ganz unmöglich, finden Sie nicht? Deshalb habe ich die Hoffnung nie ganz aufgegeben.«

»Aha.«

»Das ist eine traurige Sache.« Er zuckte die Achseln, um nonchalant zu wirken, was ihm nicht gelang. »Ich hätte gerne eine Mutter gehabt.«

»Mr. Love ...«

»Sagen Sie Aurelius zu mir.«

»Aurelius. Wissen Sie, es ist nicht immer so angenehm mit Müttern, wie Sie vielleicht denken.«

»Tatsächlich?« Die Auskunft schien ihn mit der Wucht einer Offenbarung zu treffen. Er sah mich scharf an. »Kabbeleien?«

»Nicht direkt.«

Er runzelte die Stirn. »Missverständnisse?«

Ich schüttelte den Kopf.

»Schlimmer?« Er war verblüfft. Er suchte den Himmel nach der Antwort ab, den Wald und am Ende meine Augen.

»Geheimnisse«, sagte ich.

»Geheimnisse!« Er bekam große, kreisrunde Augen. Verwirrt schüttelte er den Kopf und versuchte mit aller Macht zu begreifen, was ich damit meinte. »Verzeihen Sie«, sagte er schließlich. »Ich weiß nicht, wie ich da helfen kann. Ich kenne mich zu wenig mit Familien aus. Meine Unwissenheit kennt keine Grenzen. Das mit den Geheimnissen tut mir Leid. Sie haben bestimmt Ihre triftigen Gründe, so darüber zu denken.«

Ich las das Mitgefühl in seinen Augen, während er mir ein sauber gefaltetes, weißes Taschentuch reichte.

»Entschuldigen Sie«, sagte ich. »Wahrscheinlich wirkt der Schock noch nach.«

»Bestimmt.«

Während ich mir die Tränen abwischte, schaute er weg und betrachtete den Park. Der Himmel nahm ganz sachte eine immer dunklere Farbe an. Schließlich folgte ich seinem Blick und sah einen weißen Schimmer: das helle Fell eines Rehs, das schwerelos in den Schutz der Bäume sprang.

»Ich hab Sie für ein Gespenst gehalten«, gestand ich ihm. »Als ich merkte, wie sich die Klinke bewegte. Oder ein Skelett.«

»Ein Skelett! Ich! Ein Skelett!« Er kicherte, und sein ganzer Körper wackelte vor Vergnügen.

»Dabei sind Sie ein Riese.«

»Das will ich meinen! Ein Riese.« Er wischte sich die Augen und sagte: »Es gibt tatsächlich ein Gespenst, wissen Sie, erzählt man sich jedenfalls.«

Ich weiß, hätte ich beinahe gesagt. Ich habe es gesehen. Aber natürlich meinte er nicht mein Gespenst. »Haben Sie das Gespenst schon mal gesehen?«

»Nein«, seufzte er. »Nicht mal seinen Schatten.«

Wir saßen eine Weile schweigend da, jeder in seine eigenen Gespenster vertieft.

»Es wird frisch«, bemerkte ich.

»Und geht's dem Bein wieder besser?«

»Ich denke schon.« Ich rutschte vom Rücken der Katze herunter und versuchte, mein Gewicht auf das verletzte Bein zu verlagern. »Ja, schon viel besser.«

»Großartig. Großartig.«

Im Dämmerlicht klangen unsere Stimmen wie Gemurmel.

»Wer genau war Mrs. Love?«

»Die Frau, die mich aufgenommen hat. Ihr verdanke ich den Namen. Ihr verdanke ich das Kochbuch. Ihr verdanke ich im Grunde alles.«

Ich nickte.

Dann nahm ich meinen Fotoapparat. »Ich denke, ich sollte dann mal los. Ich wollte noch ein paar Fotos von der Kapelle machen, bevor es richtig dunkel wird. Vielen, vielen Dank für den Tee.«

»Ich muss auch gleich los. Hat mich so gefreut, Sie kennen zu lernen, Margaret. Kommen Sie wieder?«

»Sie wohnen gar nicht hier, oder?«, fragte ich unsicher.

Er lachte. Es war ein dunkles, saftiges Lachen wie der Kuchen.

»Gott bewahre, nein. Ich hab da drüben ein Haus.« Er zeigte mit dem Finger Richtung Wald. Ich komme nur nachmittags her. Zum ... nun, sagen wir, zum Nachdenken, ja?«

»Es soll bald abgerissen werden. Sie wissen sicher davon?«

»Ja.« In Gedanken streichelte er zärtlich die Katze. »Eine Schande, nicht wahr? Das alte Haus wird mir fehlen. Ehrlich gesagt habe ich gedacht, Sie wären einer von denen, als ich Sie hörte. Ein Landvermesser oder so. Aber das sind Sie nicht.«

»Nein, ich bin keine Landvermesserin. Ich schreibe ein Buch über eine Frau, die hier mal gewohnt hat.«

»Eine von den Angelfield-Mädchen?«

»Ja.«

Aurelius nickte nachdenklich. »Sie waren Zwillinge, stellen Sie sich vor.« Einen Moment lang ging sein Blick ins Weite. »Kommen Sie wieder, Margaret?«, fragte er, als ich meine Tasche nahm.

»Zwangsläufig, ja.«

Er zog eine Visitenkarte heraus. »Aurelius Love, traditionelle englische Küche für Hochzeiten, Taufen und Geselligkeiten.« Er deutete auf die Adresse und Telefonnummer. »Rufen Sie mich unbedingt an, wenn Sie wiederkommen. Sie müssen mich besuchen, und ich mach Ihnen einen anständigen Tee.«

Bevor sich unsere Wege trennten, nahm Aurelius meine Hand und tätschelte sie auf eine selbstverständliche, altmodische Art. Dann glitt sein massiger Körper anmutig die breite Treppe hinauf, und er zog die schwere Tür hinter sich zu.

Langsam machte ich mich auf den Weg zur Kapelle und dachte an den Fremden, den ich gerade kennen gelernt und zum Freund gewonnen hatte. Das sah mir ganz und gar nicht ähnlich. Und während ich durch das Friedhofstor trat, kam mir die Idee, dass vielleicht ich die Fremde war. Bildete ich mir das nur ein, oder war *ich* seit meiner Begegnung mit Miss Winter nicht mehr ganz ich selbst?

# GRÄBER

Ich war zu spät gegangen, und jetzt reichte das Licht nicht mehr für die Fotos. Also nahm ich für meinen Spaziergang über den Friedhof mein Notizbuch heraus. Angelfield war eine alte, aber kleine Gemeinde, und es gab nicht allzu viele Gräber. Ich fand John Digence, abberufen in den Garten des Herrn, und eine Frau, Martha Dunne, treue Dienerin unseres Herrn, deren Daten sich mit denen deckten, die ich errechnet hatte. Ich notierte mir die Namen, Lebensdaten und Inschriften. Auf einem der Gräber standen frische Blumen, ein leuchtend orangefarbener Strauß Chrysanthemen, und ich ging näher heran, um zu sehen, wem das liebevolle Gedenken galt. Es war für »Joan Mary Love. In steter Erinnerung«.

Sosehr ich danach suchte, konnte ich nirgends den Namen Angelfield entdecken. Doch die anfängliche Verwunderung wich rasch der Erkenntnis, dass die Familienmitglieder keine gewöhnlichen Gräber auf dem Friedhof haben würden. Die Grabstätten der Angelfields waren zweifellos monumentaler, mit Steinskulpturen geschmückt und einer langen Ahnentafel. Und sie waren vermutlich in der Kapelle beigesetzt.

Drinnen war es düster. Die schmalen, altehrwürdigen Fenster aus grünlichem Glas in einem breiten, gotischen Rahmen aus Stein ließen ein trübes Licht herein, das so eben die bleichen Bögen und Säulen, die weiß getünchten Gewölbe zwischen den schwarzen Dachsparren und das glatt polierte Holz der Kirchenbänke zu erkennen gab. Als sich meine Pupillen an das Halbdunkel gewöhnt hatten, nahm ich die Gedenksteine und Skulpturen in der winzigen Kapelle in Augenschein. Über die Jahrhunderte rühmten Epitaphe, Zeile um Zeile höchst beredt und teuer in kostbaren Marmor gemeißelt, die Toten. Ich würde ein andermal herkommen, um die Sprüche über die früheren Generationen zu entziffern. Fürs Erste hielt ich nur nach einer Handvoll Namen Ausschau.

Mit dem Tod von George Angelfield fand die eloquente Familiensaga ein Ende. Charlie und Isabelle – denn vermutlich lag die Entscheidung bei ihnen – hatten sich nicht allzu sehr ins Zeug gelegt, Leben und Tod ihres Vaters für künftige Generationen festzuhalten. »Von irdischem Leid befreit, zu seinem Heiland heimgekehrt«, lautete die lakonische Botschaft auf dem Stein. Isabelles Rolle in dieser Welt war zusammen mit ihrem Verscheiden höchst konventionell zusammengefasst: »Unsere geliebte Mutter und Schwester ist jetzt an einem besseren Ort.« Trotzdem schrieb ich die Worte ab und rechnete kurz nach. Jünger als ich! Nicht gar so tragisch jung wie ihr Mann, aber dennoch kein Alter zum Sterben.

Charlies Grabstein hätte ich beinahe übersehen. Ich hatte bereits jede andere Inschrift in der Kapelle gelesen, als mein Blick auf einen kleinen, dunklen Stein fiel. Er war so kümmerlich, so schwarz, dass seine Unscheinbarkeit oder zumindest Bedeutungslosigkeit beabsichtigt schien: Da kein Blattgold den Buchstaben Kontur verlieh, streckte ich die Hand aus und tastete die Lettern Wort für Wort mit den Fingern ab.

*Charlie Angelfield*
*Er ging in die dunkle Nacht.*
*Wir sehen ihn nie wieder.*

Es gab keine Daten.

Mich fröstelte. Wer hatte wohl die Inschrift gewählt? War es Vida Winter? Und welche Gefühle gab sie preis? Für mich schwang eine gewisse Zweideutigkeit mit. War es der Kummer über den traurigen Verlust? Oder das triumphierende Gehabdichwohl an einen Schuft?

Als ich nach dem Verlassen der Kapelle langsam die Kieseinfahrt Richtung Haupttor entlangschlenderte, spürte ich einen unbeschwerten, ja schwerelosen, aber dennoch prüfenden Blick in meinem Rücken. Vielleicht das Angelfield-Gespenst? Oder die ausgebrannten Augen des Hauses selbst? Höchstwahrscheinlich war es nur ein Reh, das mich aus dem Schatten des Waldes heraus beäugte.

»Zu schade«, sagte mein Vater an diesem Abend im Laden, »dass du nicht wenigstens für ein paar Stunden nach Hause kommen kannst.«

»Ich *bin* doch zu Hause«, stellte ich mich dumm. Dabei wusste ich genau, ihm war klar, dass ich wegen meiner Mutter nicht kam. Ich konnte ihre aufgesetzte Heiterkeit, die nichts sagende Farblosigkeit ihres Hauses nicht ertragen. Ich lebte mit den Schatten und hatte mich mit meiner Trauer angefreundet, doch ich wusste, dass mein Kummer dort unerwünscht war. Meine Mutter hätte sich wohl eine fröhliche, geschwätzige Tochter gewünscht, deren strahlendes Wesen ihr geholfen hätte, die eigenen Ängste zu bannen. So aber hatte sie Angst vor meinem Schweigen. Ich hielt mich lieber fern. »Ich hab so wenig Zeit«, erklärte ich. »Miss Winter ist sehr darauf bedacht, mit der Arbeit voranzukommen. Und außerdem ist bald Weihnachten. Bis dahin bin ich wieder da.«

»Ja«, sagte er. »Ist nicht mehr lang bis Weihnachten.«

Er schien traurig und besorgt. Ich wusste, dass ich der Grund dafür war, und es tat mir Leid, dass ich ihm nicht helfen konnte.

»Ich habe ein paar Bücher eingepackt, die ich zu Miss Winter mitnehmen möchte. Ich hab sie auf den Karteikarten vermerkt.«

»In Ordnung. Kein Problem.«

In dieser Nacht wurde ich aus dem Schlaf gerissen. Eckige Knochen schienen sich durch die Decke hindurch in mich zu bohren.

Das ist sie! Um mich endlich zu holen.

Ich muss nur die Augen öffnen und sie ansehen. Doch vor Angst bin ich wie gelähmt. Wie sieht sie aus? So wie ich? Groß und dünn, mit dunklen Augen? Oder – und das ist es, was ich fürchte – ist sie direkt dem Grab entstiegen? Mit was für einem entsetzlichen Ding gehe ich da – aufs Neue – eine Verbindung ein?

Die Angst verebbt.

Ich war aufgewacht.

Der Druck durch das Bettzeug war verschwunden, eine Einbildung im Schlaf. Ich wusste nicht, ob ich erleichtert war oder enttäuscht.

Ich stand auf, packte meine Sachen und ging in der trostlosen winterlichen Morgendämmerung zum Bahnhof, um den ersten Zug Richtung Norden zu nehmen.

# MITTE

# HESTER IST DA

Es war noch November, als ich Yorkshire verließ, und als ich wiederkam, stand der Wechsel zum Dezember bevor.

Der Dezember hat mir schon immer Kopfschmerzen bereitet und meinen ohnehin schlechten Appetit geschmälert. Er macht mich rastlos in meiner Lektüre. Mit seiner feuchtkalten Dunkelheit hält er mich nächtelang wach. Meine innere Uhr fängt am ersten Dezember zu ticken an, um die Tage, die Stunden und Minuten zu messen – bis zur Wiederkehr des Tages, an dem mein Leben begonnen hat und zunichte gemacht wurde: meinem Geburtstag. Der Dezember ist mir verhasst.

Dieses Jahr verstärkte das Wetter die bösen Vorahnungen. Ein schwerer Himmel überschattete das Haus und tauchte uns in ewiges, trübes Zwielicht. Bei meiner Rückkehr stieß ich auf Judith, die von einem Zimmer zum nächsten eilte, um Schreibtisch-, Lese- und andere gewöhnliche Lampen aus den nie benutzten Gästezimmern einzusammeln und sie in der Bibliothek, dem Wohnzimmer und in meinen Zimmern zu verteilen. Alles, um das trübe Grau zu vertreiben, das in jedem Winkel, unter jedem Stuhl, in den Falten der Gardinen und der Polster lauerte.

Miss Winter stellte mir über die Zeit meiner Abwesenheit keine Fragen; ebenso wenig erzählte sie mir vom weiteren Verlauf ihrer Krankheit, doch selbst nach einer so kurzen Trennung war ihr Verfall nicht zu übersehen. Ihre Kaschmirtücher fielen in leeren Falten um ihren ausgezehrten Körper, und die Rubine und Smaragde an ihren Fingern schienen größer als bisher, so dünn waren ihre Hände geworden. Die feine, weiße Linie, die vor meiner Abreise an ihrem Scheitel zu Tage getreten war, hatte sich ausgebreitet und kroch nun jedes Haar entlang, sodass sie das Kupferorange durch ein metallisch-stumpfes Hellgrau dämpfte. Doch bei aller physischen Gebrechlichkeit strotzte sie von einer Energie, die sich Krankheit und Alter entgegenstellte und ihr Stärke verlieh. Ich war kaum im Zimmer erschienen, hatte mich noch nicht gesetzt und mein Notizbuch herausgezogen, da erhob sie die Stimme und nahm die Geschichte genau dort auf, wo wir stehen geblieben waren, als sei sie in ihr aufgestaut und drohe jeden Moment überzuschwappen.

ꕥ

Nachdem Isabelle weg war, kamen sie im Dorf zu der Überzeugung, dass etwas für die Kinder getan werden musste. Sie waren dreizehn, ein Alter, in dem sie noch beaufsichtigt werden mussten; sie brauchten den Einfluss einer Frau. Sollten sie nicht irgendwo zur Schule gehen? Aber welche Schule würde solche Kinder nehmen? Nachdem man zu der Einsicht gelangt war, dass man sich eine Schule aus dem Kopf schlagen musste, wurde beschlossen, eine Gouvernante einzustellen.

Und man wurde fündig. Sie hieß Hester. Hester Barrow. Kein hübscher Name. Aber schließlich war sie auch keine hübsche Frau.

Dr. Maudsley fädelte alles ein. Charlie war in seinem Kummer so in sich gekehrt, dass er kaum merkte, was geschah, und John-the-dig sowie die Missus, nichts weiter als Hausangestellte, wurden gar nicht gefragt. Stattdessen wandte sich der Arzt an Mr. Lomax, den Anwalt der Familie, und so trafen die beiden – mithilfe des örtlichen Bankdirektors – sämtliche Vorkehrungen. Dann war alles geregelt.

Ohnmächtig und tatenlos sahen wir dem Ereignis entgegen, jeder mit seinen eigenen gemischten Gefühlen. Die Missus war zwiegespalten. Sie hegte ein instinktives Misstrauen gegen die Fremde, die in ihre Domäne eindringen sollte; in diesen Vorbehalt mischte sich die Angst, dass man ihr Versagen bescheinigen würde, denn sie hatte jahrelang die Verantwortung getragen und kannte ihre Unzulänglichkeiten. Doch sie hegte auch Hoffnungen. Die Hoffnung, dass die Neue den Kindern Disziplin einflößen und gute Manieren beibringen würde; dass Vernunft und gesunder Menschenverstand in Haus Angelfield einkehrten. So groß war ihr Wunsch nach einem eingespielten, gut funktionierenden Haushalt, dass sie bereits im Vorgriff auf die Ankunft der Gouvernante begann, uns Anweisungen zu geben, als ob wir zu den Kindern gehörten, die sich danach richten würden. Selbstverständlich dachten wir nicht daran.

John-the-digs Gefühle waren weniger ambivalent, sondern eindeutig feindseliger Natur. Mit den endlosen Mutmaßungen der Missus darüber, wie künftig alles werden würde, hatte er nichts zu schaffen, und mit eisigem Schweigen weigerte er sich, dem Optimismus Vorschub zu leisten, der bei ihr allmählich aufzukeimen begann. »Wenn sie die Richtige ist…«, sagte sie oft. »Wir ahnen gar nicht, wie viel besser alles werden kann…«, doch er starrte nur aus dem Küchenfenster und ließ sich nicht erweichen. Als der Doktor ihm den Vorschlag machte, den Brougham zu nehmen und die Gouvernante vom Bahnhof abzuholen, fing er sich eine rüde Abfuhr ein. »Ich hab nicht die Zeit, quer durch die Grafschaft einer verdammten Lehrerin hinterherzulaufen«, antwortete er, und so musste der Doktor sich bequemen, sie selber abzuholen. Seit dem Vorfall mit dem Formschnittgarten war John nicht mehr derselbe, und jetzt brachte er angesichts der bevorstehenden Veränderung Stunden allein zu und gab sich seinen Zukunftsängsten hin. Der Neuankömmling bedeutete ein neues Paar Augen und Ohren in einem Haus, in dem seit Jahren niemand mehr nach dem Rechten gesehen und richtig hingehört hatte. John-the-dig, an Verschwiegenheit gewöhnt, sah Unheil kommen.

So war jeder von uns auf seine Art verzagt. Das heißt, alle außer Charlie. Als der Tag kam, war nur Charlie wie sonst. Wie immer hatte er sich eingeschlossen und war nirgends zu sehen, sodass von seiner Anwesenheit nur das gelegentliche Gedonner und Getöse zeugte, an das wir uns alle so gewöhnt hatten und das wir kaum noch bemerkten. In seiner Sehnsucht nach Isabelle machte der Mann die Nacht zum Tage, und die Ankunft einer Gouvernante bedeutete ihm nicht das Geringste.

Wir vertrieben uns an jenem Morgen die Zeit in einem der vorderen Zimmer im ersten Stock. Man hätte es wohl ein Schlafzimmer nennen können, wäre das Bett unter dem Gerümpel, das sich im Lauf von Jahrzehnten darauf gestapelt hatte, überhaupt noch zu sehen gewesen. Emmeline arbeitete sich mit den Fingernägeln durch die Silberfäden in der Stickerei, welche die Gardinen zierte. Jedes Mal, wenn es ihr gelang, einen Faden herauszulösen, steckte sie ihn in die Tasche, um später damit ihr Sammellager unter dem Bett zu bereichern. Uns stand jemand ins Haus, und egal, ob sie verstand, was das bedeutete oder nicht, die gespannte Erwartung hatte sie angesteckt.

Emmeline war es auch, die als Erste den Brougham hörte. Vom Fenster aus beobachteten wir, wie die Neue ausstieg, sich mit zwei kräftigen Handbewegungen den zerknitterten Rock glatt strich und in alle Richtungen blickte. Sie sah zur Haustür, nach links und nach rechts und dann – ich sprang vom

Fenster zurück – nach oben. Vielleicht hielt sie uns für einen Lichtreflex oder eine Gardine, die der Wind durch eine zerbrochene Fensterscheibe bauscht. Was immer sie sah, uns jedenfalls nicht.

Dafür sahen wir sie. Durch Emmelines neues Loch in der Gardine starrten wir hinunter. Wir wussten nicht, was wir von ihr halten sollten. Hester war durchschnittlich groß. Durchschnittlich gebaut. Ihr Haar war weder braun noch blond. Die Haut von derselben Farbe. Mantel, Schuhe, Kleid und Hut: alles in ein und demselben undefinierbaren Ton. Ihr Gesicht hatte keinerlei bemerkenswerte Züge. Und dennoch starrten wir sie an, so lange, bis uns die Augen wehtaten. Jede Pore in ihrem kleinen Allerweltsgesicht schien zu leuchten, von ihren Kleidern und dem Haar ein Glanz auszugehen. Sie wurde von einem Lichtkegel umgeben wie von einer elektrischen Birne. Sie hatte etwas Fremdartiges.

Wir hatten keine Ahnung, woran es lag. So etwas war uns noch nie begegnet.

Später allerdings fanden wir es heraus.

Hester war sauber. Von Kopf bis Fuß sauber geschrubbt und auf Hochglanz poliert.

Nicht schwer zu erraten, was sie von Angelfield hielt.

Sie war kaum eine Viertelstunde im Haus, als sie die Missus nach uns schickte. Wir ignorierten sie. Nichts geschah. Das war der Moment, als sie uns zum ersten Mal auf dem falschen Fuß erwischte, hätten wir das damals nur verstanden. Unsere ganze Könnerschaft im Versteckenspielen fruchtete nichts, wenn sie nicht kam und nach uns suchte. Und genau das tat sie nicht. Wir blieben im Zimmer. Zuerst langweilten wir uns, dann ärgerten wir uns über die Neugier, die trotz allen Widerstands, den wir leisteten, aufkeimte. Wir lauschten auf die Geräusche von unten: John-the-digs Stimme, das Rücken von Möbeln, irgendwo Schlagen und Klopfen. Dann wurde es still. Um die Mittagszeit wurden wir gerufen, doch wir gingen nicht nach unten. Um sechs rief uns die Missus erneut: »Kommt, Kinder, es gibt Abendessen mit eurer neuen Gouvernante.« Wir blieben im Zimmer. Niemand kam uns holen. Zum ersten Mal dämmerte uns, dass die Neue eine Kraft im Haus sein würde, die man nicht unterschätzen sollte.

Irgendwann kamen Geräusche, aus denen zu schließen war, dass sich alle anschickten, ins Bett zu gehen. Schritte auf der Treppe, dann die Stimme der Missus: »Ich wünsche Ihnen eine angenehme Nacht, Miss.« Und die Stimme der Gouvernante – der Wolf, der Kreide gefressen hat: »Danke, Mrs. Dunne. Vielen Dank für all Ihre Mühe.«

»Und wegen der Mädchen, Miss Barrow…«

»Machen Sie sich um die keine Sorgen, Mrs. Dunne. Das wird schon. Gute Nacht.«

Dann entfernten sich die schlurfenden Schritte der Missus langsam die Treppe hinunter, und Stille kehrte ein.

Es wurde Nacht, alle schliefen, außer uns. Die Versuche der Missus, uns beizubringen, dass die Nacht zum Schlafen da war, hatten ebenso wenig gefruchtet wie ihre sämtlichen anderen Lektionen, und wir hatten keine Angst vor der Dunkelheit. An der Tür der Gouvernante hörten wir nichts weiter als das leise Schaben einer Maus unter den Dielen, und so gingen wir nach unten, zur Speisekammer.

Die Tür ließ sich nicht öffnen. In unserem ganzen Leben hatte niemand das Schloss benutzt, doch in dieser Nacht verriet es sich mit einer Spur frischem Öl.

Noch hoffte Emmeline geduldig, dass die Tür sich öffnen würde, so wie sie es gewöhnlicherweise tat. Sie hatte immer darauf vertrauen können, dass Brot und Butter und Marmelade nur darauf warteten, von ihr verspeist zu werden.

Doch es bestand kein Grund zur Panik. Die Schürzentasche der Missus. Da musste der Schlüssel sein. Da waren die Schlüssel immer: ein nie benutzter Ring mit rostigen Schlüsseln für Türen und Schlösser und Schränke im ganzen Haus und jede Menge Fummelei, um herauszubekommen, welcher wo passte.

Die Tasche war leer.

Emmeline wurde unruhig.

Die Gouvernante wurde langsam, aber sicher zu einer echten Herausforderung. Nicht mit uns, dachten wir. Dann mussten wir uns eben draußen etwas zu essen besorgen. Man konnte schließlich jederzeit für einen Happen in eines der Cottages gehen.

Der Knauf der Küchentür drehte sich, stieß dann jedoch auf Widerstand. Wie sehr wir auch daran ziehen und zerren mochten, er war nicht zu bewegen. Er war mit einem Vorhängeschloss gesichert.

Das zerbrochene Fenster im Wohnzimmer war mit Brettern vernagelt, und im Esszimmer waren die Fensterläden zugeklappt. Es bestand noch eine letzte Chance: Also, auf in die Eingangshalle zur großen zweiflügligen Tür. Emmeline tapste verwirrt hinterher. Sie hatte Hunger. Was sollte dieser ganze Blödsinn mit den Türen und den Fenstern? Wie lange sollte es noch dauern, bis sie sich endlich den Bauch voll schlagen konnte? Ein einziger Mondstrahl, der bläulich durch die getönten Scheiben in den Dielenfenstern fiel, genügte, um die mächtigen Riegel – außer Reichweite und viel zu schwer – anzustrahlen, die oben an der Flügeltür geölt und vorgeschoben worden waren.

Wir waren gefangen.

Emmeline reagierte als Erste. »Hamham«, sagte sie. Sie hatte Hunger. Und wenn Emmeline Hunger hatte, musste sie etwas zu essen bekommen. Wir saßen in der Klemme. Es dauerte geraume Zeit, doch irgendwann dämmerte es in Emmelines Köpfchen, dass das Essen, nach dem sie sich sehnte, wohl nicht zu haben war. Ihr stand die Verwirrung ins Gesicht geschrieben. Ihr Mund ging auf, und sie fing laut zu heulen an.

Ihr Jammern hallte die Steintreppe hinauf, drang in den Flur nach links, dann eine weitere Treppe hinauf und glitt schließlich unter der Schlafzimmertür der neuen Gouvernante hindurch.

Nicht lange, und ein zweites Geräusch war zu hören. Nicht das blinde Schlurfen der Missus, sondern das zackige, rhythmische Klacken von Hester Barrows Schritt. Ein energisches, doch keineswegs hastiges Tipptapp. Eine Treppe herunter, den Flur entlang, zur Galerie.

Ich nahm in den Falten der langen Gardinen Zuflucht, bevor sie auf der Galerie erschien. Es war Mitternacht. Sie stand auf dem obersten Treppenabsatz, eine kompakte, kleine Gestalt, weder dick noch dünn, mit stämmigen Beinen, von einem ruhigen, entschlossenen Gesicht gekrönt. In ihrem fest verschnürten blauen Morgenmantel und ihrem adrett gebürsteten Haar sah sie ganz danach aus, als schliefe sie, um jederzeit aufspringen zu können, grundsätzlich im Sitzen. Ihr Haar war dünn und klebte ihr fest am Kopf, ihr Gesicht wirkte plump, besonders die Knollennase. Sie war unscheinbar, gelinde gesagt, doch bei Hester hatte das nicht annähernd die Wirkung wie bei einer anderen Frau. Sie zog die Blicke magisch an.

Eben noch hatte Emmeline am Fuß der Treppe gestanden und vor Hunger geheult, doch kaum war Hester in Glanz und Gloria erschienen, hörte sie zu weinen auf und starrte sie an, als sei sie eine voll beladene Kuchenplatte, die man ihr unverhofft entgegenhielt.

»Wie schön, dich zu sehen«, sagte Hester auf dem Weg nach unten. »Also, wer bist du nun? Emmeline oder Adeline?«

Emmeline starrte sie nur mit offenem Mund an.

»Was soll's?«, sagte die Gouvernante. »Möchtest du was zum Abendessen? Und wo ist deine Schwester? Möchte sie vielleicht auch etwas?«

»Ham«, sagte Emmeline, und ich wusste nicht, ob es Abendessen bedeuten sollte oder sich auf Hester bezog.

Hester sah sich nach dem anderen Zwilling um. In der Gardine konnte sie nichts weiter als eine Gardine erkennen, denn nach einem flüchtigen Blick wandte sie ihre ganze Aufmerksamkeit Emmeline zu. »Komm mit«, sagte sie mit einem Lächeln. Sie zog einen Schlüssel aus ihrer blauen Tasche. Auf Hochglanz gebracht, glitzerte er silbern und funkelte im bläulichen Licht.

Er verfehlte seine Wirkung nicht. »Glänzt«, sagte Emmeline, und ohne zu wissen, was es war und was es herzaubern konnte, folgte sie dem Schlüssel – und mit ihm Hester – durch die kalten Flure zurück in die Küche.

In den Falten der Gardine bekam die Wut die Oberhand über den nagenden Hunger. Hester und ihr Schlüssel! Emmeline! Es war wie bei dem Kinderwagen. Es war Liebe auf den ersten Blick.

Das war die erste Nacht, und es war Hesters Sieg.

Das Schmuddelige unseres Hauses übertrug sich nicht, wie man hätte vermuten können, auf unsere makellose Gouvernante. Es war vielmehr umgekehrt. Die wenigen Sonnenstrahlen, die staubig durch die schmutzigen Scheiben und schweren Vorhänge sickerten, schienen immer auf Hester zu fallen. Sie bündelte Licht und strahlte es in ihre düstere Umgebung ab, die von der Berührung mit ihr in neuer Frische erschien.

Ganz allmählich breitete sich Hesters Glanz auf den Haushalt aus. Am ersten Tag betraf es nur ihr eigenes Zimmer. Sie nahm die Gardinen ab und steckte sie in einen Bottich mit Seifenlauge. Sie hängte sie mit Wäscheklammern an der Leine auf, wo Wind und Sonne das ungeahnte Muster aus rosa und gelben Rosen zum Leben erweckten. Während sie trockneten, reinigte sie das Fenster mit Zeitungspapier und Essig, um das Licht hereinzulassen, und als es hell genug dafür war, schrubbte sie das Zimmer vom Boden bis zur Decke. Bis zum Abend hatte sie aus ihren vier Wänden eine kleine Oase der Sauberkeit gemacht. Und das war nur der Anfang.

Mit Seife und Bleiche, mit Energie und Willenskraft verordnete sie dem Haus Hygiene. Nachdem die Bewohner seit Generationen halb blind, halb sehend ihrem Trott gefolgt und unter der Macht der Gewohnheit ohne Sinn und Verstand ihren verwahrlosten Obsessionen nachgegangen waren, erschien Hesters Frühjahrsputz wie ein Wunder. In den vergangenen dreißig Jahren war das Leben im Haus dem Takt der Staubkörnchen gefolgt, die sich in einem gelegentlichen Strahl des matten Sonnenlichts fingen. Jetzt gaben Hesters kleine Füße das Tempo der Minuten und Sekunden vor, und wo sie geübt den Federwedel schwang, da waren die Staubkörnchen verschwunden.

Nach der Reinlichkeit war Ordnung angesagt, und das Haus sollte den Wandel als Erstes zu spüren bekommen. Unsere neue Gouvernante unternahm einen gründlichen Inspektionsrundgang. Sie schritt von unten bis oben alles ab, gab auf jedem Stockwerk ein missbilligendes »Tststs« von sich und runzelte die Stirn. Kein Schrank, keine Nische, die ihrer Aufmerksamkeit entgingen; mit spitzem Stift und Notizblock schaute sie in jedes Zimmer, notierte sich feuchte Stellen an Decken und Wänden sowie klappernde Fenster, überprüfte Türen und

Dielenbretter auf knarrende Geräusche, probierte alte Schlüssel in alten Schlössern aus und beschriftete sie. Auch wenn es nur eine erste Bestandsaufnahme war, eine Vorstufe zur eigentlichen Restaurierung, veränderte sie dennoch jeden Raum, den sie betrat: ein Haufen Decken in der Ecke nunmehr sauber auf einem Sessel gefaltet; ein Buch vom Boden aufgehoben und unter den Arm geklemmt, um es später zur Bibliothek zurückzubringen; die Vorhänge zu einem geraden Faltenwurf geschüttelt. Das alles geschah im Handumdrehen, doch ohne ersichtliche Hast. Es schien, als brauche sie nur den Blick über ein Zimmer schweifen zu lassen, und schon wichen Dunkelheit und Chaos und die Hausgespenster traten verschämt den geordneten Rückzug an. Auf diese Weise wurde jeder Raum »verhestert«.

Nur eines brachte sie aus der Fassung: das Dachgeschoss. Beim Anblick der Mansarde fiel ihr die Kinnlade herunter. Doch sie fasste sich schnell wieder, kniff die Lippen zusammen und kritzelte nur noch vehementer in ihren Notizblock.

Bereits am folgenden Tag erschien ein Bauunternehmer. Wir kannten ihn aus dem Dorf: ein gemächlicher Mann im Schlenderschritt. Beim Sprechen dehnte er jeden Vokal, um seinem Mund eine Ruhepause vor dem nächsten Konsonanten zu gönnen. Er hatte immer sechs oder sieben Aufträge gleichzeitig am Wickel, von denen er selten einen zu Ende führte. Er brachte seine Wochentage damit herum, Zigaretten zu rauchen und die anstehende Arbeit mit einem fatalistischen Kopfschütteln zu beäugen. So stieg er charakteristisch träge die Treppen hoch, doch kaum war er fünf Minuten mit Hester zusammen, da hörten wir seinen Hammer bereits wie einen Trommelwirbel. Sie hatte ihn elektrisiert.

Binnen weniger Tage gab es geregeltes Essen bei Tisch, klare Zubettgeh- und Aufstehzeiten. Noch ein paar Tage, und es gab saubere Schuhe fürs Haus und saubere Stiefel für draußen. Damit nicht genug: Die Seidenkleider wurden gereinigt, ausgebessert und geändert, um als imaginärer Sonntagsstaat im Schrank zu verschwinden, während neue Kleider in marineblauem Baumwollpopelin mit weißen Schärpen und Kragen für den Alltag sichtbar in Erscheinung traten.

Emmeline blühte unter der neuen Ägide auf. Sie wurde in Form von regelmäßigen Mahlzeiten gut genährt, durfte – unter strenger Aufsicht – mit Hesters glänzenden Schlüsseln spielen und entwickelte sogar eine Leidenschaft fürs Baden. Zuerst wehrte sie sich, brüllte und trat, als Hester und die Missus sie auszogen und in die Wanne herabließen, doch als sie sich hinterher – sauber gewaschen, die Haare mit einer grünen Schleife geflochten – im Spiegel sah, bekam sie den Mund nicht mehr zu und verfiel in eine ihrer Trancen. Sie mochte es, wenn jemand strahlte. Immer, wenn sie bei Hester war, musterte Emmeline heimlich ihr Gesicht und wartete auf ihr Lächeln. Wenn Hester dann tatsächlich lächelte, was nicht selten geschah, dann betrachtete Emmeline sie verzückt. Es dauerte nicht lange, und sie hatte gelernt, zurückzulächeln.

Auch anderen Mitgliedern des Haushalts bekam die Veränderung gut. Die Missus ließ sich die Augen beim Arzt untersuchen und unter lautstarkem Protest zu einem Facharzt schicken. Bei ihrer Rückkehr konnte sie wieder sehen. Die Missus war so glücklich über den Anblick des Hauses in seinem neuen Glanz, dass all die Jahre, die sie in tristem Einerlei gelebt hatte, von ihr abfielen wie der graue Star. Sie fühlte sich so verjüngt, dass sie Hester in dieser schönen neuen Welt Gesellschaft leisten konnte. Selbst John-the-dig, der sich Hesters Anordnungen nur wider Willen beugte und dessen dunkle Augen ihren strahlenden, wachsamen Blick wo möglich mieden, konnte der positiven Energie, die sie auf den Haushalt ausstrahlte, nicht widerstehen. Ohne irgendjemandem ein Wort zu sagen, nahm er seine Gartenschere und betrat zum ersten Mal seit der Katastrophe den Formschnittgarten. Dort unterstützte er die Natur nach Kräften dabei, zu heilen, was die Gewalt von einst angerichtet hatte.

Charlie berührte das alles allenfalls von ferne. Er ging ihr aus dem Weg, was auch in ihrem Sinne war. Sie wollte nichts weiter, als ihre Arbeit tun, und ihre Arbeit galt uns: unserem seelischen Wohlbefinden, unserer geistigen Verfassung und unserer physischen Gesundheit – ja, unser Vormund dagegen lag nicht in ihrem Zuständigkeitsbereich, und so ließ sie ihn in Ruhe. Sie war keine Jane Eyre und er kein Mr. Rochester. Angesichts ihrer Energie zog er sich in die alten Kinderzimmer im zweiten Stock hinter einer gut verschlossenen Tür zurück, wo er und seine Erinnerungen ungestört im gewohnten Dreck vor sich hin faulen konnten. Für ihn beschränkte sich der Hester-Effekt auf eine bessere Ernährung und eine strengere Kontrolle seiner Finanzen, die unter der ehrlichen, doch mangelhaften Obhut der Missus von skrupellosen Geschäftsleuten und Händlern geplündert worden waren. Keine dieser Verbesserungen wurde ihm so recht bewusst, und hätte er sie doch bemerkt, so wären sie ihm, glaube ich, von Herzen egal gewesen.

Hester dagegen hatte die Kinder unter ihrer Kontrolle und hielt sie ihm vom Hals, und hätte er auch nur einen Moment darüber nachgedacht, dann wäre er dafür wohl dankbar gewesen. Unter Hesters Regime sah sich kein grimmiger Nachbar genötigt, herüberzukommen und sich über die Zwillinge zu beschweren; so wie Charlie keine Veranlassung sah, der Küche einen Besuch abzustatten und sich von der Missus ein Butterbrot schmieren zu lassen. Auf diese Weise brauchte er vor allem keine einzige Minute das Reich seiner Phantasie zu verlassen, das er zusammen mit Isabelle und nur mit ihr und für immer mit ihr bewohnte. Der Freiheitsgewinn entschädigte ihn für die Einbußen an Territorium. Er hörte nichts von Hester, er sah nichts von ihr; der Gedanke an sie kam ihm nie in den Sinn. Sie fand seine volle Zufriedenheit.

Hester hatte triumphiert. Sie sah vielleicht wie eine Kartoffel aus, doch es gab nichts, was diese Frau nicht zu Wege brachte, wenn sie es sich erst einmal vorgenommen hatte.

❧

Miss Winter schwieg, den Blick unverwandt in die Zimmerecke gerichtet, wo sich ihr die Vergangenheit realer präsentierte als die Gegenwart und ich. Um Mund und Augen huschte so etwas wie Kummer und Niedergeschlagenheit. Da ich wusste, wie dünn der Faden war, der sie mit ihrer Vergangenheit verband, war ich sehr darauf bedacht, ihn nicht zu zerreißen, zugleich aber auch besorgt, sie könnte ihre Geschichte nicht weitererzählen.

Das Schweigen dauerte an.

»Und Sie?«, half ich ihr behutsam auf die Sprünge. »Was ist mit Ihnen?«

»Mit mir?« Sie blinzelte vage. »Also, ich mochte sie. Das war ja das Problem.«

»Problem?«

Wieder musste sie blinzeln, wechselte die Position und sah mich mit einem neuen, scharfen Blick an. Sie hatte den Faden durchgeschnitten.

»Ich denke, das reicht für heute. Sie können jetzt gehen.«

# Der Karteikasten mit den Lebensläufen

Mit der Geschichte von Hester verfiel ich rasch wieder in meine Routine. Morgens lauschte ich Miss Winter; Notizen musste ich mir dabei inzwischen kaum noch machen. Mit meinen Bögen Papier, den zwölf roten Bleistiften und dem zuverlässigen Spitzer in meinem Zimmer allein, schrieb ich dann nieder, was ich mir eingeprägt hatte. Sowie die Worte von der Bleistiftspitze strömten, beschworen sie bei mir Miss Winters Stimme herauf; wenn ich später laut las, was ich aufgeschrieben hatte, verzog sich mein Gesicht zu ihrem Mienenspiel. Zur Betonung des Gesagten hob und senkte sich meine linke Hand ganz genau wie bei ihr, die rechte dagegen ruhte wie verstümmelt in meinem Schoß. In meinem Kopf verwandelten sich die Worte in Bilder. Hester, sauber und adrett, in einen silbrigen Schimmer gehüllt – eine Art Ganzkörpernimbus, der sich mit jedem Tag ausdehnte und zuerst ihr Zimmer, dann das Haus und schließlich seine Bewohner umfing. Die Missus wurde von einer mühsam durchs Dunkel tappenden Gestalt zu einem Wesen, dessen klarsichtiger Blick unablässig in alle Richtungen blitzte. Und Emmeline verwandelte sich im Bann von Hesters strahlender Aura von einem schmutzigen Vagabunden in ein sauberes kleines Mädchen. Hester warf ihr Licht sogar auf den Formschnittgarten, wo es auf die verwüsteten Zweige der Eiben fiel und für frisches Grün sorgte. Sicher, Charlie schlurfte in der Dunkelheit außerhalb der Hester'schen Sphäre herum, wo er zu hören, aber nicht zu sehen war. Und John-the-dig, der Gärtner mit dem seltsamen Namen, brütete an der Peripherie und sträubte sich dagegen, ins

Licht gezogen zu werden. Und dann Adeline, die mysteriöse, undurchschaubare Adeline.

Für alle meine biografischen Projekte habe ich einen Karteikasten mit Lebensläufen, mit Eintragungen wie Name, Beruf, Lebensdaten, Wohnsitz und irgendwelchen anderen möglicherweise hilfreichen Informationen zu sämtlichen bedeutsamen Menschen im Leben meiner Sujets. Ich weiß nie so recht, was ich mit meinen Lebenslaufkästen anfangen soll. Je nachdem, in welcher Stimmung ich gerade bin, kommen sie mir entweder vor wie ein Denkmal, das die Toten erfreut (»Sieh nur!«, höre ich sie sagen. »Sie schreibt uns auf ihre Karten! Und dabei sind wir schon seit zweihundert Jahren tot!«). Oder, wenn ich mich allein fühle, dann glaube ich es mit kleinen Pappgrabsteinen zu tun zu haben, leblos und kalt, und der Kasten selbst ist so tot wie ein Friedhof. Bei Miss Winter traten nur wenige Figuren auf, und als ich die Karten mischte, war ich empört, wie dürftig das Material war, das ich tatsächlich in Händen hielt. Ich bekam eine Geschichte vorgesetzt, doch was die Fakten betraf, so hatte ich immer noch entschieden zu wenig.

Ich nahm eine leere Karte und schrieb:

Hester Barrow
Gouvernante
Haus Angelfield
Geboren: ?
Gestorben: ?

Ich hielt inne. Überlegte. Rechnete ein bisschen hin und her. Die Mädchen waren zu dieser Zeit erst dreizehn. Hester war nicht alt. Mit all der Verve konnte sie es nicht sein. War sie schon dreißig? Und wenn sie nun erst fünfundzwanzig war?

Mal gerade zwölf Jahre älter als die Mädchen selbst? War das denkbar? Ich dachte darüber nach. Miss Winter, zwischen siebzig und achtzig, rang mit dem Tod. Doch dass jemand älter war als sie, hieß noch lange nicht, dass er schon tot sein musste. Ich versuchte, mir meine Chancen auszurechnen.

Es gab nur eine Möglichkeit.

Ich schrieb noch eine letzte Notiz auf die Karte, mit einem Strich darunter: Finde sie.

Lag es an meinem Beschluss, Hester zu finden, dass ich in jener Nacht von ihr träumte?

Eine unscheinbare Gestalt in einem eng geschnürten Morgenmantel am Geländer der Galerie oder wie sie angesichts der verrußten Wände, der gezackten ausgebrochenen Dielenbretter und der Efeuranken, welche die steinerne Treppe überwuchern, den Kopf schüttelt und die Lippen schürzt. Ihre Nähe war in all dem Chaos klar und beruhigend! Wie eine Motte fühlte ich mich unwiderstehlich zu ihr hingezogen. Doch als ich in ihren Bannkreis trat, passierte nichts. Ich tappte immer noch im Dunkeln. Hesters flinke Augen schauten blitzschnell nach links und nach rechts, bis ihr Blick auf eine Gestalt in meinem Rücken fiel. Meinen Zwilling, jedenfalls verstand ich es so im Traum. Der Blick, der mich streifte, sah nichts. Nicht das Geringste.

Ich erwachte mit einem vertrauten heißen Frösteln in der Seite und ging noch einmal die Traumbilder durch, um die Ursache für meine Angst zu finden. An Hester selber war nichts Beängstigendes. Die Art, wie ihre Augen über mein Gesicht geglitten waren und durch mich hindurchgesehen hatten, war ebenfalls für sich genommen nichts Beunruhigendes. Ich zitterte nicht von dem, was ich im Traum *gesehen hatte*, sondern von dem, was ich *war*. Wenn Hester mich nicht sah, dann war ich folglich ein Gespenst. Und als Gespenst war ich tot. Was sonst?

Ich stand auf und ging ins Badezimmer, um meine Angst wegzuspülen. Ich vermied es, in den Spiegel zu sehen, und betrachtete stattdessen lieber meine Hände im Wasser, doch der Anblick jagte mir erneut einen Schrecken ein. So wie sie hier existierten, so existierten sie auch, das wusste ich, auf der anderen Seite, und dort waren sie tot. Ebenso waren die Augen, die sie dort sahen, meine Augen, tot. Und mein Bewusstsein, das diese Dinge dachte, war das nicht genauso tot? Mich erfasste eine abgründige Panik. Was war ich für eine seltsame, widernatürliche Kreatur? Was für eine Gemeinheit der Natur, einen Menschen vor der Geburt in zwei Körper aufzuspalten und dann einen davon zu töten? Und was bin ich, die übrig Gebliebene? Eine Halbtote, am Tage in die Welt der Lebenden verbannt, während sich meine Seele bei Nacht in einem schattenhaften Zwischenreich an ihren Zwilling klammerte.

Es war noch früh am Morgen, ich machte ein Feuer, kochte mir einen Kakao und wickelte mich dann in Bademantel und Decken, um meinem Vater einen Brief zu schreiben. Wie lief der Laden, wie ging es meiner Mutter und wie ihm? Und was war zu tun, wenn man jemanden finden wollte? Gab es Privatdetektive nur in Büchern oder auch im wirklichen Leben? Ich fasste das Wenige zusammen, was ich über Hester wusste. Reichten die spärlichen Informationen, um Nachforschungen in Gang zu setzen? Würde ein Privatdetektiv einen Auftrag annehmen, wie er mir vorschwebte? Wenn nicht, wer sonst?

Ich las den Brief noch einmal durch. Forsch und vernunftbetont, verriet er nichts von meinen Ängsten. Der Tag brach an. Das Zittern hatte aufgehört. Bald würde Judith mit dem Frühstück kommen.

# Das Auge in der Eibe

Der neuen Gouvernante war nichts unmöglich, was sie sich einmal in den Kopf gesetzt hatte.

Zumindest schien es anfänglich so.

Doch nach einer Weile trat doch die eine oder andere Schwierigkeit auf. Die erste war ein Streit mit der Missus. Hester war verstimmt, wenn sie Zimmer aufgeräumt, geputzt und abgeschlossen hatte und sie wenig später geöffnet fand. Sie rief die Missus zu sich. »Wozu soll es gut sein«, fragte sie, »Räume offen stehen zu lassen, die keiner benutzt? Sie sehen ja, was passiert: Die Mädchen gehen nach Lust und Laune rein und hinterlassen ein Chaos, wo vorher Ordnung war. Das macht uns beiden unnötig Arbeit.«

Die Missus schien ihr ganz und gar beizupflichten, und Hester war mit der Unterredung sehr zufrieden. Doch eine Woche später fand sie Türen offen vor, die bislang verschlossen waren, und so rief sie stirnrunzelnd erneut die Missus zu sich. Diesmal würde sie sich auf keine vagen Versprechungen einlassen, sondern war entschlossen, der Sache auf den Grund zu gehen.

»Es geht um die Luft«, erklärte die Missus. »Wenn sie steht, wird es in einem Haus schrecklich feucht.«

Hester erteilte ihr daraufhin eine knappe Lektion in Sachen Luftzirkulation und Feuchtigkeit und schickte sie in der Gewissheit fort, nun das Problem gelöst zu haben.

Es verging nur eine Woche, bis sie die Türen wieder offen fand. Sie rief die Missus nicht, sondern dachte nach. Es steckte offenbar mehr hinter dem Aufschließen von Türen, als auf den ersten Blick zu erkennen war. Sie beschloss, die Missus zu beobachten und auf diese Weise herauszubekommen, was es mit der Sache auf sich hatte.

Das zweite Problem betraf John-the-dig. Seine misstrauische Haltung ihr gegenüber war ihr nicht entgangen, doch sie ließ sich davon nicht aus der Fassung bringen. Sie war eine Fremde im Haus, und so war es an ihr zu beweisen, dass sie zum Wohle aller gekommen war, und nicht, um Ärger zu machen. Mit der Zeit, da war sie zuversichtlich, würde sie ihn gewinnen. Obwohl er sich an sie zu gewöhnen schien, erwies sich seine Zurückhaltung als ein hartnäckiges Problem. Doch eines Tages entflammte das Misstrauen vom Anfang aufs Neue. Sie hatte sich wegen etwas ganz Banalem an ihn gewandt. In unserem Garten hatte sie – das behauptete sie zumindest – ein Kind aus dem Dorf gesehen, das in die Schule gehörte. »Wer ist dieses Kind?«, wollte sie wissen. »Wer sind die Eltern?«

»Damit hab ich nichts zu schaffen«, erklärte ihr John in einem so säuerlichen Ton, dass sie sich vor den Kopf gestoßen fühlte.

»Das habe ich auch nicht behauptet«, erwiderte sie ruhig, »aber das Kind gehört in die Schule. Da stimmen Sie mir doch sicher zu. Wenn Sie mir nur sagen, wer das ist, dann rede ich mit den Eltern und der Schuldirektorin.«

John-the-dig zuckte die Achseln und machte Anstalten zu gehen, doch sie war nicht die Frau, die sich derart abwimmeln ließ. Sie schoss um ihn herum und postierte sich vor ihm auf, um ihre Frage zu wiederholen. Und wieso auch nicht? Sie war ganz und gar vernünftig, und sie hatte sie höflich geäußert. Wieso sollte der Mann ihr die Antwort verweigern?

Doch genau das machte er. »Es kommen keine Kinder aus dem Dorf hier rauf«, war alles, was er sagte.

»Dieses hier schon«, beharrte sie.

»Sie trauen sich nicht.«

»Das ist lächerlich. Wovor sollten sie sich denn fürchten? Der Junge trug einen breitkrempigen Hut und eine passend gemachte Männerhose. Das ist so auffällig. Sie müssen doch wissen, wie er heißt.«

»So einen Jungen hab ich nicht gesehen«, kam die abschlägige Antwort, und John-the-dig wollte gehen.

Nun war Hester eine ziemlich hartnäckige Person. »Aber Sie müssen ihn gesehen haben ...«

»Nicht jeder sieht Dinge, die es nicht gibt, Miss. Ich für meinen Teil stehe mit beiden Beinen auf dem Boden. Wo es nichts zu sehen gibt, da sehe ich auch nichts. Wenn ich Sie wäre, würde ich es genauso halten.« Er ging, und Hester verzichtete darauf, ihm den Weg zu versperren. Sie stand nur da und schüttelte den Kopf darüber, was plötzlich in den Mann gefahren war. Angelfield, so schien es, war ein Haus voller Rätsel. Doch sie liebte nichts so sehr wie eine Herausforderung. Sie würde schon noch durchschauen, was hier vor sich ging.

Hester war mit einer außergewöhnlichen Erkenntnisfähigkeit und Intelligenz gesegnet. Doch ganz schien das nicht auszureichen, denn sie durchschaute die Mädchen nicht völlig.

Zum Beispiel hatte sie es sich zur Gewohnheit gemacht, die Zwillinge ab und zu sich selbst zu überlassen, während sie sich ihren eigenen Aufgaben widmete. Dafür beobachtete sie die Kinder zuerst und taxierte ihre Stimmung, wog ab, wie müde sie waren, wie lange es bis zur nächsten Mahlzeit dauern würde und wie sich das alles in ihren Tagesrhythmus, der von überschießender Energie und dem Bedürfnis nach Ruhe bestimmt wurde, einfügte. Wenn sie bei dieser Analyse zu dem Ergebnis kam, dass die Zwillinge eine Stunde lang irgendwo im Haus herumlümmeln würden, ließ sie sie unbeaufsichtigt. Bei einer dieser Gelegenheiten hatte sie etwas Besonderes vor. Der Doktor hatte sich angekündigt, und sie wollte mit ihm reden. Ein Wort unter vier Augen.

Naive Hester. Wo Kinder sind, da gibt es immer mehr als vier Augen. In einem Haus mit Kindern kann es keine Geheimnisse geben.

Sie begrüßte ihn an der Haustür. »Es ist ein schöner Tag. Wie wär's mit einem Spaziergang im Park?«

Sie schlenderten Richtung Formschnittgarten, ohne zu ahnen, dass ihnen jemand folgte.

»Sie haben Wunder vollbracht, Miss Barrow«, fing der Doktor an. »Emmeline ist wie verwandelt.«

»Nein«, sagte Hester.

»Doch, ganz bestimmt. Sie haben meine Erwartungen weit übertroffen. Ich bin beeindruckt.«

Hester senkte den Kopf und wandte sich kaum merklich von ihm ab. Da er ihre Reaktion für Bescheidenheit hielt und glaubte, sie mit seinem Lob in Verlegenheit gebracht zu haben, verfiel er in Schweigen. Die frisch beschnittene Eibe gab ihm Anlass zur Bewunderung, während die Gouvernante sich wieder fasste. Vielleicht war es ganz gut, dass er in die geometrischen Linien des Gartens versunken war, sonst hätte er vielleicht ihren sarkastischen Ausdruck gesehen und seinen Irrtum erkannt.

Dieses Nein entsprang nämlich nicht typisch weiblicher Schüchternheit, wie er glaubte, sondern war als sachliche Feststellung gemeint. Natürlich war Emmeline wie ausgewechselt. Wie konnte es in Hesters Gegenwart auch anders sein? Was war daran so wundersam? Das hatte sie mit ihrem Nein gemeint.

Doch das Herablassende der Bemerkung kam nicht überraschend. In der Welt, in der sie lebten, stand nicht zu erwarten, dass man bei einer Gouvernante Anzeichen von Genie zur Kenntnis nahm, aber ich glaube, sie war dennoch enttäuscht. Jedenfalls verstand er sie nicht.

Sie drehte sich zum Doktor um und stellte fest, dass er ihr den Rücken zukehrte. Er stand, die Hände in den Hosentaschen, die Schultern gestrafft, vor dem Baum und blickte in die Höhe, wo die Krone endete und der Himmel begann. Sein ordentlich frisiertes Haar ergraute, und an seinem Oberkopf erschien mit einem Durchmesser von vier Zentimetern ein vollkommen runder Kreis rosiger Haut.

»John ist dabei, den Schaden wieder gutzumachen, den die Zwillinge angerichtet haben«, sagte Hester.

»Wieso haben sie das gemacht?«

»Für Emmeline lässt sich die Frage leicht beantworten. Adeline hat sie dazu gebracht. Die Frage, was Adeline dazu gebracht hat, ist schon schwieriger. Ich möchte bezweifeln, dass sie es selber weiß. Meistens lässt sie sich von Impulsen treiben, bei denen kaum ein bewusster Gedankengang im Spiel zu sein scheint. Egal, wieso sie es getan hat, für John war es eine entsetzliche Sache: Seine Familie pflegt diesen Garten schon seit Generationen.«

»Herzlos. Umso schockierender von einem Kind.«

Wieder, ohne dass es der Doktor merkte, verzog sie das Gesicht. Offensichtlich verstand er wenig von Kindern. »Herzlos in der Tat. Allerdings können Kinder eben sehr grausam sein. Das machen wir uns nur nicht gerne klar.«

Langsam setzten sie sich zwischen den beschnittenen Pflanzen in Bewegung und bewunderten die Eiben, während sie von Hesters Arbeit sprachen. In Hörweite, wenn auch in sicherem Abstand, folgte ihnen, jeweils hinter die Eiben geduckt, ein kleiner Spion. Sie liefen nach rechts und nach links, zuweilen kehrten sie denselben Weg zurück und gingen ihn zum zweiten Mal, sodass sie wie bei einem Tanz ständig die Richtung wechselten.

»Sie sind mit dem Ergebnis Ihrer Bemühungen bei Emmeline gewiss zufrieden, Miss Barrow?«

»Ja. Wenn ich mich weiter um sie kümmere, dann bin ich ziemlich zuversichtlich, dass sie in etwa einem Jahr ihre Unbändigkeit für immer aufgegeben hat und ganz zu dem reizenden Mädchen wird, das sie schon jetzt ist, wenn sie will. Sie wird nicht klug sein, aber trotzdem sehe ich keinen Grund, weshalb sie nicht eines Tages von ihrer Schwester getrennt ein erfülltes Leben führen sollte. Vielleicht heiratet sie sogar. Nicht alle Männer suchen bei einer Frau nach Intelligenz, und Emmeline ist sehr zärtlich.«

»Sehr schön.«

»Bei Adeline ist es eine vollkommen andere Geschichte.«

Neben einem belaubten Obelisken mit einer tiefen, länglichen Wunde in der Seite kamen sie zum Stehen. Die Gouvernante betrachtete die braunen, inneren Zweige und berührte einen der neuen Triebe mit seinen leuchtend grünen Blättern, der aus dem alten Holz zur Sonne strebte. Sie seufzte.

»Adeline ist mir ein Rätsel, Dr. Maudsley. Ich würde gerne Ihre Meinung als Arzt dazu hören.«

Der Doktor machte eine höfliche, halbe Verbeugung. »Selbstverständlich. Was macht Ihnen zu schaffen?«

»Mir ist noch kein Kind begegnet, das mir so viel Kopfzerbrechen bereitet.« Sie legte eine Pause ein. »Bitte sehen Sie mir nach, dass ich es ein bisschen umständlich angehen muss, aber das, was mir bei ihr so seltsam erscheint, lässt sich nicht in drei Worten beschreiben.«

»Dann nehmen Sie sich Zeit. Ich habe es nicht eilig.«

Der Doktor zeigte auf eine niedrige Bank, hinter der eine Buchsbaumhecke zu einem verschnörkelten Bogen erzogen worden war, ein Gebilde, das an das kunstvoll geschnitzte Kopfende eines Betts erinnerte. Sie nahmen Platz und sahen sich der unbeschädigten Seite einer der größten geometrischen Formen des Gartens gegenüber. »Ein Dodekaeder, schauen Sie.«

Hester überhörte seine Bemerkung und begann mit ihrer Erklärung.

»Adeline ist ein feindseliges, aggressives Kind. Sie verübelt mir meine Anwesenheit im Haus und widersetzt sich meinen sämtlichen Versuchen, Ordnung herzustellen. Sie nimmt höchst unregelmäßig Nahrung zu sich; sie hungert sich halb zu Tode, bevor sie endlich etwas isst, und auch dann nur ein paar Bissen. Zum Baden muss man sie zwingen, und so dünn sie auch ist, kann man sie nur zu zweit im Wasser halten. Jegliche Wärme, die ich ihr zeige, quittiert sie mit äußerster Gleichgültigkeit. Die normale Bandbreite an menschlichen Gefühlen scheint ihr abzugehen, und, ich will offen zu Ihnen sein, Dr. Maudsley, mir kommen gelegentlich Zweifel, ob es ihr gegeben ist, je in den Schoß der menschlichen Gemeinschaft zurückzukehren.«

»Ist sie intelligent?«

»Sie ist verschlagen. Sie ist gerissen. Aber es ist unmöglich, ihr Interesse an irgendetwas zu wecken, das den Horizont ihrer Wünsche, Begierden und Gelüste übersteigt.«

»Und im Klassenzimmer?«

»Sie sind sich gewiss darüber im Klaren, dass für solche Mädchen der Unterricht etwas anderes ist als für normale Kinder. Sie können nicht rechnen, haben keine Ahnung von Latein und Geografie. Dennoch unterrichte ich die Kinder zwei Mal am Tag für je zwei Stunden, um sie an Ordnung und Routine zu gewöhnen, und dabei erzähle ich ihnen vor allem Geschichten.«

»Und würdigt sie diesen Unterricht?«

»Wenn ich das nur selber wüsste! Sie ist ziemlich wild, Dr. Maudsley. Man muss sie mit Tricks ins Zimmer locken, und zuweilen muss ich John bitten, sie mit Gewalt herzubringen. Sie tut alles, um sich zu drücken, schlägt mit den Armen um sich oder versteift ihren ganzen Körper, damit man sie nicht so leicht durch die Tür tragen kann. Sie hinter einen Schreibtisch zu setzen ist fast ein Ding der Unmöglichkeit. In den meisten Fällen sieht sich John genötigt, sie einfach auf dem Boden sitzen zu lassen. Im Klassenzimmer schaut sie mich weder an, noch hört sie mir zu, sondern zieht sich in ihre eigene Welt zurück.«

Der Doktor hörte aufmerksam zu und nickte. »Ein schwieriger Fall. Ihr Verhalten macht Ihnen offenbar große Sorgen, und Sie fürchten, dass Ihre Mühe weniger Erfolg haben wird als bei ihrer Schwester. Trotzdem«, sagte er mit einem bezaubernden Lächeln, »verzeihen Sie, Miss Barrow, wenn ich nicht ganz verstehe, wieso die Kleine Sie irritiert. Ich würde sogar sagen, dass Ihre Diagnose von Adelines Benehmen und geistigem Zustand plausibler ist, als sie ein Medizinstudent bei gleichem Befund abgeben würde.«

Sie sah ihm gerade ins Gesicht. »Zu dem irritierenden Teil komme ich noch.«

»Ach so.«

»Es gibt Methoden, die sich in der Vergangenheit bei Kindern wie Adeline bewährt zu haben scheinen. Ich habe selber ein paar Strategien entwickelt, in die ich einige Hoffnung setze und die ich ohne zu zögern zum Einsatz brächte, wenn nicht…«

Hester schwieg, und diesmal war der Doktor so klug zu warten, bis sie weiterredete. Als sie es tat, sprach sie langsam und mit Bedacht.

»Es ist, als wäre da eine Nebelwand um Adeline, eine Art Schleier, der sie nicht nur von anderen Menschen trennt, sondern auch von ihr selbst. Manchmal hebt sich dieser Schleier, manchmal verschwindet er ganz, und man hat es mit einer völlig anderen Adeline zu tun. Dann senkt sich der Nebel wieder, und sie ist die Alte.«

Hester sah den Doktor gespannt an. Er runzelte die Stirn, während weiter oben, wo sein Haar sich lichtete, die glatte rosa Insel schimmerte. »Wie ist sie in diesen kurzen Phasen?«

»Äußerlich nicht viel anders als sonst. Ich habe einige Wochen gebraucht, bis ich das Phänomen entdeckte, und danach habe ich noch eine Weile gewartet, bis ich mir sicher genug war, um Sie um Rat zu fragen.«

»Verstehe.«

»Da ist zum Beispiel ihr Atem. Er verändert sich zuweilen, und ich weiß, dass sie mir zuhört, auch wenn sie so tut, als sei sie in ihre eigene Welt vertieft. Und ihre Hände …«

»Ihre Hände?«

»Gewöhnlich sind sie gespreizt und angespannt«, Hester machte es vor, »doch dann fällt mir manchmal auf, wie sie sie lockert, so hier«, und ihre eigenen Hände fielen weich herab. »Es kommt mir vor, als ob die Geschichte sie gefangen nimmt und sie ihre Abwehrhaltung aufgibt, sodass sie sich entspannt und ihren zur Schau gestellten Trotz und Widerstand vergisst. Ich habe schon mit einer ganzen Reihe schwieriger Kinder gearbeitet, Dr. Maudsley. Ich verfüge über beträchtliche Erfahrung, und was ich bisher gesehen habe, läuft auf Folgendes hinaus: So unwahrscheinlich es klingt, ist bei ihr eine Art Gärungsprozess im Gange.«

Der Doktor antwortete nicht sofort, sondern überlegte, und Hester schien dankbar für seine Ernsthaftigkeit.

»Lassen diese Zeichen in der Häufigkeit, mit der sie zu beobachten sind, irgendein Muster erkennen?«

»Kann ich bis jetzt nicht mit Sicherheit sagen … Aber …«

Er legte den Kopf schief, wie um sie zu ermuntern, ihren Gedanken weiterzuspinnen.

»Vielleicht bilde ich mir das nur ein, aber bestimmte Geschichten …«

»Geschichten?«

»Zum Beispiel *Jane Eyre*. Ich hab den Mädchen eine gekürzte Version des ersten Teils erzählt, über mehrere Tage verteilt, und da ist es mir mit Sicherheit aufgefallen. Auch bei Dickens. Die historischen Erzählungen und die Moralgeschichten haben nie dieselbe Wirkung.«

Der Doktor legte die Stirn in Falten. »Und das ist in der Regel so, sagen Sie? Löst die Lektüre von *Jane Eyre* immer diese Veränderungen aus, die Sie eben beschrieben haben?«

»Nein, das ist das Problem.«

»Hmm. Und was haben Sie dann vor?«

»Es gibt bestimmte Methoden, um selbstsüchtige und widerspenstige Kinder wie Adeline in den Griff zu bekommen. Ein strenges Regiment mag sie vor der Anstalt im späteren Leben bewahren. Doch dieses Regiment, das ihr unter anderem eine klare Routine auferlegen und vieles entziehen müsste, was sie stimuliert, hätte eine verheerende Wirkung auf …«

»Das Kind, das man durch die Lücken im Nebel sieht?«

»Genau. Für das kann ich mir ehrlich gesagt nichts Schlimmeres denken.«

»Und dieses Kind im Nebel, was für eine Zukunft sehen Sie für dieses Mädchen voraus?«

»Für die Frage ist es noch zu früh. Im Moment kann ich nur so viel sagen, dass ich es nicht verantworten kann, sie zu opfern. Wer weiß, was aus ihr noch werden kann?«

Sie saßen schweigend da und starrten auf die Geometrie vor ihren Augen, während sie über das Problem nachdachten, das Hester angeschnitten hatte. Die ganze Zeit über starrte das Problem durch die Lücken in den Zweigen zurück.

Schließlich sagte der Doktor: »Mir ist keine psychische Krankheit geläufig, die sich genauso auswirken würde, wie Sie es gerade beschrieben haben. Aber das kann natürlich an meiner Unwissenheit liegen.« Er wartete auf ihren Protest, doch der blieb aus. »H-hmm. Es wäre vielleicht nicht verkehrt, wenn ich das Kind einmal gründlich untersuchen würde, um mir über seinen Zustand insgesamt, sowohl in geistiger als auch in physischer Hinsicht, ein Bild zu machen. Das wäre mal der erste Schritt.«

»Daran hatte ich auch schon gedacht«, erwiderte Hester. »Also«, sie kramte in ihrer Tasche, »hier sind meine Notizen. Sie finden darin alle meine Beobachtungen aufgelistet, zusammen mit einer vorläufigen Analyse. Vielleicht könnten Sie nach Ihrer Untersuchung eine halbe Stunde bleiben, um mir Ihren ersten Eindruck zu schildern? Danach könnten wir uns den nächsten Schritt überlegen.«

Er sah sie staunend an. Sie hatte ihre Rolle als Gouvernante überschritten und verhielt sich wie eine Kollegin vom Fach.

Hester fühlte sich ertappt. Sie überlegte. Sollte sie einen Rückzieher machen? Oder war es dafür zu spät? Sie traf eine Entscheidung. Wer A sagt, muss auch B sagen. »Es ist kein Dodekaeder«, sagte sie. »Es ist ein Tetraeder.«

Der Doktor erhob sich von der Bank und trat näher an die geometrische Form heran. »Eins, zwei, drei, vier ...« Seine Lippen bewegten sich beim Zählen.

Mir stand das Herz still. Würde er um den Baum herumgehen, um alle Flächen und Ecken zu zählen? Würde er über mich stolpern?

Doch als er bei sechs war, hörte er auf. Er wusste, dass sie richtig lag.

Dann kam ein seltsamer kurzer Augenblick, in dem sie sich nur ansahen, sonst nichts. Ihm stand die Unsicherheit ins Gesicht geschrieben. Was war von dieser Frau zu halten? Was gab ihr das Recht, so mit ihm zu sprechen? Sie war nur eine plumpe, kartoffelgesichtige Provinzgouvernante. Oder etwa nicht?

Ohne ein Wort erwiderte sie, von der Zwiespältigkeit in seinem Gesicht wie versteinert, seinen durchdringenden Blick.

Die Welt schien auf ihrer Achse ein winziges Stück zu verrutschen, und beide sahen verlegen weg.

»Die Untersuchung«, sagte Hester.

»Vielleicht Mittwochnachmittag?«, schlug der Doktor vor.

»Mittwochnachmittag.«

Und die Welt kehrte in ihren gewohnten Achsenwinkel zurück.

Sie gingen wieder zum Haus, und an der Biegung der Einfahrt nahm der Doktor Abschied.

Hinter der Eibe knabberte die kleine Spionin an ihren Nägeln und staunte.

# Fünf Töne

Ein trockener Übermüdungsfilm kratzte mir an den Augen. Meine seelische Verfassung war wie Seidenpapier. Ich hatte den ganzen Tag und die halbe Nacht hindurch gearbeitet, und jetzt hatte ich Angst vor dem Schlafengehen.

Spielte mir die Einbildung einen Streich? Mir schien, als hörte ich eine Melodie. Das heißt, Melodie war zu viel gesagt. Nur fünf Töne, die sich in meinen Kopf verirrt hatten. Ich öffnete das Fenster, um sicher zu sein. Ja. Die Laute kamen definitiv aus dem Garten.

Worte kann ich verstehen. Gib mir ein zerrissenes oder beschädigtes Textfragment, und ich kann erahnen, was davor und danach gestanden hat. Zumindest aber kann ich die Zahl der Möglichkeiten auf die wahrscheinlichste Variante reduzieren. Musik dagegen ist nicht meine Sprache. Waren diese fünf Noten der Anfang eines Wiegenlieds oder das traurige Ende eines Klagelieds? Unmöglich zu sagen. Ohne dass sie in einen Anfang und ein Ende eingebettet oder von einer Melodie zusammengehalten wurden, schien das, was sie miteinander verband, höchst ungewiss. Jedes Mal, wenn der erste Ton einsetzte, herrschte ein Moment des bangen Wartens, ob sich der Gefährte auch einstellen würde oder für immer mit dem Wind verflogen war. Dasselbe galt für den dritten und den vierten Ton. Und der fünfte brachte keine Entwarnung, sondern nur das Gefühl, dass die schwachen Bande dieser willkürlich gesetzten Tonfolge nicht widerstandsfähiger waren als die vorherigen Töne und früher oder später selbst dieses letzte, leere Fragment wie die letzten Blätter an einem winterlichen Baum dem Wind zum Opfer fallen würde.

Jedes Mal, wenn ich in Gedanken forderte, sie noch einmal zu hören, schwiegen sich die Töne aus, doch sobald ich sie vergaß, drangen sie mir aus dem Nichts ins Bewusstsein. Während ich mich den Abend über in meine Arbeit vertiefte, merkte ich plötzlich, dass sie sich schon eine ganze Weile in meinem Kopf abspielten. Und sie erklangen wie von ferne, als ich später im Bett zwischen Wachen und Schlafen driftete, und lagen mir mit ihrem verschwommenen, nichts sagenden Lied in den Ohren.

Jetzt allerdings war es eindeutig zu hören. Zuerst ein einziger Ton, während die anderen womöglich vom Regen, der an die Scheibe prasselte, ertränkt worden waren. Es ist nichts, redete ich mir ein und wollte mich wieder schlafen legen. Doch dann ließ der Regen ein wenig nach, und drei Klänge erhoben sich über das Getöse.

Die Nacht war undurchdringlich, der Himmel so schwarz, dass mir nur der Regen eine akustische Vorstellung vom Gelände des Gartens vermittelte. Wenn jedoch das lautere Geräusch – das Prasseln an den Scheiben – in nächster Nähe ist, kann man die leiseren Laute dahinter nicht hören. Ans Fenster schlug ein Trommelwirbel. Die sanfteren, gelegentlichen Schauer gingen auf den Rasen nieder. Das tröpfelnde Geräusch kam aus den Dachrinnen, Fall- und Abflussrohren. Tropf, tropf, tropf. Und dahinter, darunter und dazwischen diese fünf Töne. La la la la la.

Ich zog Mantel und Stiefel an und ging in die Dunkelheit hinaus.

Ich konnte die Hand nicht vor Augen sehen und nichts weiter hören als das Klatschen meiner Sohlen auf dem Rasen. Doch dann schnappte ich es plötzlich auf: ein schroffer, unmusikalischer Ton; kein Instrument, sondern eine dissonante menschliche Stimme.

Langsam und zögerlich ging ich ihr nach. Zuerst an den langen Beeten entlang, dann bog ich in den Garten mit dem Fischteich ein, zumindest ahnte ich die grobe Richtung. Ich verlief mich, tapste über weiche Erde, wo ich einen Pfad vermutet hatte, und landete nicht, wie angenommen, an der Eibe, sondern an einer Stelle mit kniehohem, dornigem Gestrüpp, das sich in meinen Kleidern verfing. Von da an gab ich es auf, mich zu orientieren, und folgte nur noch meinem Ohr. Die Töne leiteten mich wie ein Ariadnefaden durch ein Labyrinth. Sie erklangen in unregelmäßigen Intervallen, und jedes Mal eilte ich ihnen entgegen, bis sie verstummten und mich zwangen, stehen zu bleiben. Dann wartete ich auf das nächste Zeichen. Wie lange stolperte ich so durch die Nacht? Eine Viertelstunde? Eine halbe? Ich weiß nur, dass ich mich am Ende genau an der Tür wieder fand, durch die ich das Haus verlassen hatte. Ich war im Kreis gelaufen.

Nun war es endgültig still. Die Töne waren verklungen, und das Prasseln der Regentropfen war erneut zu hören.

Statt ins Haus zu gehen, setzte ich mich auf eine Bank, legte den Kopf auf die verschränkten Arme und fühlte, wie mir der Regen auf die Haare, den Hals und den Rücken fiel.

Inzwischen kam es mir albern vor, etwas so Flüchtigem quer durch den Garten hinterhergejagt zu sein, und beinahe schaffte ich es, mir einzureden, ich hätte mir die Töne eingebildet. Schließlich kam ich auf andere Gedanken. Ich fragte mich, wann mein Vater mir seine Ratschläge schicken würde, wie ich Hester am besten nachforschen konnte. Der Gedanke an Angelfield erinnerte mich an das Gespenst und das wiederum an mein eigenes Gespenst und das Foto, das ich von der jungen Frau – in unscharfem Weiß verschwimmend – gemacht hatte. Ich fasste den Entschluss, am nächsten Tag meine Mutter anzurufen, doch ein solcher Entschluss war unverfänglich; niemand kann dich zwingen, eine Entscheidung in die Tat umzusetzen, die man bei Nacht und Nebel fällt.

In dem Moment rieselte mir ein Schrecken den Rücken herunter.

Da war jemand. Hier. Jetzt. An meiner Seite.

Ich fuhr mit einem Ruck hoch und sah mich um.

Die Dunkelheit war total. Da war nichts und niemand zu sehen. Alles, selbst die große Eiche, schluckte die schwarze Nacht, und die Welt schrumpfte plötzlich auf das Augenpaar, das auf mich gerichtet war und mein Herz bis zum Halse pochen ließ.

Nicht Miss Winter, nicht hier. Nicht um diese Zeit in der Nacht.

Wer dann?

Ich spürte es, bevor ich es merkte. Es berührte mich an der Seite, kaum war es da, war es schon wieder verschwunden.

Es war der Kater, Shadow.

Wieder stupste er mich, rieb den Kopf seitlich an meinen Rippen, machte träge Miau, um sich vorzustellen. Ich streckte die Hand nach ihm aus und streichelte ihn, während mein Herzschlag versuchte, wieder in den Takt zu kommen. Der Kater schnurrte.

»Du bist ja ganz nass«, sagte ich zu ihm. »Komm mit, das ist keine Nacht, um draußen zu sein.«

Er folgte mir in mein Zimmer und leckte sich trocken, während ich mir ein Handtuch um die Haare schlang, und zusammen schliefen wir auf meinem Bett ein. Endlich einmal – vielleicht durch den Schutz des Katers – verschonten mich die Träume.

Der nächste Tag war grau und trübe. Nach dem Gespräch mit Vida Winter unternahm ich einen Spaziergang im Garten. Im düsteren Licht des frühen Nachmittags versuchte ich, den Weg zurückzuverfolgen, den ich in der Nacht gegangen war. Der Anfang war leicht: an den langen Rabatten vorbei bis in den Garten mit dem Teich. Doch danach verlor ich meine Spur. Die Erinnerung daran, wie ich über die weiche, nasse Erde eines Blumenbeets getreten war, verwirrte mich, denn jedes Beet war makellos geharkt. Dennoch stellte ich ein paar wilde Vermutungen an und begab mich auf eine Route, die vage einen Kreis beschrieb und vielleicht, vielleicht aber auch nicht, meinem nächtlichen Spaziergang entsprach.

Ich konnte nichts Ungewöhnliches entdecken.

Außer der Tatsache, dass ich Maurice über den Weg lief und er ausnahmsweise etwas zu mir sagte. Er kniete über einem Stück umgegrabener Erde, die er begradigte, glättete und in Ordnung brachte. Er spürte, wie ich über den Rasen auf ihn zukam, und sah auf. »Verdammte Füchse«, brummte er. Und wandte sich wieder seiner Arbeit zu.

Ich kehrte ins Haus zurück und machte mich an die Niederschrift meiner Notizen vom Vormittag.

# Das Experiment

Der Tag der ärztlichen Untersuchung war herangerückt, und Dr. Maudsley kam. Wie gewöhnlich war Charlie nicht erschienen, um den Besucher zu empfangen. Hester hatte ihn auf dem üblichen Wege (mit einem Brief, den sie auf ein Tablett vor seiner Tür platzierte) von dem bevorstehenden Besuch des Arztes in Kenntnis gesetzt und, nachdem sie nichts weiter dazu hörte, zu Recht angenommen, dass ihn die Sache nicht interessierte.

Die Patientin befand sich zwar in einer ihrer trotzigen Stimmungslagen, leistete jedoch keinen Widerstand. Sie ließ sich in das Zimmer führen, in dem die Untersuchung stattfinden sollte, und wehrte sich nicht gegen das Piksen und Stupsen. Zwar folgte sie nicht der Aufforderung, den Mund aufzumachen und die Zunge herauszustrecken, doch als der Doktor ihr den Finger zwischen die Zähne schob, um Unter- und Oberkiefer zu spreizen und einen Blick hineinzuwerfen, unterließ sie es immerhin, ihn zu beißen. Ihr Blick schweifte von ihm und seinen Instrumenten in die Ferne, sodass sie seine Untersuchung kaum wahrzunehmen schien. Sie war zu keinem einzigen Wort zu bewegen.

Dr. Maudsley stellte fest, dass seine Patientin verlaust und untergewichtig, ansonsten aber in jeder Hinsicht physisch gesund und munter war. Ein psychologisches Urteil fiel ihm um einiges schwerer. War das Kind, wie John-the-dig meinte, geistesgestört? Oder ging das Verhalten des Mädchens auf elterliche Vernachlässigung und Mangel an Disziplin zurück? Dies entsprach der Meinung der Missus, die, zumindest nach außen hin, immer geneigt war, die Zwillinge in Schutz zu nehmen.

Das waren nicht die einzigen Theorien, die der Doktor im Hinterkopf hatte, als er das wilde Mädchen untersuchte. Am Vorabend hatte er bei sich zu Hause, die Pfeife im Mund und die Hand am Kamin, über den Fall laut nachgedacht (er genoss es, wenn seine Frau ihm lauschte, es inspirierte ihn zu größerer Beredsamkeit) und all die ihm zu Ohren gekommenen Vorfälle aufgezählt, bei denen sich die Kleine ungezogen benommen hatte. Da waren die Diebstähle in den Cottages im Dorf, die Zerstörung des Formschnittgartens, die Gewalt gegen die eigene Schwester, die Faszination, die Streichhölzer auf sie ausübten. Er hatte Erklärungsmodelle abgewogen, als die leise Stimme seiner Frau ihn unterbrach.

»Und du meinst nicht, dass sie einfach bösartig ist?«

Einen Moment lang war er angesichts der Unterbrechung um eine Antwort verlegen.

»Ich dachte ja bloß«, sagte sie und wedelte mit der Hand, wie um ihre eigene Bemerkung abzutun.

Sie hatte sanft gesprochen, doch das hatte nichts zu bedeuten. Die bloße Tatsache, dass sie überhaupt eine Bemerkung fallen ließ, hatte Gewicht.

Und dann war da noch Hesters Theorie.

»Sie müssen bedenken«, hatte sie gesagt, »dass durch den Wegfall irgendeiner stärkeren elterlichen Bindung und ohne irgendeine anderweitige nachhaltige Führung die bisherige Entwicklung des Kindes ausschließlich durch die Erfahrung des Zwillingseins geprägt ist. Ihre Schwester ist in ihrem Bewusstsein der einzige Bezugspunkt, den sie hat, folglich sieht sie die ganze Welt durch die Brille dieser Beziehung.«

Natürlich hatte sie vollkommen Recht. Auch wenn er keine Ahnung hatte, aus welchem Buch sie ihre Weisheit bezog, stand fest, dass sie es gründlich gelesen hatte, denn sie führte den Gedanken sehr vernünftig weiter aus. Während er ihr zuhörte, hatte ihn ihr eigentümliches Stimmchen seltsam berührt. Trotz der entschieden weiblichen Tonlage schwang darin einiges an männlicher Autorität. Sie war artikuliert. Sie besaß die amüsante Gewohnheit, ihre eigenen Ideen genauso souverän darzulegen wie die Theorie einer Koryphäe, die sie sich angelesen hatte. Und wenn sie am Ende eines Satzes Luft holen musste, warf sie ihm einen kurzen Blick zu – der ihn anfänglich irritiert hatte, den er jetzt aber eher drollig fand –, um ihn wissen zu lassen, dass er jetzt etwas sagen durfte oder dass sie mit ihren eigenen Ausführungen noch nicht zu Ende war.

»Ich muss mich erst einlesen«, erklärte er Hester, als sie sich nach der Untersuchung trafen, um über die Patientin zu sprechen. »Dabei werde ich auf die Tatsache, dass sie ein Zwilling ist, besonders achten.«

Hester nickte. »Ich sehe die Sache so«, sagte sie. »Gewissermaßen könnte man sagen, dass die Zwillinge sich eine Reihe Eigenschaften untereinander aufgeteilt haben. Wo ein gewöhnlicher, gesunder Mensch eine ganze Bandbreite an Emotionen kennt und eine Vielfalt an Verhaltensmustern zeigt, haben die Zwillinge sozusagen diese Vielfalt in zwei Hälften aufgespalten, und jede von ihnen verkörpert eine davon. Ein Mädchen ist wild und neigt dazu, seine Wutausbrüche physisch auszuagieren; das andere ist gedämpft und passiv. Eines liebt Reinlichkeit; das andere suhlt sich gern im Dreck. Eines würde am liebsten immer essen, das andere kann tagelang hungern. Wenn nun diese Polarität – und wir können uns später darüber streiten, wie bewusst sie entwickelt wurde – für Adelines Selbstverständnis entscheidend ist, dann kann es nicht weiter verwundern, dass sie alles unterdrückt, was rechtmäßig Emmeline zusteht, nicht wahr?« Die Frage war rhetorisch gemeint, sie gab dem Arzt kein Zeichen, dazu Stellung zu nehmen, sondern holte nur angemessen Luft, um ihre Gedanken weiterzuspinnen. »Und jetzt denken Sie einmal an die Eigenschaften, die Sie so blumig als die des Mädchens im Nebel umschreiben. Sie hört sich die Geschichten an und kann eine Sprache verstehen und nachvollziehen, die außerhalb ihres Zwillingsjargons liegt. Dies bezeugt eine Bereitschaft, sich auf andere Menschen einzulassen. Doch wem von den beiden steht es zu, auf andere einzugehen? Emmeline! Und so muss Adeline diesen Teil ihrer Bedürfnisse unterdrücken.«

Hester wandte sich als Zeichen, dass er sich zu dem Gesagten äußern sollte, zu Dr. Maudsley um.

»Eine eigenwillige Theorie«, fing er vorsichtig an. »Normalerweise würde man das Gegenteil erwarten, finden Sie nicht? Dass Zwillinge sich ähnlicher sind und nicht unähnlicher.«

»Doch die Erfahrung zeigt uns, dass dies bei diesen beiden nicht zutrifft«, entgegnete sie forsch.

»Mhm.«

Sie sagte nichts, sondern ließ ihm Zeit zum Überlegen. Er starrte tief in Gedanken an die leere Wand, während sie gespannt an seinem Gesicht abzulesen versuchte, wie er ihre Überlegungen aufgenommen hatte. Dann war er so weit, sein Urteil zu fällen.

»Die Idee, die Sie da entwickeln, ist zwar durchaus faszinierend«, sagte er und warf ihr dabei ein mitfühlendes Lächeln zu, um die enttäuschende Wirkung seiner Worte abzuschwächen, »aber ich kann mich nicht entsinnen, in irgendeiner Zwillingsstudie schon einmal etwas über eine solche Persönlichkeitsspaltung gelesen zu haben.«

Sie ignorierte das Lächeln und sah ihm unerschrocken in die Augen. »Diese Lehrmeinung gibt es allerdings nicht, nein.

Wenn überhaupt irgendwo, dann müsste sie bei Lawson stehen, tut sie aber nicht.«

»Sie haben Lawson gelesen?«

»Selbstverständlich. Ich würde nicht daran denken, eine Theorie zu bilden, ohne mir vorher über die entsprechenden Lehrmeinungen Gewissheit zu verschaffen.«

»Verstehe.«

»Bei Harwood bin ich auf einen Hinweis gestoßen, und zwar bei den peruanischen Zwillingsjungen, auch wenn er sich nicht zu einer konsequenten Schlussfolgerung aufraffen mag.«

»Ich kann mich an das Beispiel, das Sie meinen, erinnern …« Sichtbar ging ein Ruck durch ihn. »Ach so! Jetzt verstehe ich die Parallele! Also, dann frage ich mich, ob hier nicht die Fallstudie Brasenby Aufschluss geben kann?«

»Ich bin leider nicht an den ungekürzten Text herangekommen. Ob Sie ihn mir wohl mal leihen könnten?«

Und so fing es an.

Von Hesters scharfer Beobachtungsgabe beeindruckt, lieh ihr der Doktor die Fallstudie Brasenby. Als sie das Dokument zurückgab, war ein Blatt mit prägnant formulierten Bemerkungen und Fragen angeheftet. Er hatte sich inzwischen eine Reihe anderer Bücher und Artikel besorgt, um seine Bibliothek über Zwillinge zu komplettieren – erst jüngst veröffentlichte Werke, Zwischenberichte über laufende Forschungsarbeiten von verschiedenen Spezialisten, ausländische Literatur. Nach ein, zwei Wochen war ihm klar, dass er sich viel Zeit sparen konnte, indem er sie zuerst an Hester weiterreichte und selber nur die intelligenten, kompakten Zusammenfassungen las, die sie schrieb. Als sie alles miteinander gelesen hatten, was es gab, kehrten sie zu ihren eigenen Beobachtungen zurück. Beide hatten sie Notizen zusammengetragen, er vom medizinischen und sie vom psychologischen Standpunkt aus;

von ihm stammten umfangreiche Anmerkungen in seiner eigenen Handschrift an den Rändern ihres Manuskripts, während sie das seine noch ausführlicher annotierte und darüber hinaus zuweilen ihre persönlichen schlüssigen Essays auf einem separaten Papier verfasste.

Sie lasen, sie überlegten, sie schrieben; sie trafen sich und diskutierten. Das ging so lange, bis sie alles wussten, was es über Zwillinge zu wissen gab. Dabei entging ihnen eines immer noch, und zwar das Entscheidende.

»Diese ganze Arbeit«, sagte der Doktor eines Abends in der Bibliothek, »so viel Papier. Und wir sind noch keinen Schritt weiter.« Beunruhigt fuhr er sich mit der Hand durchs Haar. Er hatte seiner Frau gesagt, er sei um halb acht wieder da, und nun würde er sich verspäten. »Unterdrückt Adeline wegen Emmeline das Mädchen im Nebel? Ich denke, die Antwort auf diese Frage liegt außerhalb unseres Wissenshorizonts.« Er seufzte und warf halb verärgert, halb resigniert seinen Stift auf den Schreibtisch.

»Wie Recht Sie haben, in der Tat.« Es war ihr nachzusehen, dass sie unwirsch klang: Er hatte vier Wochen gebraucht, um zu begreifen, was sie ihm gleich hätte sagen können, hätte er nur auf sie hören wollen.

Er drehte sich zu ihr um.

»Es gibt nur eine Möglichkeit, es herauszufinden«, sagte sie ruhig.

Er zog eine Augenbraue hoch.

»Meine Erfahrungen und Beobachtungen haben mich davon überzeugt, dass hier Raum für ein eigenständiges Forschungsprojekt ist. Natürlich hätte ich als einfache Gouvernante Probleme, die geeignete Fachzeitschrift zu überreden, etwas zu veröffentlichen, was ich schreibe. Sie würden nur einen Blick auf meine Qualifikation werfen und mich für eine alberne Frau halten, die sich Ideen in den Kopf gesetzt hat, welche ihre Kompetenzen überschreiten.« Sie zuckte die Achseln und senkte den Blick. »Vielleicht haben sie ja Recht. Wie auch immer«, dabei sah sie verschmitzt zu ihm auf, »für einen Mann mit entsprechendem akademischen Hintergrund und Wissen wäre das hier bestimmt ein lohnendes Projekt.«

Der Doktor schien zuerst überrascht, dann verklärte sich sein Blick. Ein eigenständiges Forschungsprojekt. So abwegig war der Gedanke gar nicht mal. Und ihm wurde plötzlich bewusst, dass er in diesem Moment, nach all der Lektüre, die er in den vergangenen Monaten bewältigt hatte, zum Thema Zwillinge der belesenste Mann Großbritanniens sein musste. Wer sonst wusste so viel wie er? Und was noch wichtiger war: Wer sonst hatte die perfekte Fallstudie vor der Nase? Ein eigenständiges Forschungsprojekt? Wieso eigentlich nicht?

Sie ließ ihn ein paar Minuten träumen. Als sie sah, dass ihr Vorschlag bei ihm auf fruchtbaren Boden fiel, murmelte sie: »Sollten Sie natürlich einen Assistenten benötigen, würde ich mich freuen, Ihnen auf jede erdenkliche Art und Weise behilflich zu sein.«

»Überaus freundlich von Ihnen«, sagte er und nickte. »Immerhin haben Sie schon mit den Mädchen gearbeitet... Praktische Erfahrung... Unschätzbar... Wirklich unschätzbar.«

Er verließ das Haus und schwebte auf einer Wolke nach Hause. Dort angekommen, merkte er nicht einmal, dass sein Abendessen kalt und seine Frau in schlechter Stimmung war.

Hester packte ihre Papiere zusammen und verließ den Raum; ihre beschwingten Schritte und das feste Schließen der Tür klangen nach einem erfolgreichen Abschluss.

Die Bibliothek schien leer, doch das stimmte nicht.

Auf den Bücherregalen lag in voller Länge ausgestreckt ein Mädchen, das an den Fingernägeln kaute und überlegte.

Eine Fallstudie.

*Unterdrückt Adeline wegen Emmeline das Mädchen im Nebel?*

Man musste kein Genie sein, um sich auszurechnen, wohin dies führen würde.

Es war eine Nacht-und-Nebelaktion.

Emmeline rührte sich nicht, als sie sie aus dem Bett hochhoben. Sie fühlte sich wohl in Hesters Armen sicher; vielleicht roch sie im Schlaf den vertrauten Seifengeruch, während sie aus dem Zimmer den Flur entlanggetragen wurde. Weshalb auch immer, merkte sie in jener Nacht nicht, was mit ihr geschah. Erst Stunden später sollte sie erwachen und der Wahrheit ins Auge sehen.

Bei Adeline war es anders. Sie wachte auf und bemerkte im selben Moment, dass ihre Schwester nicht im Zimmer war. Sie stürzte zur Tür und stellte fest, dass Hester sie mit flinker Hand bereits abgeschlossen hatte. Mit ihrer raschen Auffassungsgabe begriff sie die Situation blitzschnell. Trennung. Sie stieß keine spitzen Schreie aus, sie hämmerte nicht mit den Fäusten gegen die Tür, sie krallte nicht die Nägel ins Schloss. Aller Kampfgeist war von ihr gewichen. Als kleines Häufchen Unglück sank sie zu Boden und kauerte dort die ganze Nacht. Die nackten Dielen schnitten ihr in die spitzen Knochen, doch sie fühlte keinen Schmerz. Es brannte kein Feuer, und ihr Nachthemd war dünn, doch sie spürte die Kälte nicht. Sie spürte nichts. Sie war gebrochen.

Als sie am nächsten Morgen kamen, um sie zu holen, war sie taub gegen das Drehen des Schlüssels im Schloss und reagierte nicht, als die Tür aufging und sie zur Seite schob. Ihre Augen waren tot, ihre Haut blutleer. Wie kalt sie war. Sie hätte ein Leichnam sein können, hätten nicht ihre Lippen unentwegt gezuckt und ein stummes Mantra gemurmelt: »*Emmeline, Emmeline, Emmeline.*«

Hester nahm Adeline in die Arme. Nicht weiter schwierig. Obwohl inzwischen vierzehn Jahre, war das Kind nur Haut und Knochen. Ihre Stärke lag in ihrer Willenskraft, und als die ihr abhanden kam, blieb nicht viel von ihr übrig. Sie trugen sie so mühelos die Treppe hinunter wie ein Federkissen zum Lüften.

John fuhr sie. Schweigend. Mit oder ohne seine Billigung, das zählte kaum. Hester traf die Entscheidungen.

Sie erzählten Adeline, sie würde Emmeline gleich sehen. Eine Lüge, die sie sich hätten sparen können; sie hätten Adeline sonst wohin bringen können, und sie hätte sich nicht gewehrt. Sie war gar nicht richtig da. Vollkommen weggetreten. Was sie zum Haus des Doktors trugen, war nur mehr eine Hülle. Dort blieb sie dann auch.

Wieder daheim, verlegten sie Emmeline von dem Bett in Hesters Zimmer zurück in ihr eigenes, ohne sie zu wecken. Sie schlief noch eine Stunde und war, als sie die Augen aufschlug, erstaunt, dass ihre Schwester verschwunden war. Im weiteren Verlauf des Vormittags nahm ihr Staunen zu und verwandelte sich am Nachmittag in Besorgnis. Sie suchte im ganzen Haus. Sie suchte den Garten ab. Sie lief so weit in den Wald und von dort ins Dorf, wie sie sich traute.

Am späten Nachmittag fand Hester sie am Straßenrand, wo sie reglos in die Richtung starrte, die zum Haus des Doktors führte. Doch sie hatte nicht gewagt, hinüberzulaufen. Hester legte Emmeline die Hand auf die Schulter und zog sie an sich, dann führte sie das Mädchen zurück zum Haus. Von Zeit zu Zeit blieb Emmeline stehen, zögerte und wollte umkehren, doch Hester nahm ihre Hand und zog sie in Richtung Haus.

Emmeline folgte ihr mit unsicheren Schritten. Nach dem Tee stand sie am Fenster und sah hinaus. Als es allmählich dunkel wurde, machte sich Unruhe bei ihr breit, doch erst, als Hester die Türen verschloss und sich anschickte, Emmeline ins Bett zu bringen, geriet sie vollends außer sich.

Sie weinte die ganze Nacht. Ein einsames Schluchzen, das nicht enden wollte. Was bei Adeline in einem Augenblick zerrissen war, das brauchte bei Emmeline quälende vierundzwanzig Stunden, um entzweizugehen. Doch als es hell wurde, war sie still. Sie hatte sich irgendwann mit bebenden Schultern in den Schlaf geschluchzt.

Die Trennung von Zwillingen ist keine gewöhnliche Trennung. Man stelle sich vor, ein Erdbeben zu überleben. Wenn man zu sich kommt, erkennt man die Welt nicht wieder. Der Horizont ist verrückt. Die Sonne hat die Farbe gewechselt. Von dem vertrauten Terrain ist nichts geblieben. Nur man selber ist noch am Leben, wenn auch nicht richtig. Kein Wunder also, dass die Überlebenden solcher Katastrophen sich oftmals wünschen, mit den anderen umgekommen zu sein.

---

Miss Winter saß da und starrte ins Leere. Ihr berühmter Kupferton war zu zartem Apricot verblasst. Sie hatte das Haarspray aufgegeben, und die festen Locken und Wellen waren einem weichen, konturlosen Wirrwarr gewichen. Doch ihr Gesichtsausdruck war ungebrochen und ihre Körperhaltung kerzengerade, als wappnete sie sich gegen einen scharfen Wind, der nur ihr entgegenschlug.

Langsam wanderten ihre Augen zu mir.

»Fehlt Ihnen was?«, fragte sie. »Judith sagt, Sie essen nicht viel.«

»Das war bei mir schon immer so.«

»Aber Sie sind blass.«

»Vielleicht ein bisschen müde.«

Wir machten früh Schluss. Ich denke, keiner von uns fühlte sich in der Lage, fortzufahren.

# Glauben Sie an Gespenster?

Bei unserer nächsten Begegnung sah Miss Winter anders aus. Sie schloss müde die Augen, und sie brauchte länger, die Vergangenheit heraufzubeschwören und ihren Vortrag zu beginnen. Während sie die Fäden ihrer Erzählung aufnahm, betrachtete ich sie und bemerkte, dass sie ihre falschen Wimpern weggelassen hatte. Der gewohnte violette Lidschatten war da und ebenso der geschwungene schwarze Strich. Doch ohne die Fliegenbeine erinnerte sie an ein Kind, das den Schminkkasten seiner Mutter ausprobiert hat.

Die Dinge liefen nicht so, wie der Doktor und Hester es erwartet hatten. Sie waren auf eine Adeline gefasst, die tobte und raste, die wütend um sich schlug und trat. Und was Emmeline betraf, so hofften sie, dass ihre Zuneigung zu Hester sie über den Verlust ihrer Schwester hinwegtrösten würde. Kurz gesagt, gingen sie davon aus, es mit denselben Mädchen zu tun zu haben wie zuvor, nur dass sie nun getrennt waren. Und so kam der Zusammenbruch der Zwillinge zu zwei leblosen Marionetten zunächst überraschend.

Nicht ganz leblos. Das Blut floss weiter zähflüssig in ihren Adern. Sie schluckten die Suppe herunter, die ihnen mit dem Löffel verabreicht wurde, im Haus von der Missus, im anderen von der Frau des Doktors. Doch Schlucken ist ein Reflex, und sie hatten keinen Appetit. Am Tage waren sie mit offenen Augen blind, und nachts fanden sie mit geschlossenen Augen keine Ruhe. Sie waren getrennt, sie waren allein, sie waren in einer Art Niemandsland. Sie waren wie Amputierte, nur dass ihnen keine Gliedmaßen fehlten, sondern die Seele.

Kamen den Wissenschaftlern Zweifel? Hielten sie einmal inne und überlegten, ob sie das Richtige taten? Warfen die apathischen, somnambulen Zwillinge einen Schatten über ihr schönes Projekt? Sie müssen wissen, dass sie nicht absichtlich grausam waren. Nur dumm. Von ihrem Wissen, ihrem Ehrgeiz und ihrem Selbstbetrug geblendet.

Der Doktor führte Experimente durch, die Hester aufmerksam beobachtete. Und sie trafen sich jeden Tag. Um ihre Notizen abzugleichen. Um zu diskutieren, was sie in ihrem ersten Elan als Fortschritt bezeichneten. Hinter dem Schreibtisch des Doktors oder in der Bibliothek von Angelfield saßen sie zusammen, die Köpfe über die Papiere gebeugt, auf denen minutiös der Alltag der Mädchen aufgezeichnet war. Ihr Benehmen, ihre Ernährung, ihr Schlaf. Sie rätselten über den fehlenden Appetit, den Hang, die ganze Zeit zu schlafen – oder auch zu dösen, ohne zu schlafen. Sie brachten Theorien vor, die solche Veränderungen bei den Kindern erklären sollten. Das Experiment verlief nicht so gut wie gehofft, hatte eigentlich schon desaströs begonnen, doch dass sie möglicherweise Schaden anrichteten, verdrängten die beiden Wissenschaftler und glaubten lieber unbeirrt daran, sie könnten zusammen ein Wunder vollbringen.

Der Doktor schöpfte große Befriedigung daraus, dass er zum ersten Mal seit Jahrzehnten mit einem wissenschaftlichen Kopf erster Güte zusammenarbeiten konnte. Er staunte über die Fähigkeit seines Protegés, in einem Moment ein Prinzip zu erfassen und es im nächsten Moment mit professioneller Originalität praktisch anzuwenden. Es dauerte nicht lange, und er räumte ein, dass sie eher eine Kollegin als ein Schützling war. Und Hester war begeistert, dass endlich einmal ihr Verstand angemessen herausgefordert wurde und geeignete Nahrung bekam. Ihre täglichen Treffen erfüllten sie mit Freude und Begeisterung. So waren sie verständlicherweise mit Blindheit geschlagen. Wie hätten sie auch begreifen sollen, dass das, was ihnen selbst so viel Vergnügen bereitete, den Kindern in ihrer Obhut Schaden zufügte? Außer vielleicht, wenn am Abend jeder für sich die Notizen des Tages niederschrieb, dabei den Kopf einmal hob und dem hohlen Blick eines der Kinder auf einem Stuhl in der Ecke begegnete. Mag sein, dass sich dann ein leiser Zweifel meldete. Mag sein. Aber falls es so war, dann fand sich davon nichts in ihren Aufzeichnungen wieder, und ebenso wenig gaben sie es voreinander zu.

So unverzichtbar wurde den beiden ihr gemeinsames Unternehmen, dass sie das Scheitern ihres grandiosen Projekts einfach nicht sehen wollten. Emmeline und Adeline waren praktisch katatonisch, und von dem Mädchen im Nebel war nirgends eine Spur. Unbeeindruckt von ihrem Mangel an Erkenntnissen, setzten die Wissenschaftler ihre Arbeit fort: Sie erhoben statistische Daten und zeichneten Tabellen, sie entwickelten Theorien und ausgeklügelte Experimente, um sie auf die Probe zu stellen. Bei jedem Fehlversuch hielten sie sich zugute, einen Faktor ausgeschlossen zu haben, und gingen zur nächsten Idee über.

Die Frau des Doktors sowie die Missus wurden ebenfalls eingespannt. Sie waren für das physische Wohl der Mädchen zuständig. Drei Mal am Tag löffelten sie ihren Schützlingen Suppe in den ruhelosen Mund. Sie zogen sie an, badeten sie, besorgten ihre Wäsche und kämmten ihnen das Haar. Beide Frauen hatten ihre Gründe, das Projekt nicht gutzuheißen, und beide hatten ihre Gründe, ihre Zweifel für sich zu behalten. John-the-dig wiederum hatte mit alldem nicht viel zu tun. Niemand wollte seine Meinung hören, was ihn allerdings nicht davon abhalten konnte, sie täglich gegenüber der Missus am Küchentisch zu äußern. »Da kommt nichts Gutes bei raus, das sag ich dir. Ganz und gar nicht.«

Es kam ein Moment, der die beiden Wissenschaftler beinahe zwang, die Sache aufzugeben. All ihre Pläne waren fehlgeschlagen, und sosehr sie sich das Hirn zermarterten, fiel ihnen nichts mehr ein, was man noch hätte ausprobieren können. Genau da entdeckte Hester bei Emmeline geringfügige Zeichen der Besserung. Das Mädchen hatte den Kopf zum Fenster gewandt. Man fand bei ihr eine glänzende Nippesfigur, die sie nicht mehr aus der Hand geben wollte. Kaum war das Kind allein, lauschte Hester an der Tür (was nebenbei gesagt kein schlechtes Benehmen ist, wenn es der Wissenschaft dient) und stellte fest, dass die Kleine etwas in ihrer alten Zwillingssprache flüsterte.

»Sie tröstet sich«, sagte sie zum Doktor, »indem sie sich vorstellt, ihre Schwester wäre da.«

Von da an machte es sich der Doktor zur Routine, Adeline für einige Stunden allein zu lassen und selber, Stift und Notizblock gezückt, an der Tür zu lauschen. Er hörte nichts.

Hester und der Doktor verständigten sich darauf, dass Adeline, der ernstere Fall, mehr Geduld erfordere, während sie die Fortschritte bei Emmeline beflügelten. Hochzufrieden registrierten sie Emmelines Appetitzunahme, ihre Bereitschaft, sich aufzusetzen, ihre ersten Schritte aus eigenem Antrieb zu machen. Bald wanderte sie wieder mit ihrer alten Ziellosigkeit durch Haus und Garten. Oh ja, Hester und der Doktor waren sich einig, das Experiment zeitigte die ersten Erfolge. Ob sie einmal innehielten und erkannten, dass Emmeline lediglich zu ihren alten Gewohnheiten aus der Zeit vor dem Experiment zurückkehrte, ist schwer zu sagen.

Die Sache mit Emmeline war nicht ganz klar. Eines traurigen Tages folgte sie ihrer Nase zu dem Schrank mit all den alten Fetzen, die ihre Schwester getragen hatte. Sie hielt sie sich ans Gesicht, sog tief den muffigen Tiergeruch ein und machte sich dann beglückt selber darin zurecht. Das war schon ziemlich verquer, doch es sollte noch schlimmer kommen. So angezogen sah sie sich in einem Spiegel, und da sie sich selbst für ihre Schwester hielt, rannte sie mit voller Wucht dagegen. Der Zusammenstoß war so laut, dass die Missus zu Hilfe eilte und Emmeline weinend neben dem Spiegel fand, wo sie nicht wegen ihrer eigenen Schmerzen heulte, sondern wegen ihrer armen Schwester, die in mehrere Stücke zerbrochen war und blutete.

Hester nahm ihr die Kleider weg und wies John an, sie zu verbrennen. Als zusätzliche Vorsichtsmaßnahme instruierte sie die Missus, sämtliche Spiegel zur Wand zu drehen. Emmeline war betroffen, doch weitere Vorfälle dieser Art blieben aus.

Sie wollte partout nicht sprechen. Trotz all des Flüsterns hinter verschlossenen Türen und in Zwillingssprache war Emmeline nicht dazu zu bewegen, ein einziges Wort Englisch mit Hester oder der Missus zu reden. Das war Anlass zu einer Besprechung. Hester und der Doktor trafen sich folglich zu einer langen Sitzung in der Bibliothek mit dem Ergebnis, dass kein Grund zur Sorge bestand. Emmeline konnte schließlich sprechen, und mit der Zeit würde sie es auch tun. Ihre derzeitige Weigerung und der Vorfall mit dem Spiegel waren natürlich als Rückschläge zu werten, aber Rückschläge gehören in der Wissenschaft nun mal dazu. Schließlich hatten sie auch Fortschritte zu verzeichnen! Emmeline war nun schon stark genug, um allein nach draußen zu gehen. Und neuerdings brachte sie weniger Zeit damit zu, an der Straße, der selbst gesteckten Grenze, herumzulungern und zum Haus des Doktors hinüberzustarren. Die Dinge liefen den Umständen entsprechend gut.

Konnte man das Fortschritt nennen? Es entsprach nicht ihren anfänglichen Hoffnungen. Im Vergleich zu dem, was Hester erreicht hatte, als sie ihre Stelle in Angelfield antrat, war es nicht viel. Doch mehr hatten sie nicht zu bieten, und sie machten das Beste daraus. Vielleicht waren sie insgeheim erleichtert. Denn wohin hätte ein definitiver Erfolg geführt? Er hätte ihrer weiteren Zusammenarbeit die Grundlage entzogen. Und ob sie sich nun darüber im Klaren waren oder nicht, lag das nicht in ihrem Interesse.

Sie hätten das Experiment niemals freiwillig beendet. Niemals. Dazu gehörte schon mehr, ein Anstoß von außen, der dem Spuk ein Ende setzte. Etwas, das aus heiterem Himmel kam.

⁂

»Was denn?«

Obwohl unsere Zeit um war, obwohl sie ihre Tablette nehmen sollte, obwohl sie aschfahl war und abgespannt wirkte, und obwohl es nicht erlaubt war, Fragen zu stellen, konnte ich mich nicht beherrschen.

Trotz ihrer Schmerzen hatte sie ein schelmisches grünes Funkeln in den Augen und beugte sich vertrauensvoll zu mir vor.

»Glauben Sie an Gespenster, Margaret?«

Was sollte ich darauf antworten? Ich nickte.

Zufrieden lehnte sich Miss Winter wieder im Sessel zurück, und ich hatte das sattsam vertraute Gefühl, mehr von mir preisgegeben zu haben, als es meine Absicht war.

»Hester nämlich nicht. Unwissenschaftlich, nicht wahr? Da sie also nicht an Gespenster glaubte, geriet sie mächtig ins Trudeln, als sie eines sah.«

ஃ

Und das kam so:

Eines schönen Tages verließ Hester, nachdem sie ihre Arbeit zügig erledigt hatte, Angelfield schon früher als sonst und beschloss, einen Umweg zum Haus des Doktors zu nehmen. Der Himmel war strahlend blau, die Luft roch klar und frisch, und sie strotzte von einer Energie, die sie nicht weiter mit Namen benennen konnte, die ihr aber den dringenden Wunsch einflößte, sich körperlich zu verausgaben.

Der Pfad um die Felder herum führte sie eine Böschung hinauf, und obwohl es sich dabei nur um einen sanften Hügel handelte, gewährte er ihr einen schönen Ausblick über die Felder und die gesamte Umgebung. Sie hatte in forschem Tempo etwa die Hälfte der Strecke zurückgelegt, sie spürte, wie ihr Herz schneller pochte, obwohl sie nicht die geringste Überanstrengung empfand, sondern – hätte sie beschlossen, das restliche Stück Weg zu fliegen – sich durchaus zutraute, vom Boden abzuheben, als sie etwas erblickte, was sie erstarren ließ.

In der Ferne spielten traut vereint Emmeline und Adeline. Kein Zweifel. Zwei Mähnen rotes Haar, zwei Paar schwarze Schuhe, ein Kind im marineblauen Popelinkleid – das musste Emmeline sein, der die Missus am Morgen ein solches Kleid angezogen hatte –, das andere in Grün.

Es war doch nicht möglich.

Nein, wirklich nicht. Hester dachte wissenschaftlich. Sie konnte sie sehen, also waren sie da. Es musste eine Erklärung dafür geben. Adeline war aus dem Haus des Doktors geflohen.

Ihre Apathie war so schnell gewichen, wie sie gekommen war, und sie hatte die Gunst eines offenen Fensters oder herumliegender Schlüssel genutzt, um in einem unbeaufsichtigten Moment zu verschwinden, bevor jemand ihre Genesung bemerkte. Das musste es sein.

Was war demnach zu tun? Zu den Zwillingen hinüberzulaufen, hätte keinen Sinn gehabt. Sie hätte ihnen auf offenem Feld weit entgegenkommen müssen, sodass sie sie schon auf halbem Weg gesehen hätten und weggerannt wären. Also eilte sie zum Haus des Doktors. Und zwar so schnell sie konnte.

In null Komma nichts war sie da und hämmerte ungeduldig an die Tür. Mrs. Maudsley machte ihr auf und grüßte sie angesichts des Radaus mit zusammengekniffenen Lippen, doch Hester hatte Wichtigeres im Kopf als eine Entschuldigung, und so stürmte sie an ihr vorbei in die Praxis. Sie trat ohne zu klopfen ein.

Der Doktor blickte erschrocken auf, als seine Mitarbeiterin plötzlich mit hochrotem Gesicht und außer Atem vor ihm stand. Sie wollte etwas sagen, fand aber auf Anhieb keine Worte.

»Was ist los?«, fragte er, erhob sich, kam um den Tisch herum und legte ihr die Hand auf die Schulter.

»Adeline!«, keuchte sie. »Sie haben sie rausgelassen!«

Der Doktor runzelte irritiert die Stirn. Er drehte Hester an der Schulter herum, bis sie die entgegengesetzte Seite des Zimmers im Blick hatte.

Dort saß Adeline.

Hester schoss wieder zum Doktor herum. »Aber ich habe sie gerade gesehen! Mit Emmeline! Am Waldrand hinter dem Feld der Oates…«, platzte sie heraus, doch dann kamen ihr selber Bedenken, und sie brachte den Satz nicht zu Ende.

»Beruhigen Sie sich, setzen Sie sich, hier, nehmen Sie einen Schluck Wasser«, redete der Doktor ihr zu.

»Sie muss weggelaufen sein. Wie kann sie rausgekommen sein? Und so schnell wieder zurück?« Hester suchte verzweifelt nach einer logischen Erklärung.

»Sie ist die letzten zwei Stunden hier im Zimmer gewesen. Seit dem Frühstück. Sie war die ganze Zeit unter Aufsicht.« Er sah Hester, gerührt von ihrer Erregung, in die Augen. »Es muss ein anderes Kind gewesen sein. Aus dem Dorf«, suggerierte er in ärztlich fürsorglichem Ton.

»Aber …« Hester schüttelte den Kopf. »Es war Adeline …«

Hester drehte sich wieder zu Adeline um. Ihre Augen blickten gleichgültig geradeaus. Sie trug nicht das grüne Kleid, das Hester kurz zuvor an ihr gesehen hatte, sondern ein adrettes blaues, und ihr Haar war nicht offen, sondern zu ordentlichen Zöpfen geflochten.

Als Hester sich wieder dem Doktor zuwandte, war ihr Blick im höchsten Maße verwirrt. Sie atmete immer noch heftig. Es gab keine rationale Erklärung für das, was sie gesehen hatte, und Hester wusste nun mal, dass die Welt in jeder Hinsicht bis ins Letzte wissenschaftlich erklärbar war. Es gab nur einen Schluss. »Ich muss verrückt sein«, flüsterte sie. Ihre Pupillen verengten sich, und ihre Nasenflügel bebten. »Ich habe ein Gespenst gesehen!«

Ihre Augen füllten sich mit Tränen.

Seine Mitarbeiterin in einem solch aufgewühlten, jammervollen Zustand zu sehen, löste beim Doktor seltsame Gefühle aus. Und obgleich der Wissenschaftler in ihm zunächst ihren klaren Kopf und ihr präzises Denken bewundert hatte, so reagierte jetzt der Mann in ihm – mit tierischem Instinkt – auf ihre desolate Verfassung, indem er sie an sich zog und in einer leidenschaftlichen Umarmung seine Lippen fest auf die ihren drückte.

Hester leistete keinen Widerstand.

An der Tür zu lauschen ist kein schlechtes Benehmen, wenn es im Namen der Wissenschaft geschieht, und die Frau des Doktors war eine eifrige Wissenschaftlerin, wenn es um das Studium ihres eigenen Gatten ging. Der Kuss, der für den Doktor und Hester völlig überraschend kam, bestätigte Mrs. Maudsley nur, was sie seit geraumer Zeit hatte kommen sehen.

In einer Aufwallung heiligen Zorns warf sie die Tür auf und stürmte in die Praxis.

»Wenn Sie dieses Haus bitte umgehend verlassen wollen«, sagte sie zu Hester. »Sie können John mit dem Brougham nach dem Kind rüberschicken.« Und dann zu ihrem Mann: »Wir sprechen uns noch.«

Das Experiment war beendet. Und vieles andere auch.

John holte Adeline. Er bekam weder den Doktor noch seine Frau zu Gesicht, erfuhr jedoch vom Dienstmädchen, was am Morgen vorgefallen war.

Zu Hause legte er Adeline in ihr altes Bett im alten Zimmer und ließ die Tür angelehnt.

Emmeline, die gerade im Wald spazieren ging, hob den Kopf, sog die Luft ein und machte auf dem Absatz kehrt. Sie lief zum Haus, kam zur Küchentür herein und lief weiter zur Treppe, nahm zwei Stufen auf einmal und marschierte ohne zu zögern in das alte Zimmer. Sie machte die Tür hinter sich zu.

Und Hester? Niemand sah sie zum Haus zurückkommen, und niemand sah sie gehen. Doch als die Missus am nächsten Morgen an die Zimmertür klopfte, war das saubere, kleine Zimmer leer und von Hester keine Spur.

~

Ich riss mich von der Geschichte los und kehrte in Miss Winters Bibliothek mit ihren Fenstern und Spiegeln zurück.

»Wo mag sie hingegangen sein?«, überlegte ich laut.

Miss Winter betrachtete mich und runzelte die Stirn. »Ich hab keine Ahnung. Wen interessiert das auch?«

»Irgendwo muss sie schließlich hingegangen sein.«

Die Geschichtenerzählerin sah mich schief an. »Miss Lea, es ist nicht gut, sich an die Nebenfiguren zu hängen. Es ist nicht ihre Geschichte. Sie kommen und gehen, und wenn sie gehen, dann für immer. Das war's.«

Ich schob meinen Bleistift in die Spiralbindung des Notizbuchs und ging zur Tür, doch dann drehte ich mich noch einmal um.

»Woher kam sie denn?«

»Du liebe Güte! Sie war nur eine Gouvernante! Sie ist nicht wichtig, wenn ich es Ihnen doch sage.«

»Sie hatte sicher Referenzen. Eine frühere Stelle. Oder hatte ein Bewerbungsschreiben mit ihrer Adresse geschickt. Vielleicht kam sie von einer Agentur?«

Miss Winter schloss in einer ziemlich gequälten Geste die Augen. »Mr. Lomax, der Familienanwalt, verfügt bestimmt über die näheren Einzelheiten. Nicht, dass sie Ihnen irgendwie nützlich sein könnten. Es ist meine Geschichte. Ich muss es wissen. Er hat seine Kanzlei in Banbury, in der Market Street. Ich werde ihn instruieren, gegebenenfalls auf Ihre Fragen Auskunft zu geben.«

Ich schrieb noch am selben Abend an Mr. Lomax.

# Nach Hester

Als Judith am nächsten Morgen mit dem Frühstückstablett kam, gab ich ihr den Brief an Mr. Lomax, und sie holte im Gegenzug einen Umschlag aus ihrer Schürzentasche, auf dem ich die Handschrift meines Vaters erkannte.

Die Briefe von meinem Vater waren mir immer ein Trost, und dieser hier bildete keine Ausnahme. Er hoffte, es gehe mir gut. Kam ich mit der Arbeit voran? Er hatte einen recht bizarren und amüsanten dänischen Roman aus dem neunzehnten Jahrhundert gelesen, von dem er mir bei meiner Rückkehr erzählen würde. Bei einer Auktion war er auf ein Bündel Briefe aus dem achtzehnten Jahrhundert gestoßen, das offenbar keiner haben wollte. War ich vielleicht interessiert? Er hatte sie für alle Fälle gekauft. Privatdetektive? Schon, vielleicht, aber wäre das nicht eher eine Arbeit für Ahnenforscher? Er kannte da jemanden, der wusste, wie man bei so etwas verfuhr, und wenn er es recht bedachte, hatte er bei dem Mann etwas gut: Er kam zuweilen in den Laden, um etwas in den Almanachen nachzuschlagen. Falls ich die Absicht hegte, die Sache zu verfolgen, hier schon mal die Adresse. Am Ende wie immer diese wohl gemeinten, doch abgenutzten vier Worte: »Mutter lässt herzlich grüßen.«

Ließ sie mich tatsächlich grüßen? Das hätte ich gern gewusst. Vater sagt: »Ich schreibe Margaret heute Nachmittag.« Und darauf sie – beiläufig, herzlich: »Dann grüß sie von mir.«

Nein. Das konnte ich mir nicht denken. Das fügte mein Vater hinzu. Ohne ihr Wissen. Um mir eine Freude zu machen? Um es wahr zu machen? Unternahm er mir oder ihr zuliebe diese undankbaren Versuche, uns zusammenzubringen? Es war ein Ding der Unmöglichkeit. Meine Mutter und ich waren wie zwei Kontinente, die langsam, aber sicher auseinander drifteten, und mein Vater, der Brückenbauer, musste sein fragiles Konstrukt immer weiter verlängern, um uns zusammenzuhalten.

Im Laden war ein Brief an mich eingetroffen, den mein Vater beigelegt hatte. Er kam von dem Juraprofessor, den er mir empfohlen hatte.

*Sehr geehrte Miss Lea,*

*bis heute wusste ich nicht einmal, dass Ivan Lea eine Tochter hat, doch jetzt, da ich es weiß, freut es mich, Ihre Bekanntschaft zu machen – und noch mehr, Ihnen behilflich zu sein. Die »rechtliche Erklärung des vermuteten Todes« ist genau das, wofür Sie sie gehalten haben: Nach dem Verschollenengesetz lässt man jemanden rechtskräftig für tot erklären, dessen Verbleib so lange und unter solchen Umständen ungeklärt ist, dass sein Tod die einzige vernünftige Schlussfolgerung ist. Dies dient im Wesentlichen dazu, das Vermögen der vermissten Person freizugeben, sodass die Erben darauf zugreifen können.*

*Ich habe die nötigen Nachforschungen angestellt und bin auf die entsprechenden Dokumente zu dem Fall gestoßen, dem Ihr besonderes Interesse gilt. Ihr Mr. Angelfield war offenbar ein Mann, der äußerst zurückgezogen lebte, und der Zeitpunkt wie die näheren Umstände seines Verschwindens sind augenscheinlich nicht bekannt. Gleichwohl konnten dank der akribischen Mühe und dem persönlichen Einsatz eines gewissen Mr. Lomax im Auftrag der Erben (zweier Nichten) die nötigen Formalitäten herbeigeführt werden. Der Grundbesitz war, wenn auch durch ein Feuer beeinträchtigt, nach dem das Haus selbst unbewohnbar war, immer noch von beträchtlichem Wert.*

*Doch dies alles können Sie selber der Abschrift entnehmen, die ich Ihnen von den entsprechenden Dokumenten angefertigt habe.*

*Sie werden sehen, dass der Anwalt für eine der Berechtigten unterzeichnet hat. So wird üblicherweise verfahren, wenn der Berechtigte aus irgendeinem Grund (zum Beispiel Krankheit oder Gebrechen) nicht in der Lage ist, seine Angelegenheiten selbst zu regeln.*

*Die Unterschrift der anderen Berechtigten habe ich mit besonderer Sorgfalt studiert. Sie war beinahe unleserlich, doch am Ende konnte ich sie entziffern. Bin ich da auf eines der bestgehüteten Geheimnisse gestoßen? Aber vielleicht wussten Sie es ja schon? Rührte daher Ihr Interesse an dem Fall?*

*Keine Sorge! Ich bin ein Mann von äußerster Diskretion! Bestellen Sie Ihrem Vater, er möge mir einen ordentlichen Rabatt auf die* Justitiae Naturalis Principia *geben, und ich sage kein Wort zu irgendjemandem!*

*Ergebenst,*
*William Henry Cadwalladr*

Ich stürzte mich sofort auf die saubere Abschrift, die Professor Cadwalladr angefertigt hatte. Dort war die Stelle für Charlies Nichten frei gelassen. Wie angekündigt, hatte Mr. Lomax für Emmeline unterzeichnet. Folglich hatte sie den Brand zumindest überlebt. Und dann in der zweiten Zeile der Name, auf den ich hoffte: *Vida Winter.* Und dahinter, in Klammern, *vormals Adeline March.*

Der Beweis.

Vida Winter war tatsächlich Adeline March.

Sie sagte die Wahrheit.

Mit diesem befriedigenden Gedanken machte ich mich auf den Weg zur Bibliothek, hörte Miss Winter zu und kritzelte meine Notizen nieder, während sie mir erzählte, was im Gefolge von Hesters Verschwinden geschehen war.

ꙮ

Adeline und Emmeline verbrachten die erste Nacht und den ersten Tag in ihrem Zimmer im Bett. Sie hatten die Arme umeinander geschlungen und sahen sich unverwandt in die Augen. Zwischen der Missus und John-the-dig herrschte die stillschweigende Übereinkunft, sie so wie Rekonvaleszenten zu behandeln, was sie in gewisser Weise auch waren. Man hatte ihnen eine Verletzung zugefügt. Also lagen sie Nase an Nase im Bett, blickten sich an, ohne ein Wort, ohne ein Lächeln, und blinzelten zugleich. Und dank dem vierundzwanzig Stunden langen Blick wuchs die gewaltsam zerrissene Verbindung wieder zusammen. Und wie bei jeder heilenden Wunde blieb eine Narbe zurück.

Die Missus war mittlerweile höchst verwirrt darüber, was mit Hester geschehen war. John, der ihr die Enttäuschung über die Gouvernante ersparen wollte, sagte nichts, doch sein Schweigen ermunterte sie nur, laut darüber zu spekulieren. »Wahrscheinlich hat sie dem Doktor erzählt, wohin sie will«, sagte sie schließlich deprimiert. »Ich werde ihn fragen müssen, wann sie wiederkommt.«

Da musste John etwas sagen, und das tat er ziemlich grob. »Untersteh dich, ihn zu fragen, wo sie ist! Untersteh dich, ihn irgendwas zu fragen. Außerdem kommt der sowieso nicht mehr her.«

Die Missus wandte sich missbilligend ab. Was war nur in die Leute gefahren? Wieso war Hester nicht da? Wieso war John so aufgebracht? Und der Doktor – ein regelmäßiger Gast des Hauses –, wieso sollte der nicht mehr kommen? Es passierten Dinge, die ihr Begriffsvermögen überstiegen. Immer öfters in jüngster Zeit und für immer längere Phasen hatte sie das Gefühl, dass etwas mit der Welt nicht mehr stimmte. Mehr als einmal schien sie plötzlich wach im Kopf zu werden und festzustellen, dass Stunden vergangen waren, ohne eine Spur in ihrem Gedächtnis zu hinterlassen. Dinge, die für andere Leute offenbar einen Sinn ergaben, blieben ihr häufig ein Rätsel. Und wenn sie Fragen stellte, um doch zu begreifen, dann trat den Leuten dieser seltsame Blick in die Augen, was sie eilig zu überspielen versuchten. Ja. Etwas Seltsames ging hier vor, und Hesters geheimnisvolles Verschwinden war nur ein Teil davon.

John tat es zwar Leid, die Missus so unglücklich zu sehen, doch gleichzeitig war er über Hesters Verschwinden erleichtert. Die Abreise der Gouvernante schien eine große Last von ihm zu nehmen. Er kam öfter ins Haus und verbrachte abends mehr Zeit mit der Missus in der Küche. Seiner Meinung nach war Hesters Verlust gut zu verschmerzen. Nur eine einzige Verbesserung in seinem Leben verdankte er ihr: Sie hatte ihm Mut gemacht, die Arbeit im Formschnittgarten wieder aufzunehmen, und sie hatte es so diskret, so zartfühlend gemacht, dass es ihm hinterher leicht fiel, sich einzureden, es sei ganz und gar seine Entscheidung gewesen. Als es offensichtlich wurde, dass sie für immer gegangen war, holte er seine Stiefel aus dem Schuppen und setzte sich zum Wienern an den Ofen. Damit fertig, legte er die Beine auf den Tisch, denn wer sollte ihn jetzt noch daran hindern?

Im Kinderzimmertrakt waren offenbar Charlies Wutanfälle einer beklagenswerten Erschöpfung gewichen. Zuweilen hörte man seine schleppenden Schritte im Korridor und, das Ohr an der Tür, ein quengeliges Schluchzen wie bei einem verzweifelten zweijährigen Kind. War es möglich, dass Hester ihn auf äußerst mysteriöse, wenngleich wissenschaftliche Art und Weise durch verschlossene Türen hindurch beeinflusst und seine schlimmste Verzweiflung im Zaum gehalten hatte? Das schien zumindest nicht ausgeschlossen.

Nicht nur Menschen reagierten auf Hesters Abwesenheit. Auch das Haus reagierte sofort. Als Erstes mit Stille. Es fehlte das Tapptapp von Hesters Schritten die Treppen hoch und hinunter und die Flure entlang. Als Nächstes hörte auch das Hämmern und Klopfen der Arbeiter auf, die das Dach reparierten. Als der Dachdecker merkte, dass Hester verschwunden war, kam ihm der wohl begründete Verdacht, dass ihn niemand mehr für seine Arbeit bezahlen würde. Er packte seine Geräte ein und ging. Er kam nur noch einmal wegen seiner Leiter zurück, dann ließ er sich nie wieder blicken.

Sobald die alte Stille eingekehrt war, besann sich das Haus auch auf sein altes Vorhaben: den langsamen, aber sicheren Verfall. Es fing mit den kleinen Dingen an. Aus jedem Winkel und jeder Ritze eines jeden Gegenstands rieselte der Schmutz, Oberflächen sonderten Staub ab, die Fenster hüllten sich in den ersten grauen Schleier. Nur bei täglicher Pflege hätten Hesters Veränderungen Bestand gehabt. Und da die Missus den Putzplan zuerst nur hin und wieder nicht einhielt, schließlich aber ganz aufgab, gewann die wahre, die dauerhafte Natur des Hauses allmählich die Oberhand. Es kam wieder die Zeit, da man nichts in die Hand nehmen konnte, ohne dass einem der Dreck an den Fingern klebte.

Auch Gegenstände kehrten rasch zu ihren alten Gewohnheiten zurück. Als Erstes machten sich die Schlüssel selbstständig. Über Nacht glitten sie aus Schlössern und Schlüsselringen, dann leisteten sie sich im staubigen Hohlraum unter einem losen Dielenbrett Gesellschaft. Silberne Kerzenleuchter hatten sich noch den Glanz von Hesters Politur bewahrt, als sie vom Kaminsims im Wohnzimmer zu Emmelines Schatzsammlung unter dem Bett wanderten. Bücher machten sich auf den Weg und verschwanden von ihren Regalen in der Bibliothek die Treppe hoch in irgendeinen Winkel oder unter ein Sofa. Gardinen übernahmen es nun selbst, sich auf- und zuzuziehen. Sogar die Möbel machten das Beste daraus, dass niemand nach dem Rechten sah, und rückten an eine andere Stelle. Ein Sofa entfernte sich ein Stück von der Wand, ein Stuhl wanderte einen halben Meter nach links. Dies alles offenbarte nur, dass sich das Hausgespenst zurückgemeldet hatte.

Ein Dach wird bei der Instandsetzung erst einmal zu Teilen abgedeckt, bis der Schaden endgültig behoben ist. Einige der Löcher, die der Dachdecker hinterlassen hatte, waren größer als die, zu deren Ausbesserung man ihn gerufen hatte. Es schadete ja nichts, auf dem Boden einer Dachkammer zu liegen und die Sonne im Gesicht zu genießen, doch wenn es regnete, hörte der Spaß auf. Die Dielenbretter quollen auf, dann tropfte das Wasser in die Räume darunter. Man wusste bald, auf welche Stellen man besser nicht trat, weil einem sonst der Boden unter den Füßen wegsackte. Bald würde er ganz einbrechen, und man hätte einen direkten Durchblick auf den Raum darunter. Und wie lange würde es dauern, bis dort der Boden nachgab und man bis zur Bibliothek hinunterblickte? Und konnte der Fußboden der Bibliothek durchsacken? Wäre es eines Tages so weit, dass man im Keller stehen bleiben und durch vier Stockwerke darüber direkt in den Himmel sehen konnte?

Wasser wandelt wie Gott auf unergründlichen Wegen. Ist es erst einmal im Haus, gehorcht es nur indirekt den Gesetzen der Schwerkraft. Im Innern von Wänden und unter Böden findet es unsichtbare Rinnen und Bahnen, wo es in unerwartete Richtungen sickert, um an den unmöglichsten Stellen sichtbar zu werden. Über das ganze Haus verteilt lagen Lappen herum, um die Nässe aufzusaugen, doch niemand wrang sie je aus; hier und da wurden Töpfe und Schüsseln aufgestellt, um die Tropfen aufzufangen, doch sie quollen über, bevor irgendjemand daran dachte, sie auszuleeren. Die ständige Nässe brach den Putz von den Wänden und fraß sich in den Mörtel. Im Dachgeschoss gab es Wände, die so instabil waren, dass man sie mit einer Hand zum Wackeln bringen konnte wie einen losen Zahn.

Und wie ging es bei alledem den Zwillingen?

Hester und der Doktor hatten ihnen eine schwere Wunde zugefügt. Natürlich würde es nie wieder so wie früher sein. Die Zwillinge würden für immer eine Narbe davontragen, und die Spuren, die die Trennung hinterlassen hatte, würden nie ganz verschwinden. Dennoch empfanden sie diese Narbe auf unterschiedliche Weise. Adeline war schließlich in einen Zustand der Fugue, einen Dämmerzustand, verfallen, kaum dass sie begriffen hatte, was Hester und der Doktor im Schilde führten. Sie verlor sich selber fast in dem Augenblick, als sie ihren Zwilling verlor, und konnte sich nicht daran erinnern, wie viel Zeit seither vergangen war. Aus ihrer Sicht mochte die Nacht, die zwischen dem Verlust und der Wiedervereinigung mit ihrer Schwester lag, ein Jahr oder eine Sekunde gedauert haben. Und was lag schon daran? Es war vorbei, und das Leben hatte sie zurück.

Für Emmeline war es etwas anderes. Ihr war kein Gedächtnisschwund zu Hilfe gekommen. Sie hatte länger gelitten und mehr. In den ersten Wochen waren es Höllenqualen gewesen, so als hätte man sie ohne Anästhesie amputiert: halb wahnsinnig vor Schmerz und verwundert, dass der menschliche Körper so viel aushalten konnte, ohne daran zu sterben. Doch langsam, gleichsam Zelle für Zelle, setzte der Erholungsprozess ein. Es kam die Zeit, als nicht mehr ihr ganzer Körper vor Schmerzen brannte, sondern nur noch ihr Herz. Und dann war sogar ihr Herz zumindest zeitweilig zu anderen Emotionen als Trauer fähig. Kurz gesagt, Emmeline gewöhnte sich an die Abwesenheit ihrer Zwillingsschwester. Sie lernte, mit der Trennung zu leben.

Gleichwohl knüpften sie schnell an ihre alte Beziehung an und waren wieder Zwillinge. Auch wenn Emmeline nicht mehr dieselbe Schwester wie früher war. Doch das begriff Adeline anfangs nicht.

Zunächst herrschte nur das Entzücken der Wiedervereinigung. Sie waren unzertrennlich. Wo die eine hinging, dahin folgte ihr auch die andere. Im Formschnittgarten rannten sie um die alten Bäume und vergnügten sich endlos mit Versteckenspielen, in denen sie ihre Erfahrung der Trennung und Zusammenführung unzählige Male wiederholten. Adeline wurde dieser Spiele nicht müde. Für Emmeline nahm der Reiz des Neuen allmählich ab. Ein paar der alten Antagonismen schlichen sich wieder ein. Emmeline wollte hierhin, Adeline dorthin, und es kam zu Streit. Und wie in alten Zeiten gab meistens Emmeline nach. In ihrem veränderten, tiefsten Innern gefiel ihr das nicht.

Auch wenn Emmeline Hester einmal gemocht hatte, vermisste sie die Gouvernante nicht. Im Verlauf des Experiments war ihre Zuneigung verflogen. Immerhin wusste sie, dass Hester sie von ihrer Schwester getrennt hatte. Und nicht nur das: Hester war derart mit ihren Berichten und Konsultationen beschäftigt gewesen, dass sie – vielleicht ohne es zu merken – Emmeline vernachlässigt hatte. In dieser Zeit hatte Emmeline Mittel und Wege gefunden, um sich von ihrem Kummer abzulenken. Sie entdeckte das eine oder andere Spiel, das ihr Vergnügen bereitete und das sie nicht aufzugeben gedachte, nur weil ihre Schwester zurück war.

So kam es, dass Emmeline am dritten Tag ihrer Wiedervereinigung keine Lust mehr zum Versteckenspielen im Garten hatte und sich ins Billardzimmer zurückzog, wo sie ihre Spielkarten aufbewahrte. Sie legte sich bäuchlings auf den Pooltisch und begann zu spielen. Es war eine Art Patience, wenn auch die einfachste, kindlichste Variante. Sie war grundsätzlich der Gewinner; das Spiel war so angelegt, dass sie nicht verlieren konnte. Und jedes Mal war sie entzückt.

Mitten im Spiel neigte sie den Kopf. Sie konnte es nicht wirklich hören, aber ihr inneres Ohr, das stets auf ihren Zwilling geeicht war, sagte ihr, dass Adeline nach ihr rief. Emmeline ignorierte es. Sie war beschäftigt. Sie würde sich später zu ihr gesellen. Wenn sie mit ihrem Spiel fertig war.

Als Adeline nach einer Stunde mit zornig zusammengekniffenen Augen ins Zimmer stürmte, konnte Emmeline nichts zu ihrer Verteidigung tun. Adeline kletterte auf den Tisch und warf sich in hysterischer Wut auf ihre Schwester.

Emmeline zeigte nicht die geringste Gegenwehr. Sie weinte auch nicht. Sie gab keinen Mucksen von sich, weder während der Attacke noch danach.

Als Adeline sich ausgetobt hatte, stand sie ein paar Minuten da und betrachtete ihre Schwester. Blut rann in den grünen Tisch. Spielkarten waren in alle Richtungen verstreut. Fest zusammengerollt lag Emmeline da, während ihre Schultern im Rhythmus des Atems zuckten.

Adeline machte kehrt und ging.

Emmeline rührte sich nicht vom Fleck, bis John sie Stunden später auf dem Billardtisch fand. Er brachte sie zur Missus, die ihr das Blut aus den Haaren wusch, eine Kompresse aufs Auge legte und ihre Prellungen mit Zaubernuss behandelte.

»Als Hester noch da war, wäre das nicht passiert«, kommentierte die Missus den Vorfall. »Wenn ich nur wüsste, wann sie wiederkommt.«

»Sie kommt nicht wieder«, sagte John und bremste seinen aufwallenden Ärger. Auch ihm gefiel es nicht, das Kind in diesem Zustand zu sehen.

»Aber weshalb sollte sie einfach so verschwinden? Ohne ein Wort. Was ist denn bloß passiert? Wahrscheinlich ein Notfall. In ihrer Familie …«

John schüttelte den Kopf. Er hatte sich das nun schon ein Dutzend Mal angehört, diese fixe Idee, an die sich die Missus klammerte. Das ganze Dorf wusste, dass sie sich nie wieder blicken lassen würde. Die Bedienstete der Maudsleys hatte alles gehört. Sie beteuerte, es auch gesehen zu haben, und nicht nur das, nebenbei gesagt, und so gab es nunmehr in ganz Angelfield keinen einzigen Erwachsenen, der nicht gewusst hätte, dass die unscheinbare Gouvernante mit dem Doktor eine ehebrecherische Liaison eingegangen war.

Es war nicht zu vermeiden, dass eines Tages das Gerücht von Hesters »Benehmen« (ein dörflicher Euphemismus für Fehlverhalten) auch der Missus zu Ohren kam. Zuerst war sie entrüstet. Sie wies die Vorstellung, dass Hester – *ihre* Hester – dergleichen getan haben könnte, weit von sich. Doch als sie wütend John berichtete, was man sich so erzählte, bestätigte er es. Schließlich sei er an dem Tag im Haus des Doktors gewesen, um das Kind abzuholen. Er hatte es vom Hausmädchen persönlich erfahren. Noch am Tag, als es passiert war. Und weshalb sonst hätte Hester so Hals über Kopf verschwinden sollen, wenn nicht etwas Außergewöhnliches vorgefallen wäre?

»Ihre Familie«, stammelte die Missus. »Ein Notfall …«

»Und wo bleibt dann ein Brief von ihr? Sie hätte ja wohl geschrieben, wenn sie vorgehabt hätte, wiederzukommen. Hast du einen Brief erhalten?«

Die Missus schüttelte den Kopf.

»Na also«, schloss John, der die Befriedigung in seiner Stimme nicht ganz unterdrücken konnte, »sie hat etwas getan, das sie hätte bleiben lassen sollen, und sie kommt nicht zurück. Sie ist für immer weg, das kannst du mir glauben.«

Der Missus drehte sich alles im Kopf. Sie wusste nicht, was sie glauben sollte. Die Welt war ein höchst verwirrender Ort geworden.

# Verschwunden

Nur Charlie focht das alles nicht an. Natürlich registrierte auch er gewisse Veränderungen. Statt der ordentlichen Mahlzeiten, die unter Hesters Ägide pünktlich morgens, mittags und abends hochgebracht wurden, gab es jetzt immer öfter Butterbrote, ein kaltes Kotelett mit einer Tomate, eine Schüssel erstarrtes Rührei, die zu unvorhersehbaren Zeiten, wenn die Missus gerade daran dachte, vor der Tür erschienen. Charlie war das egal. Brauchte er etwas zu essen und es stand etwas da, dann stopfte er sich vielleicht einen Happen Fleisch von gestern oder einen trockenen Kanten Brot in den Mund, wenn nicht, kein Problem, es machte ihm nichts aus zu hungern. An ihm nagte ein viel größerer Hunger, um den sich sein ganzes Leben drehte, und daran hatte Hester mit ihrer Ankunft so wenig geändert wie mit ihrem Verschwinden.

Dennoch gab es für Charlie Veränderungen, auch wenn sie nichts mit Hester zu tun hatten.

Von Zeit zu Zeit traf ein Brief im Haus ein, und von Zeit zu Zeit wurde er von jemandem geöffnet. Ein paar Tage, nachdem sich John-the-dig darüber ausgelassen hatte, dass von Hester kein Brief gekommen war, bemerkte die Missus, als sie sich plötzlich in der Eingangshalle wieder fand, einen kleinen Stoß Briefe, die auf dem Fußabstreifer unter dem Briefschlitz Staub ansetzten. Sie machte sie auf.

Einer kam von Charlies Bankier: Ob er wohl an einer Investitionsmöglichkeit interessiert sei?

Der zweite war die Rechnung der Baufirma für die Arbeit am Dach.

Kam der dritte von Hester?

Nein. Der dritte kam von der Anstalt. Isabelle war tot.

Die Missus starrte auf den Brief. Tot! Isabelle! Konnte das sein? Grippe, hieß es in dem Brief.

Man musste es Charlie sagen, doch die Missus zitterte bei dem Gedanken. Sie beschloss, lieber zuerst mit Dig darüber zu sprechen, und legte die Briefe beiseite. Doch als John später an seinem gewohnten Platz am Küchentisch saß und sie ihm frischen Tee nachgoss, war ihr der Brief vollkommen entfallen. Er hatte sich zu den vielen anderen Momenten gesellt, die zwar durchlebt und empfunden, aber nicht aufgezeichnet wurden und deshalb verloren gingen. Nichtsdestoweniger legte sie die Briefe, als sie ein paar Tage später mit verbranntem Toast und Schinken durch die Halle kam, mechanisch zum Essen aufs Tablett, auch wenn sie sich nicht im Geringsten an ihren Inhalt erinnern konnte.

Danach vergingen die Tage, und es schien nichts zu passieren, außer dass die Staubschicht dicker wurde, sich der Schmutz an den Fensterscheiben sammelte, die Spielkarten sich immer weiter von ihrer Schachtel im Wohnzimmer verkrochen und man sich zunehmend leichter vorstellen konnte, dass es nie eine Hester gegeben hatte.

Nur John-the-dig bemerkte in der Stille dieser Tage, dass etwas geschehen war.

Er war es gewohnt, unter freiem Himmel zu arbeiten, und hatte wenig Gespür für das häusliche Dasein. Dennoch wusste auch er, dass irgendwann der Zeitpunkt kommt und man Tassen nicht für einen einzigen weiteren Tee benutzen kann, ohne sie vorher abzuwaschen, und er wusste auch, dass man einen Teller, auf dem rohes Fleisch gelegen hat, nicht direkt danach für gekochtes verwenden kann. Er sah, wohin es mit der Missus ging, er war ja kein Narr. Als sich immer mehr schmutziges Geschirr auftürmte, machte er sich daher an den Abwasch. Er bot einen seltsamen Anblick, wie er da mit Gummistiefeln und Mütze am Spülstein stand und sich mit Lappen und Geschirr so ungeschickt anstellte, obwohl er doch mit seinen Terrakotta-Töpfen und zarten Pflanzen so gewandt hantierte. Außerdem entging ihm nicht, dass es immer weniger Tassen und Teller wurden. Bald würden sie nicht mehr reichen.

Wo war das fehlende Geschirr? Ihm kam augenblicklich der Gedanke an die planlosen Wege der Missus nach oben mit einem Teller für Master Charlie. Hatte er je gesehen, wie sie mit einem leeren Teller in die Küche zurückkam? Nein.

Er ging hinauf. Vor der verschlossenen Tür war das Geschirr in einer langen Reihe aufgestellt. Das Essen, das Charlie nicht angerührt hatte, bot den Fliegen, die darüber schwirrten, ein Fest, und es herrschte ein starker, unangenehmer Geruch. Wie viele Tage schon hatte die Missus hier Essen abgestellt, ohne zu merken, dass die Mahlzeit vom Vortag nicht angerührt war? Er zählte die Teller und Tassen und runzelte die Stirn. In dem Moment wusste er Bescheid.

Er klopfte nicht an. Wozu? Er musste zu seinem Schuppen, um ein Stück Holz zu suchen, das stark genug war, um als Rammbock zu dienen. Das Geräusch an der Eiche, das Knirschen und Bersten von Metallscharnieren, die aus dem Holz gehebelt wurden, war laut genug, um uns alle, selbst die Missus, vor der Tür zu versammeln.

Als die Tür beinahe aus ihren Angeln fiel, hörten wir das Surren der Fliegen, während uns eine Wolke von bestialischem Gestank entgegenschlug, sodass Emmeline und die Missus ein paar Schritte zurückwichen. Selbst John legte die Hand vor den Mund und wurde eine Spur bleicher. »Bleibt da«, befahl er, während er den Raum betrat. Ich folgte ihm in geringem Abstand.

Behutsam bahnten wir uns einen Weg durch den Unrat verdorbenen Essens auf dem Boden des Kinderzimmers und scheuchten im Vorbeigehen Fliegenschwärme auf. Charlie hatte gelebt wie ein Tier. Dreckige, schimmelüberwucherte Teller standen auf dem Boden, dem Kaminsims, auf Stühlen und auf dem Tisch herum. Die Schlafzimmertür war angelehnt. Mit dem Ende des Knüppels, den John-the-dig immer noch in der Hand hielt, drückte er vorsichtig gegen die Tür, und eine aufgeschreckte Ratte kam heraus und flitzte uns über die Füße. Es war ein grausiger Anblick. Mehr Fliegen, mehr verfaultes Essen und schlimmer noch: Der Mann hatte sich übergeben. Ein Haufen vertrocknetes, fliegenübersätes Erbrochenes verkrustete den Teppich. Auf dem Tisch neben dem Bett türmten sich blutverschmierte Taschentücher neben der Stopfnadel der Missus.

Das Bett war leer. Nur zerwühlte Wäsche, vollkommen verdreckt und fleckig von Blut und anderen Scheußlichkeiten.

Wir sagten nichts. Wir versuchten, die Luft anzuhalten, doch als wir wohl oder übel durch den Mund einatmeten, blieb uns der Ekel erregende Gestank im Halse stecken und löste Brechreiz aus. Doch das Schlimmste hatten wir noch nicht gesehen. Es gab ein weiteres Zimmer. John musste sich innerlich stählen, um die Tür zum Badezimmer aufzustoßen. Sie war noch nicht ganz offen, da spürten wir das ganze Grauen. Bevor es sich in meiner Nase festsetzen konnte, schien meine Haut es zu riechen, und mir brach der kalte Schweiß am ganzen Körper aus. Die Toilette war schlimm genug. Der Deckel war heruntergeklappt, jedoch nicht in der Lage, den überquellenden Unrat einzudämmen. Doch das war noch gar nichts. Denn in der Badewanne – John trat ruckartig zurück und wäre mir auf die Füße getreten, hätte ich nicht im selben Moment einen Satz nach hinten gemacht –, in der Badewanne schwamm eine dunkle Brühe aus Körperausscheidungen, bei deren schierem Gestank John und ich zur Tür zurück, durch die Rattenköttel und die Fliegen hindurch hinaus in den Flur, die Treppe hinunter und nach draußen flüchteten.

Ich musste mich übergeben. Auf dem grünen Gras sah mein gelber Mageninhalt sauber, frisch und angenehm aus.

»Gut so«, sagte John und klopfte mir mit immer noch zitternder Hand auf den Rücken.

Die Missus war uns auf ihre eigene schlurfende Weise nachgeeilt und kam uns entgegen – ihr ganzes Gesicht ein einziges Fragezeichen. Was konnten wir ihr sagen?

Wir hatten Charlies Blut gefunden. Wir hatten Charlies Scheiße, Charlies Pisse und Charlies Kotze gefunden. Doch Charlie selbst?

»Er ist nicht da«, erklärten wir ihr. »Er ist verschwunden.«

❧

Ich kehrte in mein Zimmer zurück und dachte über die Geschichte nach. Sie war in mehr als einer Hinsicht seltsam. Zum einen natürlich Charlies Verschwinden, eine interessante Wendung der Ereignisse. Unwillkürlich dachte ich an die Almanache und die merkwürdige Abkürzung R. E. v. T. Aber das war nicht alles. Wusste sie, dass es mir nicht entgangen war? Ich hatte es mir nicht anmerken lassen, aber ich *hatte* es mitbekommen. Heute hatte Miss Winter *ich* gesagt.

❧

In meinem Zimmer fand ich auf einem Tablett neben den Schinkenbroten einen großen, braunen Briefumschlag.

Der Anwalt, Mr. Lomax, schrieb mir auf meine Anfrage postwendend zurück. Seinen kurzen, doch freundlichen Grußzeilen hatte er eine Kopie von Hesters Vertrag beigefügt, den ich nach einem schnellen Blick zur Seite legte, ein Empfehlungsschreiben von einer Lady Blake in Neapel, die sich lobend über Hesters Fähigkeiten äußerte, und, was am interessantesten war, einen Brief mit der Zusage, die Stelle anzutreten, von der Wunderwirkerin höchstselbst.

*Sehr geehrter Herr Dr. Maudsley,*

*vielen Dank für das Angebot, das Sie mir freundlicherweise unterbreitet haben.*

*Gerne trete ich die Stelle in Angelfield, wie von Ihnen vorgeschlagen, am 19. April an.*

*Meine Erkundigungen haben ergeben, dass die Züge nur bis Banbury fahren. Vielleicht lassen Sie mich wissen, wie ich von dort am besten nach Angelfield komme. Ich werde um halb elf am Bahnhof von Banbury eintreffen.*

*Mit freundlichen Grüßen,*
*Hester Barrow*

Hesters kräftige Großbuchstaben, die gleichmäßig geneigte Schrift, ein glatter Fluss in den nicht besonders langen Schleifen der G und Y. Die Schrift war nicht groß: klein genug, um Tinte und Papier zu sparen, doch groß genug, um leserlich zu sein. Es gab keine Schnörkel. Keine üppigen Kringel oder schwungvollen Ausschmückungen. Die Schönheit der Orthografie kam von einem Sinn für Ordnung, Ausgewogenheit und Proportion, die jeden Buchstaben kennzeichnete. Es war eine gute, saubere Handschrift. Sie war Wort gewordene Hester.

Rechts oben stand eine Adresse in London.

Gut, dachte ich, dann kann ich dich jetzt finden.

Ich griff zum Papier und verfasste, bevor ich mit meiner heutigen Niederschrift begann, einen Brief an den Ahnenforscher, den Vater mir empfohlen hatte. Es war ein ausführlicher Brief: Ich musste mich vorstellen, denn zweifellos wusste er nicht, dass Ivan Lea eine Tochter hatte; ich musste die Almanache zumindest erwähnen, um zu rechtfertigen, dass ich seine Zeit in Anspruch nahm; ich musste alles zusammentragen, was ich über Hester wusste: Neapel, London, Angelfield. Doch im Kern war mein Brief höchst simpel: Finden Sie Hester Barrow.

# NACH CHARLIE

Miss Winter sagte nichts zu meinem Briefwechsel mit ihrem Anwalt, obwohl sie zweifellos davon unterrichtet war, denn ohne ihre Zustimmung hätte er mir niemals die erbetenen Dokumente zugänglich gemacht. Ich hätte gerne gewusst, ob sie das als Schummeln betrachtete, als »Herumspringen in der Geschichte«, was sie so sehr missbilligte. Jedenfalls sagte sie an dem Tag, an dem ich das Bündel Briefe von Mr. Lomax empfing und mein Hilfegesuch an den Ahnenforscher schickte, kein Wort, sondern knüpfte einfach in ihrer Geschichte da an, wo sie aufgehört hatte, als gäbe es diesen postalischen Informationsaustausch nicht.

❧

Mit Charlies Verschwinden erlitten die Bewohner von Haus Angelfield den zweiten Verlust – den dritten, wenn man Isabelle mitrechnete, obwohl wir sie im Grunde bereits zwei Jahre zuvor verloren hatten, von daher zählte sie eigentlich nicht.

Sein Verschwinden bereitete John mehr Kopfzerbrechen als Hesters. Charlie mochte ein Einsiedler, ein Exzentriker, ein Eremit gewesen sein, aber er war nun einmal der Herr des Hauses. Vier Mal im Jahr setzte er nach der sechsten oder siebten Aufforderung seinen Schnörkel unter ein Papier, und die Bank stellte die nötigen Mittel für den Unterhalt des Hauses frei. Und jetzt war er verschwunden. Was würde nun aus dem Haus? Von welchem Geld sollten sie leben?

John machte ein paar schreckliche Tage durch. Er bestand darauf, den Kinderzimmertrakt zu reinigen. »Sonst macht es uns noch alle krank«, und wenn er den Gestank nicht länger ertrug, dann setzte er sich draußen auf die Treppe und schnappte wie ein Ertrinkender gierig nach frischer Luft. Abends nahm er ein ausgiebiges Bad, bei dem er jeweils ein ganzes Stück Seife verbrauchte, weil er sich derart gründlich schrubbte, dass seine Haut danach rosig glänzte. Er seifte sogar die Innenseite seiner Nasenlöcher ein.

Und er kochte. Wir hatten mitbekommen, dass die Missus beim Essenmachen irgendwann aus den Augen verlor, was sie tat. Dann zerkochte das Gemüse und brannte am Boden des Topfes an. Das Haus war nie ohne den Geruch nach verkohltem Essen. Eines Tages stand nun John in der Küche. Die Hände, die wir bis dahin erdverkrustet kannten und die vielleicht die Kartoffeln ausgegraben hatten, waren dabei, die Knollen mit der ockerfarbenen Schale zu waschen und zu schälen und auf dem Herd mit Kochtopfdeckeln zu scheppern. Wir aßen gutes Fleisch und Fisch mit reichlich Gemüse und tranken starken, heißen Tee. Die Missus saß in ihrem Sessel in einer Ecke der Küche und schien nicht mitzubekommen, dass dies einmal ihre Aufgaben gewesen waren. Am späteren Abend unterhielten sich die beiden immer nach dem Abwasch noch eine Weile am Tisch. Johns Gedanken kreisten um ein und dieselbe Sache. Was sollten sie nur machen? Wovon sollten sie leben? Was würde nur aus uns allen werden?

»Mach dir keine Sorgen, er kommt schon noch raus«, sagte die Missus.

Kommt raus? John seufzte und schüttelte den Kopf. Er hörte das nicht zum ersten Mal.

»Er ist nicht mehr da, Missus. Er ist weg, hast du das schon vergessen?«

»Weg!« Sie schüttelte den Kopf und lachte, als hätte er einen Witz gemacht.

Als sie erstmals von Charlies Verschwinden erfuhr, hatte die Neuigkeit kurz ihr Bewusstsein gestreift, aber keinen Platz gefunden, um sich einzunisten. Die Durchgänge, Flure und Treppenhäuser in ihrem Gehirn, die ihre Gedanken miteinander verbanden, aber auch voneinander trennten, hatten Schaden gelitten.

Wenn sie einen Gedanken aufnahm, dann folgte sie ihm durch Löcher in den Wänden, geriet in Tunnel, die unter ihren Füßen klafften, blieb unsicher und ein wenig verwirrt auf halbem Wege stehen: Was war da noch gleich…? Hatte sie nicht eben…? Wenn sie an Charlie dachte, der sich hinter der verschlossenen Tür des Kinderzimmers besinnungslos wegen seiner geliebten toten Schwester grämte, dann geriet sie jedes Mal, ohne es zu merken, in eine Zeitfalle und dachte an seinen Vater, der sich in seinem ersten übermäßigen Schmerz in der Bibliothek eingeschlossen und den Tod seiner Frau beklagt hatte. »Ich weiß, wie ich ihn da rausbekomme«, sagte sie mit einem Augenzwinkern. »Ich bringe ihm das Kind. Das wird funktionieren. Ich denke, ich gehe und sehe mal nach dem Baby.«

John erklärte ihr nicht noch einmal, dass Isabelle gestorben war, denn das hätte nur trauriges Entsetzen ausgelöst und zu den drängenden Fragen geführt, wie und weshalb es dazu gekommen war. »Eine Anstalt?«, rief sie dann erstaunt. »Aber wieso hat mir denn niemand gesagt, dass Miss Isabelle in einer Anstalt ist? Wenn ich nur an ihren Vater denke, wie abgöttisch er sie liebt! Das bringt ihn um!« Und an dieser Stelle verirrte sie sich in den zerstörten Korridoren der Vergangenheit, wo sie über die Tragödien von einst in einen Kummer verfiel, als wären sie erst gestern geschehen, während sie die Sorgen von heute nicht berührten. John hatte das schon ein halbes Dutzend Mal exerziert und brachte es nicht noch einmal übers Herz.

Langsam stemmte sich die Missus aus ihrem Sessel hoch und schlurfte mit mühsamen, schmerzhaften Schritten aus dem Raum, um nach dem Baby zu sehen, das in den Jahren, über denen in ihrem Gedächtnis eine Lücke klaffte, groß geworden war, geheiratet und Zwillinge bekommen hatte und gestorben war. John hielt sie nicht davon ab. Sie würde vergessen, wohin sie wollte, bevor sie auch nur die Treppe erreichte. Doch hinter ihrem Rücken legte er den Kopf in die Hände und seufzte.

Was sollte er tun? Wegen Charlie, wegen der Missus, wegen allem? Unablässig kreisten Johns Gedanken um diese Frage. Am Ende der Woche hatte er den Kinderzimmertrakt sauber, und im Lauf der Abende, an denen er sich das Hirn zermartert hatte, war so etwas wie ein Plan herangereift. Über Charlies Verbleib gab es weit und breit keine Neuigkeiten. Niemand hatte ihn gehen sehen, und niemand außerhalb des Hauses wusste, dass er verschwunden war. Angesichts seiner zurückgezogenen Lebensweise war es auch recht unwahrscheinlich, dass jemand von seiner Abwesenheit erfuhr. War er in irgendeiner Weise dazu verpflichtet, überlegte John, jemanden – den Doktor, den Anwalt – von Charlies Verschwinden zu benachrichtigen? Wie er die Frage auch drehte und wendete, lautete die Antwort ausnahmslos: Nein. Es war jedermanns Recht, sein Haus zu verlassen, wann immer er wollte, und wegzugehen, ohne seinen Angestellten zu sagen, wohin. John konnte nicht sehen, was es nutzen sollte, es dem Doktor zu sagen, dessen letzte Einmischung in die Angelegenheiten des Hauses wahrlich nichts Gutes gezeitigt hatte, und was den Anwalt betraf…

Hier wurden Johns Gedankengänge langsamer und komplizierter. Denn wer würde, kam Charlie nicht zurück, die Abhebungen von der Bank bewilligen? Er hatte eine vage Vorstellung davon, dass der Anwalt einzuschalten war, falls Charlie länger wegblieb, doch andererseits – es war nur natürlich, dass er sich sträubte. In Angelfield hatten sie seit Jahren der Welt den Rücken gekehrt. Hester war die Einzige gewesen, die von draußen hier eingedrungen war, und was hatte das angerichtet! Davon abgesehen, brachte er Anwälten ein instinktives Misstrauen entgegen. John hatte Mr. Lomax, einem Mann, der allem Anschein nach ein vernünftiger, anständiger Zeitgenosse war, nichts Besonderes vorzuwerfen. Doch er brachte es einfach nicht über sich, die Schwierigkeiten des Haushalts einem Menschen anzuvertrauen, der seinen Lebensunterhalt damit verdiente, seine Nase in die privaten Angelegenheiten anderer Leute zu stecken. Außerdem fragte er sich, ob der Anwalt sich damit zufrieden geben würde, Charlies Bankangelegenheiten abzuzeichnen, sodass John und die Missus weiter die Lebensmittel bezahlen konnten, wenn Charlies Verschwinden, so wie sein seltsames Benehmen schon seit geraumer Zeit, erst die Runde machte.

Nein. Er wusste genug über Anwälte, um sich darüber im Klaren zu sein, dass es nicht so einfach würde. Bei der Vorstellung, wie Mr. Lomax im Haus herumschnüffelte, wie er Türen öffnete, Schränke durchwühlte und in jeden dunklen Winkel der lang gehegten Schatten spähte, die die Welt von Angelfield ausmachten, dann kamen ihm große Bedenken. Da wäre kein Ende abzusehen.

Außerdem würde dem Anwalt ein einziger Besuch genügen, um zu sehen, dass die Missus nicht ganz beieinander war. Er würde darauf bestehen, den Doktor zu rufen. Und dann passierte mit der Missus dasselbe wie mit Isabelle. Sie würde fortgeschafft. Welchen Nutzen sollte das wohl haben?

Nein. Sie waren gerade einen Außenseiter losgeworden; das war nicht der rechte Zeitpunkt, den nächsten auf den Plan zu rufen. Da war es viel sicherer, private Dinge privat zu regeln, was, so wie die Dinge standen, bedeutete, dass er sie allein regelte.

Es hatte keine Eile damit. Die letzte Abhebung lag erst ein paar Wochen zurück, und so waren sie nicht ganz mittellos. Außerdem war Hester gegangen, ohne sich ihren Lohn auszahlen zu lassen, sodass sie über Bargeld verfügten, falls sie es nicht noch schriftlich erbat und die Situation bedenklich wurde. Die Kosten für Lebensmittel hielten sich im Rahmen. Der Garten bot Früchte und Gemüse für eine ganze Armee, und in den Wäldern wimmelte es von Raufußhühnern und Fasanen. Kam es dennoch hart auf hart – ein Notfall, eine Katastrophe (was das sein sollte, konnte John kaum sagen, denn war nicht das, was sie durchgemacht hatten, katastrophal genug? Konnte es tatsächlich noch schlimmer kommen? Die Antwort, so schwante ihm, lautete: Ja) –, dann kannte er jemanden, der ihm für ein paar Kröten diskret den einen oder anderen Kasten Bordeaux aus dem Weinkeller abnehmen würde.

»Fürs Erste werden wir über die Runden kommen«, sagte er eines Abends in der Küche über einer Zigarette zur Missus. »Die nächsten vier Monate sind, wenn wir haushalten, wohl zu schaffen. Was danach wird, kann ich nicht sagen. Dann müssen wir weitersehen.«

Mit diesen Scheingesprächen tröstete er sich selbst; er erwartete schon längst keine verständlichen Antworten mehr von der Missus, doch die Gewohnheit, mit ihr zu reden, war zu eingefleischt, um sie einfach aufzugeben. Also setzte er sich weiterhin ihr gegenüber an den Küchentisch, um seine Gedanken, seine Träume und seine Sorgen mit ihr zu teilen. Und wenn sie einmal antwortete – in einem Wortschwall, der keinen Sinn und Zusammenhang ergab und wilden Assoziationen folgte –, dann rätselte er über ihre Äußerungen und versuchte, zwischen ihrer Bemerkung und seiner Frage eine Beziehung herzustellen. Doch das Labyrinth in ihrem Kopf war zu verworren, als dass er sich darin zurechtfinden konnte, und der Faden, der sie von einem Wort zum nächsten führte, glitt ihr jedes Mal aus den Fingern.

Er sorgte für Essensnachschub aus dem Gemüsegarten. Er kochte, er schnitt der Missus auf ihrem Teller das Fleisch in kleine Stücke und schob sie ihr gabelweise in den Mund. Er schüttete ihren kalten Tee weg und machte ihr frischen. Er war kein Zimmermann, doch hier und da nagelte er neue Bretter über die alten, er leerte in den wichtigsten Räumen die Wasserbehälter aus. Er stand in der Mansarde, blickte in die Löcher im Dach und kratzte sich am Kopf. »Das werden wir richten müssen«, sagte er dann in entschlossenem Ton – doch es regnete nicht viel, und es schneite nicht, und es war eine Arbeit, die warten konnte. Es gab so viel anderes zu tun. Er wusch die Bettwäsche und Kleider. Von den Rückständen der Seifenflöckchen wurden sie beim Trocknen steif. Er häutete Kaninchen und rupfte Fasane, um sie zu braten. Er besorgte den Abwasch und reinigte den Spülstein. Er wusste, was zu tun war, denn er hatte der Missus Hunderte Male dabei zugesehen.

Von Zeit zu Zeit verbrachte er eine Stunde im Formschnittgarten, doch genießen konnte er es nicht. Die Freude, die der Garten ihm bereitete, wurde von der Frage überschattet, was in seiner Abwesenheit im Haus passierte. Außerdem hätte er für ein gutes Ergebnis mehr Zeit darauf verwenden müssen, als er zur Verfügung hatte. Am Ende pflegte er nur noch den Gemüsegarten und überließ den Rest sich selbst.

Nachdem wir uns an das neue Dasein gewöhnt hatten, besaß es durchaus seine angenehmen Seiten. Der Weinkeller erwies sich als reichhaltige, verschwiegene Quelle für die Haushaltskasse, und mit der Zeit hatte es ganz den Anschein, als ließe sich unsere Lebensweise aufrechterhalten. Am besten blieb Charlie einfach verschwunden. Unauffindbar verschollen, weder tot noch lebendig, konnte er niemandem schaden.

Folglich behielt ich mein Wissen für mich.

Im Wald befand sich ein Schuppen. Charlie und Isabelle waren früher zu dieser Hütte gelaufen, die, seit hundert Jahren nicht mehr in Gebrauch, von Dornen und Nesseln überwuchert war. Charlie ging dort auch noch hin, nachdem sie Isabelle in die Anstalt geschafft hatten. Ich musste es wissen, denn ich hatte ihn gesehen, wie er sich schnüffelnd und schniefend mit dieser alten Nadel Liebesbriefe in die Knochen geritzt hatte.

Es war am wahrscheinlichsten, dass er sich dort aufhielt. Also war ich nach seinem Verschwinden noch einmal zu der Hütte gegangen. Ich zwängte mich durch die Dornensträucher und die Hängepflanzen, die den Eingang überwucherten, roch den süßlichen Verwesungsgeruch, und dort, im Dämmerlicht des Schuppens, fand ich ihn tatsächlich. Zusammengesackt in einer Ecke, das Gewehr an seiner Seite, das Gesicht zur Hälfte weggerissen. Ich erkannte trotz der Maden die andere Hälfte. Es war zweifelsohne Charlie.

Ohne mich um die Nesseln und Dornen zu kümmern, trat ich rückwärts aus der Tür. Ich konnte nicht schnell genug vor diesem Anblick flüchten, doch das Bild verfolgte mich, und obwohl ich rannte, schien es unmöglich, diesem einäugigen starren Blick zu entkommen.

Wo konnte ich mich trösten?

Es gab ein Haus, das ich kannte. Ein einfaches, kleines

Haus im Wald. Ich hatte dort ein, zwei Mal etwas zu essen stibitzt. Dort ging ich hin. Ich versteckte mich am Fenster, um wieder Luft zu bekommen, und genoss die Nähe normalen Lebens. Und als ich nicht mehr so keuchte, stand ich nur da und sah der Frau da drinnen auf ihrem Sessel beim Stricken zu. Auch wenn sie nicht wusste, dass ich dort stand, beruhigte mich ihre Gegenwart wie die einer Großmutter aus dem Märchen, bis der Anblick von Charlies Leiche verblasste, meine Sicht nicht mehr getrübt und mein Herzschlag wieder langsam war.

Ich lief nach Angelfield zurück. Und ich sagte nichts. So waren wir zweifellos besser dran. Und für ihn spielte es ohnehin keine Rolle, oder?

Er war das erste von meinen Gespenstern.

☙

Ich hatte das Gefühl, als stünde der Wagen des Doktors eine Ewigkeit in Miss Winters Einfahrt. Bei meiner ersten Ankunft in Yorkshire kam er jeden dritten Tag, dann jeden zweiten, dann jeden Tag, und inzwischen kam er zwei Mal täglich. Ich musterte Miss Winter genau. Ich kannte die Fakten. Miss Winter war sterbenskrank. Doch sie schien nicht kränker, dem Tod nicht näher zu sein als in den ersten Tagen. Wenn auch dünn und sehr müde, so schien sie doch, sobald sie ihre Geschichte erzählte, aus einer Kraftquelle zu schöpfen, der Alter und Krankheit nichts anhaben konnten. Ich erklärte mir das Paradox, indem ich mir sagte, der konsequenten ärztlichen Behandlung sei es zu verdanken, dass Miss Winter noch am Leben war.

In Wahrheit hatte sich wohl, ohne dass ich es ihr angesehen hätte, ihr Gesundheitszustand dramatisch verschlechtert.

Denn wie sonst hätte ich mir Judiths unerwartete Ankündigung erklären sollen, mit der sie eines Morgens in mein Zimmer platzte. Aus heiterem Himmel ließ sie mich wissen, es gehe Miss Winter zu schlecht, um mich zu empfangen. Für ein, zwei Tage sei sie zu unseren Gesprächen nicht in der Lage. Da es hier nichts für mich zu tun gebe, könne ich ebenso gut einen Kurzurlaub einlegen.

»Einen Urlaub? Nachdem sie das letzte Mal ein solches Theater gemacht hat, würde ich eher denken, dass es ihr im Traum nicht einfallen würde, mich jetzt wegzuschicken. Und das so kurz vor Weihnachten!«

Obwohl Judith rot wurde, rückte sie keine weiteren Informationen heraus. Hier stimmte etwas nicht. Ich wurde aus dem Weg geschafft.

»Ich kann Ihnen einen Koffer packen, wenn Sie wollen?«, bot sie an. Sie lächelte beschwichtigend, denn sie wusste, dass mir ihre Heimlichtuerei nicht entging.

»Das schaffe ich schon allein.« Die Verärgerung machte mich patzig.

»Maurice hat seinen freien Tag, aber Dr. Clifton wird Sie zum Bahnhof fahren.«

Arme Judith. Sie hasste es, jemanden zu täuschen, und Ausflüchte lagen ihr nicht.

»Und Miss Winter? Ich würde sie gerne kurz sprechen, bevor ich fahre.«

»Miss Winter? Ich fürchte, sie …«

»Will mich nicht empfangen?«

»*Kann* Sie nicht empfangen.« Die Erleichterung stand ihr ins Gesicht geschrieben, als sie ehrlich und aufrichtig die Wahrheit sagen konnte. »Glauben Sie mir, Miss Lea. Sie *kann* es einfach nicht.«

Was immer Judith wusste, das wusste Dr. Clifton auch.

»In welchem Teil von Cambridge hat Ihr Vater denn seinen Laden?«, wollte er wissen. »Hat er auch etwas in Medizingeschichte auf Lager?« Ich antwortete knapp, da mir meine eigenen Fragen mehr unter den Nägeln brannten als seine, und so gab er seine Bemühungen, ein Gespräch in Gang zu halten, irgendwann auf. Als wir Harrogate erreichten, lastete Miss Winters Schweigen bedrückend zwischen uns.

## Nochmals Angelfield

Tags zuvor hatte ich mir im Zug hektische, lärmende Betriebsamkeit vorgestellt: lauthals gebrüllte Anweisungen und energische Mobilmachungssignale; Kräne, so ohrenbetäubend laut wie träge; Stein, der an Stein zerbirst. Stattdessen war es, als ich das Haupttor erreichte und auf die Abrissstelle blickte, reglos und still.

Es gab nichts zu sehen; der Nebeldunst, der über dem Ganzen hing, machte schon in kurzer Entfernung alles unsichtbar. Selbst der Pfad war nur schwer zu erkennen. Ich hob den Kopf und lief blind, indem ich mir den Weg von meinem letzten Besuch her und anhand von Miss Winters Schilderungen ins Gedächtnis rief. Die Karte, die ich im Kopf hatte, stimmte genau: Ich kam exakt in dem Moment in den Garten, als ich damit rechnete. Die dunklen Gestalten der Eiben ergaben – durch den leeren Hintergrund in die Fläche gedrängt – ein unscharf gemaltes Bühnenbild. Wie ätherische Bowlerhüte schwebte ein Paar Kuppelformen auf dem wolkenartigen Nebel, während sich die Stämme, auf denen sie ruhten, im weißen Einerlei verloren. Nach sechzig Jahren waren sie aus der Fasson, doch an einem Tag wie diesem war es leicht, sich vorzustellen, dass nicht die wuchernden Triebe, sondern der Nebeldunst die Geometrie ihrer Formen verschwimmen ließ und dass sie, klarte er auf, in all ihrer mathematischen Perfektion dastünden und statt auf dem Boden einer Abrissstelle, einer Ruine, im Garten eines intakten Hauses wuchsen.

Ein halbes Jahrhundert war bereit, mit den ersten Strahlen der Wintersonne zu verdunsten.

Ich hielt mir das Handgelenk dicht vors Gesicht und sah nach, wie spät es war. Ich hatte mich mit Aurelius verabredet. Aber wie sollte ich ihn in der Nebelsuppe finden? Ich konnte ewig herumwandern, ohne ihn zu sehen, selbst wenn er auf Armlänge an mir vorbeimarschierte.

Ich rief laut: »Hallo!«, und zur Antwort wurde die Stimme eines Mannes herübergetragen: »Hallo!«

Unmöglich, zu sagen, ob er weit weg oder in der Nähe war.

»Wo sind Sie?«

Ich stellte mir Aurelius vor, wie er in den Nebel starrte und nach einem Anhaltspunkt suchte.

»Ich bin neben einem Baum.« Die Worte klangen gedämpft.

»Ich auch«, rief ich zurück. »Ich glaube, Ihr Baum ist nicht derselbe wie meiner, Sie klingen so weit weg.«

»Sie klingen aber ziemlich nah.«

»Tatsächlich? Wie wär's, wenn Sie einfach stehen blieben und weiterredeten, und ich finde Sie.«

»Ein ausgezeichneter Plan. Auch wenn ich mir was einfallen lassen muss, um zu reden. Ganz schön schwer, auf Kommando zu reden, wenn es sonst so einfach ist. Was für grausiges Wetter wir haben. So eine Suppe hab ich noch nie erlebt.«

Und so dachte Aurelius weiter laut nach, während ich in eine Wolke trat und dem roten Faden seiner Stimme folgte.

In dem Moment sah ich ihn. Ein Schatten, der bleich im wässrigen Licht an mir vorüberglitt. Ich glaube, ich wusste, dass es nicht Aurelius war. Ich nahm ganz plötzlich bewusst meinen Herzschlag wahr, und halb hoffnungsvoll, halb ängstlich streckte ich die Hand aus. Die Gestalt wich mir aus und verschwamm.

»Aurelius?« Meine Stimme klang in meinen eigenen Ohren zittrig.

»Ja?«

»Sind Sie noch da?«

»Selbstverständlich.«

Seine Stimme kam aus der völlig falschen Richtung. Was hatte ich gesehen? Es war nicht Aurelius. Es musste ein Effekt des Nebels gewesen sein. Trotz meiner Angst vor dem, was ich noch zu sehen bekommen würde, wenn ich wartete, stand ich still, starrte in die wässrige Luft und versuchte, die Gestalt mit dem Willen noch einmal heraufzubeschwören.

»Aha! Da sind Sie ja!«, dröhnte eine mächtige Stimme hinter mir. Kaum drehte ich mich zu Aurelius um, packte er mich mit seinen in Fäustlingen steckenden Händen an den Schultern. »Du liebe Güte, Margaret, Sie sind ja bleich wie die Wand. Man könnte meinen, Sie hätten ein Gespenst gesehen!«

Zusammen gingen wir durch den Garten. In seinem Mantel schien Aurelius größer und breiter, als er war. Neben ihm fühlte ich mich in meinem nebelgrauen Regenmantel beinahe körperlos.

»Wie geht's mit Ihrem Buch voran?«

»Im Moment besteht es nur aus. Gesprächsnotizen. Und meinen Recherchen.«

»Heute sind Recherchen dran, stimmt's?«

»Ja.«

»Was müssen Sie wissen?«

»Ich möchte nur ein paar Fotos machen. Allerdings ist, glaube ich, das Wetter gegen mich.«

»Keine Stunde und Sie werden alles richtig zu sehen bekommen. Dieser Nebel wird sich nicht lange halten.«

Wir kamen zu einer Art Gehweg mit Eibenkegeln zu beiden Seiten, die so wild gewuchert waren, dass sie beinahe eine Hecke bildeten.

»Weshalb kommen *Sie* hierher, Aurelius?«

Wir schlenderten zum Ende des Pfades, stießen an eine Eibenwand, doppelt so hoch wie Aurelius, und folgten ihr. Mir fiel auf, dass Gras und Blätter zu glitzern begannen; die Sonne war herausgekommen. Die Feuchtigkeit in der Luft verdunstete, und der sichtbare Umkreis dehnte sich mit jeder Minute aus. Unsere Eibenwand hatte uns um eine leere Mitte im Kreis geführt; wir waren am selben Pfad angelangt, auf dem wir hergekommen waren.

Als meine Frage sich schon so in der Zeit verflüchtigt hatte, dass ich nicht einmal sicher war, ob ich sie gestellt hatte, antwortete Aurelius. »Ich bin hier geboren.«

Ich blieb abrupt stehen. Aurelius schien nicht zu merken, welche Wirkung seine Worte erzeugten, und schlenderte weiter. Ich musste fast ein paar Schritte rennen, um ihn einzuholen. Ich packte ihn am Ärmel seines Mantels. »Ist das wahr? Sind Sie wirklich hier geboren?«

»Ja.«

»Wann?«

Er antwortete mit einem seltsam traurigen Lächeln. »An meinem Geburtstag.«

Ohne nachzudenken, bohrte ich weiter. »Ja, aber wann?«

»Vermutlich irgendwann im Januar. Vielleicht auch Februar. Vielleicht sogar Ende Dezember. Vor sechzig Jahren, grob geschätzt. Ich fürchte, mehr weiß ich nicht.«

Ich runzelte die Stirn, als mir wieder einfiel, was er über Mrs. Love gesagt hatte und darüber, keine Mutter zu haben. Doch unter welchen Umständen wusste ein Adoptivkind so wenig über seine Herkunft, dass es nicht einmal seinen Geburtstag kennt?

»Wollen Sie damit sagen, Aurelius, dass Sie ein Findelkind sind?«

»Ja. So nennt man das, was ich bin. Ein Findelkind.«

Mir fehlten die Worte.

»Ich denke, man gewöhnt sich dran«, sagte er, und es tat mir Leid, dass er mich über seinen Verlust hinwegtrösten musste.

»Wirklich?«

Er betrachtete mich mit einem seltsamen Ausdruck, als überlegte er, wie viel er mir sagen sollte. »Nein, eigentlich nicht.«

Mit dem langsamen, schweren Schritt von Invaliden nahmen wir unseren Spaziergang wieder auf. Der Nebel war fast verschwunden. Die magischen Gestalten des Formschnittgartens hatten ihren Zauber verloren und waren nur mehr zerzauste Büsche und Hecken.

»Dann hat also Mrs. Love Sie ...«

»... gefunden. Ja.«

»Und Ihre Eltern ...«

»Keine Ahnung.«

»Aber Sie wissen, dass es hier war? In diesem Haus?«

Aurelius schob seine Hände tief in die Manteltaschen. Seine Schultern spannten sich an. »Ich erwarte von anderen Menschen nicht, dass sie es verstehen. Ich habe keine Beweise. Aber ich weiß es.« Er warf mir einen kurzen Blick zu, den ich mit der stummen Aufforderung erwiderte, weiterzuerzählen.

»Manchmal weiß man solche Dinge. Dinge über einen selber. Dinge aus einer Zeit, bevor die Erinnerung einsetzt. Ich kann es nicht erklären.«

Ich nickte, und Aurelius fuhr fort.

»In der Nacht, in der ich gefunden wurde, gab es hier ein großes Feuer. Das hat mir Mrs. Love erzählt, als ich neun Jahre alt war. Sie hielt es für besser, es mir zu sagen, wegen des Brandgeruchs, den ich an meinen Kleidern hatte, als sie mich fand.

Später bin ich dann hergekommen, um mir Angelfield anzusehen. Und seitdem komme ich immer wieder. Ich habe dann auch in den Archiven der hiesigen Zeitung die Artikel über den Brand gelesen. Jedenfalls …«

Sein Tonfall war typisch für jemanden, der unbekümmert wirken will, wenn er etwas äußerst Wichtiges zu erzählen hat, eine derart gefühlsbesetzte Geschichte, dass sie mit Beiläufigkeit kaschiert werden muss, für den Fall, dass der Zuhörer sich als wenig taktvoll erweist.

»Jedenfalls wusste ich es in dem Moment, als ich herkam. Hier bin ich zu Hause, sagte ich mir. Hier komme ich her. Es gibt keinen Zweifel daran, ich weiß es einfach.«

Bei den letzten Worten hatte Aurelius den beiläufigen Tonfall aufgegeben und mit Inbrunst gesprochen. Er räusperte sich. »Natürlich erwarte ich von keinem, dass er mir glaubt. Ich habe keine Beweise in der Hand. Nur die Übereinstimmung der Daten und Mrs. Loves vage Erinnerung an den Brandgeruch – und meine eigene Überzeugung.«

»Ich glaube Ihnen«, sagte ich.

Aurelius biss sich auf die Lippe und warf mir einen misstrauischen Blick von der Seite zu.

Seine Bekenntnisse und dieser Nebel hatten unversehens eine Vertrautheit zwischen uns aufkommen lassen, und ich merkte, wie ich kurz davor war, ihm zu erzählen, was ich noch keinem Menschen anvertraut hatte. Die Worte flogen mich fertig ausformuliert an, verknüpften sich automatisch zu Sätzen, die ich schon ungeduldig auf der Zunge hatte. Als hätten sie schon seit Jahren auf der Lauer gelegen und nur auf diesen Moment gewartet.

»Ich glaube Ihnen«, wiederholte ich und merkte, wie meine Zunge von all den aufgestauten Worten schwer geworden war. »Ich kenne dieses Gefühl. Dass man Dinge weiß, die man eigentlich nicht wissen kann. Aus der Zeit, bevor die Erinnerungen einsetzen.«

Und da war es wieder! Eine plötzliche Bewegung im äußersten Winkel meines Blickfelds, ebenso schnell da wie verschwunden.

»Haben Sie das gesehen, Aurelius?«

Er folgte meinem Blick zu den Formschnittpyramiden und darüber hinaus. »Was gesehen? Nein, ich habe nichts gesehen.«

Es war weg. Oder es war überhaupt nicht da gewesen.

Ich drehte mich wieder zu Aurelius um, doch mein Mut war verflogen. Der Zeitpunkt für Bekenntnisse war vorübergegangen.

»Haben Sie einen Geburtstag?«, fragte Aurelius.

»Ja, habe ich.«

Alle meine unausgesprochenen Worte kehrten dorthin zurück, wo sie all die Jahre über gewesen waren.

»Ich schreibe ihn mir auf, ja?«, sagte er strahlend. »Dann kann ich Ihnen eine Karte schicken.«

Ich setzte ein Lächeln auf. »Er ist tatsächlich schon bald.«

Aurelius öffnete ein kleines, blaues Notizbuch mit Monatseinteilung.

»Am neunzehnten«, verriet ich ihm, und er schrieb es mit einem winzigen Bleistift auf, der in seiner riesigen Hand wie ein Zahnstocher wirkte.

# Mrs. Love wendet die Ferse

Als es zu regnen anfing, schlugen wir die Kapuzen hoch und liefen zügig zur Kapelle, um dort Schutz zu suchen. Unter dem Vordach tanzten wir einen kleinen Jig, um unsere Mäntel abzuschütteln, und gingen dann hinein.

Wir saßen auf der Bank in der Nähe des Altars, und ich starrte an die blasse, gewölbte Decke, bis mir schwindelig wurde.

»Erzählen Sie mir, wie Sie gefunden wurden«, sagte ich. »Was wissen Sie darüber?«

»Ich weiß, was mir Mrs. Love darüber erzählt hat«, erwiderte er. »Das kann ich Ihnen sagen. Und natürlich ist da immer noch meine Erbschaft.«

»Sie haben eine Erbschaft gemacht?«

»Ja. Es ist nicht viel. Nicht das, was man normalerweise unter einer Erbschaft versteht, aber egal. Ich könnte sie Ihnen später sogar zeigen.«

»Das wäre nett.«

»Ja... Weil ich nämlich gedacht hab, dass neun Uhr zum Kuchenessen zu nah am Frühstück ist, nicht wahr?« Während er das sagte, verzog er bedauernd das Gesicht, doch dann strahlte er und sagte: »Also hab ich mir gedacht, lad Margaret zum zweiten Frühstück ein, so um elf. Kaffee und Kuchen, wie finden Sie das? Sie könnten sich ruhig ein wenig päppeln lassen. Und gleichzeitig zeige ich Ihnen mein Erbe. Das Bisschen, das es da zu sehen gibt.«

Ich nahm seine Einladung an.

Aurelius zog seine Brille aus der Tasche und fing an, sie geistesabwesend mit einem Taschentuch zu putzen.

»Also.« Er holte langsam Luft und atmete langsam aus. »So wie ich es gehört habe. Mrs. Love und ihre Geschichte.«

Sein Ausdruck wechselte zu passiver Neutralität, ein Zeichen dafür, wie bei allen Geschichtenerzählern, dass er in den Hintergrund trat, damit die Geschichte selbst zu Worte kam. Und dann trug er vor, und vom ersten Satz an war es, als hörte ich Mrs. Love selber reden, als hätte er sie durch die Erinnerung an die Geschichte noch einmal auferstehen lassen.

Ihre Geschichte und die von Aurelius und vielleicht auch die von Emmeline.

❧

An jenem Abend war der Himmel pechschwarz, und ein Unwetter braute sich zusammen. In den Baumwipfeln pfiff der Wind, und der Regen prasselte derart nieder, dass er die Scheiben einzuschlagen drohte. Ich strickte in diesem Sessel hier beim Feuer an einer grauen Socke, dem zweiten, und ich wendete gerade die Ferse. Nun ja, ich fröstelte irgendwie. Du musst nicht denken, dass ich fror. Ich hatte einen ansehnlichen Stapel Scheite im Korb, die ich an diesem Nachmittag aus dem Schuppen hereingeholt hatte, und ich hatte eben erst einen neuen Scheit aufgelegt. Mir war also nicht kalt, kein bisschen, aber ich dachte: Was für eine Nacht! Bin ich froh, dass ich in so einer Nacht nicht so ein armes Ding war, das irgendwo weit weg von daheim dem Unwetter hilflos ausgesetzt war, und davon, dass ich an dieses arme Ding denken musste, wurde mir kalt.

Drinnen war es vollkommen still, bis auf das Knistern des Feuers dann und wann und das Klicken der Stricknadeln und meine Seufzer. Meine Seufzer? Nun ja, meine Seufzer. Weil ich nicht glücklich war, weil ich meinen Erinnerungen verfallen war, und das ist eine schlechte Angewohnheit für eine Frau von fünfzig Jahren. Ich hatte ein warmes Feuer, ein Dach über dem Kopf und ein warmes Essen im Bauch, aber war ich deshalb zufrieden? Keineswegs. Und so saß ich da und seufzte über meiner grauen Socke, während es unablässig regnete. Nach einer Weile stand ich auf, um mir ein Stück Pflaumenkuchen aus der Speisekammer zu holen, so richtig schön mürbe und mit Branntwein getränkt. Hat mir immer gute Laune gemacht. Doch als ich mich wieder setzte und mein Strickzeug nahm, überschlug sich fast mein Herz. Und weißt du, wieso? Ich hatte die Ferse zwei Mal gewendet!

Also, das ärgerte mich, und zwar so richtig, ich bin nämlich eine ordentliche Strickerin, nicht so huschdihusch wie meine Schwester Kitty und auch nicht halb blind wie meine arme, alte Mutter, als es mit ihr zu Ende ging. Ich hatte diesen Fehler nur zwei Mal zuvor im Leben gemacht.

Das erste Mal, da war ich noch ein junges Ding. An einem sonnigen Nachmittag. Ich saß an einem offenen Fenster und genoss den Duft von all den Blüten im Garten. Da war es eine blaue Socke. Für… na ja, für einen jungen Mann. Meinen Liebsten. Ich werd seinen Namen nicht verraten, das muss nicht sein. Also, ich hatte meinen Träumen nachgehangen. Wie dumm von mir. Weiße Kleider und weiße Kuchen und eine Menge Blödsinn dieser Art. Und plötzlich sehe ich runter und merke, dass ich die Ferse zwei Mal gewendet habe. Da war sie, direkt vor meiner Nase. Ein gerippter Teil des Beins, eine Ferse, noch mal Rippen für den Fuß und dann: eine zweite Ferse. Ich musste laut lachen. Es machte nichts. Kein Problem, ich konnte das schnell wieder in Ordnung bringen.

Ich hatte bereits die Nadeln rausgezogen, als Kitty den Gartenpfad entlanggerannt kam. Was hat sie denn?, dachte ich.

Woher die Eile? Mir fiel sofort auf, dass ihr Gesicht grünlichweiß war, und in dem Moment, als sie mich durchs Fenster sah, blieb sie schlagartig stehen. Da wusste ich, dass es nicht für sie, sondern für mich schlechte Neuigkeiten gab. Sie machte den Mund auf, doch sie brachte nicht mal meinen Namen heraus. Sie weinte. Und dann rückte sie damit heraus.

Es hatte einen Unfall gegeben. Er war mit seinem Bruder draußen gewesen, mein junger Liebster. Auf der Jagd nach Raufußhühnern. Wo sie eigentlich nix zu suchen hatten. Jemand sah sie, und sie bekamen es mit der Angst zu tun. Rannten los. Daniel, der Bruder, kam als Erster zum Zauntritt und hopste rüber. Mein Liebster, der war zu hastig. Sein Gewehr verfing sich im Zaun. Er hätte es langsamer angehen, sich Zeit nehmen sollen. Er hörte Schritte hinter ihnen und geriet in Panik. Er zerrte an dem Gewehr. Den Rest kann ich mir sparen, nicht wahr?

Ich trennte meinen Strickstrumpf auf. All die kleinen Maschen, die man Reihe um Reihe strickt, bis ein Strumpf draus wird, die hab ich aufgetrennt. Es ist leicht. Nimm die Nadeln raus, zieh ein bisschen am Faden, und sie fallen auseinander. Eine nach der anderen, Reihe um Reihe. Ich trennte die zusätzliche Ferse auf und machte einfach weiter. Dann gab es nichts mehr aufzutrennen. Zurück blieb ein Haufen gekräuselte blaue Wolle auf meinem Schoß. Wahrscheinlich habe ich die Wolle zu einem Knäuel gewickelt, um etwas anderes daraus zu machen, aber daran kann ich mich nicht erinnern.

Das zweite Mal, dass mir das Missgeschick mit der Ferse passiert ist, war, als ich alt zu werden begann. Kitty und ich saßen hier zusammen am Feuer. Es war ein Jahr her, dass ihr Mann gestorben war, und kurz darauf war sie zu mir gezogen. Es geht ihr schon so viel besser, dachte ich. Sie lächelte häufiger. Fing an, sich für Dinge zu interessieren. Sie konnte seinen Namen hören, ohne dass ihr die Tränen kamen. Wir saßen hier, und ich strickte – ein hübsches Paar Bettsocken für Kitty, aus ganz weicher Lammwolle, rosa, passend zu ihrem Morgenrock –, und sie hatte ein Buch auf dem Schoß. Sie kann aber nicht gelesen haben, denn sie sagte: »Joan, du hast ja die Ferse ein zweites Mal gewendet.«

Ich hielt meine Arbeit hoch und sah, dass es stimmte. »Hol mich doch der Teufel«, sagte ich.

Sie sagte, wenn sie es gewesen wäre, hätte sie sich nicht gewundert. Mehr als einmal hatte sie eine Socke für ihren Mann gestrickt, der die Ferse fehlte, nur ein Bein und eine Zehe. Wir lachten. Aber bei mir sei sie doch verwundert, sagte sie. Es sehe mir nicht ähnlich, so geistesabwesend zu sein.

»Na ja«, sagte ich, »der Fehler ist mir schon mal passiert, nur ein einziges Mal.« Und ich erinnerte sie an alles über meinen jungen Liebsten. Und während ich in meinen Erinnerungen kramte, trennte ich die überflüssige Ferse auf und fing an, es richtig zu machen. Musste mich ein bisschen konzentrieren, und dabei wurde es allmählich dunkel. Ich brachte meine Geschichte zu Ende, und sie sagte nichts, und ich dachte, sie denkt an ihren Mann. Ich rede darüber, wie ich meinen Liebsten vor so vielen Jahren verloren hab, und dabei liegt ihr Verlust erst so kurze Zeit zurück.

Es war inzwischen dunkel geworden, daher legte ich das Strickzeug weg und sah auf. »Kitty?«, sagte ich. »Kitty?« Es kam keine Antwort. Einen Moment lang dachte ich, sie wäre eingeschlafen. War sie aber nicht.

Sie sah so friedlich aus. Sie hatte ein Lächeln auf den Lippen. Als sei sie froh, wieder bei ihm zu sein. Bei ihrem Mann. Während ich auf die Bettsocke gestarrt und mit meiner alten Geschichte drauflosgeplappert hatte, war sie zu ihm gegangen.

Deshalb beunruhigte es mich an jenem Abend mit dem pechschwarzen Himmel, dass ich eine zweite Ferse eingestrickt hatte. Einmal hatte ich das getan und meinen jungen Liebsten verloren. Beim zweiten Mal meine Schwester. Jetzt ein drittes Mal. Es gab niemanden mehr zu verlieren. Ich war allein übrig geblieben.

Ich betrachtete die Socke. Graue Wolle, sehr schlicht. Sie war für mich bestimmt.

Vielleicht macht es nichts, sagte ich mir. Wer würde mich schon vermissen? Niemand würde darunter leiden, wenn ich ginge. Und außerdem hatte ich, anders als mein junger Liebster, ein Leben *gehabt.* Ich dachte an diesen Ausdruck in Kittys Gesicht, diesen glücklichen, friedlichen Ausdruck. So schlimm kann der Tod also nicht sein.

Ich machte mich daran, die zweite Ferse aufzutrennen. Wozu?, kann man sich fragen. Nun ja, ich wollte eben nicht, dass man mich damit findet. »Dumme, alte Frau«, hörte ich sie schon sagen. »Sie haben sie mit dem Strickzeug auf dem Schoß gefunden, und wisst ihr was? Sie hatte ihre Ferse zwei Mal gewendet.« Ich wollte nicht, dass sie so über mich sprechen. Also trennte ich das Gestrick auf. Und dabei machte ich mich innerlich bereit zu gehen.

Ich weiß nicht, wie lange ich so dasaß, doch irgendwann drang mir ein Geräusch ans Ohr. Von draußen. Ein Schrei, wie von einem verirrten Tier. Ich war so sehr in meine Gedanken vertieft und hatte nicht damit gerechnet, dass jetzt noch irgendetwas zwischen mich und mein Ende treten würde, deshalb nahm ich zuerst keine Notiz davon. Doch ich hörte es wieder. Es schien nach mir zu rufen, denn wer sonst sollte es hier draußen in der Wildnis hören? Ich dachte, es ist vielleicht eine Katze, die ihre Mutter verloren hat oder so. Obwohl ich mich darauf gefasst machte, meinem Herrgott gegenüberzutreten, wurde ich die Vorstellung von dieser kleinen Katze mit ihrem nassen Fell nicht los. Und ich dachte mir, dass ich gleich sterben werde, ist noch lange kein Grund, einem Geschöpf Gottes nicht noch ein bisschen Wärme und etwas zu fressen zu geben. Und ehrlich gesagt, hatte ich auch nichts dagegen, in diesem Moment etwas Lebendiges bei mir zu haben. Also ging ich zur Tür.

Und was fand ich dort?

Unter dem Vordach vor dem Regen geschützt: ein Baby! Es lag da in Leinen gewickelt und wimmerte wie ein Kätzchen. Armer kleiner Wurm! Du hast gefroren, du warst nass und hattest Hunger. Ich traute meinen Augen nicht. Ich bückte mich und hob dich auf, und in dem Moment, als du mich sahst, hast du aufgehört zu weinen.

Ich blieb nicht lange vor der Tür. Du brauchtest was zu essen und was Trockenes anzuziehen, deshalb hab ich wirklich nicht lange im Eingang herumgestanden. Nur ein kurzer Blick in die Runde. Nichts zu sehen. Niemand weit und breit. Nur der Wind, der in den Zweigen raschelte, die Bäume am Waldrand und – das war allerdings seltsam – Rauch, der drüben über Angelfield aufstieg.

Ich hab dich an mich gedrückt, bin reingegangen und hab die Tür zugemacht.

Zwei Mal hat der Tod mich heimgesucht. Beim dritten Mal klopfte das Leben an die Tür. Da hab ich gelernt, nicht allzu viel in Zufälle hineinzulesen. Außerdem hatte ich danach sowieso keine Zeit mehr, allzu viel an den Tod zu denken.

Ich hatte an dich zu denken.

Und so lebten wir glücklich bis ans Ende unserer Tage.

ꟹ

Aurelius schluckte. Seine Stimme war heiser und gebrochen. Die Worte waren wie ein Sprechgesang aus ihm herausgesprudelt, Worte, die er als Junge von Mrs. Love tausend Mal gehört hatte, um sie sich als Mann jahrzehntelang immer und immer wieder ins Gedächtnis zu rufen.

Als die Geschichte zu Ende war, saßen wir schweigend da und betrachteten den Altar. Draußen regnete es gemächlich weiter. Aurelius wirkte so reglos wie eine Statue an meiner Seite, im Gegensatz, wie ich vermutete, zum Aufruhr in seinen Gedanken.

Es gab vieles, was ich hätte sagen können, doch ich sagte nichts, sondern wartete, bis er selber so weit war, in die Gegenwart zurückzukehren.

Endlich sagte er zu mir: »Die Sache ist nur, dass es nicht meine Geschichte ist, nicht wahr? Ich meine, sicher, ich komme darin vor, aber es ist nicht meine Geschichte. Es ist Mrs. Loves Geschichte. Der Mann, den sie heiraten wollte, ihre Schwester Kitty, ihre Strickarbeit, ihr Gebäck. Das ist alles ihre Geschichte. Und genau in dem Moment, als sie denkt, es geht zu Ende, erscheine ich auf der Bildfläche und gebe ihrem Leben stattdessen einen neuen Anfang. Aber deshalb ist es noch lange nicht meine Geschichte, oder? Denn bevor sie die Tür aufmachte, bevor sie das nächtliche Wimmern hörte, bevor ...«

Außer Atem, sprach er nicht weiter, sondern machte eine Handbewegung, wie um seinen Satz abzuschneiden, und dann setzte er von Neuem an: »Denn bevor man ein Baby findet, einfach so findet, das ganz allein ist, im Regen, das heißt doch, dass ...«

Noch eine verzweifelte, wegwischende Geste mit beiden Händen, während sein Blick wie wild über die Gewölbedecke schweifte, als könnte er dort irgendwo das Verb entdecken, das er brauchte, um endlich zu verorten, was er sagen wollte.

»Denn da Mrs. Love *mich gefunden hat,* kann das nur bedeuten, dass jemand anderes, eine andere Person, eine *Mutter,* mich …«

Da hatten wir es. Das Verb.

Sein Gesicht erstarrte in purer Verzweiflung. Seine Hände blieben auf halbem Wege in einer gequälten Geste stecken, die eine Bitte oder ein Gebet zu sein schien.

Es gibt Zeiten, in denen das Gesicht und der Körper eines Menschen die Sehnsucht des Herzens so präzise ausdrücken können, dass man darin, wie es so schön heißt, wie in einem offenen Buch lesen kann. Ich las in Aurelius.

*Lass mich nicht im Stich.*

Ich berührte seine Hand, und es kehrte wieder Leben in die Statue zurück.

»Es hat keinen Sinn zu warten, bis der Regen aufhört«, flüsterte ich. »Es hat sich eingeregnet. Meine Fotos können warten. Wir können genauso gut gehen.«

»Ja«, sagte er mit einem rauen Unterton. »Das können wir.«

# Das Erbe

Es sind anderthalb Meilen Luftlinie von hier«, sagte er und wies Richtung Wald. »Auf der Straße ist es weiter.«

Wir durchquerten den Wildpark und hatten fast den Waldrand erreicht, als wir Stimmen hörten. Es war eine Frauenstimme, die verschwommen durch den Regen die Kieseinfahrt hinauf bis zu ihren Kindern drang und über den Park hinweg bis zu uns. »Ich hab's dir doch gesagt, Tom. Es ist zu nass. Sie können bei diesem Regen nicht arbeiten.« Die Kinder waren enttäuscht stehen geblieben, als sie die stillgelegten Kräne und Maschinen sahen. Mit ihren Südwestern auf den blonden Köpfen konnte ich sie nicht auseinander halten. Die Frau holte sie ein, und die Familie, alle in Regenmänteln, drängte sich zu einer kurzen Lagebesprechung zusammen.

Aurelius war von dem Familientableau entzückt.

»Die hab ich schon mal gesehen«, sagte ich. »Kennen Sie sie?«

»Sie sind eine Familie. Sie wohnen in The Street. Dem Haus mit der Schaukel. Karen versorgt hier das Wild.«

»Jagen sie hier immer noch?«

»Nein. Sie kümmert sich nur drum. Sie sind eine nette Familie.«

Neidisch schaute er ihnen hinterher, dann riss er sich mit einem Kopfschütteln los. »Mrs. Love war sehr gut zu mir«, sagte er, »ich habe sie geliebt. Der Rest...« Er machte eine abschätzige Handbewegung und wandte sich Richtung Wald. »Kommen Sie, gehen wir nach Hause.«

Die Familie war offenbar zu derselben Entscheidung gelangt, denn alle machten kehrt und liefen zum Eingangstor zurück.

Aurelius und ich wanderten in stiller Freundschaft durch den Wald.

Es gab keine Blätter, die das Licht abhielten, und die Zweige, vom Regen geschwärzt, reckten sich dunkel über den nassen Himmel. Jedes Mal, wenn er den Arm ausstreckte, um tief hängende Zweige zurückzubiegen, ging ein zusätzlicher Sprühregen auf uns nieder. Wir kamen an einen umgefallenen Baum, lehnten uns darüber und starrten in die dunkle Regenlache, die sich in seiner Senke gebildet hatte, sodass die verfaulende Rinde fast so weich wie Fell geworden war.

Schließlich verkündete Aurelius: »Wir sind da.«

Es war ein kleines Cottage aus Stein. Eher widerstandsfähig als schmuck, jedoch in seiner schlichten, soliden Form gleichwohl schön anzusehen. Aurelius führte mich um das Haus herum. War es hundert oder zweihundert Jahre alt? Schwer zu sagen. Bei dieser Bauweise machten hundert Jahre kaum einen Unterschied. Außer dass sich an der Rückseite ein großer, neuer Anbau befand, fast so groß wie das Haus selbst, der ganz von einer Küche eingenommen wurde.

»Mein Allerheiligstes«, sagte er, als er mich hineinführte.

Ein wuchtiger Ofen aus rostfreiem Stahl, weiße Wände, zwei geräumige Kühlschränke – eine richtige Küche für einen richtigen Koch.

Aurelius zog einen Stuhl für mich heran, und ich setzte mich an einen kleinen Tisch, der neben einem Bücherregal stand. Die Regale waren mit Kochbüchern gefüllt, auf Englisch, Französisch und Italienisch. Eines dieser Bücher lag im Unterschied zu den anderen auf dem Tisch. Es war eine dicke, alte Kladde mit angeschlagenen, abgerundeten Ecken, in braunes Papier eingepackt, das vom jahrzehntelangen Hantieren mit butterverschmierten Fingern durchscheinend geworden war. Jemand hatte in altmodischer, kindlicher Schönschrift und in Großbuchstaben »REZEPPTE« auf den Umschlag geschrieben. Einige Jahre später hatte jemand mit einem anderen Füllfederhalter das zweite P durchgestrichen.

»Darf ich?«, fragte ich.

»Aber sicher.«

Ich schlug das Buch auf und fing an zu blättern: Victoria-Biskuit, Dattel-Nuss-Kuchen, Scones, Ingwerkuchen und Käsetorte, Mandelhörnchen, gedeckter Apfel… mit jeder Seite wurden Handschrift und Orthografie ein wenig besser.

Aurelius drehte am Herd an einem Knauf und stellte mit geübtem Griff als Nächstes seine Zutaten zusammen. Nachdem nun alles in Reichweite war, brauchte er, ohne hinzusehen, den Arm nur nach einem Sieb oder Messer auszustrecken. Er bewegte sich in seiner Küche so, wie Autofahrer in ihrem Wagen die Gänge schalten, indem eine Hand zielsicher nach etwas griff, ohne dass er den Blick von der Schüssel wandte, in der er die Zutaten mischte. Er siebte Mehl, schnitt Butter in Würfel und eine Orangenschale in Streifen. Es wirkte so selbstverständlich wie das Atmen.

»Sehen Sie den Schrank da?«, fragte er. »Da, links von Ihnen? Würden Sie den wohl für mich öffnen?«

Ich dachte, er brauchte ein Küchengerät, und machte die Schranktür auf.

»Sie finden da drin einen Beutel an einem Haken.«

Es war eine Art Tasche, alt und seltsam geformt. Die Seiten waren nicht vernäht, sondern nur festgesteckt. Sie wurde mit einer Schnalle und einem langen, breiten Lederriemen geschlossen, der an beiden Enden mit einer rostigen Öse befestigt war, sodass man sich das Ganze wohl diagonal über die Schulter hängen konnte. Das Leder war spröde und rissig, und das Segeltuch, früher wohl einmal beige, hatte mit der Zeit eine undefinierbare Farbe angenommen.

»Was ist das?«, fragte ich.

Einen kurzen Moment blickte er mir direkt in die Augen.

»Die Tasche, in der sie mich gefunden hat.«

Dann wandte er sich wieder seiner Backmischung zu.

Die Tasche, in der er gefunden wurde? Meine Augen wanderten langsam von der Tasche zu Aurelius. Selbst wenn er sich über den Knetteig beugte, war er noch eins achtzig groß. Ich hatte nicht vergessen, dass ich ihn bei unserer ersten Begegnung für einen Riesen aus dem Märchenbuch gehalten hatte. Heute würde ihm der Riemen nicht einmal um die Taille reichen, während er vor sechzig Jahren klein genug gewesen war, um ganz hineinzupassen. Von dem Gedanken, was die Zeit ausrichten kann, schwindelte mir ein wenig, und ich setzte mich wieder hin. Wer hatte vor so langer Zeit ein Baby in diese Tasche gesteckt? Hatte danach das Segeltuch darüber geklappt, zum Schutz gegen das Unwetter die Schnalle festgezurrt und sich den Riemen über die Schulter geschlungen, um sie durch die Nacht zu Mrs. Loves Cottage zu tragen? Ich strich mit den Fingern über die Stellen, die sie berührt haben musste. Leinen, Schnalle, Riemen. Auf der Suche nach einer Spur von ihr. Ein Zeichen, in Blindenschrift, ein Code, den meine Berührung entschlüsseln konnte, hätte ich nur gewusst, wie. Ich wusste es nicht.

»Zum Haareraufen, nicht wahr?«, sagte Aurelius.

Ich hörte, wie er etwas in den Ofen schob und die Tür zumachte, dann spürte ich, wie er hinter mir stand und mir über die Schulter sah.

»Machen Sie sie auf«, sagte er. »Ich habe Mehl an den Händen.«

Ich öffnete die Schnalle und schlug die Falten des Segeltuchs auf. Sie öffneten sich zu einem flachen, kreisrunden

Tuch, und darauf lagen nun ein wirres Bündel Papier und Lumpen.

»Mein Erbe«, verkündete er.

Das Knäuel sah nach einem Häufchen Abfall aus, das in den Mülleimer gehört, doch er betrachtete es mit den glühenden Augen eines Jungen beim Anblick eines Schatzes. »Diese Dinge sind meine Geschichte«, sagte er. »Sie sagen mir, wer ich bin. Man muss sie nur – man muss sie verstehen.« Seine Verwirrung war heftig, aber schicksalsergeben. »Mein ganzes Leben habe ich schon versucht, mir einen Reim darauf zu machen. Zum Beispiel das da...«

Es war ein Stück Stoff. Leinen, früher einmal weiß, jetzt gelb. Ich dröselte es aus den anderen Sachen heraus und strich es glatt. Es war mit einem Sternen- und Blumenmuster bestickt, ebenfalls in Weiß; dazu vier zierliche Perlmuttknöpfe. Ein Strampelanzug für ein Baby. Aurelius' breite, mehlbestäubte Finger strichen über das winzige Kleidungsstück. Die engen Ärmel würden ihm heute nur über einen Finger passen.

»Das hab ich angehabt«, erklärte Aurelius.

»Es ist sehr alt.«

»Wahrscheinlich so alt wie ich.«

»Noch älter sogar.«

»Meinen Sie?«

»Sehen Sie sich diese Nähte an, hier und hier. Es ist mehr als einmal ausgebessert worden. Und das ist kein passender Knopf. Das haben vor Ihnen schon andere Babys getragen.«

Sein Blick wanderte gierig nach neuen Erkenntnissen unruhig von dem Fetzen Stoff zu mir und wieder zu dem Stoff.

»Und dann das da.« Er deutete auf eine bedruckte Seite. Sie war aus einem Buch gerissen und völlig zerknittert. Ich nahm sie in die Hand und fing an zu lesen.

*»… ohne vorerst zu begreifen, was er vorhatte; doch als ich ihn das Buch wurfbereit erheben sah, schrie ich auf und versuchte instinktiv auszuweichen …«*

Aurelius fiel mir ins Wort und rezitierte weiter, nicht indem er vom Blatt ablas, sondern aus dem Gedächtnis. *»… nicht rasch genug: Das Buch kam angesaust, traf mich, und ich fiel zu Boden; beim Aufschlagen an der Tür verletzte ich mich am Kopf.«*

Natürlich erkannte ich es wieder. Wie auch nicht, hatte ich es doch Gott weiß wie oft gelesen. »*Jane Eyre*«, sagte ich staunend.

»Sie haben es erkannt? Ja, Sie haben Recht. Ich hab einen Mann in einer Bibliothek gefragt. Es ist von Charlotte Soundso. Muss eine Menge Schwestern gehabt haben.«

»Haben Sie es gelesen?«

»Hab's angefangen. Es geht über ein kleines Mädchen. Sie hat ihre Familie verloren, deshalb nimmt ihre Tante sie auf. Ich dachte, ich wär da auf 'ner heißen Spur. Üble Frau, diese Tante, kein bisschen wie Mrs. Love. Einer ihrer Cousins schmeißt ihr auf dieser Seite das Buch an den Kopf. Aber später geht sie zur Schule, eine schreckliche Schule, schrecklicher Fraß, aber sie freundet sich mit jemandem an.« Er lächelte bei der Erinnerung an seine Lektüre. »Nur dass die Freundin dann gestorben ist.« Seine Mundwinkel gingen nach unten. »Und ab da hab ich wohl das Interesse verloren.« Er zuckte resigniert die Achseln. »Haben Sie es gelesen? Was ist am Ende aus ihr geworden? Wäre es wichtig gewesen?«

»Sie verliebt sich in ihren Arbeitgeber. Seine Frau – sie ist verrückt, sie wohnt im Haus, ist aber versteckt – versucht, das Haus niederzubrennen, und Jane geht weg. Als sie wiederkommt, ist die Frau gestorben, und Mr. Rochester ist blind. Und Jane heiratet ihn.«

»Ach so.« Er legte die Stirn in Falten und versuchte, den Sinn der Geschichte zu begreifen. Doch er musste passen.

»Nein, das ergibt doch keinen Sinn. Höchstens der Anfang. Das Mädchen ohne Mutter. Aber ab da… Ich wünschte, jemand könnte mir sagen, was es bedeutet. Ich wünschte, jemand könnte mir einfach *die Wahrheit sagen.*«

Er wandte sich wieder der herausgerissenen Seite zu. »Das Buch ist vielleicht gar nicht wichtig. Möglicherweise geht es nur um diese Seite. Oder sie hat eine geheime Bedeutung. Sehen Sie mal hier.«

Auf der Innenseite des hinteren Kladdendeckels seines Kochbuchs aus Kindertagen befanden sich senk- wie waagrechte Zahlen- und Buchstabenreihen, dazu Buchstaben in einer großen ungelenken Kinderschrift. »Ich hab mal gedacht, es wär ein Code«, erklärte er. »Ich hab versucht, ihn zu entschlüsseln. Ich hab mir bei jedem Wort den Anfangsbuchstaben genommen, dann den ersten von jeder Zeile. Oder auch den zweiten. Dann hab ich versucht, jeden Buchstaben gegen einen anderen zu tauschen.« Er deutete auf seine verschiedenen Versuche, und sein Blick hatte einen fiebrigen Glanz, als gäbe es immer noch Hoffnung, etwas zu entdecken, das er übersehen hatte.

Ich wusste, dass es hoffnungslos war.

»Was ist damit?« Ich nahm den nächsten Gegenstand und schauderte unwillkürlich. Es handelte sich offensichtlich um eine Feder, doch jetzt war es ein ekeliges, schmuddeliges Ding. Nachdem sein Fett ausgetrocknet war, hatten sich die Fahnen zu struppigen, braunen Stacheln links und rechts am Schaft geteilt.

Aurelius zog die Schultern hoch und schüttelte ratlos den Kopf. Ich ließ die Feder erleichtert fallen.

Jetzt blieb nur noch eine Sache übrig. »Und das hier…«, fing Aurelius an, doch er sprach den Satz nicht zu Ende. Es war ein Zettel mit einem grob gezackten Rand und einem verblichenen Tintenfleck, der vielleicht einmal ein Wort gewesen war. Ich sah genauer hin.

»Ich glaube …«, stotterte Aurelius, »also, Mrs. Love glaubte – eigentlich waren wir uns darin einig …« Er sah mich hoffnungsvoll an. »… dass das *mein Name* sein muss.«

Er zeigte mit dem Finger auf eine Stelle. »Er ist im Regen nass geworden, aber hier, genau da …« Er führte mich ans Fenster und machte mir Zeichen, das Blatt gegen das Licht zu halten. »Vorne so was wie ein A. Und dann ein S. Da, kurz vor dem Ende. Natürlich ist es über die Jahre ein bisschen verblasst. Man muss genau hinsehen, aber Sie können es erkennen, nicht wahr?«

Ich starrte auf den Fleck.

»Nicht wahr?«

Ich machte eine vage Kopfbewegung, weder Nicken noch Schütteln.

»Sehen Sie! Wenn man weiß, wonach man sucht, ist es ganz offensichtlich!«

Ich strengte mich an, doch die Phantombuchstaben, die er sehen konnte, blieben meinen Augen verborgen.

»Und so«, fuhr er fort, »kam Mrs. Love auf Aurelius. Hätte wahrscheinlich genauso gut Alphonse sein können.«

Er lachte traurig und verlegen in sich hinein und wandte sich ab. »Dann gab es nur noch diesen Löffel, aber den haben Sie ja schon gesehen.« Er griff sich in die Hemdtasche und zog den Silberlöffel heraus, den ich bei unserer ersten Begegnung gesehen hatte, als wir auf den Riesenkatzen an der Eingangstreppe von Haus Angelfield Ingwerkuchen gegessen hatten.

»Und die Tasche selbst«, überlegte ich laut. »Was ist mit der?«

»Nichts weiter als eine Tasche«, sagte er vage. Er hob sie ans Gesicht und sog die Luft ein. »Sie hat mal nach Rauch gerochen, aber jetzt nicht mehr.« Er reichte sie mir, und ich hielt sie mir selber unter die Nase. »Sehen Sie? Ist nicht mehr da.«

Aurelius öffnete die Ofentür und nahm ein Blech mit blass goldfarbenen Keksen heraus, das er zum Auskühlen abstellte. Dann füllte er den Kessel und bestückte ein Tablett. Tassen, Untertassen, Milchkännchen und Zuckerdose und kleine Teller.

»Nehmen Sie das«, sagte er und reichte mir das Tablett. Er öffnete eine Tür, durch die ein Wohnzimmer zu sehen war, mit alten, bequemen Sesseln und geblümten Kissen. »Machen Sie sich's bequem. Ich bring den Rest.« Er kehrte mir den Rücken zu und hielt den Kopf gebeugt, während er sich die Hände wusch. »Ich muss nur noch die Sachen hier wegräumen.«

Ich ging in Mrs. Loves gute Stube und setzte mich in einen Sessel am Kamin, während Aurelius sein Erbe – sein unschätzbares, unentschlüsselbares Erbe – sicher verstaute.

Als ich das Haus verließ, geisterte mir etwas durch den Kopf. War es eine Bemerkung von Aurelius? Ja. Ein Echo oder eine Querverbindung hatte sich aufgedrängt, war aber in der übrigen Geschichte untergegangen. Es machte nichts. Es fiel mir bestimmt wieder ein.

Im Wald gibt es eine Lichtung. Unterhalb davon fällt das Gelände steil ab und ist stellenweise mit Gestrüpp bedeckt, bevor es wieder eben wird und dort Bäume wachsen. Aus diesem Grund bietet es eine unerwartete Aussicht auf das Haus der Angelfields. Auf dieser Lichtung blieb ich nun auf meinem Rückweg von Aurelius' Cottage stehen.

Es war ein trübseliger Anblick. Das Haus oder das, was davon übrig war, wirkte gespenstisch. Ein grauer Klecks vor einem grauen Himmel. Die oberen Geschosse auf der linken Seite waren alle verschwunden. Geblieben war das Erdgeschoss, mit dem Türsturz und der Eingangstreppe, jedoch ohne die Flügeltür. An einem solchen Tag sollte man sich nicht den Elementen aussetzen, und ich fröstelte beim Anblick des halb demolierten Hauses. Selbst die Steinkatzen hatten es im Stich gelassen. Wie die Rehe hatten auch sie Schutz vor der Nässe gesucht. Die rechte Seite des Baus war immer noch weit gehend intakt, auch wenn sie, nach der Stellung des Krans zu urteilen, demnächst fällig war. War tatsächlich eine solche Maschinerie vonnöten?, kam es mir unwillkürlich in den Sinn. Denn es sah für mich so aus, als lösten sich die Wände einfach im Regen auf. Wenn ich nur lange genug hier stehen blieb, hatte ich das Gefühl, dann würden diese Steine, die noch standen, bleich und substanzlos wie Reispapier, sich unter meinen Augen in ein Nichts verwandeln.

Ich hatte den Fotoapparat um den Hals gehängt. Ich kramte ihn unter meinem Mantel hervor und hob ihn an die Augen. War es möglich, durch die Nässe hindurch die flüchtige Erscheinung des Hauses festzuhalten? Ich bezweifelte es, war aber bereit, es wenigstens zu versuchen.

Ich stellte gerade das Teleobjektiv ein, als ich merkte, wie sich am Rand des Suchers etwas bewegte. Nicht mein Gespenst. Die Kinder waren wieder da. Sie hatten etwas im Gras entdeckt und beugten sich aufgeregt darüber. Was war es? Ein Igel? Eine Schlange? Neugierig versuchte ich, es noch ein bisschen schärfer zu bekommen.

Eines der Kinder griff ins hohe Gras und hob die Entdeckung auf. Es war der gelbe Schutzhelm eines Bauarbeiters. Mit einem strahlenden Lächeln schob es sich die Kapuze des Südwesters zurück – ich sah jetzt, dass es der Junge war – und setzte sich den Helm auf den Kopf. Steif wie ein Zinnsoldat stand er da, die Brust stolzgeschwellt, den Kopf in die Höhe gereckt, die Hände an der Hosennaht, das Gesicht äußerst konzentriert, damit ihm die zu große Kopfbedeckung nicht herunterrutschte. Und als er gerade diese Pose einnahm, geschah ein kleines Wunder. Ein Sonnenstrahl fand einen Spalt in der Wolkendecke und traf auf den Jungen, um den Moment seines Triumphs ins rechte Licht zu rücken. Ich drückte auf den Auslöser und hatte das Bild im Kasten. Der Junge mit dem Helm, über seiner linken Schulter das »Betreten verboten«-Schild und rechts von ihm im Hintergrund das Haus, ein trister grauer Fleck.

Die Sonne verschwand, ich senkte den Blick, um den Film weiterzuspulen und den Fotoapparat trocken zu verstauen. Als ich wieder hinsah, waren die Kinder schon halb die Einfahrt entlanggelaufen. Sie hatten sich an den Händen gefasst und wirbelten unentwegt im Kreis, bis sie – gleich schwer, mit gleich langen Schritten, jeder der perfekte Gegenpart des anderen – das Eingangstor erreichten. So, wie die Schöße ihrer Regenmäntel sich hinter ihnen hoben und die Füße kaum den Boden berührten, schienen sie sich jeden Moment in die Luft schwingen zu wollen.

# Jane Eyre
# und der Feuerofen

Als ich wieder in Yorkshire eintraf, bekam ich keine Erklärung für meine Verbannung. Judith begrüßte mich mit einem gezwungenen Lächeln. Das Grau des Tageslichts war ihr unter die Haut gekrochen und hatte sich in den Schatten ihrer Augen gesammelt. Sie zog in meinem Wohnzimmer die Gardinen ein Stück zurück, sodass ein bisschen mehr vom Fenster zu sehen war, doch an der Düsternis änderte es nicht viel. »Verfluchtes Wetter«, entfuhr es ihr, und ich hatte das Gefühl, dass sie am Ende ihrer Kräfte war.

Auch wenn ich nur ein paar Tage weg gewesen war, schien es eine Ewigkeit. Da es lange Nacht und kaum richtig Tag war, verloren wir dank des verhangenen Himmels alle allmählich das Zeitgefühl. Zu einer unserer Morgensitzungen kam Miss Winter zu spät. Auch sie war bleich. Ich weiß nicht, ob es die Erinnerung an die kürzlichen Schmerzen war, die ihre Augen so dunkel erscheinen ließ, oder etwas anderes.

»Ich schlage vor, dass wir unseren Zeitplan ein wenig flexibler gestalten«, sagte sie, als sie in ihrem Lichtkegel Platz genommen hatte.

»Selbstverständlich.« Aus meiner Unterredung mit dem Doktor wusste ich von ihren schlimmen Nächten, und ich sah selbst, wann die Medizin, die sie gegen die Schmerzen nahm, nachließ oder noch keine volle Wirkung zeigte. Und so kamen wir überein, dass ich ab jetzt morgens auf ein Klopfen an der Tür warten würde, statt pünktlich um neun in der Bibliothek zu erscheinen.

Zuerst klopfte es jedes Mal zwischen neun und zehn. Später pendelte es sich ein. Nachdem schließlich der Doktor ihre Dosis geändert hatte, ging sie dazu über, frühmorgens nach mir zu schicken, doch dafür waren unsere Treffen kürzer. Irgendwann gewöhnten wir uns an, uns zwei oder drei Mal zusammenzusetzen, und zwar zu den unterschiedlichsten Zeiten. Manchmal rief sie nach mir, wenn es ihr einigermaßen gut ging, und erzählte lange und ausführlich. Dann wieder ließ sie mich holen, wenn sie Schmerzen hatte. In diesem Fall ging es ihr weniger um die Gesellschaft als um die betäubende Wirkung des Geschichtenerzählens selbst.

Als die Neun-Uhr-Sitzungen ein Ende hatten, kam meinem Zeitgefühl eine weitere Orientierungshilfe abhanden. Ich lauschte ihrer Geschichte, ich schrieb sie auf, ich träumte im Schlaf davon, und wenn ich wach war, behielt ich die Geschichte stets im Hinterkopf. Es war, als lebte ich vollends in einem Buch. Ich musste es nicht einmal zu den Mahlzeiten verlassen, denn ich konnte am Tisch sitzen und meine Niederschrift lesen, während ich aß, was Judith mir aufs Zimmer brachte. Porridge hieß, dass es Morgen war. Suppe und Salat markierten die Mittagszeit, Steak und Rindfleischpastete den Abend. Ich entsinne mich, wie ich eine ganze Weile über einer Schüssel Rührei brütete. Wofür stand das nun? Es passte zu allen Tageszeiten. Ich aß ein paar Happen und schob die Schale weg.

Aus diesem zeitlichen Einerlei ragten immerhin ein paar Ereignisse heraus. Ich notierte sie mir jeweils unabhängig von der Geschichte, und sie sind hier der Erwähnung wert.

Das ist eines der Ereignisse.

Ich war in der Bibliothek. Ich suchte nach *Jane Eyre* und fand beinahe ein ganzes Regalfach mit Exemplaren des Romans. Es war das Ergebnis einer fanatischen Sammelwut: Es gab billige, moderne Ausgaben ohne antiquarischen Wert; andere wiederum, die so selten auf den Markt kamen, dass man den Preis nur schwer beziffern konnte; und dann eine Reihe weiterer Exemplare, welche die ganze Bandbreite zwischen diesen zwei Extremen ausfüllten. Ich suchte nach einer bestimmten, wenn auch in einer Hinsicht besonderen Ausgabe von der Jahrhundertwende. Während ich sie durchging, brachte Judith Miss Winter herein und machte es ihr auf dem Sessel am Feuer bequem.

Als Judith gegangen war, fragte Miss Winter: »Wonach suchen Sie?«

»*Jane Eyre.*«

»Mögen Sie *Jane Eyre*?«

»Sehr sogar. Und Sie?«

»Ja.«

Sie zitterte.

»Soll ich Ihnen das Feuer ein wenig schüren?«

Sie senkte die Augenlider, als überkäme sie gerade eine Woge Schmerz. »Ja, danke.«

Als es wieder kräftig brannte, sagte sie: »Hätten Sie einen Moment Zeit? Setzen Sie sich doch, Margaret.« Und nach einer Minute Schweigen: »Stellen Sie sich ein Fließband vor, ein gewaltiges Fließband und am Ende einen riesigen Ofen. Und auf dem Fließband Bücher. Von jedem Buch, das Sie je geliebt haben, jedes Exemplar. Alle hintereinander aufgereiht. *Jane Eyre. Villette. Die Frau in Weiß.*«

»*Middlemarch*«, schlug ich vor.

»Danke, *Middlemarch.* Und dann stellen Sie sich einen Hebel vor, der zu der Aufschrift ›an‹ sowie zu ›aus‹ zeigen kann. Im Moment steht der Hebel auf ›aus‹. Und daneben steht ein Mensch mit der Hand am Hebel. Er ist dabei, das Fließband einzuschalten. Und Sie können es verhindern. Sie haben eine

Pistole in der Hand. Sie brauchen nichts weiter zu tun, als abzudrücken. Was würden Sie tun?«

»Nein, das ist mir zu blöd.«

»Er schaltet den Hebel auf ›an‹. Das Fließband setzt sich in Bewegung.«

»Sie treiben es zu weit, das ist doch viel zu hypothetisch.«

»Als Erstes erwischt es *Shirley*.«

»Ich mag solche Spiele nicht.«

»Jetzt geht George Sand in Flammen auf.«

Ich seufzte und schloss die Augen.

»*Sturmhöhe* ist gleich dran. Das lassen Sie brennen, oder?«

Ich konnte mich nicht erwehren. Ich hatte die Bücher vor Augen, sah zu, wie sie langsam, aber sicher der Öffnung entgegenglitten, und zuckte zurück.

»Wie Sie wollen. Rein damit. Auch *Jane Eyre*?«

*Jane Eyre*. Ich hatte plötzlich einen trockenen Mund.

»Sie brauchen nichts weiter zu tun, als zu schießen. Ich werd's nicht weitersagen. Es braucht ja niemand zu erfahren.« Sie wartete. »Ein paar sind schon reingefallen, nur ein paar. Es sind eine Menge Exemplare, Sie haben ein bisschen Zeit, es sich zu überlegen.«

Nervös rieb ich den Daumen am rauen Nagel meines Mittelfingers.

»Jetzt fallen sie schon schneller.«

Sie sah mich unverwandt an.

»Die Hälfte ist schon weg. Überlegen Sie, Margaret. Bald sind sämtliche *Jane Eyres* für immer verschwunden. Überlegen Sie.«

Miss Winter blinzelte.

»Zwei Drittel weg. Nur eine Person, Margaret. Nur eine völlig unbedeutende, winzige Person.«

Ich blinzelte.

»Noch ist Zeit, aber nur noch so eben. Denken Sie dran, dieser Mensch verbrennt Bücher. Verdient er es wirklich, am Leben zu bleiben?«

Blinzel, blinzel.

»Letzte Chance.«

Blinzel, blinzel, blinzel.

*Jane Eyre* war unwiderruflich verloren.

»Margaret!« Miss Winters Gesicht verzog sich ärgerlich, und mit der Linken schlug sie auf die Lehne ihres Sessels. Selbst die rechte Hand verdrehte sich, so verletzt sie war, in ihrem Schoß.

Als ich es später niederschrieb, kam mir zu Bewusstsein, dass dies wohl der spontanste Gefühlsausdruck war, den ich bis dahin an Miss Winter gesehen hatte. Sie war erstaunlich emotional gewesen für ein bloßes Spiel.

Und meine eigenen Gefühle? Scham. Denn ich hatte gelogen. Natürlich liebte ich Bücher mehr als Menschen. Natürlich bedeutete mir *Jane Eyre* mehr als der anonyme Fremde mit der Hand am Hebel. Natürlich war der gesamte Shakespeare mehr wert als ein menschliches Leben, nur dass ich mich, anders als Miss Winter, zu sehr schämte, um es zuzugeben.

Im Hinausgehen kehrte ich noch einmal zu dem Regal zurück und suchte mir das eine Exemplar aus, das meinen Kriterien entsprach. Das richtige Alter, das richtige Papier, die richtige Schriftart. In meinem Zimmer blätterte ich so lange, bis ich die Stelle fand.

*»… ohne vorerst zu begreifen, was er vorhatte; doch als ich ihn das Buch wurfbereit erheben sah, schrie ich auf und versuchte instinktiv auszuweichen; nicht rasch genug: Das Buch kam angesaust, traf mich, und ich fiel zu Boden; beim Aufschlagen an der Tür verletzte ich mich am Kopf.«*

Das Buch war unversehrt. Es fehlte keine einzige Seite. Das hier war nicht das Exemplar, aus dem Aurelius' Seite gerissen worden war. Aber wieso auch sollte es dasjenige sein? Falls seine Seite aus Angelfield stammte – nur falls –, dann musste das Buch mit dem übrigen Haus in Flammen aufgegangen sein.

Eine Zeit lang saß ich untätig da und dachte an nichts anderes als an eine Bibliothek und einen Ofen und ein brennendes Haus, doch wie sehr ich auch versuchte, dazwischen eine Verbindung herzustellen – es gelang mir nicht.

Die andere Begebenheit, an die ich mich aus dieser Zeit erinnere, war die Sache mit dem Foto. Eines Morgens erhielt ich zusammen mit meinem Frühstückstablett ein kleines Päckchen, das mein Vater in seiner charakteristisch engen Handschrift an mich adressiert hatte. Es enthielt meine Fotos von Angelfield; ich hatte ihm das Döschen mit dem Film geschickt, und er hatte ihn für mich entwickeln lassen. Es gab ein paar scharfe Aufnahmen vom ersten Tag: Dornen, die durch die Trümmer der Bibliothek wachsen, Efeu, der sich die Steintreppe hocharbeitet. Bei dem Bild, das ich von dem Schlafzimmer gemacht hatte, in dem ich mich meinem Gespenst gegenübersah, verweilte ich. Über dem alten Kamin war nur die Spiegelung des Blitzlichts zu sehen. Dennoch nahm ich das Foto aus dem Stapel heraus und steckte es unter den Deckel eines Buchs, um es zu behalten.

Die übrigen Aufnahmen stammten allerdings von meinem zweiten Besuch, als das Wetter gegen mich war. Die meisten davon waren nichts weiter als rätselhafte Kompositionen aus Nebeldunst. Ich erinnerte mich an Grauschattierungen mit ein wenig Silberglanz; an den Nebel, der wie ein Gazeschleier vorüberglitt; an meinen eigenen Atem auf der Kippe zwischen Luft und Wasser. Meine Kamera dagegen hatte nichts dergleichen eingefangen, und ebenso wenig war es möglich, in den dunklen Schmutzflecken, die das Grau unterbrachen, einen Stein, eine Wand, einen Baum oder einen Wald auszumachen. Nach einem halben Dutzend solcher Fotos hatte ich keine Lust mehr, sie weiter anzusehen. Ich steckte den Stapel Fotos in meine Jackentasche und ging nach unten in die Bibliothek.

Wir hatten unsere Sitzung halb hinter uns gebracht, als mir Miss Winters Schweigen zu Bewusstsein kam. Ich träumte. Wie gewöhnlich hatte ich mich in ihrer Zwillingskindheit verloren. Ich spulte innerlich die Aufnahme ihrer Stimme noch einmal ab, rief mir die Stelle ins Gedächtnis, an der ihr Tonfall gewechselt hatte, dann die Tatsache, dass sie mich angesprochen hatte, auch wenn ich mich nicht an die Worte entsann.

»Wie bitte?«, fragte ich.

»In Ihrer Tasche«, wiederholte sie, »Sie haben etwas in Ihrer Tasche.«

»Ach so… Das sind Fotos…« In diesem Schwebezustand zwischen einer Geschichte und dem wirklichen Leben, in dem man den Verstand noch nicht ganz beieinander hat, murmelte ich weiter. »Angelfield«, sagte ich.

Als ich wieder richtig bei mir war, hatte sie die Fotos in der Hand.

Zuerst betrachtete sie jedes einzelne ganz genau und blinzelte durch die Brille, um die verschwommenen Formen auszumachen. Als ein nicht entzifferbares Bild dem anderen folgte, gab sie einen leisen Vida-Winter-Seufzer von sich, der zu erkennen gab, dass sie ihre geringen Erwartungen reichlich bestätigt fand, und sie presste die Lippen zu einer kritischen Linie zusammen. Mit ihrer gesunden Hand fing sie an, flüchtig durch den Stapel zu blättern; um mir zu zeigen, dass sie nicht glaubte, noch irgendetwas Interessantes zu finden, warf sie jedes Foto nach dem allerflüchtigsten Blick auf den Tisch neben sich.

Ich war vom rhythmischen Klatschen, mit dem die Fotos auf der Tischplatte landeten, wie hypnotisiert. Sie breiteten sich immer weiter über die Oberfläche aus, flatterten durcheinander, rutschten auf den glatten Vorderseiten weiter und machten dabei ein Geräusch, das nach Quatsch, Quatsch, Quatsch klang.

Dann hörte es auf. Miss Winter saß kerzengerade aufgerichtet und hielt ein einzelnes Foto hoch, das sie stirnrunzelnd betrachtete. Sie hat ein Gespenst gesehen, dachte ich. Und dann, nach einem endlos langen Augenblick, in dem sie so tat, als merkte sie nicht, wie ich sie beobachtete, sah sie sich die übrigen an und warf sie auf den Haufen. »Ich hätte nicht sagen können, dass es Angelfield ist, aber wenn Sie es sagen…«, bemerkte sie in eisigem Ton, bevor sie mit einer aufgesetzt zwanglosen Geste den ganzen Stapel einsammelte, ihn mir entgegenhielt und ihn dann auf den Teppich fallen ließ.

»Meine Hand. Ich bitte um Verzeihung«, murmelte sie, als ich mich bückte, um die Bilder aufzuheben, doch sie konnte mich nicht täuschen.

Dafür nahm sie ihre Geschichte an der Stelle auf, an der sie sie unterbrochen hatte.

Später sah ich mir die Fotos noch einmal an. Auch wenn sie die Reihenfolge völlig durcheinander gebracht hatte, war es nicht schwer zu raten, welches ihr derart ins Auge gesprungen war. In dem Bündel verschwommener, grauer Bilder gab es im Grunde nur eines, das sich vom Rest unterschied. Ich saß auf meiner Bettkante, betrachtete die Aufnahme und erinnerte mich ganz genau. Wie das Ausdünnen des Nebels und die wärmende Sonne genau im richtigen Moment zusammentrafen, um einen Lichtstrahl auf den Jungen durchzulassen – das Kinn emporgereckt, den Rücken gestrafft, während der

Blick die Angst verriet, der gelbe Helm könne jede Sekunde herunterrutschen.

Wieso hatte sie das Foto so fasziniert? Ich suchte den Hintergrund ab, doch das Haus, schon halb demoliert, war nur ein trüber Fleck über der rechten Schulter des Kindes. In seiner direkten Umgebung war nichts weiter zu sehen als das Gitter der Sicherheitsschranke und die Ecke des »Betreten verboten«-Schilds.

Hatte es ihr der Junge selber angetan?

Ich brütete eine halbe Stunde über dem Bild, doch als ich mich endlich dazu entschloss, es wegzulegen, war ich so schlau wie zuvor. Da es mir Rätsel aufgab, steckte ich es zu der Aufnahme von dem Nichts im Spiegel.

Außer dem Foto des Jungen und dem Spiel um *Jane Eyre* und den Ofen drang nicht viel durch die dichte Hülle, die Miss Winters Geschichte über mich geworfen hatte. Es sei denn, man zählte den Kater mit. Er registrierte, dass ich zu ungewöhnlicher Stunde wach war und kratzte zu den unmöglichsten Zeiten rund um die Uhr an meiner Tür, um Aufmerksamkeit zu erheischen. Fraß ein paar Happen Fisch oder Ei von meinem Teller. Er liebte es, auf meinen Papierstapeln zu hocken und mir beim Schreiben zuzusehen. Ich mochte stundenlang dasitzen und meine Seiten voll kritzeln, während ich mich durch das Labyrinth von Miss Winters Geschichte tastete, doch egal, wie ich darüber alles andere vergaß, so behielt ich doch immer ein Gefühl dafür, dass jemand über mir wachte. Verlor ich mich allzu sehr, dann schien der Blick des Katers in mein Dickicht einzudringen und mir den Weg zurück in mein Zimmer, zu meinen Notizen, Bleistiften und dem Spitzer zu zeigen. In manchen Nächten schlief er sogar bei mir auf dem Bett, und ich gewöhnte mir an, die Gardinen aufzulassen, sodass er, falls er wach wurde, auf der Fensterbank sitzen und im Dunkeln etwas vorüberhuschen sehen konnte, das dem menschlichen Auge verborgen blieb.

Und das ist alles. Außer diesen Dingen gab es nichts zu erzählen. Nur das ewige Zwielicht und die Geschichte.

# Zusammenbruch

*I*sabelle war verschwunden. Hester war verschwunden. Charlie war verschwunden. Jetzt erzählte mir Miss Winter von weiteren Verlusten.

❧

Oben in der Mansarde lehnte ich mich mit dem Rücken an die knarrende Wand. Ich presste mich fest dagegen, um sie einzudrücken, und nahm den Druck wieder weg. Immer und immer wieder. Ich forderte das Schicksal heraus. Was, so fragte ich mich, würde wohl passieren, wenn die Wand nachgab? Würde das Dach einsacken? Würden unter ihrem Gewicht die Dielenbretter einstürzen? Würden Dachziegel und Balken und Stein durch die Decke auf Betten und Kisten herunterkrachen, als hätte die Erde gebebt? Und was dann? Würde es dabei bleiben? Wie weit würde es gehen? Ich wiegte mich und wiegte mich und verhöhnte die Wand, indem ich sie herausforderte, einzufallen, doch sie tat es nicht. Es ist erstaunlich, wie lange eine solche tote Wand selbst unter Druck standzuhalten vermag.

Dann allerdings, mitten in der Nacht, erwachte ich, und mir schrillten die Ohren von einem Getöse. Das Geräusch war schon vorbei, doch es hallte noch in meinen Trommelfellen und im Brustkorb nach. Ich sprang aus dem Bett und rannte zur Treppe, dicht gefolgt von Emmeline. Als wir die Empore mit dem Geländer erreichten, erschien im selben Moment John, der in der Küche schlief, am untersten Treppenabsatz, und wir alle starrten in dieselbe Richtung. Mitten im Flur stand die Missus in ihrem Nachthemd und blickte nach oben. Zu ihren Füßen lag ein riesiger Brocken Stein, und über ihrem Kopf gähnte ein zerklüftetes Loch in der Decke. Graue Staubschwaden hingen in der Luft. Sie hoben und senkten sich und konnten sich nicht recht entscheiden, wo sie niedergehen sollten. Putzpartikel, Mörtelbrocken, Holz fielen immer noch vom Boden über uns und machten ein Geräusch wie Mäuse, die auseinander huschen, und hier und da merkte ich, wie Emmeline einen Satz machte, wenn Planken und Ziegel in den oberen Geschossen herunterbrachen.

Die Steintreppe war kalt, und die Holzsplitter und die Mörtelbröckchen stachen mir in die Füße. Mitten in all dem Schutt unseres eingestürzten Hauses, mitten in all dem Staub, der wirbelnd und schwebend niederging, stand die Missus wie ein Gespenst. Aschgraues Haar, Gesicht und Hände aschgrau, die Falten ihres langen Nachthemds ebenfalls grau. Ich gesellte mich zu ihr und folgte ihrem Blick. Wir blickten durch das Loch in der Decke und darüber in ein weiteres Loch in einer weiteren Decke und noch eines im nächsten Geschoss. Wir sahen die Pfingstrosentapete im Schlafzimmer über uns, das Efeuspaliermuster in dem Raum ein Geschoss höher und die blassgrauen Wände in der Mansarde. Und über alledem sahen wir ganz hoch oben das Loch im Dach selber und den sternenlosen Himmel.

Ich nahm ihre Hand. »Komm«, sagte ich. »Es hat keinen Sinn, dort hochzuschauen.« Ich zog sie, und sie folgte mir wie ein kleines Kind. »Ich bring sie zu Bett«, sagte ich zu John.

Weiß wie eine Wand, nickte er. »Ja«, sagte er mit einer vom Mörtelstaub heiseren Stimme. Er wagte kaum, sie anzusehen. Langsam deutete er auf die eingestürzte Decke. Wie ein Ertrinkender, der von einer Strömung unter Wasser gezogen wird, bewegte er den Arm ganz langsam. »Und ich werde mich darum kümmern.«

Doch als die Missus eine Stunde später sauber und in einem frischen Nachthemd warm und sicher unter ihrer Bettdecke lag und schlief, war er immer noch da. Genau so, wie ich ihn verlassen hatte. Er starrte auf die Stelle, an der sie gestanden hatte.

Als die Missus am nächsten Morgen nicht in der Küche erschien, war ich es, die zu ihr ging, um sie zu wecken. Sie war nicht zu wecken. Ihre Seele war durch das Loch im Dach verschwunden.

»Wir haben sie verloren«, sagte ich in der Küche zu John. »Sie ist tot.«

In seinem Gesicht rührte sich nichts. Er starrte weiter über den Küchentisch, als hätte er mich nicht gehört. »Ja«, sagte er schließlich mit einer Stimme, die nicht damit rechnete, gehört zu werden. »Ja.«

Ich fühlte mich, als wäre alles zu Ende. Ich hatte nur einen Wunsch: reglos wie John dazusitzen, ins Leere zu blicken und nichts zu tun. Doch die Zeit blieb nicht stehen. Ich fühlte immer noch meinen Herzschlag im Sekundentakt, ich merkte den wachsenden Hunger in meinem Bauch und den Durst in der Kehle. Ich war so traurig, dass ich dachte, ich würde sterben, doch stattdessen war ich skandalöser- und absurderweise lebendig – so lebendig, dass ich hätte schwören können, ich spürte, wie meine Haare und Fingernägel wuchsen.

Denn trotz des unerträglichen Gewichts, das mich niederdrückte, konnte ich mich nicht wie John meinem Kummer überlassen. Hester war weg; Charlie war weg; die Missus war weg; John war zumindest weggetreten, auch wenn ich hoffte, dass er wieder zurückfinden würde. Inzwischen würde das Mädchen im Nebel aus dem Schatten treten müssen. Es war Zeit, mit dem Spielen aufzuhören und erwachsen zu werden.

»Dann setz ich mal Wasser auf«, sagte ich. »Und mach eine Tasse Tee.«

Das war nicht meine Stimme. Ein anderes Mädchen, ein vernünftiges, fähiges, normales Mädchen war irgendwie in meine Haut geschlüpft und hatte mich übernommen. Sie schien genau zu wissen, was zu tun war. Ich war nur teilweise überrascht. Hatte ich nicht ein halbes Leben damit zugebracht, anderen Menschen dabei zuzusehen, wie sie ihr Leben führten? Hatte ich nicht Hester, der Missus und den Dorfbewohnern zugesehen?

Ich richtete es mir stumm in meinem Innern ein, während das fähige Mädchen das Wasser kochte, die Teeblätter bemaß, dann aufbrühte und rührte. Sie gab zwei Stück Würfelzucker in Johns Tasse, drei in meine. Als der Tee fertig war, trank ich ihn, und als das heiße, süße Gebräu endlich in meinen Magen träufelte, hörte ich auf zu zittern.

# Der Silbergarten

Bevor ich richtig wach wurde, hatte ich das Gefühl, dass etwas anders war. Und im nächsten Moment, noch bevor ich die Augen aufschlug, wusste ich, was. Es war hell.

Die Schatten, die seit Anfang des Monats in meinem Zimmer gelauert hatten, waren verschwunden; ebenso die düsteren Ecken und die traurige Atmosphäre. Das Fenster war ein blasses Rechteck, durch das ein heller Schimmer in jeden Winkel meines Zimmers drang. Es war so lange her, seit ich das letzte Mal so viel Licht gesehen hatte, dass mich eine Freude überkam, als wäre nicht nur eine Nacht zu Ende gegangen, sondern der Winter. Es war, als wäre der Frühling da.

Der Kater saß auf der Fensterbank und starrte aufmerksam in den Garten. Als er mich hörte, sprang er augenblicklich herunter und tappte mit der Pfote an die Tür, um hinausgelassen zu werden. Ich zog mir Kleider und Mantel über, und zusammen schlüpften wir nach unten, in die Küche und den Garten.

Ich bemerkte meinen Irrtum in dem Moment, als ich nach draußen trat. Es war nicht Tag. Es war auch nicht die Sonne, sondern der Mond, der im Garten schimmerte, der die Blätter in Silberränder fasste und die Statuen schemenhaft aufleuchten ließ. Es war eine vollkommen runde Scheibe, die bleich am Himmel hing. Wie gebannt, hätte ich bis zum Tagesanbruch so dort stehen bleiben können, doch der Kater drückte sich mir an die Knöchel, um meine Aufmerksamkeit zu erregen, und ich bückte mich, um ihn zu streicheln. Ich hatte ihn kaum berührt, da lief er weg, blieb aber nach wenigen Metern stehen und sah über eine Schulter.

Ich schlug den Mantelkragen hoch, steckte die kalten Hände in die Taschen und folgte ihm.

Zuerst führte er mich den grasbewachsenen Pfad zwischen den Blumenrabatten entlang. Links von uns glänzte die Eibenhecke hell, während die andere rechts von uns im Schatten des Mondes lag. Wir bogen in den Rosengarten ab, wo die gestutzten Sträucher wie Stapel toter Zweige wirkten. Die kunstvoll gestalteten Buchsbaumeinfassungen dagegen bildeten verschlungene, elisabethanische Muster, die sich in das Mondlicht schlängelten und wieder in den Schatten wanden, an einer Stelle silbrig glitzerten, an anderer Stelle schwarze Streifen zogen. Ein Dutzend Mal hätte ich gerne verweilt: bei einem einzelnen Efeublatt, das genau im richtigen Winkel perfekt das Mondlicht einfing; der plötzliche Anblick einer großen Eiche, mit übermenschlicher Klarheit in den hellen Himmel eingraviert – aber ich konnte nicht stehen bleiben. Die ganze Zeit stolzierte der Kater, den Schwanz wie den Schirm eines Reiseführers aufgereckt, mit zielstrebigen, gleichmäßigen Schritten voraus, um mir zu sagen: Hier entlang, mir nach. In dem eingefriedeten Gartenteil sprang er auf die Mauer, die den Springbrunnen abtrennte, und schritt ihren Kreis zur Hälfte ab, ohne die Spiegelung des Mondes zu beachten, die wie eine helle Münze auf dem Grund des Beckens glänzte. Als er die Höhe des Rundbogeneingangs zum Wintergarten erreichte, sprang er herunter und lief darauf zu.

Unter dem Bogen blieb er stehen. Er sah aufmerksam nach links und rechts. Er sah etwas. Und stahl sich in die Richtung seiner Entdeckung davon, sodass ich ihn nicht mehr im Blick hatte.

Neugierig pirschte ich auf Zehenspitzen hinterher und schaute mich um.

Im Winter ist der Garten, wenn man ihn zur richtigen Tageszeit sieht, voller Farben. Entscheidend, um ihn zum Leben zu erwecken, ist das Tageslicht. Der mitternächtliche Besucher muss genauer hinschauen, um seine Attraktionen zu sehen. Es war zu dunkel, um die niedrigen Nieswurzkissen auf der dunklen Erde zu erkennen; zu früh im Jahr für die strahlend weißen Schneeglöckchen; zu kalt, als dass der Seidelbast bereits seinen Duft verströmte. Dafür gab es Zaubernuss; schon bald würden zitternde gelbe und orangefarbene Blütenstauden ihre Zweige schmücken, doch vorerst waren sie selbst die Hauptattraktion. Zart und ohne Blätter, streckten sie sich knorrig aus, doch ohne üppig zu wachsen.

Zu Füßen des Strauchs kauerte auf der Erde die gerundete Silhouette einer menschlichen Gestalt.

Ich erstarrte.

Die Gestalt schwankte und verlagerte schwerfällig das Gewicht, wobei sie keuchte und beim mühsamen Atemholen mehrmals stöhnte.

In einer langen, gedehnten Sekunde jagten sich meine Gedanken, um mitten in der Nacht die Anwesenheit eines weiteren Menschen in Miss Winters Garten zu erklären. Zunächst einmal war es nicht Maurice, der da am Boden kniete. Auch wenn er die Person war, die man am ehesten in diesem Garten vermuten würde, so kam es mir gar nicht erst in den Sinn, zu überlegen, ob möglicherweise er das war. Dieses Wesen hier hatte nicht seinen drahtigen Körperbau, ebenso wenig seine bedächtigen Bewegungen. Auch Judith war es nicht. Die adrette, ruhige Judith mit ihren sauberen Fingernägeln, der wohl geordneten Frisur und den blank geputzten Schuhen sollte mitten in der Nacht hier im Garten wühlen? Völlig ausgeschlossen. Diese beiden kamen nicht infrage, und so zog ich sie nicht in Betracht.

Stattdessen schwirrte mir der Kopf, und meine Gedanken drehten sich im Kreis.

Es war Miss Winter.

Es konnte nicht Miss Winter sein.

Es war Miss Winter, weil – weil sie es eben war. Ich wusste es einfach. Ich spürte es. Sie war es, und ich wusste es.

Sie konnte es nicht sein. Miss Winter war krank und gebrechlich. Miss Winter war an den Rollstuhl gefesselt. Miss Winter war zu krank, um sich zu bücken und ein Unkraut auszureißen, geschweige denn, allein auf dem kalten Boden zu kauern und auf diese verzweifelte Art die Erde aufzuwühlen.

Es war nicht Miss Winter.

Aber irgendwie, trotz allem, doch.

Diese erste Sekunde war lang und verwirrend. Die zweite, als sie endlich kam, war kurz.

Die Gestalt erstarrte … wirbelte herum … erhob sich … und ich begriff.

Miss Winters Augen. Strahlendes, übernatürliches Grün.

Aber nicht Miss Winters Gesicht.

Ein Flickwerk aus vernarbtem, fleckigem Fleisch, kreuz und quer von Furchen gezeichnet, die tiefer waren, als das Alter sie hervorrufen konnte. Zwei ungleiche Hamsterbacken. Schief hängende Lippen, die eine Hälfte ein vollkommener Bogen, der von früherer Schönheit zeugte, die andere unebenes, verpflanztes, weißes Gewebe.

*Emmeline! Miss Winters Zwilling! Sie war am Leben und eine Bewohnerin dieses Hauses!*

Meine Gedanken waren in hellem Aufruhr, das Blut pochte mir in den Ohren, vom Schock war ich wie gelähmt. Sie starrte mich an, ohne mit der Wimper zu zucken, und ich merkte, dass sie weniger erschrocken war als ich. Dennoch schien sie unter demselben Bann zu stehen. Wir waren beide wie versteinert.

Sie erholte sich zuerst. Mit einer dringlichen Geste hob sie eine dunkle, erdverschmierte Hand in meine Richtung und krächzte mit rauer Stimme eine Folge unzusammenhängender Laute.

Die Verwirrung beeinträchtigte meine Reflexe; ich konnte nicht einmal ihren Namen stammeln, bevor sie sich umdrehte und vorgebeugt, mit eingezogenen Schultern aus dem winterlichen Garten eilte.

Plötzlich trat der Kater aus dem Schatten. Er streckte sich ruhig und rannte, ohne mich zu beachten, hinter Emmeline her. Sie verschwanden unter dem Bogen, und ich war allein. Ich und eine Stelle, an der die Erde aufgewühlt war.

Füchse, dass ich nicht lache.

Als sie weg waren, hätte ich mir einreden können, ich hätte mir das alles nur eingebildet. Ich sei schlafgewandelt, und im Traum sei mir Adelines Zwilling erschienen und habe mir eine geheime, unverständliche Botschaft zugeflüstert. Aber ich wusste, es war real. Und obwohl sie nicht mehr zu sehen war, konnte ich sie singen hören, als sie ging. Diese höchst irritierende, unmelodische Abfolge eines Fünf-Ton-Fragments. La la la la la.

Ich blieb stehen und lauschte, bis es ganz verklungen war.

Erst jetzt merkte ich, dass ich an Händen und Füßen fror, und so kehrte ich zum Haus zurück.

# Das phonetische Alphabet

Etliche Jahre waren vergangen, seit ich das phonetische Alphabet gelernt hatte. Es begann mit einem Schaubild in Vaters Laden. Anfänglich gab es keinen besonderen Grund für mein Interesse, außer dass ich an einem Wochenende nicht wusste, was ich machen sollte, und von den Zeichen und Symbolen irgendwie angetan war. Es gab vertraute Buchstaben und unbekannte. Es gab große N, die nicht die Gleichen waren wie kleine, und große Y, die kleinen nicht ähnelten. Anderen Lettern wie N und D und E und Z waren ulkige Schwänzchen und Schleifen angehängt, und bei den H und I und U konnte man Querstriche machen wie bei einem T. Ich liebte diese wilden, ausgefallenen Hybriden: Seitenweise schrieb ich zu J verwandelte M und V, die wie Hunde auf Bällen in einer Zirkusnummer auf winzigen O balancierten. Mein Vater sah meine Seiten mit den Symbolen und brachte mir die entsprechenden Laute dazu bei. Im internationalen phonetischen Alphabet, stellte ich fest, konnte man Wörter schreiben, die wie Mathematik aussahen, Wörter, die wie Geheimcodes wirkten, und Wörter, die aus toten Sprachen stammten.

Ich brauchte eine tote Sprache. Eine, in der ich mit den Toten kommunizieren konnte. Ich weiß noch, wie ich ein Wort immer und immer wieder schrieb. Den Namen meiner Schwester. Ein Talisman. Ich faltete die Papierchen kunstvoll und hatte mein Wort so immer dabei. Im Winter bewahrte ich es in der Manteltasche auf, im Sommer kitzelte es mir im Umschlag meines Söckchens den Knöchel. Abends hielt ich es beim Einschlafen fest in der Hand. So sorgsam ich darauf achtete, kamen mir diese Papierchen dennoch des Öfteren abhanden. Waren sie weg, machte ich neue. Manchmal fand ich die alten auch wieder. Als meine Mutter versuchte, mir gewaltsam eines zwischen den Fingern hervorzuziehen, schluckte ich es herunter, um ihr Vorhaben zu durchkreuzen, obwohl sie es sowieso nicht hätte lesen können. Doch als ich sah, wie mein Vater ein solches angegrautes, abgewetztes Faltpapier unter dem Krimskrams einer Schublade hervorzog und öffnete, hinderte ich ihn nicht daran. Als er den Geheimnamen las, schien es ihn mit schrecklicher Wucht zu treffen, und als er den Kopf hob und mich ansah, stand ihm der ganze Kummer in den Augen.

Er hätte etwas gesagt, er hatte schon den Mund geöffnet, doch ich legte den Finger an die Lippen und brachte ihn zum Schweigen. Ich wollte nicht, dass er ihren Namen aussprach. Hatte er nicht versucht, sie wegzusperren, ins Dunkel zu verbannen? Hatte er sie nicht vergessen wollen? Hatte er sie nicht vor mir verbergen wollen? Also hatte er jetzt kein Recht auf sie.

Ich riss ihm das Papier aus der Hand. Ohne ein Wort verließ ich den Raum. Auf dem Fenstersitz im zweiten Stock steckte ich den Bissen Papier in den Mund, kostete den trockenen, holzigen Geschmack und schluckte. Zehn Jahre lang hatten meine Eltern ihren Namen in Schweigen gehüllt und verdrängt. Jetzt würde ich ihn auf meine Art in Schweigen hüllen. Und mich erinnern.

Neben meiner falschen Aussprache von »hallo«, »auf Wiedersehen« und »tut mir Leid« in siebzehn Sprachen und meiner Fähigkeit, das griechische Alphabet vorwärts und rückwärts aufzusagen (obwohl ich in meinem ganzen Leben kein Wort Griechisch gelernt habe), war das phonetische Alphabet eine dieser geheimen, zufälligen Quellen nutzlosen Wissens, die mir aus meiner bücherversessenen Kindheit geblieben sind. Ich lernte es damals nur so zum Vergnügen – es diente nur meiner persönlichen Bereicherung –, und so unternahm ich in späteren Jahren keine besondere Anstrengung, in Übung zu bleiben. Folglich musste ich, als ich aus dem Garten kam und den Stift auf das Papier setzte, um die Zisch-, die Reibe- und Verschlusslaute sowie das gerollte R von Emmelines aufgeregtem Flüstern wiederzugeben, mehrere Anläufe nehmen.

Nach drei oder vier Versuchen ließ ich mich auf dem Bett nieder und sah mir meine Zeile Schnörkel, Kringel und Symbole an. War es korrekt? Mir kamen Zweifel. Hatte ich mir die Laute nach meinem fünfminütigen Rückweg ins Haus richtig eingeprägt? Konnte ich die phonetische Umschrift überhaupt noch? Und wenn meine ersten Fehlversuche nun meine Erinnerung beeinträchtigt hatten?

Ich flüsterte das, was ich zu Papier gebracht hatte, vor mich hin. Wisperte es ein ums andere Mal, im selben eindringlichen Ton, wartete, ob irgendein Echo in meinem Kopf mir sagte, ob es so richtig war. Nichts geschah. Es war eine Karikatur von etwas, das ich falsch gehört und dann falsch im Gedächtnis behalten hatte. Es hatte keinen Zweck.

Stattdessen schrieb ich den geheimen Namen. Den Zauber, den Bann, den Talisman.

Er hatte nie gewirkt. Sie war nie gekommen. Ich war immer noch allein.

Ich zerknüllte das Papier und schnippte es in die Ecke.

# Die Leiter

»Meine Geschichte langweilt Sie doch nicht, Miss Lea?«

Am folgenden Tag ließ ich eine Reihe solcher Kommentare über mich ergehen, während ich unruhig zappelte, ohne mein Gähnen unterdrücken zu können, und mir, obwohl ich auf Miss Winters Erzählung lauschte, wiederholt die Augen rieb.

»Tut mir Leid. Ich bin nur müde.«

»Müde!«, rief sie. »Sie sehen aus wie der Tod auf Socken! Sie brauchen was Anständiges zu essen, was auf die Rippen, dann ginge es Ihnen gleich besser. Was ist bloß los mit Ihnen?«

Ich zuckte die Achseln. »Nur müde, weiter nichts.«

Sie schürzte die Lippen und musterte mich streng, doch ich sagte nichts mehr, und sie nahm ihren Faden wieder auf.

❧

Sechs Monate lang lief alles recht geregelt. Wir beschränkten uns auf eine Handvoll Zimmer: die Küche, wo John nachts immer noch schlief, das Wohnzimmer und die Bibliothek. Wir Mädchen benutzten die Hintertreppe, um von der Küche in das einzige Schlafzimmer zu kommen, das noch sicher schien. Die Matratzen, auf denen wir schliefen, hatten wir aus dem alten Zimmer geschleift, während die Betten für uns zu schwer zum Tragen gewesen waren. Das Haus war uns sowieso zu groß erschienen, seit die Zahl seiner Bewohner so zusammengeschrumpft war. Ohnehin fühlten wir uns, die wir noch am Leben waren, in der überschaubaren Sicherheit unserer kleineren Unterkunft wohler. Dennoch konnten wir das übrige

Haus, das wie ein absterbender Körperteil hinter verschlossenen Türen langsam verkam, nie völlig ignorieren.

Emmeline verbrachte viel Zeit damit, sich Kartenspiele auszudenken. »Spiel mit mir. Ach, komm schon, nur ein Spiel«, lag sie mir in den Ohren. Irgendwann gab ich nach und machte mit. Seltsame Spiele, mit ständig veränderten Regeln, Spiele, die nur sie verstand und folglich immer gewann, was ihr jedes Mal das größte Vergnügen bereitete. Sie badete oft. Ihre Liebe zu Seife und heißem Wasser war ungebrochen; sie aalte sich stundenlang in dem Wasser, das ich für Abwasch und Wäsche warm gemacht hatte. Ich nahm es ihr nicht krumm. Wenigstens eine von uns konnte glücklich sein.

Bevor wir die Räume abschlossen, hatte Emmeline Schränke von Isabelle durchforstet und sich Duftfläschchen und Schuhe herausgeholt, die sie in unserem Schlaflager hortete. Es war, als versuchte man, in einer Verkleidungskiste zu übernachten. Emmeline trug Isabelles Sachen. Einige hatten die Mode um zehn Jahre überlebt, andere – die, wie ich annahm, von Isabelles Mutter stammten – waren dreißig oder vierzig Jahre alt. Mit ihren spektakulären Auftritten, zu denen sie in den extravaganteren Roben in die Küche kam, bot Emmeline uns abends ein Unterhaltungsprogramm. In den Kleidern sah sie älter als fünfzehn aus; sie wirkte darin fraulich. Ich erinnerte mich an Hesters Unterhaltung mit dem Doktor im Garten: »Es besteht kein Grund, weshalb Emmeline nicht eines Tages heiraten sollte.« Auch erinnerte ich mich an das, was die Missus mir über Isabelle und die Picknicks anvertraut hatte: Sie war die Art von Mädchen, bei deren Anblick die Männer nur noch eines wollten: sie berühren. Das machte mir Angst. Doch dann plumpste Emmeline auf einen der Küchenstühle, kramte ein Kartenspiel aus ihrer Seidentasche und sagte, jetzt wieder ganz Kind: »Komm, wir spielen Karten.« Das beruhigte mich zwar ein wenig, doch ich sorgte dafür, dass sie nicht so herausgeputzt das Haus verließ.

John war apathisch. Tatsächlich aber raffte er sich dazu auf, das Undenkbare zu tun: Er sorgte für eine Hilfe im Garten und stellte einen Jungen ein. »Das geht schon in Ordnung«, sagte er. »Es ist nur Ambrose, der Junge vom alten Proctor. Er ist ein stiller Bursche. Ist ja nicht für lange. Nur bis ich das Haus in Schuss gebracht habe.«

Das allerdings, so viel war sicher, würde eine Ewigkeit dauern.

Der Junge kam. Er war größer als John und hatte breitere Schultern. Die Hände in den Hosentaschen, standen die beiden da und besprachen die Arbeit für den Tag, und danach fing der Junge an. Er hatte eine gleichmäßige, geduldige Art zu graben.

Der weiche, unablässige Klang seines Spatens im Boden ging mir auf die Nerven. »Wozu brauchen wir den?«, wollte ich wissen. »Er ist ein Außenseiter wie jeder andere auch.«

Doch irgendwie schien der Junge für John kein Außenseiter zu sein. Vielleicht weil er aus Johns Welt, der Männerwelt, stammte, die ich nicht kannte.

»Er ist ein guter Junge«, sagte John jedes Mal auf meine erneuten Fragen. »Er arbeitet hart. Er fragt nicht viel, und er redet nicht viel.«

»Er ist vielleicht auf den Mund gefallen, aber er hat Augen im Kopf.«

John zuckte die Achseln und sah verlegen weg. »Ich bin nicht ewig da«, sagte er schließlich. »Es kann nicht für immer so bleiben, wie es ist.« Er beschrieb eine vage Geste, die das Haus, seine Bewohner und das Leben, das wir führten, umfasste. »Eines Tages muss sich etwas verändern.«

»Verändern?«

»Ihr werdet erwachsen. Es wird nicht mehr dasselbe sein, nicht wahr? Für Kinder ist es was anderes, aber wenn ihr erwachsen seid…«

Doch ich war schon weg. Ich wollte nicht hören, was er mir zu sagen hatte.

Emmeline war im Schlafzimmer und löste für ihre Schatztruhe Pailletten aus einer Abendstola. Ich setzte mich neben sie. Sie war zu sehr in ihre Aufgabe vertieft, um mich anzusehen, als ich das Zimmer betrat. Ihre plumpen, spitz zulaufenden Finger zupften gnadenlos an einer ihrer Trophäen, bis der Faden riss und sie das Ding in ihre Schachtel stecken konnte. Es war eine langwierige Arbeit, doch Emmeline hatte alle Zeit der Welt. Ihr Blick war intensiv und verträumt zugleich. Gelegentlich senkten sich ihre Lider über die grüne Iris, bis sie das Unterlid berührten und die Smaragde augenblicklich wieder zum Vorschein kamen.

Sehe ich wirklich auch so aus?, fragte ich mich. Sicher, ich wusste, dass meine Augen ihren glichen. Und ich wusste auch, dass wir unter dem roten Haar im Nacken denselben Wirbel hatten. Und ich wusste, welchen Eindruck wir auf die Dorfbewohner machen konnten, wenn wir bei seltenen Gelegenheiten in passenden Kleidern Arm in Arm The Street entlangspazierten. Aber trotzdem sah ich nicht wie Emmeline aus, nicht wahr? Mein Gesicht war zu diesem friedfertigen, konzentrierten Ausdruck nicht im Stande. Ich wirkte zweifellos vor Frustration verkniffen. Ich knabberte an meiner Unterlippe, warf wütend das Haar über die Schulter zurück und schnaubte vor Ungeduld. Ich konnte nicht so bedächtig sein wie sie. Ich hätte die Pailletten mit den Zähnen ausgebissen.

Du wirst mich doch nicht verlassen, oder?, wollte ich zu ihr sagen. Denn ich will immer mit dir zusammen sein. Wir werden hier bleiben. Zusammen. Egal, was John-the-dig dazu sagt.

»Sollen wir was spielen?«

Sie machte mit ihrer stillen Arbeit weiter, als hätte sie mich nicht gehört.

»Spielen wir Hochzeit. Du kannst die Braut sein, wenn du willst. Komm schon. Du kannst … das hier anziehen.« Ich zog ein Stück gelbe Gaze aus dem Haufen Verkleidungssachen in der Ecke. »Das ist wie ein Schleier, sieh mal.« Sie schaute nicht auf, nicht einmal, als ich ihr den Stoff überwarf. Sie strich ihn sich nur aus den Augen und zupfte weiter an ihren Pailletten.

Und so wandte ich mich ihrer Schatzkiste zu. Hesters Schlüssel hatten, immer noch auf Hochglanz poliert, nach wie vor ihren Platz darin, obwohl Emmeline, allem Anschein nach zumindest, ihre frühere Betreuerin vergessen hatte. Ich fand das eine oder andere Stück von Isabelles Schmuck, bunte Einwickelpapiere der Bonbons, die Hester ihr einmal gegeben hatte, eine gefährlich scharfe Glasscherbe aus einer zerbrochenen grünen Flasche, ein Stück Schleife mit Goldrand, die einmal mir gehört hatte – ein Geschenk von der Missus vor Gott weiß wie vielen Jahren. Unter all dem anderen Krimskrams waren sicher noch die Silberfäden, die sie am Tag von Hesters Ankunft aus den Gardinen gezogen hatte. Und halb versteckt unter dem Haufen Rubine, Glas und Plunder entdeckte ich etwas, das da nicht hinzugehören schien. Etwas aus Leder. Ich legte den Kopf schief, um es besser zu sehen. Ah! Deshalb hatte es ihr gefallen. Eingestanzte goldene Lettern. AGEBU. Wer oder was war AGEBU? Ich legte den Kopf schief und entdeckte noch etwas anderes. Ein winziges Schloss. Und einen winzigen Schlüssel. Kein Wunder, dass es in Emmelines Schatzkästchen gelandet war. Goldlettern *und* ein Schlüsselchen. Das war vermutlich ihr wertvollster Schatz! Und dann fiel der Groschen. Tagebuch!

Ich streckte die Hand danach aus.

Blitzschnell – der äußere Eindruck konnte trügen – packte Emmeline wie mit einem Schraubstock mein Handgelenk und hinderte mich daran, ihre Kiste anzurühren. Dabei sah sie mich immer noch nicht an. Sie schob meine Hand mit einer entschiedenen Bewegung weg und machte den Deckel zu.

Ihr Griff hatte weiße Druckstellen an meinem Handgelenk hinterlassen.

»Ich geh weg«, sagte ich versuchsweise. Meine Stimme klang nicht allzu überzeugend. »Bestimmt. Und dich lass ich hier. Ich werde erwachsen und lebe *allein.*«

Dann stand ich voller erhabenem Selbstmitleid auf und ging aus dem Zimmer.

Erst am späten Nachmittag machte sie sich auf die Suche nach mir und fand mich auf dem Fenstersitz in der Bibliothek. Ich hatte die Gardine zugezogen, um mich dahinter zu verstecken, doch sie lief zielstrebig in meine Richtung und schaute nach. Ich hörte, wie ihre Schritte näher kamen, und merkte, wie sich der Vorhang bewegte, als sie danach griff. Die Stirn an die Scheibe gedrückt, beobachtete ich die Regentropfen an der Fensterscheibe. Der Wind ließ sie silbern aufblitzen; sie drohten ständig, sich auf einen ihrer Zickzackkurse zu begeben, wo sie jedes kleinere Tröpfchen schluckten, das ihnen in die Quere kam. Emmeline legte ihren Kopf an meine Schulter. Ich schüttelte sie ärgerlich ab. Drehte mich auch nicht zu ihr um und weigerte mich, mit ihr zu sprechen. Sie nahm meine Hand und steckte mir etwas an den Finger.

Ich sah nicht hin, bis sie gegangen war. Ein Ring. Sie hatte mir einen Ring geschenkt.

Ich drehte den Stein nach innen und hielt den Handteller dicht ans Fenster. Das Licht erweckte den Stein zum Leben. Grün wie meine Augen. Grün wie Emmelines Augen. Sie hatte mir einen Ring geschenkt. Ich grub die Finger in die Hand und machte um den Ring eine feste Faust.

John sammelte eimerweise Regenwasser und leerte sie aus; er schälte Gemüse fürs Essen; er ging zum Bauernhof und kehrte mit Milch und Butter zurück. Doch nach jeder Tätigkeit schien seine langsam wiedergewonnene Energie erschöpft, und jedes Mal hatte ich Sorge, ob er es wohl schaffte, seinen mageren Körper vom Stuhl zu hieven, um die nächste Sache in Angriff zu nehmen.

»Sollen wir in den Formschnittgarten gehen?«, fragte ich ihn. »Du könntest mir zeigen, was es da zu tun gibt.«

Er antwortete nicht. Er hörte mich wohl kaum. Ein paar Tage ließ ich es dabei bewenden, dann fragte ich ihn erneut.

Irgendwann begab er sich in den Schuppen, wo er in seinem alten, geübten Rhythmus die Gartenschere wetzte. Dann holten wir die lange Leiter herunter und trugen sie nach draußen. »So«, sagte er und fasste an die Sicherungsvorrichtung, um sie mir zu zeigen. Er zog die Leiter aus und lehnte sie an die stabile Gartenmauer. Ich probierte die Sicherheitsverriegelung ein paar Mal aus, stieg dann ein paar Sprossen hoch und wieder herunter. »Sie fühlt sich nicht so sicher an, wenn sie an einer Eibe lehnt«, erklärte er. »Kann trotzdem nichts passieren, wenn du sie richtig hinstellst. Du musst ein Gefühl dafür bekommen.«

Dann gingen wir in den Formschnittgarten. Er führte mich zu einer mittelgroßen, beschnittenen Eibe, die struppig geworden war. Ich wollte die Leiter gerade an den Baumstamm lehnen, als er dazwischenfuhr. »Nein, nein«, rief er. »Zu ungeduldig.« Drei Mal lief er um den Baum. Dann setzte er sich auf den Boden und zündete sich eine Zigarette an. Ich setzte mich neben ihn, und er reichte mir auch eine. »Du darfst nie gegen die Sonne schneiden«, sagte er. »Und auch nicht in deinem eigenen Schatten.« Er nahm ein paar Züge an seiner Zigarette. »Achte auf die Wolken. Vor allem, wenn sie über den Himmel jagen. Lass dir die Fluchtlinie nicht vermasseln. Finde einen Fixpunkt in der Ferne. Ein Dach oder einen Zaun. Daran hältst du dich. Und nichts überhasten. Drei Mal so lang hinsehen wie schneiden.« Die ganze Zeit, während er sprach, ließ er genau wie ich den Baum kein einziges Mal aus den Augen. »Während du die Vorderseite eines Baums trimmst, musst du ein Gefühl für die Rückseite entwickeln und umgekehrt. Und schneide nicht nur mit der Schere. Nimm deinen ganzen Arm dazu. Bis in die Schulter hinein.«

Wir rauchten die Zigaretten zu Ende und drückten die Kippen mit den Spitzen unserer Stiefel aus.

»Und wie du ihn jetzt aus einiger Entfernung siehst, so musst du ihn im Kopf behalten, wenn du ihn nahe vor dir hast.«

Ich war so weit.

Drei Mal ließ er mich die Leiter an den Baum stellen, bevor er damit zufrieden war und sie sicher stand. Dann nahm ich die Heckenschere und stieg hoch.

Ich arbeitete drei Stunden. Zuerst war ich mir der Höhe bewusst, sah dauernd nach unten und musste mich zu jeder weiteren Sprosse auf der Leiter zwingen. Jedes Mal, wenn ich sie verrückte, kostete es mich mehrere Versuche, sie sicher aufzustellen. Doch nach einer Weile zog mich die Arbeit in ihren Bann, und ich merkte kaum, wie hoch ich war. John stand, die meiste Zeit schweigend, in der Nähe. Ab und zu machte er eine Bemerkung: Achte auf deinen Schatten! Oder: Denk an die Rückseite! Meistens jedoch sah er nur zu und rauchte. Erst als ich das letzte Mal von der Leiter herunterkam, die Sicherheitsverriegelung aufschnappen ließ und die Leiter zusammenschob, merkte ich, wie wund meine Hände vom Gewicht der Gartenschere waren. Doch das machte nichts.

Ich trat ein gutes Stück zurück, um mein Werk zu begutachten. Drei Mal ging ich um den Baum herum. Mein Herz hüpfte vor Freude. Es war *gut.*

John nickte. »Nicht schlecht«, erklärte er. »Du stellst dich nicht dumm an.«

Ich ging in den Schuppen, um die Leiter zu holen und den Baum zu trimmen, der die Form eines Bowlerhuts hatte, doch die Leiter war verschwunden. Der Junge, den ich nicht leiden konnte, war mit dem Rechen im Küchengarten. Ich ging mit finsterer Miene zu ihm. »Wo ist die Leiter?« Es war das erste Mal, dass ich mit ihm sprach.

Er ignorierte mein schroffes Benehmen und antwortete mir höflich. »Die hat Mr. Digence geholt. Er ist vorne am Haus und repariert das Dach.«

Ich gestattete mir eine der Zigaretten, die John im Schuppen gelassen hatte, und rauchte sie, während ich dem Jungen, der mich neidisch beäugte, bissige Blicke zuwarf. Dann wetzte ich die Gartenschere. Ich kam auf den Geschmack und wetzte auch noch das Gartenmesser; ich ließ mir dabei Zeit und machte es sorgfältig. Währenddessen wurde der Rhythmus des Steins an der Klinge vom Takt des Rechens untermalt, mit dem der Junge die Erde harkte. Jetzt erst warf ich einen Blick auf den Sonnenstand und stellte fest, dass es zum Beschneiden des Bowlerhuts zu spät geworden war. *Da* erst ging ich zu John.

Die Leiter lag am Boden. Ihre zwei Teilstücke bildeten zusammen einen spitzen Winkel; die Metallnut, die sie konstant auf sechs Uhr halten sollte, war aus dem Holz gehebelt, und aus der aufgerissenen Stelle in der Seitenschiene ragten große

Splitter. Neben der Leiter lag John. Er bewegte sich nicht, als ich seine Schulter berührte, doch er war warm wie die Sonne, die auf seine gespreizten Glieder und seine blutigen Haare schien. Er starrte gerade in den klaren, blauen Himmel, doch das Blau seiner Augen war seltsam trübe.

Das vernünftige Mädchen ließ mich im Stich. Urplötzlich war ich ganz ich selbst, nur ein dummes Kind, fast ein Nichts.

»Was soll ich nur tun?«, flüsterte ich.

Meine Stimme machte mir Angst. Auf dem Boden ausgestreckt, hatte ich Johns Hand gepackt, und während sich mir die Kiessplitter in die Schläfe bohrten, sah ich zu, wie die Zeit verstrich. Der Schatten des Bibliotheksvorbaus breitete sich über den Kies und erfasste die am weitesten entfernten Sprossen der Leiter. Sprosse um Sprosse kroch er unerbittlich auf uns zu. Er erreichte die Sicherheitsverriegelung.

Die *Sicherheitsverriegelung*. Wieso hatte John sie nicht überprüft? Selbstverständlich hatte er sie überprüft. Doch wie war er dann … wieso?

Der Gedanke war unerträglich.

Sprosse um Sprosse kroch der Schatten des Gebäudevorsprungs näher. Er erreichte Johns Wollhose, dann sein grünes Hemd, sein Haar – wie schütter sein Haar geworden war! Wieso hatte ich mich nicht besser um ihn gekümmert?

Im selben Moment, als ich sah, wie weiß Johns Haar geworden war, bemerkte ich auch die tiefen Furchen, welche die Füße der Leiter, als sie unter ihm weggerutscht war, hinterlassen hatten. Sonst keine Spur. Keine einzige. Kies ist kein Sand oder Schnee oder auch nur frisch umgegrabene Erde. Es bleibt darin kein Fußabdruck zurück. Nichts, was darauf hindeutete, wie jemand gekommen war und am Fuß der Leiter herumgelungert hatte, und, nachdem er zu Ende gebracht hatte, wozu er hergekommen war, gemächlichen Schritts wieder gegangen war. Denn nach dem Kies zu urteilen, könnte es ein Gespenst gewesen sein.

Alles war kalt. Der Kies, Johns Hand, mein Herz.

Ich stand auf und ließ John liegen, ohne mich noch einmal umzusehen. Ich lief ums Haus zum Küchengarten. Der Junge war noch da, er stellte gerade Rechen und Besen weg. Als er mich kommen sah, hielt er inne und starrte mich an. Und dann, als ich stehen blieb – nicht in Ohnmacht fallen! Ja nicht in Ohnmacht fallen! –, kam er auf mich zugelaufen, um mich aufzufangen. Ich beobachtete ihn wie aus weiter Ferne. Und ich fiel nicht in Ohnmacht. Nicht ganz. Stattdessen merkte ich, als er mich erreichte, wie eine Stimme in mir hochstieg und sich Worte, die ich gar nicht sagen wollte, aus meiner zugeschnürten Kehle rangen. »Wieso *hilft* mir denn keiner?«

Er packte mich unter den Armen. Ich ließ mich gegen ihn sinken, und er legte mich langsam auf dem Rasen nieder. »Ich werde Ihnen helfen«, sagte er. »Bestimmt.«

ꕥ

Ich war in Gedanken noch so bei John-the-digs Tod, immer noch so von Miss Winters tief bekümmertem Gesicht ergriffen, dass ich kaum den Brief bemerkte, der in meinem Zimmer auf mich wartete.

Ich öffnete ihn nicht, bis ich meine Niederschrift fertig hatte, und als es so weit war, zeigte sich, dass er nichts Besonderes enthielt.

*Sehr geehrte Miss Lea,*

*nach all der Hilfe, die mir Ihr Vater über die Jahre hat angedeihen lassen, möchte ich Ihnen sagen, wie dankbar ich bin, mich gegenüber seiner Tochter auf bescheidene Weise erkenntlich zeigen zu können.*

*Meine ersten Nachforschungen im Vereinigten Königreich haben keine Hinweise auf den Verbleib von Miss Hester Barrow nach ihrer Anstellung in Haus Angelfield erbracht. Ich habe eine Reihe Dokumente in Verbindung mit ihrer Zeit davor ausfindig gemacht und stelle einen Bericht zusammen, den Sie, denke ich, in ein paar Wochen von mir bekommen werden. Meine Nachforschungen sind keineswegs abgeschlossen. So habe ich zum Beispiel meine Beziehungen nach Italien noch nicht ausgeschöpft, und es steht auch zu erwarten, dass das eine oder andere Detail, das sich aus den frühen Jahren ergibt, neue Kanäle erschließt.*

*Kein Grund, zu verzweifeln! Falls Ihre Gouvernante zu finden ist, dann werde ich sie finden.*

*Mit freundlichen Grüßen,*
*Emmanuel Drake*

Ich verstaute den Brief in einer Schublade, dann zog ich Mantel und Handschuhe an.

»Komm schon«, sagte ich zu Shadow.

Er folgte mir nach unten in den Garten, wo wir den Pfad an der Seite des Hauses entlanggingen. Hier und da machte der Weg einen Bogen um einen Busch oder Strauch, der an der Hauswand wuchs; kaum merklich führte er von der Wand in das reizvolle Labyrinth des Gartens. Ich widerstand seinem Ausweichmanöver und ging geradeaus weiter. Wenn ich die Hauswand immer zu meiner Linken behalten wollte, musste ich mich hinter einer Gruppe dichter, ausladender, großer Büsche hindurchwinden. Ich stieß mit den Knöcheln an ihre knorrigen Stämme; ich musste mir mein Kopftuch vors Gesicht binden, um es mir nicht zu zerkratzen. Der Kater begleitete mich bis zu dieser Stelle, wo er vor dem allzu dichten Unterholz zurückschreckte.

Ich ging weiter. Und ich fand, wonach ich suchte. Ein Fenster, stark mit Efeu überwuchert und hinter so viel immergrünem Laub versteckt, dass der Lichtschimmer, der bis nach draußen drang, vom Garten aus nicht zu sehen war.

Direkt hinter dem Fenster saß Miss Winters Schwester an einem Tisch. Ihr gegenüber war Judith, die der Invalidin löffelweise Suppe zwischen die entstellten, zusammengeflickten Lippen flößte. Plötzlich verweilte der Löffel auf halbem Wege zwischen Schüssel und Mund, und Judith schaute genau in meine Richtung. Sie konnte mich durch den Efeu unmöglich sehen, hatte aber wohl meinen Blick gespürt. Nach einer Weile wandte sie sich wieder ihrer Aufgabe zu und machte weiter. In dem kurzen Moment ihres Zögerns war mir jedoch etwas Eigentümliches an dem Löffel aufgefallen. Es war ein Silberlöffel mit einem länglichen A in Gestalt eines stilisierten Engels als Zierde am Griff.

Ich kannte einen solchen Löffel. A. Angel. Angelfield. Emmeline hatte einen solchen Löffel und Aurelius auch.

Immer dicht an der Wand entlang, sodass mir die Zweige in die Haare gerieten, wand ich mich wieder aus dem Gebüsch. Der Kater sah mir zu, wie ich mir die kleinen abgebrochenen Zweige und toten Blätter von Ärmeln und Schultern strich.

»Sollen wir rein?«, fragte ich das Tier, und er nahm meinen Vorschlag freudig an.

Zwar hatte Mr. Drake Hester nicht für mich ausfindig machen können, aber immerhin hatte ich Emmeline gefunden.

# Ewiges Zwielicht

In meinem Arbeitszimmer schrieb ich die Geschichte nieder, im Garten wanderte ich umher, in meinem Schlafzimmer streichelte ich den Kater und blieb aus Angst vor Albträumen so lange wie möglich wach. Die mondhelle Nacht, in der ich Emmeline im Garten gesehen hatte, schien mir jetzt wie ein Traum, denn die Wolkendecke hatte sich wieder geschlossen, und wir waren erneut in ewiges Zwielicht getaucht. Mit dem Tod der Missus und von John-the-dig herrschte in Miss Winters Geschichte noch ein Hauch mehr Kälte. Hatte Emmeline – diese beängstigende Gestalt im Garten – sich an der Leiter zu schaffen gemacht? Inzwischen wurde der Schatten, der mit fortschreitendem Dezember an meinem Fenster lauerte, immer eindringlicher. Ihre Nähe stieß mich ab, ihre Ferne brach mir das Herz. Jedes Mal löste ihr Anblick bei mir die sattsam vertraute Mischung aus Furcht und Sehnsucht aus.

Ich war vor Miss Winter in der Bibliothek – ob morgens oder nachmittags oder abends, weiß ich nicht – und stand wartend am Fenster. Meine bleiche Schwester drückte ihre Finger gegen meine, bannte mich mit ihrem flehentlichen Blick, trübte die Scheibe mit ihrem kühlen Atem. Ich hätte nur die Scheibe einschlagen müssen, um zu ihr zu kommen.

»Was in aller Welt gucken Sie so?«, hörte ich hinter mir Miss Winters Stimme.

Langsam drehte ich mich um.

»Setzen Sie sich«, fuhr sie mich an. »Judith, legen Sie doch bitte Holz nach, und dann bringen Sie diesem Mädchen was zu essen.«

Ich setzte mich.

Judith servierte Kakao und Toast.

Miss Winter fuhr mit ihrer Geschichte fort, während ich an meiner heißen Schokolade nippte.

&

»Ich werde Ihnen helfen«, hatte er gesagt. Aber was konnte er schon für uns tun? Er war schließlich noch ein Junge.

Ich schaffte ihn mir vom Hals, indem ich ihn nach Dr. Maudsley schickte, und während er weg war, machte ich starken, süßen Tee, von dem ich eine Kanne trank. Ich riss mich zusammen und dachte angestrengt nach. Bis ich den Bodensatz erreicht hatte, brannten mir nicht länger die Tränen in den Augen. Es musste etwas unternommen werden.

Bis der Junge mit dem Doktor wiederkam, hatte ich mich gefasst. Exakt in dem Moment, als ich hörte, wie sich ihre Schritte dem Haus näherten, ging ich ihnen um die Ecke entgegen.

»Emmeline, du armes Kind!«, rief der Doktor aus, während er mir in einer Geste der Anteilnahme die Hände entgegenstreckte, als wollte er mich umarmen.

Ich machte einen Schritt zurück, und er blieb stehen. »Emmeline?« Unsicherheit flackerte in seinen Augen auf. Oder war es Adeline? Das war unmöglich. Das konnte einfach nicht sein. Er brachte den Namen nicht über die Lippen. »Tut mir Leid«, stammelte er. Doch er wusste es noch immer nicht.

Ich half ihm nicht aus der Verlegenheit. Stattdessen weinte ich. Keine echten Tränen. Meine echten Tränen – und glauben Sie mir, ich hatte eine Menge davon aufgestaut – hielt ich zurück. Irgendwann, heute Nacht oder morgen oder bald, ich konnte nicht sagen, wann genau, würde ich allein sein und stundenlang weinen. Um John. Um mich. Ich würde laut schluchzen, Rotz und Wasser heulen wie als kleines Mädchen, als nur John mich trösten konnte, indem er mir mit seinen Händen, die nach Tabak und Garten rochen, über die Haare strich. Es würden heiße, hässliche Tränen werden, und wenn sie versiegten, dann würden meine Augen so geschwollen sein, dass ich nur noch aus rot geränderten Schlitzen sehen konnte.

Doch diese Tränen gingen nur mich etwas an und nicht den Doktor. Bei ihm ließ ich mich zu Krokodilstränen herab. Sodass meine grünen Augen wie Edelsteine funkelten. Wenn man einen Mann mit grünen Augen blendet, ist er so hypnotisiert, dass er den Argusblick, der darin lauert, gar nicht bemerkt.

»Ich fürchte, ich kann nichts mehr für Mr. Digence tun«, sagte er, als er sich neben dem Leichnam erhob.

Es war seltsam, Johns richtigen Namen zu hören.

»Wie ist das nur passiert?« Er sah zur Balustrade hoch, an der John gearbeitet hatte, und beugte sich dann über die Leiter. »Hat die Sicherheitsverriegelung versagt?«

Fast gelang es mir, den Leichnam emotionslos zu betrachten. »Ist er vielleicht ausgerutscht?«, überlegte er laut. »Hat er nach der Leiter gegriffen, als er fiel, und sie mit sich heruntergerissen?«

»Niemand hat gesehen, wie er gefallen ist?«

»Wir haben unsere Zimmer auf der anderen Seite des Hauses, und der Junge war im Gemüsegarten.« Der Junge stand ein Stück von uns entfernt und vermied es, den Toten anzusehen.

»Hmm. Er hat, soweit ich mich entsinne, keine Familie.«

»Er hat ziemlich für sich gelebt.«

»Verstehe. Und wo ist dein Onkel? Wieso empfängt er mich nicht?«

Ich hatte keine Ahnung, was John dem Jungen über unsere Situation gesagt hatte. Ich musste improvisieren. In weinerlichem Ton erzählte ich dem Doktor, mein Onkel sei weggegangen.

»Weggegangen?« Der Doktor runzelte die Stirn.

Der Junge reagierte nicht. So weit hatte ihn demnach nichts überrascht. Er stand da und starrte auf seine Füße, um den Toten nicht sehen zu müssen, und ich hatte einen Moment Zeit, ihn als Memme einzustufen, bevor ich weiterredete: »Mein Onkel kommt erst in ein paar Tagen zurück.«

»In wie vielen Tagen?«

»Also, wann genau ist er weg…?« Ich zog die Stirn kraus und tat so, als zählte ich die Tage rückwärts. Dann ließ ich den Blick auf dem Toten ruhen und meine Knie zittern.

Der Doktor und der Junge sprangen mir gleichzeitig zu Hilfe und packten mich links und rechts am Arm.

»Schon gut. Das hat Zeit, meine Liebe, das hat Zeit.«

Ich ließ mich von den beiden ums Haus Richtung Küchentür führen.

»Ich weiß nicht recht, was wir machen sollen!«, sagte ich, als wir um die Ecke bogen.

»In welcher Hinsicht?«

»Wegen der Beerdigung.«

»Das lass meine Sorge sein. Ich kümmer mich um das Bestattungsinstitut, und der Vikar kümmert sich um das Übrige.«

»Und was ist mit dem Geld?«

»Das wird dein Onkel schon erledigen, sobald er kommt. Wohin ist er denn vereist, wenn ich fragen darf?«

»Und wenn er sich nun verspätet?«

»Hältst du das für wahrscheinlich?«

»Er ist ein… unberechenbarer Mann.«

»Da hast du Recht.« Der Junge hielt die Küchentür auf, der Doktor führte mich hinein und zog einen Stuhl für mich heran. Ich sank darauf nieder.

»Gegebenenfalls wird der Anwalt alles Nötige veranlassen. Wo ist denn deine Schwester? Weiß sie, was passiert ist?«

Ohne mit der Wimper zu zucken, antwortete ich: »Sie schläft.«

»Vielleicht besser so. Dann lassen wir sie wohl lieber schlafen?«

Ich nickte.

»Und wer kann sich um euch kümmern, solange euer Onkel weg ist?«

»Sich um uns kümmern?«

»Ihr könnt doch wohl kaum allein hier bleiben ... Nicht nach dem, was passiert ist. Es war ohnehin unüberlegt von deinem Onkel, euch so kurz, nachdem ihr eure Haushälterin verloren habt, allein zu lassen, ohne für Ersatz zu sorgen. Es muss jemand kommen.«

»Ist das wirklich nötig?« Ich war ganz Tränen und grüne Augen; Emmeline war nicht die Einzige, die sich darauf verstand, ganz Frau zu sein.

»Na ja, ihr wollt doch bestimmt ...«

»Es ist nur so, das letzte Mal, als jemand kam, um sich um uns zu kümmern – Sie erinnern sich doch an unsere Gouvernante?« Dabei warf ich ihm einen so gemeinen, aber auch so kurzen Blick zu, dass er sich nicht sicher sein konnte, ihn tatsächlich gesehen zu haben. Er besaß immerhin so viel Anstand zu erröten und den Blick zu senken. Als er wieder aufschaute, war ich nur noch Smaragde und Diamanten.

Der Junge räusperte sich. »Meine Großmutter könnte nach dem Rechten sehen, Sir. Nicht, dass sie hier wohnen soll, aber sie könnte ja jeden Tag kommen, für eine Weile.«

Dr. Maudsley, immer noch irritiert, dachte über den Vorschlag nach. Es war ein Ausweg, und er suchte nach einem Ausweg.

»Also, ich denke, Ambrose, das wäre eine ideale Lösung. Zumindest fürs Erste. Und dein Onkel ist sicher in ein paar Tagen wieder da, und in dem Fall besteht keine Notwendigkeit zu … ehm … zu …«

»Mein Reden.« Ich erhob mich in einer fließenden Bewegung von meinem Stuhl. »Wenn Sie sich dann also um das Bestattungsinstitut kümmern, gehe ich zum Vikar.« Ich streckte ihm die Hand entgegen. »Danke, dass Sie so schnell gekommen sind.«

Der Mann hatte völlig den Boden unter den Füßen verloren. Auf mein Stichwort hin stand er auf und spürte für einen Moment seine Finger in meinen. Sie waren verschwitzt.

Noch einmal suchte er in meinem Gesicht nach meinem Namen. Adeline oder Emmeline? Emmeline oder Adeline? Er entschied sich für den einzigen Ausweg. »Das mit Mr. Digence tut mir Leid, aufrichtig Leid, Miss March.«

»Danke, Doktor.« Und ich verbarg mein Lächeln hinter einem Tränenschleier.

Auf dem Weg nach draußen nickte Dr. Maudsley dem Jungen zu und schloss die Tür hinter sich.

Und nun zu dem Jungen.

Ich wartete, bis der Doktor gegangen war, dann öffnete ich die Tür und komplimentierte den Jungen hinaus. »Übrigens«, sagte ich, als er auf der Schwelle stand, in einem Ton, der deutlich machte, dass ich die Hausherrin war, »deine Großmutter braucht nicht herzukommen.«

Er sah mich mit einem eigenartigen Ausdruck an. Hier war jemand, der die grünen Augen *und* das Mädchen dahinter sah.

»Soll mir recht sein«, sagte er und tippte beiläufig an seine Kappe, »ich hab nämlich gar keine Großmutter.«

»Ich werde Ihnen helfen«, hatte er gesagt, aber er war ja noch ein Junge.

Doch am nächsten Tag brachte er uns zum Anwalt nach Banbury, ich neben ihm und Emmeline hinten im zweirädrigen Pferdewagen. Nachdem wir unter den strengen Augen einer Empfangsdame eine Viertelstunde gewartet hatten, wurden wir endlich in Mr. Lomax' Büro gebeten. Er sah Emmeline an, dann mich und sagte: »Ich muss wohl nicht fragen, wer Sie beide sind.«

»Wir sind gewissermaßen in einer Verlegenheit«, erklärte ich. »Mein Onkel ist nicht da, und unser Gärtner ist gestorben. Es war ein Unfall. Ein tragischer Unfall. Da er keine Familie hat und schon eine Ewigkeit für uns arbeitet, finde ich, dass die Familie für seine Bestattung aufkommen sollte, nur dass wir ein bisschen knapp…«

Sein Blick schweifte zu Emmeline und wieder zurück zu mir.

»Bitte entschuldigen Sie meine Schwester. Sie ist nicht ganz gesund.« Emmeline sah in der Tat ein wenig seltsam aus. Ich hatte dafür gesorgt, dass sie sich mit ihren altmodischen Roben verkleidete, und ihre Augen waren einfach zu schön, um für so etwas Profanes wie Intelligenz Raum zu lassen.

»Ja«, sagte Mr. Lomax. Er sprach mit gesenkter, leiser Stimme. »Mir ist etwas in der Art zu Ohren gekommen.«

Durch so viel Verständnis ermutigt, beugte ich mich vor und vertraute ihm an: »Und was meinen Onkel betrifft… also, Sie hatten ja schon beruflich mit ihm zu tun, somit wissen Sie natürlich Bescheid, nicht wahr? Da liegen die Dinge auch nicht eben einfach.« Ich setzte meinen entwaffnend offenherzigen, inständigen Augenaufschlag ein. »Es ist geradezu eine Wohltat, es zur Abwechslung mal mit einem vernünftigen Menschen zu tun zu haben!«

Er ließ die Gerüchte, die er gehört hatte, innerlich Revue passieren. Einer der Zwillinge sei nicht ganz richtig im Kopf, erzählte man sich. Nun ja, schloss er seine Überlegungen ab, die andere ist dafür umso patenter.

»Das Vergnügen ist ganz auf meiner Seite, Miss ehm – bitte verzeihen Sie, wie war noch der Name Ihres Vaters?«

»Der Name, der Ihnen auf der Zunge liegt, ist March. Aber wir haben uns daran gewöhnt, dass man uns besser unter dem Namen unserer Mutter kennt. Die Angelfield-Zwillinge nennen sie uns im Dorf. Niemand erinnert sich an Mr. March, wir am allerwenigsten. Wir haben ihn nie kennen gelernt, wissen Sie, und wir unterhalten keinerlei Verbindung mit seiner Familie. Ich hab schon oft gedacht, dass es wohl das Beste wäre, eine rechtskräftige Namensänderung vorzunehmen.«

»Das ist möglich. Wieso nicht? Im Grunde ganz einfach.«

»Aber das kann warten. Der Grund meines heutigen Besuchs …«

»Selbstverständlich. Und nun lassen Sie mich Ihnen hinsichtlich der Beerdigungsfeier helfen. Sie wissen nicht, wann Ihr Onkel zurückkommt, wenn ich Sie recht verstanden habe?«

»Das kann eine Weile dauern«, sagte ich, was nicht gelogen war.

»Das macht nichts. Entweder ist er selber rechtzeitig zurück, um die Auslagen zu begleichen, oder aber ich nehme die Zahlungen in seinem Namen vor und regle sie bei seiner Rückkehr mit ihm.«

Mein Gesicht war daraufhin, wie er es erwarten durfte, ein Bild der Erleichterung. Und noch während er sich in dem Gedanken sonnte, welche Last er mir von der Seele genommen hatte, schob ich ein Dutzend Fragen hinterher, die alle darum kreisten, was wohl passieren würde, wenn einem Mädchen wie mir, mit der Verantwortung für eine Schwester wie Emmeline, durch tragische Umstände der Vormund für immer abhanden käme. Er legte mir die Situation in kurzen Worten dar, und ich wusste genau, welche Schritte ich würde unternehmen müssen und wann es so weit war. »Nicht, dass irgendetwas davon auf Sie und Ihre Lage zuträfe!«, schloss er seine Ausführungen, als hätte er sich dazu hinreißen lassen, dieses alarmierende Szenario auszumalen, und wünschte sich nun, drei Viertel davon zurücknehmen zu können. »Schließlich wird Ihr Onkel in wenigen Tagen wieder bei Ihnen sein.«

»So Gott will!«, erwiderte ich mit meinem strahlendsten Lächeln.

Wir waren schon an der Tür, als Mr. Lomax sich aufs Wesentliche besann. »Ach, eh ich's vergesse, er hat wohl keine Anschrift hinterlassen?«

»Sie kennen doch meinen Onkel!«

»Hatte ich mir schon gedacht. Aber Sie wissen so ungefähr, wo er sich aufhält?«

Ich mochte Mr. Lomax, doch das konnte mich nicht daran hindern, ihn zu belügen, wenn es erforderlich war. Lügen war einem Mädchen wie mir zur zweiten Natur geworden.

»Ja... das heißt, nein.«

Er sah mich mit ernster Miene an. »Denn wenn Sie nicht wissen, wo er ist...« Er ging im Geist noch einmal all die rechtlichen Schritte durch, die er mir eben aufgezählt hatte.

»Nun ja, ich kann Ihnen immerhin verraten, wohin er *angeblich* wollte.«

Mr. Lomax sah mich mit hochgezogenen Augenbrauen an.

»Er hat gesagt, er wollte nach Peru.«

Mr. Lomax' Augen traten aus den Höhlen, und ihm fiel die Kinnlade herunter.

»Aber wir wissen natürlich beide, dass das lächerlich ist, nicht wahr?«, fügte ich hinzu. »Er kann unmöglich in Peru sein, oder?«

Und mit meinem forschesten, selbstverständlichsten Lächeln schloss ich die Tür hinter mir und überließ Mr. Lomax seiner Besorgnis über meine Lage.

Der Tag der Beerdigung rückte heran, und immer noch hatte ich nicht weinen können. Erst stand der Vikar ins Haus, dann folgten zaghaft die Dorfbewohner, die wissen wollten, wie sie es mit Kränzen und Blumen halten sollten. Selbst Mrs. Maudsley kam, höflich unterkühlt, als habe Hesters Vergehen irgendwie auch auf mich abgefärbt. »Mrs. Proctor, die Großmutter des Jungen, ist ein Juwel gewesen«, ließ ich sie wissen. »Bitte richten Sie Ihrem Mann aus, wie sehr ich ihm für den Vorschlag danke.«

Während der ganzen Prozedur hatte ich das Gefühl, als ließe mich der Proctor-Junge nicht aus den Augen, auch wenn ich ihn nie dabei ertappte.

Auch Johns Beerdigung war nicht der Ort zum Weinen, das wäre nicht angemessen gewesen. Denn ich war Miss Angelfield, und wer war er? Nichts weiter als der Gärtner.

Als der Gottesdienst zu Ende war, hatte der Vikar in freundlicher Absicht, wenn auch vergeblicher Liebesmühe ein paar Worte an meine Schwester gerichtet – ob sie nicht vielleicht öfters zur Kirche kommen wollte? Gottes Barmherzigkeit sei ein Segen für alle seine Geschöpfe –, während ich Mr. Lomax und Dr. Maudsley belauschte, die glaubten, hinter meinem Rücken außer Hörweite zu sein.

»Patentes Mädchen«, sagte der Anwalt zum Doktor. »Ich glaube, ihr ist der ganze Ernst der Situation noch nicht bewusst. Ihnen ist bekannt, dass niemand weiß, wo der Onkel ist? Aber wenn sie erst mal Klarheit hat, dann hege ich keinen Zweifel, dass sie zurechtkommen wird. Ich habe die Hebel in Bewegung gesetzt, um die finanzielle Seite zu regeln. Ihre größte Sorge waren ausgerechnet die Kosten für die Beerdigung des Gärtners. Ein gutes Herz und ein kluger Kopf, die Kleine.«

»Ja«, sagte der Doktor ohne Überzeugungskraft.

»Dabei hatte ich immer geglaubt – ich kann, wohlgemerkt, nicht sagen, woher ich das habe –, die beiden seien … nicht ganz richtig. Aber jetzt, da ich sie kennen gelernt habe, ist mir sonnenklar, dass das nur auf die eine von ihnen zutrifft. Ein wahrer Segen. Aber das ist Ihnen natürlich nicht neu, Sie sind ja ihr Arzt.«

Der Doktor murmelte etwas, das ich akustisch nicht verstand.

»Wie meinen Sie?«, fragte der Anwalt. »Nebel, haben Sie gesagt?«

Es kam keine Antwort, und so stellte der Anwalt eine andere Frage. »Aber welche ist welche? Das habe ich bei ihrem Besuch nicht in Erfahrung bringen können. Wie heißt diejenige, die bei klarem Verstand ist?«

Ich drehte mich ein wenig um, eben weit genug, um sie aus dem Augenwinkel heraus zu sehen. Der Doktor spähte mit demselben Ausdruck zu mir hinüber wie während des ganzen Gottesdienstes schon. Wo war das zurückgebliebene Kind, das er monatelang in seinem Haus gehabt hatte? Das Mädchen, das keinen Löffel an die Lippen heben, das kein Wort sprechen, geschweige denn, eine Beerdigung ausrichten oder einem Anwalt intelligente Fragen stellen konnte. Seine Verblüffung war durchaus verständlich.

Seine Augen flackerten von mir zu Emmeline, von Emmeline zu mir. »Ich glaube, es ist Adeline.« Ich sah, wie seine Lippen den Namen formten, und konnte mir ein Lächeln nicht verkneifen, als ihm sämtliche wissenschaftlichen Theorien wie ein Kartenhaus zusammenstürzten.

Als sich unsere Blicke trafen, hob ich die Hand, um sie beide zu grüßen. Eine huldvolle Geste des Danks dafür, dass sie mir zuliebe an der Beerdigung eines ihnen nur flüchtig bekannten Mannes teilgenommen hatten. So fasste es der Anwalt auf. Der Doktor mochte es sich ganz anders auslegen.

Später, viele Stunden später.

Nachdem die Trauerfeier vorüber war, hätte ich endlich weinen können.

Nur konnte ich es nicht. Meine Tränen waren, nachdem ich sie zu lange zurückgehalten hatte, zu Stein geronnen.

Sie mussten für immer bleiben, wo sie waren.

# Versteinerte Tränen

»Entschuldigen Sie…«, fing Judith an und hielt inne. Sie presste die Lippen zusammen, dem folgte ein untypisches Händeflattern. »Der Doktor ist schon zu einem Patientenbesuch unterwegs – er kann erst in einer Stunde hier sein. Bitte…«

Ich schnürte mir den Morgenmantel zu und ging ihr nach; Judith eilte im Laufschritt voraus. Wir stiegen Treppen hoch und hinunter, bogen in Flure und Dielen ab, gelangten erneut ins Erdgeschoss, wenn auch in einen Teil des Gebäudes, den ich noch nie gesehen hatte. Endlich kamen wir in eine Zimmerflucht, in der ich Miss Winters Privatsuite vermutete. Wir hielten vor einer verschlossenen Tür, und Judith sah mich alarmiert an. Ich verstand ihre Sorge nur zu gut. Durch die Tür drangen tiefe, unmenschliche Laute, Schmerzensschreie, unterbrochen von einzelnen keuchenden Atemzügen. Judith öffnete die letzte Tür, und wir gingen hinein.

Ich war überrascht. Kein Wunder, dass es so laut hallte! Anders als im übrigen Haus mit seinen prallen Polstern, üppigen Gardinen und schallgedämpften Wänden mit all den Tapisserien war dies hier ein karger, nackter Raum. Die Wände waren verputzt, der Boden mit einfachen Dielen belegt. Ein schlichtes Bücherregal war mit vergilbtem Papier voll gestopft, und in der Ecke stand ein schmales Bett mit weißer Wäsche. Am Fenster hingen links und rechts leichte Baumwollgardinen und ließen die Nacht herein. Über einem kleinen Kinderschreibtisch gebeugt, saß, mit dem Rücken zu mir, Miss Winter. Nichts von ihrem feurigen Orange und prächtigen

Violett. Sie trug ein weißes, langärmeliges Unterkleid, und sie weinte.

Eine harsche, misstönende Reibung des Atems an den Stimmbändern. Kreischende Klagelaute, die in ein Furcht erregendes, tierisches Stöhnen übergingen. Ihre Schultern hoben und senkten sich heftig, und ihr ganzer Oberkörper schüttelte sich; die Wucht setzte sich über den gebrechlichen Hals bis in den Kopf hinein fort, die Arme entlang bis in die Hände, die an der Schreibtischfläche rüttelten. Judith eilte zu ihr, um ein Kissen unter Miss Winters Schläfe zurechtzurücken. Miss Winter, von der Krise völlig überwältigt, schien nicht zu wissen, dass wir im Zimmer waren.

»So hab ich sie noch nie gesehen«, sagte Judith, die Finger an die Lippen gedrückt. Und in einem Ton wachsender Panik: »Ich weiß nicht, was ich machen soll.«

Miss Winter hatte den Mund geöffnet, und ihr Gesicht wurde von einem Schmerz, der für sie zu übermächtig war, zu wilden, hässlichen Grimassen verzerrt.

»Das wird schon«, sagte ich zu Judith. Es war eine Qual, die ich kannte. Ich zog einen Stuhl heran und setzte mich neben Miss Winter.

»Scht! Scht, ich weiß.« Ich legte ihr einen Arm um die Schulter und zog ihre beiden Hände heran. Ich hüllte meinen Körper um ihren und hielt das Ohr nah an ihren Kopf, während ich immer wieder meine Beschwörungsformel aufsagte. »Keine Angst, das vergeht. Scht, Kind. Du bist nicht allein.« Ich wiegte sie und beschwichtigte sie und hörte nicht auf, die magische Formel zu flüstern. Es waren nicht meine eigenen Worte, sondern die meines Vaters. Worte, die, wie ich wusste, ihre Wirkung nicht verfehlten, denn sie hatten auch bei mir gewirkt. »Scht«, flüsterte ich. »Ich weiß, das geht vorbei.«

Die Zuckungen hörten nicht auf, und auch die Schreie waren unvermindert qualvoll, doch nach und nach wurden sie weniger schrill. Sie hatte zwischen den Anfällen Zeit, verzweifelt nach Luft zu schnappen.

»Du bist nicht allein. Ich bin da.«

Irgendwann war sie ruhig. Die Rundung ihres Schädels drückte sich gegen meine Wange. Dünne Haarsträhnen strichen mir über die Lippen. An den Rippen spürte ich ihre kurzen Atemstöße, die schwachen Konvulsionen in ihrer Lunge. Ihre Hände lagen sehr kalt in meinen.

»Gut, schon gut.«

Wir saßen minutenlang schweigend da. Ich zog den Schal hoch und legte ihn ihr um die Schultern, versuchte, ihre Hände ein wenig warm zu reiben. Ihr Gesicht war gramzerfurcht. Sie konnte kaum aus ihren geschwollenen Augenlidern sehen, und ihre Lippen waren wund und aufgesprungen.

»Er war ein guter Mann«, sagte ich. »Ein guter Mann. Und er hat Sie geliebt.«

Langsam nickte sie. Ihre Lippen bebten. Hatte sie versucht, etwas zu sagen? Wieder bewegte sie den Mund. Die Sicherheitsverriegelung? Hatte sie das gesagt?

»Hat Ihre Schwester sich an der Sicherheitsverriegelung zu schaffen gemacht?«

Im Nachhinein erscheint die Frage brutal, doch in dieser Situation, als die letzten Reste an Diskretion mit der Tränenflut fortgespült waren, wirkte sie nicht deplatziert.

Meine Frage ließ ihre Qual noch einmal aufwallen, doch dann gab sie eine unmissverständliche Antwort: »Nicht Emmeline. Nicht sie. Nicht sie.«

»Wer dann?«

Sie kniff die Augen zu, fing an, den Oberkörper zu wiegen und den Kopf zu schütteln. Die Bewegung erinnerte mich an

Tiere im Zoo, die ihre Gefangenschaft in den Wahnsinn getrieben hat. Ich bekam Angst, ihre Qual könnte von vorne anfangen, und entsann mich, wie mich mein Vater in meiner Kindheit getröstet hatte. Sanft und behutsam strich ich ihr übers Haar, bis sie, besänftigt, ihren Kopf auf meine Schulter legte.

Schließlich hatte sie sich so weit beruhigt, dass sie sich von Judith zu Bett bringen ließ. In schläfrigem, kindlichem Ton bat sie mich zu bleiben, und so kauerte ich mich so lange neben ihr Bett, bis sie eingeschlafen war. Von Zeit zu Zeit durchlief sie ein Schauder, und sie verzog ängstlich das Gesicht. Dann streichelte ich sie erneut, bis ihre Augenlider sich wieder friedlich entspannten.

Wann war das noch gewesen, als mein Vater mich so tröstete? Ein schon lange vergessener Vorfall kam mir in Erinnerung. Ich war wohl etwa zwölf gewesen. Es war Sonntag, Vater und ich aßen am Fluss unsere Butterbrote, als ein Zwillingspaar erschien. Zwei blonde Mädchen mit ihren blonden Eltern, Tagesausflügler, die gekommen waren, um die Architektur und die Sonne zu genießen. Sie zogen jedermanns Aufmerksamkeit auf sich; zweifellos waren sie es gewöhnt, von Fremden angestarrt zu werden. Doch so wie ich sie mit Blicken verschlang – das war etwas anderes. Ich entdeckte sie, und mir raste das Herz vor Freude. Es war wie ein Blick in den Spiegel, bei dem ich mich vollständig sah. Mit welcher Sehnsucht ich zu ihnen hinüberstarrte. Nervös wichen sie dem hungrigen Blick des seltsamen Mädchens aus und griffen nach den Händen ihrer Eltern. Ich sah ihre Angst, und eine eiserne Faust packte meine Lunge und drückte sie zu, bis der Himmel schwarz wurde. Später dann, im Laden, hockte ich, zwischen Wachen und Schlafen und einem bösen Traum, auf dem Fenstersitz. Mein Vater strich mir, auf den Boden gekauert, übers

Haar und murmelte seinen Sprechgesang: »Scht, das geht vorüber. Schon gut. Du bist nicht allein.«

Irgendwann kam Dr. Clifton. Als ich mich umdrehte und ihn in der Tür von Miss Winters Zimmer stehen sah, hatte ich das Gefühl, dass er vielleicht schon eine Weile da gewesen war. Ich schlüpfte an ihm vorbei aus dem Raum und bemerkte im Vorübergehen einen Ausdruck in seinem Gesicht, den ich mir nicht erklären konnte.

# Unterwasser-Geheimschrift

Ich kehrte in meine Zimmer zurück und merkte unterwegs, dass meine Schritte so schwerfällig waren wie mein Denken. Es ergab alles keinen Sinn. Wieso war John-the-dig gestorben? Weil jemand sich an der Sicherheitsverriegelung der Leiter zu schaffen gemacht hatte? Der Junge konnte es nicht gewesen sein. Miss Winters Geschichte verschaffte ihm ein wasserdichtes Alibi: Während John auf seiner Leiter von der Balustrade ins Leere und zu Boden getaumelt war, hatte der Junge auf Adelines Zigarette geschielt, ohne dass er sich zu fragen getraut hatte, ob er auch einmal daran ziehen dürfe. Dann konnte es doch nur Emmeline sein. Nur dass nichts in der Erzählung darauf schließen ließ, Emmeline sei zu so etwas fähig. Sie war ein harmloses Geschöpf, hatte sogar Hester gesagt. Und Miss Winter ließ nicht den geringsten Zweifel daran. Nein, nicht Emmeline. Wer dann? Isabelle war tot. Charlie war nicht mehr da.

Ich hatte meine Zimmer erreicht, trat in das Wohnzimmer und stand am Fenster. Es war zu dunkel, um etwas zu sehen, außer meinem Spiegelbild, einem zarten Schatten, durch den man die Nacht sehen konnte. Wer dann?, fragte ich mich.

Endlich hörte ich auf die leise, hartnäckige Stimme in meinem Hinterkopf, die ich bis jetzt trotzig missachtet hatte. *Adeline.*

Nein, sagte ich.

Doch, sagte sie. *Adeline.*

Es konnte nicht sein. Ich hatte noch ihr verzweifeltes Brüllen und Schluchzen aus Kummer über John-the-dig im Ohr. Es konnte doch wohl niemand so um einen Menschen trauern, wenn er ihn selber getötet hatte? Und niemand konnte einen Menschen ermorden, den er so liebte, dass er solche Tränen um ihn vergoss?

Doch die Stimme in meinem Kopf zählte eine Episode nach der anderen aus der Geschichte auf, die ich in- und auswendig kannte. Der Gewaltakt im Formschnittgarten – jeder Schnitt mit der Schere ein Stich in Johns Herz. Die Attacken auf Emmeline, die sie an den Haaren gezogen und verprügelt und gebissen hatte. Das Baby, das sie aus dem Kinderwagen genommen und achtlos liegen gelassen hatte, sodass es entweder gefunden wurde oder starb. Einer der Zwillinge war nicht ganz richtig im Kopf, sagten sie im Dorf. Ich ging meine Erinnerungen durch und überlegte. War das möglich? Waren die Tränen, deren Zeuge ich eben geworden war, Tränen der Schuld? Der Reue? Hatte ich eine Mörderin in den Armen gehalten und getröstet? War dies das Geheimnis, das Miss Winter so lange vor der Welt bewahrt hatte? Mich beschlich ein böser Verdacht: War dies überhaupt Sinn und Zweck von Miss Winters Geschichte? Hoffte sie auf mein Verständnis, auf Entlastung, Vergebung? Ich zitterte.

Eines zumindest schien mir sicher: Sie hatte ihn geliebt. Wie hätte es anders sein können? Wenn ich daran dachte, wie ich ihren gequälten, gepeinigten Körper an mich gedrückt hatte, dann war mir klar, dass nur Liebe solche Verzweiflung nach sich ziehen kann. Ich entsann mich, wie das Kind Adeline nach dem Tod der Missus die Wand von Johns Einsamkeit durchbrochen und ihn ins Leben zurückgeholt hatte, indem sie sich von ihm zeigen ließ, wie man den Formschnittgarten pflegte.

Den Formschnittgarten, den sie selbst so übel zugerichtet hatte.

Vielleicht war ich mir also doch nicht ganz so sicher!

Mein Blick wanderte durch das Dunkel draußen vor dem Fenster. Ihr fantastischer Garten. War dies ihre Hommage an John-the-dig? Ihre lebenslange Buße für den Schaden, den sie angerichtet hatte?

Ich rieb mir die müden Augen und wusste, dass ich zu Bett gehen sollte. Doch schlafen konnte ich nicht. Wenn ich nichts dagegen tat, würden sich meine Gedanken die ganze Nacht hindurch im Kreise drehen. Ich beschloss, ein Bad zu nehmen.

Während ich es einlaufen ließ, sah ich mich nach einer Ablenkung um. Mir fiel eine Papierkugel ins Auge, die unter der Frisierkommode hervorlugte. Ich faltete sie auf und strich den Zettel glatt. Eine Reihe mit phonetischen Zeichen.

Während das Wasser in die Wanne donnerte, unternahm ich im Bad ein paar müßige Versuche, der Zeile eine Bedeutung abzuringen. Dabei hatte ich ständig das entmutigende Gefühl, Emmelines Äußerung nicht richtig transkribiert zu haben. Ich malte mir den mondbeschienenen Garten aus, die Korkenzieherzweige der Zaubernuss, Emmelines groteskes, eindringliches Gesicht. Ich hörte den plötzlichen Ausbruch ihrer unverständlichen Worte. Doch wie sehr ich es auch versuchte, konnte ich mir die Äußerung als solche nicht ins Gedächtnis rufen.

Ich stieg ins Bad und ließ die Notiz auf dem Wannenrand liegen. Das Wasser, das mir warm um Füße, Beine und Rücken spielte, fühlte sich entlang der Narbe an meiner Seite deutlich kühler an. Ich schloss die Augen und tauchte ab. Das Wasser rauschte mir in den Ohren, meine Haare stellten sich auf. Ich kam hoch, um Luft zu holen, und glitt sofort wieder unter Wasser.

In diesem Unterwasser-Schwebezustand ließen sich meine Gedanken schwerelos von der Strömung treiben. Ich wusste genug über Zwillingssprache, um zu wissen, dass sie nie ganz erfunden war. Im Fall von Emmeline und Adeline basierte sie vermutlich auf Englisch oder Französisch oder enthielt Elemente aus beiden Sprachen.

Luft. Wasser.

Ein Rätsel. Ein Geheimcode. Eine Geheimschrift. Sie war zweifellos nicht so schwer zu entziffern wie die ägyptischen Hieroglyphen oder die mykenische Linear-B-Schrift oder dergleichen. Wo fing man an? Nimm jede Silbe für sich. Es konnte ein Wort oder Teil eines Worts sein. Zunächst lass die Intonation beiseite. Spiel ein bisschen mit der Betonung herum. Experimentier mit der Dehnung, Kürzung oder Verflachung der Vokale. Auf welche Bedeutung lief die Silbe hinaus? Auf Englisch? Auf Französisch? Und wenn man sie stattdessen ausließ und mit den Silben davor und dahinter spielte? Dann gelangte man zu einer Menge Kombinationsmöglichkeiten – Tausende vielleicht. Aber nicht unendlich viele.

*Die Toten kommen unter die Erde.*

Was? Vor Schock setzte ich mich kerzengerade auf. Die Worte waren mir aus dem Nichts zugeflogen. Sie pochten mir schmerzhaft in der Brust. Das gab es doch nicht!

Mit zitternden Fingern tastete ich nach dem Wannenrand, wo ich meine Lautschriftnotiz abgelegt hatte. Gespannt überflog ich die Zeichen. Meine Symbole, meine Kringel und Punkte, waren verschwunden. Der Zettel hatte in einer Wasserlache gelegen, und alles war untergegangen.

Ich versuchte, mich noch einmal an die Laute zu erinnern, die mir unter Wasser aufgestiegen waren. Doch sie waren auch in meinem Gedächtnis gelöscht. Das Einzige, an das ich mich noch erinnern konnte, war Emmelines besorgtes, angespanntes Gesicht und die fünf Töne, die sie sang.

*Die Toten kommen unter die Erde.* Die Worte waren mir fix und fertig in den Sinn gekommen und hatten keine Spur hinterlassen. Woher stammten sie? Welchen Streich hatte mir mein Verstand gespielt, dass er mir diese Worte aus dem Nichts servierte?

Ich glaubte doch nicht im Ernst, dass sie mir das tatsächlich mitgeteilt hatte, oder?

Komm schon, sei nicht albern, mahnte ich mich. Ich griff nach der Seife und beschloss, mir meine Unterwasser-Hirngespinste aus dem Kopf zu schlagen.

# Haar

In Miss Winters Haus sah ich nie auf die Uhr. Für Sekunden standen Worte, Minuten teilten sich in handgeschriebene Zeilen ein. Elf Wörter pro Zeile, dreiundzwanzig Zeilen pro Seite, so maß ich jetzt die Zeit. In regelmäßigen Abständen hielt ich inne, um den Griff meines Spitzers zu drehen und zuzusehen, wie Spiralen aus bleigerändertem Holz in den Papierkorb baumelten. Diese Pausen markierten meine ›Stunden‹.

Ich ließ mich von der Geschichte, die ich hörte und schrieb, so gefangen nehmen, dass mir der Sinn nach nichts anderem stand. Mein eigenes Leben, soweit ich eines hatte, war zerstoben. Meine Gedanken am Tage und meine Träume bei Nacht waren von Gestalten bevölkert, die nicht aus meiner, sondern aus Miss Winters Welt stammten. Hester und Emmeline, Isabelle und Charlie waren es, die durch meine Phantasiewelt geisterten, und meine Gedanken zog es stets magisch nach Angelfield.

In Wahrheit hatte ich gar nichts dagegen, meinem eigenen Leben zu entsagen. Doch man kann sich nicht mal eben so wie eine Kerze auslöschen. Denn trotz der Scheuklappen, die ich trug, konnte ich den Umstand nicht leugnen, dass es Dezember war. Im Hinterkopf, an der Schwelle zum Schlaf, auf den Rändern meiner Seiten, die ich mit solchem Eifer voll schrieb, war ich mir bewusst, dass ich im Dezember die Tage zählte, und ich konnte nicht die Augen davor verschließen, dass mein Geburtstag langsam, aber unaufhaltsam näher rückte.

Am Tag nach der Nacht mit den Tränen traf ich mich nicht

mit Miss Winter. Sie blieb im Bett und ließ nur Judith und Dr. Clifton zu sich. Das kam mir gelegen. Ich hatte selbst nicht gut geschlafen. Doch einen Tag darauf ließ sie mich rufen. Ich begab mich zu ihrem schlichten kleinen Zimmer. Sie lag im Bett.

Ihre Augen schienen in ihrem Gesicht größer geworden zu sein. Sie trug keine Spur Make-up. Vielleicht hatte ihr Medikament gerade seine volle Wirkung entfaltet – jedenfalls legte sie eine Ruhe an den Tag, wie ich sie an ihr noch nicht gesehen hatte. Sie lächelte mir nicht entgegen, doch als sie bei meinem Eintreten zu mir aufschaute, blickte sie mich freundlich an.

»Notizbuch und Stift brauchen Sie diesmal nicht«, sagte sie. »Ich möchte, dass Sie heute etwas anderes für mich tun.«

»Was denn?«

Judith kam herein. Sie breitete ein Laken auf den Boden, dann brachte sie Miss Winters Stuhl aus dem angrenzenden Zimmer und stellte ihn darauf. Sie drehte ihn genau in die Mitte, sodass Miss Winter, als sie sich gesetzt hatte, aus dem Fenster sehen konnte. Dann legte sie ihr ein Handtuch um die Schultern und breitete ihr kupferfarbenes Haar darüber.

Bevor sie ging, reichte sie mir eine Schere. »Viel Glück«, sagte sie mit einem Lächeln.

»Aber was soll ich denn machen?«, fragte ich Miss Winter.

»Mir die Haare schneiden, was sonst?«

»Ihnen die Haare schneiden?«

»Ja. Nun gucken Sie nicht so. Ist doch nichts dabei.«

»Aber ich weiß gar nicht, wie man das macht.«

»Nehmen Sie einfach die Schere und legen Sie los.« Sie seufzte. »Mir ist egal, wie Sie es machen. Mir ist egal, wie es aussieht. Solange ich es loswerde.«

»Aber ich …«

*»Bitte.«*

Widerstrebend stellte ich mich hinter sie. Nach zwei Tagen im Bett war ihr Haar zu borstigen Strähnen zerzaust. Es fühlte sich trocken an, so trocken, dass ich fast damit rechnete, es könnte knistern, und es war über und über mit kleinen, kratzigen Knötchen durchsetzt.

»Ich sollte sie vorher bürsten.«

Es waren eine Menge Knoten. Auch wenn sie sich nicht ein Mal beschwerte, spürte ich, wie sie unter der Bürste zusammenzuckte. Ich legte die Bürste weg; es war wohl rücksichtsvoller, die Knoten einfach herauszuschneiden.

Zögernd machte ich den ersten Schnitt. Ein paar Zentimeter oberhalb der Enden, unterhalb ihrer Schultern. Die Klingen durchtrennten sauber das Haar, und die Enden fielen auf das Laken.

»Kürzer«, sagte sie nachsichtig.

»Bis hier?« Ich berührte ihre Schulter.

»Kürzer.«

Ich nahm eine Strähne und schnitt sie nervös ab. Eine kupferfarbene Schlange glitt zu meinen Füßen, und Miss Winter begann zu reden.

&

Ich erinnere mich, wie ich ein paar Tage nach der Beerdigung in Hesters altem Zimmer war. Aus keinem besonderen Grund. Ich stand einfach nur am Fenster und starrte ins Leere. Meine Finger ertasteten eine kleine Unebenheit in der Gardine. Ein Riss, den sie zugenäht hatte. Hester ging geschickt mit der Nadel um. Dennoch hatte sich ein Stückchen Faden gelöst, und in Gedanken fing ich an, daran herumzupulen. Ich hatte wirklich nicht die Absicht, ihn herauszuziehen… Doch auf einmal hatte ich ihn lose zwischen den Fingern. Der Faden kräuselte sich noch in Erinnerung an die Naht in einer Zickzacklinie. Und das Loch in der Gardine ging auf. Jetzt würden die Stoffränder ausfransen.

John hatte es nie gepasst, Hester im Haus zu haben. Und er war froh gewesen, als sie ging. Doch ich konnte nicht leugnen, was Tatsache war: Wäre Hester da gewesen, hätte sich niemand an der Leiter vergriffen. Dann wäre an dem Tag ein ganz normaler Morgen angebrochen, und John hätte sich wie immer an die Arbeit im Garten gemacht. Als am Nachmittag der Fenstervorsprung seinen Schatten über den Kiesweg warf, hätte dort keine Leiter gelegen, kein John, ausgestreckt auf dem Boden, bis die Kälte der Erde ihn erfasste. Der Tag wäre gekommen und vergangen wie jeder andere, und am Ende wäre John zu Bett gegangen, hätte fest geschlafen und nicht einmal davon geträumt, durch die Luft zu taumeln. Wenn Hester da gewesen wäre.

Ich fand das ausgefranste Loch in der Gardine ganz und gar unerträglich.

❧

Während Miss Winter erzählte, hatte ich die ganze Zeit an ihrem Haar herumgeschnippelt, und als es ihr bis zu den Ohrläppchen reichte, hörte ich auf.

Sie hob die Hand an den Kopf und fühlte die Länge.

»Kürzer«, sagte sie.

Also griff ich wieder zur Schere und machte weiter.

❧

Der Junge kam weiterhin Tag für Tag. Er grub um, jätete Unkraut, pflanzte an und mulchte den Boden. Ich dachte, er käme wegen des Geldes, das wir ihm schuldeten. Doch er änderte sein Verhalten nicht, als mir der Anwalt ein wenig Bargeld gab – »Damit Sie über die Runden kommen, bis Ihr Onkel wieder im Lande ist« – und ich den Jungen bezahlte. Ich beobachtete ihn durch ein Fenster im ersten Stock. Mehr als einmal sah er in meine Richtung auf, und ich sprang zur Seite, doch bei einer Gelegenheit entdeckte er mich und winkte. Ich winkte nicht zurück.

Jeden Morgen brachte er Gemüse an die Küchentür, ab und zu auch ein gehäutetes Kaninchen oder ein gerupftes Huhn, und jeden Nachmittag holte er die Küchenabfälle für den Kompost ab. Er blieb in der Tür stehen, und jetzt, da ich ihn ausgezahlt hatte, steckte eine Zigarette zwischen seinen Lippen.

Ich hatte Johns Packung zu Ende geraucht, und es ärgerte mich, dass der Junge rauchen konnte und ich nicht. Ich verlor kein Wort darüber, doch eines Tages stand er an den Türrahmen gelehnt und ertappte mich dabei, wie ich auf seine Packung Zigaretten in der Brusttasche schielte.

»Ich tausche eine gegen eine Tasse Tee«, sagte er.

Er trat in die Küche – seit dem Tag, an dem John gestorben war, kam er das erste Mal ganz herein und machte es sich auf dem Stuhl bequem, auf dem John immer gesessen hatte, die Ellbogen auf den Tisch gestützt. Ich saß in dem Sessel in der Ecke, dem angestammten Platz der Missus. Wir tranken schweigend unseren Tee und stießen Rauchwolken aus, die in trägen Spiralen zur angegrauten Decke stiegen. Kaum hatten wir unseren letzten Zug genommen und die Stummel auf den Untertassen ausgedrückt, stand er ohne ein Wort auf, verließ die Küche und machte sich wieder an seine Arbeit. Als er jedoch am folgenden Tag mit dem Gemüse anklopfte, trat er sofort ein und warf mir eine Zigarette hin, noch bevor ich den Kessel aufgesetzt hatte.

Wir redeten nicht miteinander, doch wir entwickelten unsere Gewohnheiten.

Emmeline, die nie vor Mittag aufstand, verbrachte zuweilen den Nachmittag draußen und sah dem Jungen bei der Arbeit zu. Ich schimpfte deswegen mit ihr. »Du bist die Tochter des Hauses. Er ist Gärtner. Denk mal nach, Emmeline!« Doch das änderte nichts. Sie schenkte jedem, der ihr gefiel, ihr träges Lächeln. Ich behielt die beiden im Auge und dachte an das, was die Missus mir über die Männer gesagt hatte, die Isabelle nicht ansehen konnten, ohne sie berühren zu wollen. Doch der Junge legte keinerlei Neigung an den Tag, sich Emmeline zu nähern, auch wenn er freundlich mit ihr sprach und sie gern zum Lachen brachte. Trotzdem ließ mir die Sache keine Ruhe. Manchmal beobachtete ich die beiden von einem oberen Fenster aus. Eines sonnigen Tages sah ich, wie Emmeline sich, den Kopf in die Hand gelegt und auf den Ellbogen gestützt, auf dem Rasen fläzte. Es betonte die Wölbung von ihrer Taille zur Hüfte. Er wandte den Kopf, um auf etwas, das sie gesagt hatte, zu antworten, und während er sie ansah, rollte sie sich auf den Rücken, hob die Hand und strich sich eine Haarsträhne aus der Stirn. Es war eine sehnsüchtig sinnliche Bewegung, die mich auf den Gedanken brachte, dass sie nichts dagegen hätte, wenn er sie berührte.

Doch als der Junge geendet hatte, kehrte er Emmeline den Rücken zu, als hätte er nichts bemerkt, und fuhr mit seiner Arbeit fort.

Am nächsten Morgen rauchten wir in der Küche. Ich brach unser gewohntes Schweigen.

»Fass Emmeline nicht an«, sagte ich zu ihm.

Er wirkte überrascht. »Ich hab sie nicht angefasst.«

»Gut. Dann mach's auch zukünftig nicht.«

Ich dachte, das wär's gewesen. Wir nahmen beide einen Zug von unseren Zigaretten, und ich wollte gerade wieder in Schweigen verfallen, doch er stieß den Rauch aus und sagte: »Ich will Emmeline nicht anfassen.«

Ich verstand. Ich verstand ihn sehr wohl. Diese sonderbare Betonung. Ich hörte, was er *meinte.*

Ich zog an meiner Zigarette und sah ihn nicht an. Langsam atmete ich aus.

»Sie ist freundlicher als Sie«, sagte er.

Meine Zigarette war noch nicht halb geraucht, doch ich drückte sie aus. Ich marschierte zur Küchentür und riss sie auf.

Auf der Schwelle blieb er mir gegenüber stehen. Stocksteif, rührte ich mich nicht, sondern starrte geradeaus auf die Knöpfe an seinem Hemd.

Er schluckte, und sein Adamsapfel hüpfte. Es war nur ein leises Murmeln, als er sagte: »Sei freundlich, Adeline.«

Ich fühlte einen Stich und hob den Kopf, um ihn mit einem vernichtenden Blick zu strafen. Doch ich erschrak über die Zärtlichkeit in seinem Gesicht. Einen Moment lang war ich … verwirrt.

Er nutzte die Gunst des Augenblicks. Hob die Hand. Wollte gerade meine Wange streicheln.

Doch ich war schneller. Ich hob die Faust und schlug seine Hand weg. Ich tat ihm nicht weh. Das hätte ich nicht gekonnt. Doch er sah verdutzt aus, enttäuscht.

Und dann war er weg.

»Ich werde Ihnen helfen«, hatte er gesagt. Aber das war unmöglich. Wie konnte ein Junge wie er mir helfen? Wie konnte mir überhaupt jemand helfen?

❧

Das Laken war mit kupferfarbenem Haar bedeckt. Ich lief auf Haaren, und Haare steckten mir in den Schuhen. Die ganze alte Farbe war weggeschnitten; die kurzen Büschel, die noch an Miss Winters Kopfhaut verblieben, waren schlohweiß.

Ich nahm das Handtuch und blies ihr die Haare, die ihr im Nacken und am Rücken klebten, weg.

»Geben Sie mir den Spiegel«, sagte Miss Winter.

Ich reichte ihn ihr. Mit dem kurz geschorenen Haar wirkte sie wie ein ergrautes Kind.

Sie starrte auf ihr Spiegelbild. Ihr Blick fiel auf ihre eigenen nackten, ernsten Augen, und sie betrachtete sich lange. Dann legte sie den Spiegel mit der Vorderseite nach unten auf den Tisch.

»Genau wie ich es haben wollte. Danke, Margaret.«

Ich verabschiedete mich, und als ich wieder in meinem Zimmer war, dachte ich über den Jungen nach. Ich dachte an ihn und Adeline und an ihn und Emmeline. Dann dachte ich an Aurelius, der als Baby in einem altmodischen Kleidungsstück und in eine Tasche gewickelt gefunden worden war, mit einem Löffel aus Angelfield und einer Seite aus *Jane Eyre.* Ich dachte lange über all das nach, doch soviel ich auch überlegte, gelangte ich doch zu keinem Schluss.

Eines allerdings stieg mir bei all den verschlungenen Gedankengängen deutlich zu Bewusstsein. Ich erinnerte mich an das, was Aurelius bei meinem letzten Besuch in Angelfield gesagt hatte. Er hatte sich gewünscht, dass ihm jemand die Wahrheit sagt. Und in mir erklang das passende Echo: »Ich will die Wahrheit hören.« Der Junge in dem braunen Anzug. Das würde allerdings erklären, wieso der *Banbury Herald* kein Interview in seinen Archiven hatte, für das ihr junger Reporter eigens nach Yorkshire gefahren war. Das war überhaupt kein Reporter gewesen. Sondern Aurelius.

# Regen und Kuchen

Am nächsten Morgen wachte ich davon auf: heute, heute, heute. Eine Totenglocke, die nur in meinen Ohren dröhnte. Das Zwielicht schien mir in die Seele gedrungen zu sein, ich fühlte mich unerträglich erschöpft. Mein Geburtstag. Mein Todestag.

Judith brachte zusammen mit meinem Frühstückstablett eine Karte von meinem Vater. Ein Blumenbild, seine üblichen, vage formulierten Grüße und eine Notiz. Er hoffe, es gehe mir gut. Ihm gehe es gut. Er habe ein paar Bücher für mich. Ob er sie mir schicken solle? Meine Mutter hatte nicht unterschrieben, er hatte es für sie beide getan. Alles Liebe von Papa und Mutter. Es war ganz und gar unwahrhaftig, das wusste er so gut wie ich, aber was sollten wir machen?

Judith kam. »Miss Winter fragt, ob jetzt vielleicht …«

Ich schob die Karte unter mein Kopfkissen. »Jetzt passt es gut«, sagte ich und griff nach Notizbuch und Stift.

»Haben Sie gut geschlafen?«, erkundigte sich Miss Winter und fügte dann hinzu: »Sie sehen ein wenig blass aus. Sie essen nicht genug.«

»Mir fehlt nichts«, versicherte ich, obwohl es nicht stimmte.

Den ganzen Vormittag hatte ich das Gefühl, als verirrten sich einzelne Fetzen der einen Welt in die andere. Kennen Sie das Gefühl, das man hat, wenn man ein neues Buch anfängt, bevor die Membran der letzten Geschichte Zeit gehabt hat, sich hinter einem zu schließen? Von dem letzten Buch, das man abgeschlossen hat, haben sich Ideen und Themen, ja, sogar Charaktere in den Fasern der Kleider festgesetzt, und wenn man das neue aufschlägt, sind sie immer noch hautnah gegenwärtig. So etwa war es bei mir. Den ganzen Tag hatte ich mich ablenken lassen. Von Gedanken, Erinnerungen und Gefühlen, bedeutungslosen Fragmenten meines eigenen Lebens, die sich verheerend auf meine Konzentration auswirkten.

Miss Winter erzählte mir gerade etwas, als sie sich unterbrach. »Hören Sie mir zu, Miss Lea?«

Ihre Worte rissen mich schlagartig aus meiner Tagträumerei, und ich rang um eine Antwort. Hatte ich zugehört? Ich konnte es nicht sagen. In diesem Moment hätte ich nicht wiedergeben können, was sie gesagt hatte, obwohl ich mir sicher war, dass es irgendwo in meinem Kopf aufgezeichnet worden war. Doch in dem Moment, in dem sie mich so unsanft aus meiner Versenkung holte, befand ich mich in einer Art Niemandsland, in einem Schattenreich. Das Denken spielt einem alle möglichen Streiche, kommt vom Hölzchen aufs Stöckchen, während wir selber in einer Grauzone dösen, die der Außenstehende grundsätzlich als mangelnde Aufmerksamkeit deutet. Ich wusste nicht, was ich sagen sollte, und starrte sie eine ganze Weile schweigend an, während sie zunehmend ungehalten wurde. Endlich schnappte ich nach dem ersten zusammenhängenden Satz, der sich mir bot.

»Hatten Sie je ein Kind, Miss Winter?«

»Gütiger Himmel, was für eine Frage. Natürlich nicht. Sind Sie übergeschnappt, Mädchen?«

»Und Emmeline?«

»Wir haben eine Abmachung, nicht wahr? Keine Fragen?« Dann änderte sich ihr Gesichtsausdruck, sie beugte sich vor und musterte mich aufmerksam. »Sind Sie krank?«

»Nein, ich glaube nicht.«

»Na, jedenfalls sind Sie offensichtlich nicht in der Lage zu arbeiten.«

Damit war ich für den Rest des Tages entlassen.

Zurück in meinem Zimmer, wusste ich nichts mit mir anzufangen, ich war gelangweilt, innerlich zerrissen und ging mir selber auf die Nerven. Ich setzte mich, Stift in der Hand, an den Schreibtisch, ohne jedoch zu schreiben; ich fror und machte die Heizung an, ich schwitzte und zog die Strickjacke aus. Ich hätte gern ein Bad genommen, aber es gab kein heißes Wasser. Ich machte Kakao und löffelte besonders viel Zucker hinein; dann wurde mir von dem süßen Gesöff übel. Ein Buch? Würde das helfen? Die ganze Bibliothek stand voller toter Worte. Dort war nichts, was mir hätte helfen können.

Es prasselte plötzlich an die Scheibe, und ich zuckte freudig zusammen. Raus. Ja, ich musste hier raus. Und nicht nur in den Garten. Ich musste weg, und zwar sofort. In die Heide.

Das Haupttor war stets verschlossen, so viel wusste ich, und ich wollte nicht Maurice darum bitten, es für mich aufzusperren. Stattdessen lief ich durch den Garten zu der vom Haus am weitesten entfernten Stelle, wo es ein Törchen in der Mauer gab. Es war mit Efeu überwachsen und lange nicht mehr geöffnet worden, und ich musste mit den Händen das Laub wegreißen, bevor ich den Riegel zurückschieben konnte. Als mir das Tor entgegenkam, war noch mehr Efeu zu entfernen, bevor ich – ein wenig zerzaust – hinaustreten konnte.

Ich hatte immer geglaubt, ich liebte Regen, doch eigentlich wusste ich gar nicht, was ein richtiger Regen ist. Der Regen, den ich liebte, war ein sanftes Nieseln, das durch sämtliche Hindernisse, welche das Ensemble der Dächer ihm entgegenstellt, abgemildert wird und sich von der aufsteigenden städtischen Hitze warm anfühlt. Über den Mooren dagegen war der Regen windgepeitscht und tückisch. Wie Nadeln stach er mir ins Gesicht, und wie aus Kübeln schüttete es mir auf die Schultern.

Herzlichen Glückwunsch zum Geburtstag.

Wenn ich im Laden war, zog mein Vater immer unter dem Schreibtisch ein Geschenk hervor, sobald er mich auf der Treppe hörte. Es handelte sich um ein Buch oder Bücher, die er im Lauf des Jahres bei Auktionen gekauft und zurückgelegt hatte. Und eine Schallplatte oder Parfum oder ein Bild. Das Geschenk musste er im Laden auf dem Schreibtisch eingepackt haben, wenn ich gerade zur Post oder Bibliothek unterwegs war und er einen ruhigen Nachmittag hatte. Außerdem musste er mittags einmal hinausgegangen sein, um eine Karte auszusuchen, auf der er dann »Liebe Grüße von Papa und Mutter« schrieb. Dann ging er zum Bäcker, um einen Kuchen zu besorgen. All das machte er immer allein. Irgendwo im Laden – ich hatte nie herausgefunden, wo; das gehörte zu den wenigen Geheimnissen, die ich nie hatte lüften können – bewahrte er eine Kerze auf, die jedes Jahr hervorgezaubert und angezündet wurde und die ich ausblasen musste. Dabei gab ich mich so glücklich, wie ich eben konnte. Dann aßen wir den Kuchen zum Tee und verdauten, indem wir uns ans Katalogisieren machten.

Ich wusste, wie er sich fühlte. Jetzt, da ich erwachsen war, musste es leichter für ihn sein als in meiner Kindheit. Wie viel schwerer waren die Geburtstage zweifellos zu Hause gewesen? Geschenke, die er über Nacht im Gartenschuppen versteckt hatte, nicht vor mir, sondern vor meiner Mutter, die ihren Anblick nicht ertragen konnte. Die obligatorische Migräne war ihre Form des Gedenkens, die sie sich nicht nehmen ließ und die es nicht gestattete, andere Kinder nach Hause einzuladen oder aber sie allein zu lassen, um sich einen Ausflug in den Zoo oder den Park zu gönnen. Ich bekam immer lautlose Geburtstagsgeschenke. Die Kuchen waren nie selbst gebacken, und was davon übrig blieb, musste vor dem Verzehr am nächsten Tag von Kerzen und Zuckerguss befreit werden.

Alles Gute zum Geburtstag? Es war urkomisch, wie Vater mir die Worte ins Ohr flüsterte. Wir erfanden stumme Kartenspiele, bei denen der Gewinner ausgelassen grinsen musste, während der Verlierer das Gesicht verzog und die Schultern hängen ließ, sodass kein einziger Laut, kein Muckser im Zimmer zu hören war. Zwischen den Spielen ging mein armer Vater nach oben und kam wieder herunter, dabei wechselte er auf der Treppe von einem Ausdruck der Fröhlichkeit zu Mitgefühl und von Mitgefühl wieder zu Fröhlichkeit.

Alles Schlechte zum Geburtstag. Vom Tage meiner Geburt an war die Trauer stets gegenwärtig. Sie legte sich wie eine Staubschicht über den Haushalt. Sie bedeckte alles und jeden, sie drang mit jedem Atemzug in uns ein. Sie hüllte jeden von uns in unser ureigenes Elend.

Nur weil mir so kalt war, konnte ich es ertragen, diesen Erinnerungen nachzugehen.

Wieso konnte sie mich nicht lieben? Wieso bedeutete ihr mein Leben weniger als der Tod meiner Schwester? Gab sie mir die Schuld daran? Und vielleicht hatte sie ja auch Recht. Ich lebte nur, weil meine Schwester gestorben war. Mein Anblick erinnerte sie jedes Mal an ihren Verlust.

Wäre es für sie leichter gewesen, wenn wir beide gestorben wären?

Benommen marschierte ich weiter. Setzte einen Fuß vor den anderen, wie unter einem Bann. Ohne jedes Interesse daran, wohin ich lief, ohne irgendwo hinzuschauen, ohne etwas zu sehen, stolperte ich vorwärts.

Plötzlich stieß ich gegen etwas.

»Margaret! Margaret!«

Mir war zu kalt, um zu erschrecken, zu kalt, um mein Gesicht zu irgendeiner Reaktion auf die mächtige Gestalt zu bewegen, die zeltartig in die Falten eines wasserdichten Stoffs gehüllt war. Die Gestalt kam auf mich zu, und zwei Hände senkten sich auf meine Schultern, um mich zu schütteln.

»Margaret!«

Es war Aurelius.

»Wie sehen Sie denn aus! Sie sind ja ganz blau gefroren. Schnell, kommen Sie mit.« Er packte mich am Arm und nahm mich energisch ins Schlepptau. Ich stolperte hinter ihm her über die unebene Erde, bis wir an eine Straße und zu einem Wagen kamen, in den er mich verfrachtete. Dann Türenkrachen, das Brummen eines Motors, ein Gebläse mit warmer Luft um Knöchel und Knie. Aurelius öffnete eine Thermoskanne und goss einen Henkelbecher Orange-Pekoe-Tee voll.

»Trinken Sie!«

Ich trank. Der Tee war heiß und süß.

»Essen Sie!«

Ich biss in das Sandwich, das er mir anbot.

Im warmen Wagen, bei heißem Tee und kaltem Hühnchensandwich, fror ich noch mehr. Meine Zähne fingen zu klappern an, und mein ganzer Körper bebte.

»Du lieber Himmel!«, rief Aurelius, während er mir ein köstliches Sandwich nach dem anderen reichte. »Du liebe Güte!«

Das Essen schien mich ein wenig zur Besinnung zu bringen. »Was machen Sie denn hier, Aurelius?«

»Ich bin hergekommen, weil ich Ihnen das hier geben wollte«, sagte er. Damit griff er über die Rückenlehne nach hinten und holte durch die Lücke zwischen den Sitzen eine Kuchenform nach vorne.

Er stellte sie mir auf den Schoß und strahlte voller Glück und Stolz, während er den Deckel abnahm. Darunter war ein Kuchen. Ein selbst gebackener Kuchen. Und auf dem Kuchen standen in verschnörkelten Zuckergusslettern die Worte: »Herzlichen Glückwunsch zum Geburtstag, Margaret.«

Ich war zu durchgefroren, um zu weinen. Stattdessen machte mich die Kombination aus Kälte und Kuchen gesprächig. Die Worte sprudelten aufs Geratewohl aus mir hervor wie Gegenstände, die nach der Schmelze von Eisbergen liegen bleiben. Nächtlicher Gesang, ein Garten mit Augen, Schwestern, ein Baby, ein Löffel. »Und sie kennt sogar das Haus«, plapperte ich weiter, während mir Aurelius die Haare mit Papiertüchern trockentupfte. »Ihr Haus und das von Mrs. Love. Sie hat durchs Fenster gesehen und fand, dass Mrs. Love wie eine Bilderbuchgroßmutter ist... Verstehen Sie denn nicht, was das heißt?«

Aurelius schüttelte den Kopf. »Aber sie hat doch zu mir...«

»Sie hat Sie angelogen, Aurelius! Als Sie in diesem braunen Anzug zu ihr gekommen sind, da hat sie gelogen. Das hat sie zugegeben.«

»Du liebes bisschen!«, rief Aurelius. »Wie in aller Welt können Sie von diesem Anzug wissen? Ich musste so tun, als wäre ich ein Journalist, wissen Sie.« Dann dämmerte ihm das, was ich gesagt hatte. »Ein Löffel wie meiner, sagen Sie? Und sie kannte das Haus?«

»Sie ist Ihre Tante, Aurelius. Und Emmeline ist Ihre Mutter.«

Aurelius hörte auf, mir über das Haar zu streichen, und starrte stattdessen eine ganze Weile aus dem Wagenfenster Richtung Haus. »Meine Mutter«, murmelte er, »dort, im Haus?«

Ich nickte.

Wieder herrschte Stille, dann drehte er sich zu mir um. »Bringen Sie mich zu ihr, Margaret.«

Ich schien allmählich aufzuwachen. »Das Problem ist nur, Aurelius, es geht ihr nicht gut.«

»Sie ist krank? Dann müssen Sie mich zu ihr bringen. Unverzüglich!«

»Nicht richtig krank.« Wie sollte ich es ihm erklären? »Sie wurde bei dem Brand verletzt, Aurelius. Nicht nur ihr Gesicht. Auch ihr Geist.«

Er ließ die Auskunft sacken, ordnete sie in all den übrigen Verlust und Schmerz ein und sprach, als er sich gefasst hatte, mit grimmiger Entschlossenheit. »Bringen Sie mich zu ihr.«

War ich krank, oder wie kam es zu meiner Antwort? Oder lag es daran, dass ich Geburtstag hatte? Lag es an meiner eigenen Mutterlosigkeit? Diese Dinge mochten alle eine Rolle spielen, doch entscheidend war das Gesicht, das Aurelius machte, als er mir an den Lippen hing. Es gab jede Menge Gründe, ihm die Bitte abzuschlagen, doch dieses glühende Verlangen in seinem Gesicht machte sie alle zunichte.

Ich sagte Ja.

# WIEDERVEREINIGUNG

Ein heißes Bad trug zwar einiges dazu bei, mich aufzutauen, aber es konnte den dumpfen Schmerz hinter den Augen nicht lindern. Für den übrigen Nachmittag gab ich es auf, auch nur an Arbeit zu denken, und kroch ins Bett, wobei ich mir die zusätzlichen Decken bis zu den Ohren zog. Innerlich zitterte ich noch immer. Der leichte Schlaf bescherte mir seltsame Träume. Hester und mein Vater und die Zwillinge und meine Mutter – jeder erschien als jemand anderes, sozusagen in Verkleidung, und sogar mein eigener Anblick verstörte mich, als er ständig zwischen mir selbst und jemand anderem wechselte. Dann erschien Aurelius' strahlender Kopf: er selber, immer er selber und nur er selber, und sein Lächeln verbannte die Phantome. Die Dunkelheit schloss sich wie Wasser über mir, und ich versank in tiefsten Schlaf.

Ich erwachte mit Kopf- und Gliederschmerzen, und mir tat der Rücken weh. Eine bleierne Müdigkeit, die nicht durch Überanstrengung oder Schlafmangel zu erklären war, machte mein Denken träge. Das Dunkel hatte sich verdichtet. Hatte ich meine Verabredung mit Aurelius verschlafen? Der Gedanke meldete sich hartnäckig, aber nur von ferne, und Minuten verstrichen, bis ich mich dazu aufraffen konnte, auf die Uhr zu sehen. Denn während ich schlief, hatte sich ein seltsames Gefühl in mir breit gemacht. Beklommenheit? Nostalgie? Freudige Erwartung? Die Vergangenheit holte mich ein. Meine Schwester war nicht weit. Es bestand kein Zweifel. Ich konnte sie nicht sehen, ich konnte sie nicht riechen, doch mein inneres Ohr, das auf sie eingestimmt war, hatte eine

Schwingung eingefangen, und sie lullte mich in eine geheimnisvolle Freude ein.

Es war nicht nötig, Aurelius hinzuhalten. Meine Schwester würde mich finden, egal, wo. Schließlich war sie mein Zwilling. Mir blieb gerade einmal eine halbe Stunde, bis ich mich mit ihm am Gartentor treffen sollte. Mühsam schleppte ich mich aus dem Bett. Zu matt und durchgefroren, um den Pyjama auszuziehen, schlüpfte ich in einen dicken Rock und zog einen Pullover über das Oberteil. Eingemummelt wie ein Kind beim nächtlichen Feuerwerk, ging ich nach unten in die Küche. Judith hatte mir eine kalte Mahlzeit hingestellt, aber ich hatte keinen Appetit und rührte nichts an. Zehn Minuten lang saß ich am Küchentisch und sehnte mich danach, die Augen zu schließen, wagte es aber nicht, aus Angst, der Schwerkraft zu erliegen und mit dem Kopf auf der harten Tischplatte aufzuschlagen.

Mir blieben noch fünf Minuten, als ich die Küchentür öffnete und in den Garten schlüpfte.

Kein Licht vom Haus, keine Sterne. Ich stolperte in die Dunkelheit. Immer wenn ich auf weichen Boden trat oder wenn mich Blätter und Zweige streiften, wusste ich, dass ich vom Weg abgekommen war. Wie aus dem Nichts kratzte mich ein Zweig im Gesicht, und ich schloss die Lider, um die Augen zu schützen. In meinem Kopf ertönte eine halb wehmütige, halb euphorische Schwingung. Ich verstand. Es war ihr Lied. Meine Schwester kündigte sich an.

Ich erreichte die verabredete Stelle. Die Dunkelheit geriet in Bewegung. Es war Aurelius. Ungeschickt stieß ich mit der Hand gegen ihn, dann spürte ich, wie sie von einer anderen Hand ergriffen wurde.

»Geht's Ihnen nicht gut?«

Ich hörte die Frage, allerdings wie von ferne.

»Haben Sie Fieber?«

Ich registrierte die Worte, nur dass sie keine Bedeutung hatten.

Ich hätte ihm gerne von diesen wunderbaren Schwingungen erzählt, davon, dass meine Schwester ganz nahe war, dass sie jeden Moment eintreffen musste. Ich wusste es, ich merkte es an der Hitze, die von ihrem Mal in meiner Seite ausstrahlte. Doch dieser weiße Klang von ihr stand zwischen mir und meinen Worten und verschlug mir die Sprache.

Aurelius ließ mich los, um einen Handschuh auszuziehen, und ich fühlte seine seltsam kühlen Finger in dieser heißen Nacht auf meiner Stirn. »Sie gehören ins Bett«, sagte er.

Ich zupfte ihn schwach, aber unmissverständlich am Ärmel. Er glitt so mühelos wie eine Statue auf Rollen hinter mir durch den Garten.

Ich weiß nicht mehr, wie Judiths Schlüssel in meine Hände gelangten, obwohl ich sie besorgt haben musste. Irgendwie müssen wir durch die langen Flure bis zu Emmelines Wohntrakt gegangen sein, aber auch das ist in meiner Erinnerung gelöscht. Ich entsinne mich an die Tür, doch in meinem Kopf hat sich festgesetzt, wie sie sich, als wir sie erreichten, langsam und von selber öffnete, was natürlich unmöglich ist. Ich muss sie aufgeschlossen haben, doch dieses Bruchstück ist mir abhanden gekommen, und nur das Öffnen selbst blieb haften.

Auch das, was in jener Nacht in Emmelines Wohntrakt passierte, kann ich mir nur zum Teil ins Gedächtnis rufen. Ganze Zeitabschnitte sind in sich zusammengestürzt, während es mir so vorkommt, als wären andere Ereignisse in schneller Abfolge immer und immer wieder passiert. Gesichter und ihr Mienenspiel erscheinen überdimensioniert, und dann sehe ich Emmeline und Aurelius als winzige Marionetten in großer Ferne.

Ich selber war die ganze Zeit hindurch weggetreten, schläfrig und unterkühlt – und von Anfang bis Ende nur von einer Sache gebannt: meiner Schwester.

Mit Logik und Verstand habe ich versucht, die Bilder, die sich mir wie im Traum in beliebiger Reihenfolge eingeprägt hatten, in eine sinnvolle Ordnung zu bringen.

Aurelius und ich betraten Emmelines Zimmer. Der dicke Teppich schluckte das Geräusch unserer Schritte. Wir kamen in den ersten Raum, dann in einen anderen, bis wir in ein Zimmer mit geöffneter Gartentür gelangten, und in dieser Tür stand mit dem Rücken zu uns eine weißhaarige Gestalt. Sie sang leise vor sich hin. La la la la la. Dieses Bruchstück einer Melodie, ohne Anfang und ohne Schluss, verfolgte mich, seit ich ins Haus gekommen war. Es schlich sich in mein Bewusstsein ein, wo es mit der hohen Frequenz meiner Schwester wetteiferte. Neben mir wartete Aurelius darauf, dass wir uns bei Emmeline bemerkbar machten. Aber ich konnte nicht sprechen. Das Universum war auf einen unerträglichen Klagelaut in meinem Kopf geschrumpft; die Zeit schien in einer einzigen ewigen Sekunde zu verharren. Mir verschlug es die Sprache, und ich hielt mir verzweifelt die Ohren zu, um der Kakofonie ein Ende zu bereiten. Aurelius sah meine Geste und rief: »Margaret!«

Als sie eine unbekannte Stimme hinter sich hörte, drehte Emmeline sich um.

Sie war überrumpelt, ihr stand die Angst in den grünen Augen, ihr lippenloser Mund verzog sich zu einem O, doch der leise Singsang hörte nicht auf, sondern schlingerte nur und steigerte sich zu einem schrillen Jammern, das mir wie ein Messer in den Schädel drang.

Aurelius drehte sich erschrocken von mir zu Emmeline um und war von dem entstellten Gesicht der Frau, die seine

Mutter war, wie versteinert. Der Laut, den sie von sich gab, war schneidend scharf wie eine Schere.

Eine Zeit lang war ich wie taub und geblendet. Als ich wieder sehen konnte, kauerte Emmeline auf dem Boden, und ihr Heulen war zu einem Wimmern verebbt. Aurelius kniete neben ihr. Emmeline betastete ihn mit den Händen, und ich weiß nicht, ob sie sich an ihm festklammern oder ihn zurückstoßen wollte, doch er nahm ihre Hand und hielt sie.

Hand in Hand. Von einem Blut.

Er war aus Kummer wie zur Säule erstarrt.

In meinem Kopf immer noch dieser quälende, gleißend weiße Klang.

Meine Schwester. Meine Schwester.

Die Welt wich zurück, und ich war in dieser schrillen Agonie allein.

Ich weiß, was als Nächstes passierte, selbst wenn ich mich nicht erinnern kann. Aurelius ließ Emmelines Hand los, als er in der Diele Schritte hörte. Ein erstaunter Ausruf, als Judith ihre Schlüssel nicht fand. Als sie mit einem Ersatzbund wiederkam – wahrscheinlich von Maurice –, hastete Aurelius zur Tür und verschwand in den Garten. Judith betrat den Raum, starrte auf Emmeline am Boden und stürzte mit einem spitzen Schrei auf mich zu.

Doch dann weiß ich nichts mehr. Denn das Licht, das meine Schwester war, hüllte mich ein, ergriff von mir Besitz, erlöste mich vom Bewusstsein.

Endlich.

# Jeder hat eine Geschichte

Besorgte Blicke, so scharfsichtig, wie ich sie von Miss Winters grünen Augen kenne, geben keine Ruhe, bis ich wach geworden bin. Welchen Namen habe ich im Schlaf gemurmelt? Wer hat mich ins Bett gebracht? Welche Schlüsse haben sie aus dem Mal in meiner Seite gezogen? Was ist aus Aurelius geworden? Und was habe ich Emmeline angetan? Mehr als irgendetwas sonst plagt ihr verstörtes Gesicht mein Gewissen, sobald ich aus dem Dämmerschlaf erwache. Ich weiß nicht, welchen Tag wir haben und wie spät es ist. Judith ist da; sie sieht, dass ich mich rege, und hält mir ein Glas an die Lippen. Ich trinke.

Bevor ich sprechen kann, übermannt mich wieder der Schlaf.

Als ich zum zweiten Mal aufwachte, saß Miss Winter, ein Buch in der Hand, an meinem Bett. Wie immer war ihr Stuhl mit Samtkissen ausstaffiert, doch mit ihrem gestutzten, struppigen Haar um das nackte Gesicht erinnerte sie an ein ungezogenes Mädchen, das sich den Streich erlaubt, auf den Thron der Königin zu steigen.

Sobald sie hörte, dass ich mich bewegte, sah sie von ihrer Lektüre auf.

»Dr. Clifton war da. Sie hatten sehr hohes Fieber.«

Ich sagte nichts.

»Wir wussten nicht, dass Sie Geburtstag haben«, fuhr sie fort: »Wir konnten keine Glückwunschkarte finden. Wir machen uns hier nicht viel aus Geburtstagen. Aber wir haben Ihnen etwas Seidelbast aus dem Garten gebracht.«

In der Vase steckten dunkle, unbelaubte Zweige mit zarten, violetten Blüten, die sie von oben bis unten bedeckten. Sie erfüllten den Raum mit einem schweren, süßen Duft.

»Woher wissen Sie, dass ich Geburtstag habe?«

»Von Ihnen. Sie haben im Schlaf geredet. Wann erzählen Sie mir *Ihre* Geschichte, Margaret?«

»Ich? Ich habe keine Geschichte«, sagte ich.

»Selbstverständlich haben Sie eine. Jeder hat eine Geschichte.«

»Ich nicht.« Ich schüttelte den Kopf. Irgendwo hallten verschwommen Worte in mir nach, die ich möglicherweise im Schlaf vor mich hin gesagt hatte. Miss Winter legte das Leseband bei ihrer Seite ein und klappte das Buch zu.

»Jeder hat eine Geschichte. Das ist wie mit der Familie. Vielleicht kennt man sie nicht einmal, vielleicht hat man sie verloren, aber es gibt sie trotzdem. Vielleicht driftet man auseinander, oder man kehrt sich den Rücken, aber man kann nicht sagen, es gäbe sie nicht. Dasselbe gilt für Geschichten. Also«, folgerte sie, »hat auch jeder eine Geschichte. Wann erzählen Sie mir Ihre?«

»Gar nicht.«

Sie legte den Kopf schief und wartete, um mich ausreden zu lassen.

»Ich habe meine Geschichte noch nie jemandem erzählt. Wie gesagt, *wenn* ich überhaupt eine habe. Und ich sehe auch keinen Grund, wieso ich daran jetzt etwas ändern sollte.«

»Verstehe«, sagte sie leise und nickte, als hätte sie tatsächlich begriffen. »Na ja, das liegt natürlich ganz bei Ihnen.« Sie drehte die Hand in ihrem Schoß um und starrte auf das zerstörte Gewebe. »Es steht Ihnen frei, nichts zu sagen, falls Sie es so wünschen. Allerdings ist Schweigen kein fruchtbarer Boden für Geschichten. Sie sind auf Worte angewiesen. Ohne Worte verblassen sie, verkümmern sie und sterben am Ende ab. Und dann verfolgen sie einen.« Sie wandte sich mir zu. »Glauben Sie mir, Margaret. Ich weiß, wovon ich rede.«

Immer wieder schlief ich für längere Zeit ein, und jedes Mal, wenn ich erwachte, stand frische Krankenkost an meinem Bett, die mir Judith bereitet hatte. Ich aß ein, zwei Happen, nicht mehr. Als Judith kam, um das Tablett wegzuräumen, konnte sie zwar ihre Enttäuschung darüber nicht verbergen, wie viel ich auf dem Teller gelassen hatte, doch sie sagte nichts. Ich hatte keine Schmerzen – kein Kopfweh, keinen Schüttelfrost und fühlte mich auch sonst nicht krank –, außer einer großen Erschöpfung und einer Reue, die mir wie Blei im Magen lag. Was hatte ich Emmeline angetan? Und Aurelius? In den Stunden, in denen ich wach lag, quälte mich die Erinnerung an jene Nacht. Die Schuldgefühle verfolgten mich noch im Schlaf.

»Wie geht es Emmeline?«, fragte ich Judith. »Alles in Ordnung?«

Sie antwortete nicht direkt, dass sie sich wundere, wieso ich mir Gedanken über Miss Emmeline mache, wo ich selber in einem jämmerlichen Zustand sei. Miss Emmeline sei schon lange in schlechter Verfassung. Schließlich sei sie nicht die Jüngste.

Ihr Unwille, es auszusprechen, sagte mir, was ich wissen wollte. Emmeline ging es nicht gut. Und ich war schuld.

Und was Aurelius betraf, so blieb mir nichts weiter übrig, als ihm zu schreiben. Kaum war ich dazu wieder in der Lage, ließ ich mir von Judith Stift und Papier ans Bett bringen und verfasste, an die Kissen gelehnt, einen Brief. Mit dem Ergebnis unzufrieden, fing ich einen neuen an. Und einen dritten. Noch nie war es mir so schwer gefallen, die richtigen

Worte zu finden. Als meine Bettdecke mit verworfenen Fassungen übersät war und ich über mich selber verzweifeln wollte, zog ich eine beliebige heraus und machte mich an die Reinschrift:

*Lieber Aurelius,*

*wie geht es Ihnen? Das, was passiert ist, tut mir so Leid. Ich hatte niemandem wehtun wollen. Ich war von Sinnen, nicht wahr?*

*Wann kann ich Sie sehen? Sind wir noch Freunde?*

*Margaret*

Das musste genügen.

Dr. Clifton kam. Er horchte mein Herz ab und stellte mir eine Menge Fragen. »Schlaflosigkeit? Unruhiger Schlaf? Albträume?«

Ich nickte drei Mal.

»Dachte ich mir.« Er nahm ein Thermometer und forderte mich auf, es mir unter die Zunge zu stecken. Dann stand er auf und ging ans Fenster. Mit dem Rücken zu mir fragte er: »Und was lesen Sie?«

Mit dem Thermometer im Mund konnte ich nichts sagen.

»*Sturmhöhe* – das haben Sie sicher gelesen?«

»Mm-hmm.«

»Und *Jane Eyre*?«

»Mm.«

»*Vernunft und Gefühl*?«

»Hm-m.«

Er drehte sich um und sah mich mit ernster Miene an. »Und ich gehe wohl richtig in der Annahme, dass Sie diese Bücher mehr als einmal gelesen haben?«

Ich nickte, und er runzelte die Stirn.

»Immer wieder gelesen, stimmt's?«

Erneut nickte ich, und die Falten auf seiner Stirn vertieften sich.

»Seit der Kindheit?«

Seine Fragen verblüfften mich, doch unter seinem ernsten Blick blieb mir nichts anderes übrig, als noch einmal zu nicken.

Unter den dunklen Brauen verengten sich seine Augen zu Schlitzen. Ich konnte mir gut vorstellen, dass sich Patienten aus schierer Angst vor ihm erholten, nur um ihn loszuwerden.

Und dann beugte er sich dicht über mich, um meine Temperatur abzulesen.

Menschen sehen aus der Nähe anders aus. Dunkle Brauen sind immer noch dunkle Brauen, aber man kann dicht an dicht die einzelnen Haare darin sehen. Die letzten paar Haare, sehr fein, beinahe unsichtbar, zeigten spitz in Richtung seiner Schläfen, der Schneckenwindung seiner Ohren. In der Textur seiner Haut war wie lauter Nadelstiche sein Bartwuchs zu erkennen. Und da war es wieder: diese fast unmerklich aufgeblähten Nasenflügel, das leichte Zucken um den Mund. Bisher hatte ich es für Strenge gehalten, einen versteckten Hinweis darauf, dass er keine hohe Meinung von mir hatte. Doch jetzt, da ich es aus nächster Nähe sah, kam mir der Gedanke, dass es am Ende vielleicht gar keine Ablehnung war. Konnte es sein, musste ich unwillkürlich denken, dass Dr. Clifton insgeheim über mich *lachte*?

Er zog mir das Thermometer aus dem Mund, verschränkte die Arme und verkündete seine Diagnose. »Sie haben ein Leiden, das Frauen mit romantischer Einbildungskraft befällt. Zu den Symptomen gehören Ohnmachtsanfälle, Mattigkeit, Appetitlosigkeit, depressive Verstimmungen. Während die Krise einerseits darauf zurückzuführen ist, dass Sie ohne Regenschutz im eisigen Regen herumgelaufen sind, ist die tiefere Ursache vermutlich in einem emotionalen Trauma zu suchen, nur dass im Unterschied zu den Heldinnen Ihrer Lieblingsromane Ihre Konstitution nicht von den entbehrungsreichen Verhältnissen geschwächt ist, wie sie das Leben in früheren Jahrhunderten mit sich brachte. Keine Tuberkulose, keine Kinderlähmung, kein Mangel an Hygiene. Sie werden es überleben.«

Er schaute mir eindringlich in die Augen, und ich sah mich außer Stande, den Blick abzuwenden, als er sagte: »Sie essen zu wenig.«

»Ich habe keinen Appetit.«

»*L'appétit vient en mangeant.*«

»Der Appetit kommt beim Essen«, übersetzte ich.

»Genau. Ihr Appetit stellt sich bestimmt wieder ein. Aber Sie müssen ihm auf halbem Weg entgegenkommen. Sie müssen sich wünschen, Appetit zu haben.«

Jetzt war es an mir, die Stirn zu runzeln.

»Die Behandlung ist nichts Kompliziertes: Essen Sie, gönnen Sie sich Ruhe und nehmen Sie das hier ...« Er schrieb eilig etwas auf einen Block, riss ein Blatt ab und legte es mir auf den Nachttisch. »Dann ist die Schwäche und Mattigkeit in wenigen Tagen verflogen.« Er griff nach seinem Arztkoffer und verstaute Rezeptblock und Stift. Er war im Begriff, aufzustehen und zu gehen, als er zögerte. »Ich würde Sie gerne nach diesen Träumen fragen, die Sie haben, aber ich nehme an, Sie möchten mir nicht davon erzählen ...«

Mit steinerner Miene erwiderte ich: »Nein.«

Seine Mundwinkel gingen nach unten. »Dachte ich mir fast.«

An der Tür hob er zum Abschied die Hand und ging.

Ich griff nach dem Rezept. Dort stand in einer markigen Schrift: »Sir Arthur Conan Doyle, *Sherlock Holmes' Buch der größten Fälle.* Für die Dauer der Kur zwei Mal täglich zehn Seiten.«

# Dezembertage

Ich befolgte Dr. Cliftons Instruktionen und verbrachte zwei Tage im Bett; ich aß und schlief und las *Sherlock Holmes.* Ich muss gestehen, dass ich das Mittel überdosierte und eine Geschichte nach der anderen verschlang. Der zweite Tag war noch nicht zu Ende, da holte Judith mir unten aus der Bibliothek einen zweiten Band von Conan Doyle. Seit meinem Zusammenbruch war sie mir plötzlich sehr zugetan. Das lag weniger daran, dass ich ihr Leid tat – auch wenn ihr Mitgefühl offensichtlich war –, sondern wohl eher daran, dass nunmehr Emmelines Anwesenheit kein Geheimnis mehr im Hause war, sodass sie ihrer natürlichen Zuneigung zu mir freien Lauf lassen konnte, statt ständig die Fassade zu wahren.

»Und hat sie noch nie die dreizehnte Geschichte erwähnt?«, fragte sie mich eines Tages versonnen.

»Mit keiner Silbe. Und Ihnen gegenüber?«

Sie schüttelte den Kopf. »Noch nie. Seltsam, nicht wahr, nach allem, was sie geschrieben hat, existiert die berühmteste Geschichte womöglich nicht einmal. Überlegen Sie mal: Sie könnte wahrscheinlich ein Buch veröffentlichen, in dem *sämtliche* Geschichten fehlen, und es ginge weg wie warme Semmeln.« Dann schüttelte sie, wie um wieder klar zu denken, den Kopf und fragte in einem anderen Ton: »Und? Was halten Sie von Dr. Clifton?«

Als Dr. Clifton nach mir schaute, fiel sein Blick auf die Bände neben meinem Bett. Er sagte nichts, doch seine Nasenflügel zuckten.

Obwohl noch schwach und hilflos wie ein Neugeborenes,

stand ich am dritten Tag auf. Als ich die Gardinen aufzog, durchflutete ein frisches, sauberes Licht mein Zimmer. Draußen erstreckte sich ein strahlender, wolkenloser Himmel, so weit das Auge reichte, und darunter glitzerte der Garten im Frost. Es war, als hätte sich in jenen endlosen, verhangenen Tagen alles Licht hinter der Wolkendecke gestaut, und jetzt, da ihre Schwaden sich aufgelöst hatten, war es nicht mehr zu halten: Was da herunterkam und uns durchtränkte, hätte für vierzehn Tage gereicht. Als ich in dieses Strahlen blinzelte, spürte ich, wie, noch etwas träge, wieder Leben in meine Adern strömte.

Vor dem Frühstück ging ich nach draußen. Langsam und vorsichtig lief ich, Shadow an den Fersen, Schritt für Schritt um den Rasen herum. Es knirschte unter meinen Füßen, und überall funkelte die Sonne auf dem vereisten Laub. Der Raureif hielt meine Fußabdrücke fest, während Shadow wie ein zierliches Gespenst an meiner Seite lief, ohne Spuren zu hinterlassen. Zuerst war die kalte, trockene Luft wie ein Messer in meiner Kehle, doch nach und nach weckte sie meine Lebensgeister, und ich genoss das Hochgefühl. Dennoch genügten ein paar Minuten; mit kribbelnden Wangen, roten Fingern und schmerzenden Zehenspitzen war ich froh, wieder ins Haus zu gehen, und auch Shadow folgte mir gerne. Zuerst ein gutes Frühstück, dann das Sofa in der Bibliothek mit dem lodernden Feuer und einem Buch zum Lesen.

Die Tatsache, dass sich meine Gedanken statt auf die Schätze in Miss Winters Bibliothek wieder ihrer Geschichte zuwandten, sagte mir, wie viel besser es mir ging. Oben kramte ich meinen Stapel Papiere hervor, den ich seit meinem Zusammenbruch nicht mehr angerührt hatte, und holte ihn in die Wärme am Kamin, wo ich, Shadow an meiner Seite, die Stunden bei Tageslicht größtenteils mit Lesen verbrachte. Ich las fast ununterbrochen und entdeckte die Geschichte aufs Neue, rief mir ihre Rätsel und Geheimnisse ins Gedächtnis. Doch falls ich auf Offenbarungen gehofft hatte, so blieben sie aus. Am Ende war ich so schlau wie zuvor. Hatte sich jemand an John-the-digs Leiter zu schaffen gemacht? Aber wer? Und was hatte Hester gesehen, als sie dachte, sie hätte es mit einem Gespenst zu tun? Und das größte Rätsel von allen: Wie hatte sich Adeline, dieses ungestüme, rüpelhafte Kind, das sich mit niemandem außer ihrer geistig zurückgebliebenen Schwester verständigen konnte und mit ihrer Zerstörungswut im Garten einem Menschen das Herz gebrochen hatte, wie konnte sich diese Adeline zu Miss Winter entwickeln, dieser selbstdisziplinierten Autorin Dutzender Bestsellerromane und Gestalterin eines erlesenen Gartens obendrein?

Ich schob meinen Stapel Papiere zur Seite, streichelte Shadow und starrte ins Feuer. Ich sehnte mich nach der Behaglichkeit einer Geschichte, die von Anfang bis Ende wohl durchdacht ist, wo die Verwirrung in der Mitte nur meinem Lesevergnügen dient und wo ich anhand der verbleibenden Seiten abschätzen konnte, wie lange die Lösung noch auf sich warten ließ. Dagegen hatte ich keine Ahnung, wie viele Seiten noch nötig waren, um die Geschichte von Emmeline und Adeline zu Ende zu bringen, und ebenso wenig, ob dazu die Zeit reichen würde.

So sehr ich mich auch in meine Notizen vertiefte, fragte ich mich trotzdem, weshalb ich Miss Winter nicht gesehen hatte. Jedes Mal, wenn ich mich nach ihr erkundigte, gab mir Judith dieselbe Antwort: Sie sei bei Miss Emmeline. Bis zum Abend, als sie mit einer Nachricht von Miss Winter selber kam: Ob ich mich schon wieder gut genug fühlte, ihr vor dem Abendbrot ein Weilchen vorzulesen?

Als ich bei ihr eintraf, fand ich ein Buch – *Lady Audleys Geheimnis* – auf dem Tisch neben Miss Winter. Ich schlug es am Lesezeichen auf und las. Doch schon nach dem ersten Kapitel unterbrach ich die Lektüre, weil ich das Gefühl hatte, dass sie mit mir sprechen wollte.

»Was ist in der Nacht nun wirklich passiert?«, fragte Miss Winter. »In der Nacht, als Sie krank geworden sind?«

Ich war zugleich nervös und erleichtert über die Gelegenheit zu einer Erklärung. »Ich wusste bereits, dass Emmeline hier wohnt. Ich habe sie nachts gehört. Ich hatte sie im Garten gesehen. Ich fand ihre Zimmerflucht. Und dann habe ich in dieser Nacht jemanden mitgebracht, der sie sehen wollte. Emmeline hat sich erschreckt. Das wollte ich ganz bestimmt nicht. Aber wir haben sie natürlich überrumpelt, und …« Mir versagte die Stimme.

»Sie können nichts dafür, wissen Sie. Keine Angst. Dieses Heulen und der Nervenzusammenbruch – das haben Judith, der Doktor und ich schon oft gesehen. Wenn überhaupt jemanden die Schuld trifft, dann mich. Ich hätte Ihnen längst erzählen sollen, dass sie hier lebt. Mein Beschützerinstinkt ihr gegenüber geht manchmal mit mir durch. Es war dumm von mir, es Ihnen nicht zu sagen.« Sie schwieg. »Und wollen Sie mir verraten, wen Sie mitgebracht haben?«

»Emmeline hat ein Baby bekommen«, sagte ich. »Das ist die Person, die mitgekommen ist. Der Mann in dem braunen Anzug.« Kaum hatte ich ihr erzählt, was ich herausgefunden hatte, sprudelten mir die Fragen, auf die ich keine Antwort wusste, nur so über die Lippen, als erwartete ich, dass meine eigene Offenheit sie vielleicht auch dazu ermunterte. »Wonach hat Emmeline im Garten gesucht? Als ich sie dort gesehen habe, hat sie versucht, etwas auszugraben. Das macht sie anscheinend oft: Maurice sagt, das wären Füchse, aber ich weiß, dass das nicht stimmt.«

Miss Winter saß vollkommen reglos und schweigend da.

»Die Toten kommen unter die Erde«, zitierte ich. »Das hat sie zu mir gesagt. Was glaubt sie denn, wer dort begraben ist? Ihr Kind? Hester? Nach wem sucht sie in der Erde?«

Miss Winter murmelte leise etwas, und obwohl es kaum zu hören war, rief es mir augenblicklich die Bemerkung ins Gedächtnis, die mir Emmeline im Garten entgegengeschleudert hatte. Genau dieselben Worte. »Ist es das?«, fügte Miss Winter hinzu. »Ist es das, was sie gesagt hat?«

Ich nickte.

»In Zwillingssprache?«

Ich nickte wieder.

Miss Winter musterte mich mit einem interessierten Blick. »Sie machen sich gut, Margaret. Besser, als ich dachte. Das Problem ist nur, dass uns die zeitliche Reihenfolge dieser Geschichte aus dem Ruder läuft. Wir greifen den Dingen vor.« Sie schwieg, starrte auf ihre Hand, sah mir gerade ins Gesicht. »Ich habe Ihnen gesagt, dass ich vorhabe, Ihnen die Wahrheit zu erzählen, Margaret. Und das meine ich auch so. Aber bevor ich sie Ihnen erzählen kann, muss etwas anderes passieren. Aber noch ist es nicht passiert.«

»Was?«

Doch bevor ich meine Frage ganz ausgesprochen hatte, schüttelte sie den Kopf. »Kehren wir wieder zu Lady Audley und ihrem Geheimnis zurück, in Ordnung?«

Ich las noch etwa eine halbe Stunde, war jedoch mit den Gedanken nicht bei der Sache, und ich hatte den Eindruck, dass es Miss Winter nicht anders erging. Als Judith an die Tür klopfte, um wegen des Abendessens Bescheid zu geben, klappte ich das Buch zu und legte es weg, und als hätte es keine

Unterbrechung gegeben, als knüpften wir nahtlos an die Unterhaltung von eben an, sagte sie: »Hätten Sie vielleicht Lust, heute Abend mit zu Emmeline zu kommen, falls Sie nicht zu müde sind?«

# SCHWESTERN

Als es so weit war, machte ich mich auf den Weg zu dem Trakt, in dem Emmeline wohnte. Zum ersten Mal kam ich als geladener Gast, und das Erste, was mir entgegenschlug, noch ehe ich das Schlafzimmer betrat, war das Gefühl, wie ruhig es war. Ich blieb im Türrahmen stehen – die Schwestern hatten mich noch nicht bemerkt –, und mir wurde bewusst, dass nur ihr Flüstern zu hören war. Ganz leise. Die Reibung ihrer Stimmbänder verursachte leichte Wellenkräusel in der Luft. Weiche Verschlusslaute, die verhallten, noch ehe man sie richtig hatte hören können, gedämpfte Zischlaute, die man mit dem Rauschen des Blutes in den eigenen Ohren verwechseln konnte. Jedes Mal, wenn ich dachte, es hätte aufgehört, streifte ein sanftes Säuseln mein Ohr, wie wenn sich mir ein Nachtfalter auf die Haare setzte, um gleich wieder aufzuflattern.

Ich räusperte mich.

»Margaret.« Miss Winter, die im Rollstuhl neben ihrer Schwester saß, deutete auf einen Stuhl auf der anderen Seite des Betts. »Wie lieb von Ihnen.«

Ich betrachtete Emmelines Gesicht auf dem Kissen. Das Rot und Weiß unterschied sich nicht von dem Rot und Weiß der Brandmale, die ich zuvor schon einmal gesehen hatte. Emmeline hatte nichts von ihrer wohl genährten Fülle verloren, und ihr Haar verhedderte sich noch immer zu diesem weißen Knäuel. Teilnahmslos wanderte ihr Blick über die Decke, meine Anwesenheit schien ihr gleichgültig zu sein. Aber was war anders? Denn sie *war* anders. Irgendeine Veränderung hatte bei ihr stattgefunden, eine Veränderung, die sofort ins

Auge fiel, wenn auch letztlich nicht benennbar. An Kraft hatte sie allerdings nichts eingebüßt. Sie hatte einen Arm unter der Tagesdecke hervorgestreckt und hielt Miss Winters Hand in ihrem festen Griff.

»Wie geht's Ihnen, Emmeline?«, fragte ich nervös.

»Sie fühlt sich nicht gut«, sagte Miss Winter.

Auch Miss Winter hatte sich in den vergangenen Tagen verändert. Doch ihre Krankheit wirkte wie eine Destillation: Je mehr sie sie auszehrte, desto deutlicher machte sie ihren Wesenskern. Jedes Mal, wenn ich sie sah, schien sie schmächtiger, dünner, zerbrechlicher, durchscheinender, und je schwächer sie wurde, desto deutlicher trat ihr eisernes Wesen zu Tage.

Nichtsdestoweniger lag eine sehr dünne, zarte Hand in Emmelines schwerer Faust.

»Soll ich etwas vorlesen?«, fragte ich.

»Ja, sehr gerne.«

Ich las ein Kapitel. »Sie ist eingeschlafen«, murmelte Miss Winter. Emmeline hatte die Augen geschlossen, ihr Atem kam tief und regelmäßig. Sie hatte den Griff um die Hand ihrer Schwester gelockert, und Miss Winter rieb sie sich, um sie wieder zu beleben.

Als sie meinen Blick sah, zog sie die Hände unter ihren Schal. »Ich bedaure die Unterbrechung unserer Arbeit«, sagte sie. »Ich musste Sie schon einmal wegschicken, als Emmeline krank war. Und jetzt muss ich ihr zum zweiten Mal meine Zeit widmen, und unser Projekt muss warten. Aber es wird nicht lange dauern. Und es ist bald Weihnachten. Sie werden uns sowieso verlassen wollen, um bei Ihrer Familie zu sein. Wenn Sie nach Ihrem Urlaub zurückkommen, werden wir sehen, wie die Dinge stehen. Ich rechne damit«, eine winzige Pause, »dass wir dann weiterarbeiten können.«

Ich verstand sie nicht auf Anhieb.

»Sie meinen ...?«

Miss Winter seufzte. »Lassen Sie sich nicht von ihrem kräftigen Äußeren täuschen. Sie ist schon seit Langem krank. Jahrelang war ich davon ausgegangen, dass sie vor mir geht. Als ich dann selbst erkrankte, war ich mir nicht mehr so sicher. Und jetzt sieht es nach einem Kopf-an-Kopf-Rennen aus.«

Darauf also warteten wir. Das Ereignis, ohne das die Geschichte nicht zu Ende gebracht werden konnte.

Plötzlich hatte ich eine trockene Kehle, und ich hatte Angst wie ein kleines Kind.

Emmeline lag im Sterben.

»Bin ich schuld?«

»Ob Sie schuld sind? Wie könnten Sie daran schuld sein?« Miss Winter schüttelte den Kopf. »Der Abend hat nichts damit zu tun.« Sie schenkte mir einen von ihren nur allzu vertrauten, durchdringenden Blicken, die mehr zu verstehen schienen, als ich preisgeben wollte. »Wieso nimmt Sie das so mit, Margaret? Meine Schwester ist für Sie eine Fremde. Und es kann nicht nur Ihr Mitgefühl für mich sein, das Ihnen solchen Kummer bereitet, nicht wahr? Sagen Sie, Margaret: Was ist los?«

Zum Teil lag sie falsch. Ich hatte tatsächlich Mitgefühl mit ihr. Denn was Miss Winter durchmachte, glaubte ich gut zu kennen. Sie war dabei, sich unter die Amputierten einzureihen. Hinterbliebene Zwillinge sind Halbseelen. Der Grat zwischen Leben und Tod ist schmal und dunkel, und wer einen Zwilling verloren hat, steht dem Tod näher als die meisten Menschen. Auch wenn sie oft aufbrausend und widerborstig war, mochte ich Miss Winter inzwischen. Besonders mochte ich das Kind, das sie einmal gewesen war und das immer mehr zum Vorschein kam. Mit ihrem kurz geschorenen Haar, ihrem nackten Gesicht, ihren schmächtigen, von den schweren Steinen befreiten Händen schien sie jeden Tag kindlicher zu werden. In meinen Augen verlor das Kind die Schwester, und hier ähnelte Miss Winters Schmerz dem meinen. Ihr Drama würde sich hier in diesem Haus abspielen, in den kommenden Tagen, und genau dasselbe Drama hatte mein Leben geprägt, auch wenn es sich so früh ereignet hatte, dass ich mich nicht daran erinnern konnte.

Ich betrachtete Emmelines Gesicht auf dem Kissen. Sie näherte sich der Schwelle, die mich bereits von meiner Schwester trennte. Bald würde sie hinübergehen und für uns verloren sein. Mich überkam der absurde Wunsch, ihr etwas ins Ohr zu flüstern, eine Botschaft für meine Schwester, die ich jemandem anvertraute, der sie vielleicht bald sah. Aber was sollte ich ihr sagen?

Ich spürte Miss Winters neugierigen Blick im Gesicht. Ich hielt den albernen Impuls zurück.

»Wie lange noch?«, fragte ich.

»Tage. Eine Woche vielleicht. Nicht lang.«

An dem Abend blieb ich noch lange bei Miss Winter. Auch am nächsten Tag war ich neben Emmelines Bett. Wir saßen beieinander, lasen eine Weile laut, dann jeder still für sich, und nur Dr. Clifton störte unsere Wache. Er schien meine Anwesenheit ganz selbstverständlich zu nehmen, bezog mich in dasselbe ernste Lächeln ein, das er Miss Winter schenkte, während er einfühlsam darüber sprach, wie sich Emmelines Zustand verschlimmerte. Zuweilen blieb er dann eine Stunde oder so bei uns sitzen, teilte unseren Schwebezustand und hörte zu, wie ich las. Bücher aus einem x-beliebigen Regal, an einer x-beliebigen Stelle aufgeschlagen, eine Lektüre ohne Anfang und ohne Schluss, die ich zuweilen mitten im Satz abbrach. So ging *Sturmhöhe* in *Emma* über, die wiederum in *Die Eustace-Diamanten* hinüberglitten, um vor *Schwere Zeiten* zu verblassen, die ihrerseits der *Frau in Weiß* Platz machten. Fragmente. Das machte nichts. Kunst in ihrer abgerundeten, vollständigen, bewusst gestalteten Form spendete keinen Trost. Worte dagegen waren eine Lebensader. Ihr gedämpfter Rhythmus schwang weiter, als Gegengewicht zu Emmelines schleppendem Atem.

Dann kam die Dämmerung, und morgen war Heiligabend, der Tag, an dem ich abreisen sollte. Irgendwie wollte ich nicht gehen. Die Stille im Haus, die erhabene Einsamkeit, die der Garten bot, waren derzeit alles, was ich mir wünschte. Der Laden und mein Vater schienen sehr klein und weit weg und meine Mutter – wie immer – noch weiter entfernt. Und Weihnachten … Bei uns zu Hause folgten die Feiertage zu dicht auf meinen Geburtstag, als dass es meine Mutter ertragen hätte, die Geburt des Kindes einer anderen Frau zu feiern, egal, wie lange das her sein mochte. Ich dachte an meinen Vater, wie er die Weihnachtskarten der wenigen Freunde öffnete, die meine Eltern hatten, und auf dem Kamin die unverfänglichen Weihnachtsmänner, die Winterszenen und Rotkehlchen aufstellte, während er die Karten mit der Madonna aus dem Blickfeld räumte. Jedes Jahr sammelte er sie zu einem geheimen Stapel: juwelenfarbene Bilder der Muttergottes, wie sie verzückt ihr einziges, vollständiges, makelloses Kind betrachtet, das ihren Blick erwidert – ein seliger, geschlossener Kreis aus Liebe und Heil. Jedes Jahr wanderten sie alle in den Mülleimer.

Miss Winter hätte, das wusste ich, nichts dagegen gehabt, wenn ich geblieben wäre. Vielleicht wäre sie sogar froh gewesen, in den vor ihr liegenden Tagen jemanden an ihrer Seite zu haben. Aber ich fragte sie nicht. Ich hätte es nicht gekonnt. Ich hatte Emmelines Verfall gesehen. Sowie sie schwächer wurde, hatte die Hand in meiner Brust fester zugedrückt, und meine wachsende Beklemmung sagte mir, dass das Ende nicht mehr lange auf sich warten ließ. Es war feige von mir, doch als Weihnachten kam, war es eine Gelegenheit zur Flucht, die ich ergriff.

Am Abend ging ich in mein Zimmer, um zu packen, dann kehrte ich zum Wohntrakt von Miss Emmeline zurück, um mich von Miss Winter zu verabschieden. Alles Geflüster der Schwestern war verflogen; das Halbdunkel hing schwerer, regloser über dem Raum. Miss Winter hatte ein Buch auf dem Schoß, doch falls sie darin gelesen hatte, reichte jetzt das Licht nicht mehr, und so ruhte ihr Blick stattdessen traurig auf dem Gesicht ihrer Schwester. In ihrem Bett lag Emmeline reglos da, und die Decke hob und senkte sich sacht im Takt ihres Atems. Sie hatte die Augen geschlossen und sah aus, als schliefe sie fest.

»Margaret«, murmelte Miss Winter und wies auf einen Stuhl. Sie schien sich über mein Kommen zu freuen. Zusammen warteten wir, bis es vollends dunkel wurde, und lauschten auf den leisen Klang der Gezeiten.

Zwischen uns im Krankenbett strömte Emmelines Atem in einem gleichmäßigen, unerschütterlichen Rhythmus ein und aus, so besänftigend wie die Wellen am Strand.

Miss Winter sagte nichts, und ich schwieg ebenfalls, während ich im Kopf die aberwitzigsten Botschaften verfasste, die ich vielleicht diesem Menschen, der sich bald auf die Reise machte, auf den Weg mitgeben konnte. Zug um Zug schien sich der Raum ein wenig mehr mit tiefer, anhaltender Trauer zu füllen.

Am Fenster, Miss Winter stand schon eine Weile dort, rührte sich ihre Silhouette.

»Nehmen Sie das hier«, sagte sie, und eine Bewegung im Dunkeln sagte mir, dass sie mir über das Bett hinweg etwas entgegenhielt.

Meine Finger schlossen sich um ein rechteckiges Lederobjekt mit einem Schloss aus Metall. Eine Art Buch.

»Aus Emmelines Schatztruhe. Es wird nicht mehr gebraucht. Gehen Sie. Lesen Sie es. Wenn Sie wiederkommen, reden wir.«

Das Buch in der Hand, durchquerte ich den Raum Richtung Tür, indem ich mich an den Möbeln im Zimmer entlangtastete. Hinter mir die Ebbe und Flut von Emmelines Sterbebett.

# Ein Tagebuch und ein Zug

Hesters Tagebuch war lädiert. Der Schlüssel fehlte, das Schloss war so verrostet, dass es orangefarbene Flecken an den Fingern hinterließ. Die ersten drei Seiten klebten da, wo der Leim von der Innenseite des Einbands sich verflüssigt hatte und verlaufen war, aneinander. Auf jeder Seite löste sich das letzte Wort in einem braunen Schmutzrand auf, als sei das Tagebuch zugleich Dreck und Feuchtigkeit ausgesetzt gewesen. Ein paar Seiten waren zerrissen, an den ausgefransten Rändern erschienen nur noch Wortfragmente: aben, kr, ta, testen. Und das Schlimmste: Offensichtlich war das Tagebuch einmal in Wasser getaucht worden. Die Seiten waren gewellt. Im geschlossenen Zustand wölbte sich das Buch zu einem Umfang, der nicht beabsichtigt war.

Die Wasserschäden würden mir die größten Probleme bereiten. Wenn man eine Seite betrachtete, sah man zwar deutlich, dass es sich um Schriftzüge handelte, und zwar nicht nur um alte, sondern um die von Hester. Da waren wieder ihre festen Oberlängen, ihre ausgewogenen, flüssigen Schleifen, die angenehme Neigung, ihre sparsamen, aber dennoch zweckmäßigen Zwischenräume. Doch bei näherer Betrachtung waren die Worte verschwommen und verblichen. War dieser Buchstabe ein L oder T? Gehörte dieser Bogen zu einem A oder E? Oder sogar zu einem S? War dieses Gebilde als »laut« oder »fort« zu entziffern?

Es würde ein ziemliches Rätselraten werden. Auch wenn ich später das Tagebuch transkribierte, so war an diesem Weihnachtstag der Zug zu voll, als dass ich mit Stift und Papier hätte arbeiten können. Ich hockte, das Tagebuch dicht unter der Nase, auf meinem Fensterplatz und brütete über den Seiten, um sie zu entziffern. Zunächst bekam ich nur jedes dritte Wort heraus, doch je mehr ich mich in Hesters fließende Zeilen hineinziehen ließ, desto mehr kamen sie mir auf halbem Wege entgegen und belohnten meine Mühe mit großzügigen Enthüllungen. Einen Tag vor Weihnachten, in diesem Zug, nahm Hester langsam Gestalt für mich an.

Ich werde Ihre Geduld nicht unnötig auf die Probe stellen, indem ich Hesters Tagebuch so wiedergebe, wie ich es in die Hand bekommen habe: bruchstückhaft und beschädigt. Ganz in ihrem Sinne habe ich geflickt, bereinigt und geordnet. Ich habe das Chaos und Durcheinander gebannt. Ich habe zweifelhafte Stellen verifiziert, Schemenhaftes geklärt, Textlücken gefüllt. Dabei kann es sein, dass ich gelegentlich Worte auf eine Seite geschrieben habe, die nicht von ihr stammen, doch ich kann versichern, dass sich solche Fehler auf Nebensächliches beschränken. Dort, wo es um Wesentliches geht, habe ich sehr genau hingesehen und kritisch gelesen, bis ich annähernd sicherstellen konnte, dass ich die ursprüngliche Bedeutung herausgefunden hatte.

Ich schreibe hier nun nicht das gesamte Tagebuch nieder, sondern nur ausgewählte Passagen. Meine Wahl ergab sich erstens aus dem Zweck meines Unternehmens, nämlich die Geschichte von Miss Winter zu erzählen, und zweitens aus dem Wunsch, über Hesters Leben in Angelfield wahrheitsgetreu zu berichten.

⁂

*Haus Angelfield sieht aus der Ferne recht manierlich aus, auch wenn es falsch ausgerichtet ist und die Fenster schlecht angeordnet sind. Bei näherer Betrachtung allerdings bemerkt man, wie heruntergekommen das Gebäude ist. Das Mauerwerk ist streckenweise gefährlich verwittert. Fensterrahmen verfaulen. Und es scheint, dass Teile des Dachs Sturmschäden davongetragen haben. Es wird zu meinen ersten Amtshandlungen gehören, die Zimmerdecken in der Mansarde zu überprüfen.*

*Die Haushälterin empfing mich an der Tür. Auch wenn sie es zu kaschieren versuchte, habe ich sofort begriffen, dass sie schlecht sieht und hört. Bei ihrem fortgeschrittenen Alter ist das kein Wunder. Es erklärt auch, in welch verdrecktem Zustand sich das Haus befindet – aber vermutlich will die Familie Angelfield sie nicht vor die Tür setzen, nachdem sie ihr Leben lang im Haus gedient hat. Ich finde diese Loyalität angemessen, auch wenn ich nicht verstehe, weshalb man ihr nicht jüngere Kräfte an die Seite stellt.*

*Mrs. Dunne erzählte mir vom Haus und der Familie. Die Eigentümer leben hier offenbar schon seit Jahren mit einem stark geschrumpften Personal, und man hat sich einfach damit arrangiert. Weshalb das so ist, habe ich noch nicht in Erfahrung bringen können, ich weiß nur so viel, dass es, abgesehen von der eigentlichen Familie, nur Mrs. Dunne und einen Gärtner namens John Digence gibt. Das Anwesen verfügt über Wild (auch wenn niemand mehr jagt), doch der Mann, der sich um die Tiere kümmert, lässt sich nie in der Nähe des Hauses blicken. Er bekommt seine Anweisungen von demselben Anwalt, der mich eingestellt hat und der als eine Art Gutsverwalter fungiert – falls es überhaupt eine Verwaltung gibt. Mrs. Dunne kümmert sich selber um den laufenden Unterhalt. Ich dachte, Charles Angelfield überwache persönlich jede Woche die Bücher und die Quittungen, doch Mrs. Dunne lachte nur und fragte zurück, ob ich glaubte, sie sähe noch genug, um Zahlenkolonnen in ein Buch zu schreiben. Ich muss schon sagen, dass ich das ziemlich ungewöhnlich finde. Nicht, dass ich Mrs. Dunne für nicht vertrauenswürdig halte. Soweit ich sehe, ist sie eine herzensgute, ehrliche Frau, und ich hoffe, dass ich, sobald ich sie näher kennen lerne, ihre Schweigsamkeit ganz und gar ihrer Taubheit zuschreiben kann. Ich werde Mr. Angelfield die Vorzüge einer akkuraten Buchführung nahe bringen und mich selber erbieten, diese Aufgabe zu übernehmen.*

*Noch während ich mit Mrs. Dunne sprach, dachte ich, dass es allmählich an der Zeit sei, meinen Arbeitgeber kennen zu lernen. Mein Staunen hätte kaum größer sein können, als sie mir erzählte, er verbringe den ganzen Tag im alten Kinderzimmertrakt, und es sei gegen seine Gewohnheit, diese Räume zu verlassen. Nach einer ganzen Reihe von Fragen stellte sich schließlich heraus, dass er an einer Form von Geistesstörung leidet. Wie höchst bedauerlich! Kann es etwas Beklagenswerteres geben als ein Gehirn, dessen normale Funktion gestört ist?*

*Mrs. Dunne lud mich zum Tee ein (den ich aus Höflichkeit zu trinken vorgab, jedoch hinterher in den Spülstein goss, da ich, nachdem ich den Zustand der Küche gesehen hatte, der Sauberkeit der Tasse nicht traute), und sie erzählte mir ein wenig von sich. Sie ist gut über achtzig, war nie verheiratet und hat ihr ganzes Leben hier verbracht. Naturgemäß wandte sich unsere Unterhaltung dann der Familie zu. Mrs. Dunne kannte die Mutter der Zwillinge von Kindesbeinen an. Sie bestätigte, was ich bereits begriffen hatte, dass die kürzliche Einweisung der Mutter in eine Nervenheilanstalt der Auslöser für meine Einstellung gewesen war. Was sie über die Umstände zu erzählen wusste, die diesen Schritt heraufbeschworen hatten, klang derart verworren, dass ich am Ende nicht recht sagen konnte, ob Isabelle March nun tatsächlich die Frau des Doktors mit einer Violine angegriffen hatte oder nicht. Und das ist auch kaum von Bedeutung: Ganz offensichtlich liegt die Disposition zu geistiger Verwirrung in der Familie, und ich muss zugeben, dass mein Herz ein wenig höher schlug, als ich das bestätigt fand. Welche Befriedigung liegt für eine Gouvernante schon darin, Persönlichkeiten zu führen und zu formen, die bereits in gerade, ungehinderte Bahnen geleitet sind? Welchen Reiz soll es haben, Kinder zu betreuen, deren Herz und Verstand bereits Sitte und An-*

*stand kennen? Ich bin nicht nur bereit, mich dieser Herausforderung zu stellen, ich warte seit Jahren darauf!*

*Ich habe mich nach der Familie des Vaters erkundigt – denn auch wenn Mr. March längst verschieden ist und die Kinder ihn nie kennen gelernt haben, so fließt doch sein Blut in ihren Adern und hat Einfluss auf ihr Wesen. Mrs. Dunne konnte mir allerdings nur sehr wenig über ihn berichten. Stattdessen fing sie an, mir eine Reihe Anekdoten über die Mutter und den Onkel zu erzählen, die, wenn man zwischen den Zeilen las (was sie ganz offensichtlich bezweckte), in eine skandalöse Richtung wiesen … Natürlich ist das, was sie andeutet, keineswegs wahrscheinlich, jedenfalls nicht in England, und ich hege den Verdacht, dass sie eine etwas zu blühende Phantasie besitzt. Vorstellungskraft ist eine gute Sache, ohne die es so manche wissenschaftliche Entdeckung nicht gegeben hätte, doch sie muss für seriöse Zwecke nutzbar gemacht werden, wenn sie etwas taugen soll. Sich selbst überlassen, führt sie nur zu dummen Gedanken. Vielleicht ist diese Verirrung auf ihr Alter zurückzuführen, denn ansonsten scheint Mrs. Dunne eine freundliche Seele zu sein und nicht die Sorte, die einfach nur Klatsch in die Welt setzen will. Jedenfalls habe ich das Thema sofort aus meinen Gedanken verbannt.*

*Während ich das hier schreibe, höre ich Geräusche vor meiner Tür. Die Mädchen sind aus ihrem Versteck gekrochen und schleichen durchs Haus. Man hat ihnen keinen Gefallen damit getan, ihnen so ihren Willen zu lassen. Sie werden von dem Regime der Ordnung, Hygiene und Disziplin, das ich hier im Hause einzuführen gedenke, in hohem Maße profitieren.*

*Ich werde nicht zu ihnen hinausgehen. Zweifellos rechnen sie damit, und es wird zweckdienlich sein, sie erst einmal zu irritieren.*

*Mrs. Dunne hat mir die Räume im Erdgeschoss gezeigt. Es ist überall schmutzig, alles verschwindet unter einer dicken Staubschicht, die Gardinen hängen in Fetzen an den Fenstern, doch sie sieht es gar nicht und denkt, es sei alles wie zu Zeiten des Großvaters, als hier noch die übliche Zahl an Bediensteten angestellt war. Es gibt ein Klavier, das vielleicht nicht mehr zu retten ist – ich will sehen, was sich machen lässt –, und eine Bibliothek, die sich hoffentlich als Fundgrube an Wissen erweist, sobald Staub gewischt ist und man die Bücher sieht.*

*Die anderen Stockwerke habe ich allein erkundet, weil ich Mrs. Dunne nicht zu viele Treppen auf einmal zumuten wollte. Im ersten Stock hörte ich leise, schlurfende Schritte, Geflüster und unterdrücktes Kichern. Ich hatte meine Zöglinge gefunden. Sie hatten die Tür abgeschlossen und verstummten, als ich die Klinke herunterdrückte. Ich rief sie einmal beim Namen und überließ sie dann sich selbst, um in den zweiten Stock zu gehen. Eine meiner Grundregeln ist es, meinen Schutzbefohlenen nicht hinterherzurennen, sondern sie dazu anzuleiten, zu mir zu kommen.*

*Die Zimmer im zweiten Stock sind in einem unvorstellbaren Chaos. Schmutzig, aber etwas anderes hatte ich auch kaum erwartet. Es hat durchs Dach hereingeregnet (auch das überraschte mich nicht), und in einigen der faulenden Dielenbretter sitzt der Schwamm. Das ist eine Umgebung, die viel zu ungesund ist, um Kinder großzuziehen. Eine Reihe Dielenbretter fehlen und scheinen mit Absicht entfernt worden zu sein. Ich werde mit Mr. Angelfield darüber reden. Sie müssen repariert werden, denn es könnte jemand die Treppe herunterfallen oder sich zumindest den Knöchel verstauchen. Sämtliche Scharniere müssen geölt werden, und sämtliche Türrahmen sind verzogen. Egal, wo im Haus ich war, das Knarren von Türen, die in ihren Angeln schwangen, folgte mir, ein Knacken im Boden und Zugluft, von der die Gardinen flatterten, ohne dass ersichtlich war, woher sie kam.*

*Ich kehrte, so schnell ich konnte, in die Küche zurück. Mrs. Dunne bereitete gerade unser Abendessen, und ich verspürte wenig Neigung, etwas zu mir zu nehmen, das in so unappetitlichen Töpfen gekocht wurde, wie ich sie gesehen hatte, und so war ich zuerst mit einem Berg Abwasch konfrontiert (nachdem ich das Spülbecken so gründlich gescheuert hatte, wie es seit sicher zehn Jahren nicht mehr geschrubbt wor-*

*den war), und hatte dann ein wachsames Auge auf ihre Essenszubereitung. Sie tut ihr Bestes.*

*Die Mädchen wollten nicht zum Essen herunterkommen. Ich rief sie einmal, nicht häufiger. Mrs. Dunne wollte sie unbedingt nochmals rufen und sie überreden, doch ich erklärte ihr, ich hätte meine eigenen Methoden, und sie müsse auf meiner Seite sein.*

*Der Doktor kam zum Essen. Wie zu erwarten, ließ sich der Haushaltsvorstand nicht blicken. Ich hatte vermutet, dass dies den Doktor beleidigen würde, doch er schien es vollkommen normal zu finden. So blieb es bei uns beiden und Mrs. Dunne, die sich beim Servieren anstrengte, dabei jedoch meine Hilfe benötigte.*

*Der Doktor ist ein intelligenter, kultivierter Mann. Er erklärte mir in einiger Ausführlichkeit, mit welchen Schwierigkeiten ich hier zu kämpfen haben würde, und ich hörte ihm so höflich zu, wie ich nur konnte. Jede Gouvernante hätte nach den wenigen Stunden, die ich hier zugebracht hatte, ein klares Bild von der Aufgabe gehabt, die sie erwartet, aber er ist ein Mann und kann daher nicht sehen, wie ermüdend es ist, sich beschreiben zu lassen, was man längst begriffen hat. Meine Ungeduld und der ein wenig scharfe Ton, in dem ich ihm ein, zwei Mal antwortete, schien ihm gänzlich zu entgehen, und ich fürchte, dass seine Beobachtungsgabe mit seiner Energie und seinen analytischen Fähigkeiten nicht ganz mithalten kann. Ich will es ihm gar nicht mal verübeln, dass er damit rechnet, jeder andere sei weniger begabt als er. Denn er ist ein kluger Mann und hinsichtlich seiner geistigen Fähigkeiten der Hecht im Karpfenteich. Er gibt sich still und bescheiden, doch das durchschaue ich nur zu leicht, denn ich verstelle mich haargenau so wie er. Bei der Aufgabe, die ich übernommen habe, werde ich mich allerdings bemühen, ihn trotz seiner Schwächen zu meinem Verbündeten zu machen.*

*Von unten höre ich verärgerte Stimmen. Vermutlich haben die Mädchen das Schloss an der Speisekammertür entdeckt. Sie sind zweifellos wütend und enttäuscht, aber wie soll ich sie sonst zu regelmäßigen*

*Mahlzeiten erziehen? Und wie kann ohne Mahlzeiten die Ordnung wiederhergestellt werden?*

*Morgen fange ich damit an, dieses Zimmer sauber zu machen. Die Oberflächen habe ich schon gleich diesen Abend mit einem feuchten Tuch abgewischt, und am liebsten hätte ich auch noch den Boden geschrubbt, aber ich habe mich gebremst. Ich müsste es morgen noch einmal tun, nachdem ich die Wände gereinigt und die schmutzstarrenden Gardinen heruntergenommen habe. Heute Nacht also schlafe ich im Dreck, morgen dagegen gehe ich in einem strahlend sauberen Zimmer zu Bett. Das wird ein guter Anfang sein, denn ich werde dafür sorgen, dass wieder Ordnung und Disziplin in dieses Haus einkehren, und um damit Erfolg zu haben und klare Gedanken zu fassen, muss ich mir erst einmal selber ein sauberes Zimmer herrichten. Niemand kann klar denken und Fortschritte machen, wenn er nicht von Hygiene und Ordnung umgeben ist.*

*Die Zwillinge weinen in der Eingangshalle. Es wird Zeit, meine Schützlinge kennen zu lernen.*

*Ich bin in letzter Zeit so sehr damit beschäftigt gewesen, das Haus in Schuss zu bringen, dass mir nur wenig Zeit für mein Tagebuch blieb, aber ich muss die Zeit erübrigen, denn ich entwickle meine Methoden vor allem beim Schreiben.*

*Bei Emmeline habe ich gute Fortschritte erzielt, und meine Erfahrung mit ihr fügt sich in das Muster meiner Erfahrungen mit anderen schwierigen Kindern ein. Sie ist, glaube ich, nicht gar so gestört, wie man mir berichtet hatte, und wird unter meinem Einfluss zu einem freundlichen Kind heranwachsen. Sie ist anhänglich und robust, hat gelernt, die Wohltaten der Hygiene zu schätzen, sie isst mit gutem Appetit und gehorcht meinen Anweisungen durch gutes Zureden und die Aussicht auf kleine Vergünstigungen. Sie wird recht bald verstehen, dass ein gutes Betragen sich auszahlt, indem es ihr die Achtung anderer einbringt, und dann kann ich die Bestechungen reduzieren. Sie wird nie gescheit sein, aber schließlich können meine Methoden keine Wunder bewirken. Egal, welche Stärken ich habe, so kann ich doch nur entwickeln, was bereits angelegt ist.*

*Mit meiner Arbeit an Emmeline bin ich zufrieden.*

*Ihre Schwester ist ein schwierigerer Fall. Gewalttätigkeit ist mir nicht neu, und ich bin über ihre Zerstörungswut weniger schockiert, als Adeline denkt. Eines allerdings macht mir zu schaffen: Bei anderen Kindern ist diese Neigung im Allgemeinen eine Begleiterscheinung von Wut und kein Selbstzweck. Der zerstörerische Akt ist, wie ich bei anderen Zöglingen beobachtet habe, meistens durch ein Übermaß an Wut motiviert, und nur aus Versehen kommen Menschen und Eigentum zu Schaden. Adelines Fall passt nicht in dieses Muster. Ich habe selber Erfahrungen mit ihr gemacht und das auch von anderen bestätigt gehört, bei denen Adeline einzig auf Zerstörung zielt und sie sich selber zur Wut aufstacheln muss, um die destruktive Energie zu entfachen. Denn sie ist ein zartes, kleines Ding, nur Haut und Knochen, und sie isst so gut wie nichts. Mrs. Dunne hat mir von einer Begebenheit im Garten erzählt, bei der Adeline offenbar eine Reihe Eiben beschädigt hat. Falls das wahr ist, dann ist es eine Schande – der Garten war eindeutig sehr schön. Es ließe sich wieder herrichten, doch John hat darüber die Lust verloren, und nun leidet nicht nur der Formschnittgarten, sondern auch das übrige Gelände unter seinem mangelnden Interesse. Ich werde Zeit und Mittel finden, seinen Stolz herauszufordern. Er wird eine Menge dazu beitragen, das Erscheinungsbild und die Atmosphäre des Hauses zu verbessern, wenn man ihn dazu bringen kann, mit seiner Arbeit zufrieden zu sein und den Garten zu pflegen.*

*Wo wir gerade bei John und dem Garten sind – ich muss mit ihm über den Jungen reden. Als ich heute Nachmittag im Klassenzimmer herumwanderte, kam ich zufällig in die Nähe des Fensters. Es regnete, und ich wollte es schließen, um nicht noch mehr Feuchtigkeit hereinzulassen, die Fensterbank an der Innenseite zerbröselt ohnehin. Hätte ich nicht so nahe am Fenster gestanden, fast mit der Nase an der*

*Scheibe, hätte ich ihn vermutlich nicht gesehen. Doch da war er: ein Junge, der im Blumenbeet kauerte und Unkraut jätete. Er trug eine Männerhose, die an den Knöcheln abgeschnitten war und mit Hosenträgern gehalten wurde. Ein breitkrempiger Hut verschattete sein Gesicht, sodass ich mir kein genaues Bild von seinem Alter machen konnte, auch wenn ich ihn auf elf, zwölf Jahre schätzte. Ich weiß, dass es in ländlichen Gegenden Usus ist, Kinder zu gärtnerischen Tätigkeiten heranzuziehen, auch wenn ich gedacht hätte, dass sie vor allem in der Landwirtschaft aushelfen, und ich erkenne die Vorteile, die es hat, wenn sie frühzeitig ihr Handwerk erlernen, doch ich sehe es nicht gerne, wenn ein Kind während der Schulzeit nicht in der Schule ist. Ich werde mit John darüber reden und ihm klar machen, dass der Junge in die Schule gehört.*

*Doch um auf mein Thema zurückzukommen: Was Adelines Bösartigkeit gegenüber ihrer Schwester betrifft, so würde sie staunen, wenn sie wüsste, dass ich das alles schon anderswo gesehen habe. Eifersucht und Wut zwischen Geschwistern ist normal, und bei Zwillingen sind die Rivalitäten oft noch stärker. Mit der Zeit werde ich in der Lage sein, die Aggressionen einzudämmen, doch bis dahin ist stete Wachsamkeit angezeigt, damit Adeline ihre Schwester nicht verletzt, was bedauerlicherweise die Fortschritte an anderen Fronten hemmt. Wieso Emmeline es sich gefallen lässt, dass Adeline sie verprügelt (ihr die Haare ausreißt und sie mit der Feuerzange und glühenden Kohlen jagt), kann ich mir noch nicht erklären. Sie ist doppelt so kräftig gebaut wie ihre Schwester und könnte sich viel energischer verteidigen. Vielleicht scheut sie davor zurück, ihrer Schwester wehzutun; sie ist ein liebevolles Kind.*

*Mein Eindruck von Adeline in diesen ersten Tagen war der eines Kindes, das im Unterschied zu seiner Schwester möglicherweise nie in der Lage sein würde, ein unabhängiges, normales Leben zu führen, das allerdings zu einer gewissen Ausgeglichenheit und Charakterfestigkeit gebracht und dessen Wutausbrüche durch eine strenge Routine eingedämmt werden könnten. Ich hoffte nicht darauf, Adeline zur Vernunft zu bringen. Ich würde mit ihr mehr Mühe als mit ihrer Schwester haben, die man mir aber umso weniger danken würde, da sie in den Augen der Welt nach viel weniger aussehen würde.*

*Doch ich musste diese Meinung schlagartig überdenken, als ich plötzlich Anzeichen einer dumpf brütenden Intelligenz bei ihr entdeckte. Heute Morgen kam sie wie üblich missmutig ins Klassenzimmer geschlurft, doch immerhin, ohne ihre Lustlosigkeit gar zu sehr zur Schau zu stellen, und als ich sie auf ihrem Sitz hatte, legte sie so wie sonst auch den Kopf auf den Arm. Ich fing mit dem Unterricht an. Ich gab nichts weiter wieder als eine Geschichte, frei nach den Eröffnungskapiteln von* Jane Eyre, *einer Erzählung, wie sie viele Mädchen lieben. Ich konzentrierte mich auf Emmeline, ermunterte sie, der Geschichte zu folgen, indem ich sie möglichst lebendig veranschaulichte. Ich verlieh der Heldin eine Stimme, der Tante eine andere und eine dritte der Cousine, und ich untermalte die Erzählung mit Mimik und Gestik, wie sie den Gefühlen der Charaktere entsprachen. Emmeline hing an meinen Lippen, und ich war mit meiner Wirkung zufrieden.*

*Aus dem Augenwinkel heraus sah ich, wie sich plötzlich etwas bewegte. Adeline hatte sich in meine Richtung gedreht. Zwar lag der Kopf noch immer auf ihrem Arm, zwar schien sie noch immer die Augen geschlossen zu haben, doch ich hatte deutlich das Gefühl, sie hörte mir zu. Selbst wenn es nichts zu bedeuten hatte, dass sie sich mir zuwandte (was nicht sein konnte, da sie sich bis dahin stets von mir abgewandt hatte), blieb noch immer die Veränderung in ihrer Körperhaltung. Gewöhnlicherweise sackt sie über ihrem Tisch zusammen und schläft in einer Art animalischer Dumpfheit, heute jedoch schien ihr ganzer Körper wach: die Schultern ein wenig vorgebeugt, als lauschte sie gespannt auf die Geschichte, während sie sich weiterhin den Anschein gab, als döste sie träge vor sich hin.*

*Sie sollte nicht merken, dass ich etwas mitbekommen hatte. Also tat ich weiterhin so, als läse ich nur Emmeline vor. Ich gestikulierte übertrieben viel und wechselte die Stimmen, behielt dabei aber unentwegt Adeline im Blick. Und sie hörte nicht nur zu. Ich sah, wie ihre Lider zitterten. Ich dachte, sie hätte geschlafen, doch keineswegs – mit zusammengekniffenen Augen beobachtete sie mich!*

*Dies ist eine überaus interessante Entwicklung, die voraussichtlich der Dreh- und Angelpunkt meines Unternehmens sein wird.*

*Dann geschah etwas vollkommen Unerwartetes. Das Gesicht des Doktors veränderte sich. Ja, wirklich, vor meinen Augen. Es war einer dieser Momente, da ein Gesicht auf einmal völlig neu erscheint: Die Züge eines Menschen, die immer noch dieselben sind, verziehen sich dermaßen, dass sie eine ganz und gar andere Wirkung haben. Ich wüsste gar zu gerne, was die Gesichter von Menschen, die wir kennen, zu solchen Kapriolen bringt. Optische Effekte, die mit dem Lichteinfall zusammenhängen, habe ich ausgeschlossen und bin vielmehr zu dem Schluss gekommen, dass die Erklärung beim Betrachter zu suchen ist. Jedenfalls brachte mich dieser Wandel dazu, ihn eine Weile anzustarren, was ihm sehr seltsam erschienen sein muss. Als sein Gesicht wieder zur Ruhe gekommen war, lag auch in seinem Ausdruck etwas Seltsames, etwas, das ich nicht ausloten konnte, ausloten kann. Ich mag es nicht, wenn ich für etwas keine Erklärung habe.*

*Wir starrten uns an, einer so verlegen wie der andere, ein paar Sekunden lang, dann verabschiedete er sich ziemlich unvermittelt.*

*Ich wünschte, Mrs. Dunne würde nicht dauernd meine Bücher verlegen. Wie oft muss ich ihr noch sagen, dass ein Buch erst weggeräumt gehört, wenn man die letzte Seite gelesen hat? Und wenn sie es schon weglegt, wieso dann nicht wenigstens dorthin zurück, wo es hergekommen ist, in die Bibliothek? Wieso lässt sie es im Treppenhaus liegen?*

*Ich hatte eine seltsame Unterhaltung mit John, dem Gärtner. Er ist ein guter Arbeiter und jetzt, da sein Formschnittgarten sich erholt, auch ein hilfreicher Geist im Haus. Er kommt in die Küche und trinkt mit Mrs. Dunne Tee, und sie plaudern miteinander. Dann wieder höre ich sie leise reden, was mich auf den Gedanken bringt, dass sie vielleicht doch nicht so schwerhörig ist, wie sie tut. Wäre sie nicht so alt, würde ich die beiden für ein Liebespaar halten, doch da das ganz undenkbar ist, habe ich keine Erklärung für ihr Geheimnis. Ich stellte Mrs. Dunne ein wenig zögerlich zur Rede, da zwischen ihr und mir in den meisten Dingen freundschaftliches Einvernehmen herrscht und ich glaube, dass sie meine Anwesenheit im Hause gerne sieht – nicht, dass das wichtig wäre. Sie verriet mir, dass sie nur über ganz gewöhnliche Haushaltsangelegenheiten reden, über Hühner, die geköpft, über Kartoffeln, die ausgegraben werden müssen und ähnliche Dinge mehr. »Aber wieso sprechen Sie dann so leise?«, hakte ich nach, und sie erklärte mir, es sei überhaupt nicht leise, jedenfalls nicht besonders. »Mich hören Sie aber nicht, wenn ich so flüstere«, sagte ich, und sie antwortete, dass neue Stimmen für sie schwerer zu verstehen seien als diejenigen, die sie kenne; dass sie John verstehe, wenn er leise spräche, liege daran, dass sie sich an seine Stimme über die vielen Jahre hinweg gewöhnt habe und meine erst seit ein paar Monaten höre.*

*Ich hatte die Sache mit dem Geflüster in der Küche völlig vergessen, bis ich bei John auf etwas Merkwürdiges stieß. Vor ein paar Tagen habe ich kurz vor dem Mittagessen einen Spaziergang im Garten gemacht, als ich erneut den Jungen sah, der das Beet unter dem Klassenzimmerfenster gejätet hatte. Ich schaute auf die Uhr, und wieder war es während der Schulzeit. Der Junge bemerkte mich nicht, denn ich stand im Schutz der Bäume und beobachtete ihn ein Weilchen; er arbeitete keineswegs, sondern lag ausgestreckt auf dem Rasen, in irgendetwas vertieft, das er direkt vor der Nase hatte. Er trug denselben Schlapphut wie davor. Ich trat auf ihn zu, um ihn nach seinem Namen zu fragen und ihm eine Standpauke darüber zu halten, wie wichtig es sei, zur Schule zu gehen, doch als er mich sah, sprang er hoch, hielt sich mit der Hand den Hut auf dem Kopf fest und war so schnell auf und davon, wie ich es noch selten gesehen hatte. Seine Angst macht nur zu deutlich, dass er sich ertappt fühlt. Der Junge weiß nur allzu gut, dass er den Unterricht besuchen sollte. Als er wegrannte, schien er ein Buch in der Hand zu haben.*

*Ich ging zu John und sagte ihm, was ich von der Sache hielt. Ich machte ihm klar, dass ich es nicht dulden würde, wenn Kinder während der Schulzeit für ihn arbeiteten, dass es nicht recht sei, für die paar Pence, die sie verdienten, ihre Ausbildung aufzugeben, und dass ich zu den Eltern gehen würde, wenn sie nicht zur Einsicht kämen. Ich sagte, wenn er unbedingt Hilfe im Garten bräuchte, dann würde ich Mr. Angelfield deswegen aufsuchen und ihn bitten, noch einen Mann einzustellen. Ich hatte ihnen bereits angeboten, mich um weiteres Personal sowohl für den Garten als auch für das Haus zu kümmern, doch John und Mrs. Dunne waren so entschieden dagegen, dass ich es für besser hielt, zu warten, bis ich mich mit der Haushaltsführung noch vertrauter gemacht hatte.*

*John reagierte nur, indem er den Kopf schüttelte und schlichtweg leugnete, von dem Kind zu wissen. Als ich mich darauf berief, dass ich es mit eigenen Augen gesehen hatte, sagte er, dann sei es wohl ein Kind aus dem Dorf, das hereinspaziert sei, schließlich könne er nicht für jeden Schulschwänzer, der sich im Garten herumtrieb, verantwortlich sein. Daraufhin sagte ich ihm, ich hätte das Kind schon einmal gesehen, und da habe es eindeutig gearbeitet. Er war kurz angebunden und antwortete nur, ihm sei dieses Kind nicht bekannt, schließlich könne jeder hier Unkraut jäten, wenn er wollte.*

*Ein wenig verärgert und, wie ich finde, zu Recht, ließ ich John wissen, ich würde mit der Lehrerin über den Vorfall sprechen und anschließend direkt zu den Eltern gehen, um die Sache zu klären. Er winkte nur ab, als wollte er damit sagen, es sei ihm egal, ich solle nur tun und lassen, was ich für richtig halte. Und genau das habe ich vor.*

*Ich bin mir sicher, er weiß, wer das Kind ist, und ich bin entsetzt, dass er mir bei dem, was ich dem Jungen schuldig bin, einfach nicht helfen will. Es passt nicht zu ihm, sich quer zu stellen, doch er hat wahrscheinlich seine eigene Lehre bereits als Kind angefangen und findet, dass es ihm nicht geschadet hat. Diese Einstellung hält sich auf dem Lande eben länger.*

☙

Ich war in das Tagebuch vertieft. So schwer, wie es zu entziffern war, konnte ich nur langsam lesen und musste all meine Erfahrung, mein Wissen und meine Vorstellungskraft zurate ziehen, um die Wortgerippe mit Fleisch zu füllen, doch das alles schreckte mich nicht ab. Im Gegenteil, die verblassten Ränder, die unleserlichen Wörter, die verschwommene Tinte schienen mir vor Bedeutung und Leben nur so zu sprühen.

Während ich mich von meiner Lektüre derart in Bann ziehen ließ, nahm in einem völlig anderen Winkel meines Gehirns eine Entscheidung Gestalt an. Als der Zug in den Bahnhof einfuhr, wo ich umsteigen musste, stand mein Entschluss fest: Ich würde doch nicht nach Hause fahren, sondern nach Angelfield.

Der Bummelzug nach Banbury war durch den Weihnachtsverkehr zu überfüllt, als dass ich hätte sitzen können, und im Stehen las ich grundsätzlich nicht. Jedes Mal, wenn der Zug ruckelte, jedes Mal, wenn meine Mitreisenden hin und her geworfen wurden und ins Stolpern gerieten, fühlte ich das Rechteck von Hesters Tagebuch an meiner Brust. Ich hatte es erst zur Hälfte durch. Der Rest konnte warten.

Was ist aus dir geworden, Hester?, dachte ich. Wohin mag es dich verschlagen haben?

# Die Vergangenheit muss weichen

Als ich an den Fenstern vorbeikam, sah ich, dass niemand in der Küche war, und als ich zur Eingangsseite des Cottages lief und klopfte, machte niemand auf.

War er vielleicht weggegangen? Dies war eine Zeit im Jahr, in der Leute verreisten, allerdings zweifellos zu ihren Familien, und so blieb Aurelius, der keine Familie hatte, wohl eher zu Hause. Ich brauchte eine Weile, bis mir dämmerte, dass er vermutlich Kuchen für Weihnachtsfeiern auslieferte. Was sollte ein Speiselieferant wohl sonst an Heiligabend machen? Dann musste ich eben später wiederkommen. Ich steckte die Karte, die ich besorgt hatte, in den Briefkasten und machte mich durch den Wald auf den Weg Richtung Haus Angelfield.

Es war kalt – kalt genug für Schnee. Der Boden unter meinen Füßen war gefroren, und der Himmel über mir bedrohlich weiß. Ich schritt zügig voran. Den Schal bis unter die Nase um den Hals geschlungen, wurde mir schon bald warm.

Auf der Lichtung blieb ich stehen. Auf der Baustelle in einiger Entfernung vor mir stimmte etwas nicht. Ich runzelte die Stirn. Was ging da vor sich? Unter dem Mantel hatte ich den Fotoapparat um den Hals hängen, die Kälte kroch mir bis auf die Haut, als ich ihn aufknöpfte. Mit dem Teleobjektiv konnte ich Genaueres sehen. In der Auffahrt stand ein Streifenwagen. Die Fahrzeuge und Maschinen des Bauunternehmers ruhten, und die Arbeiter gruppierten sich darum. Sie hatten wohl schon vor einer Weile mit der Arbeit aufgehört, denn sie klatschten mit den Händen und stampften mit den Füßen, um sich warm zu halten. Die Helme hatten sie auf den Boden gelegt oder am Riemen um den Ellbogen geschlungen. Ein Mann bot Zigaretten an. Von Zeit zu Zeit wandte sich einer von ihnen mit einer Bemerkung an die anderen, doch eine Unterhaltung fand nicht statt. Ich versuchte, den Ausdruck in ihren Gesichtern zu deuten. Sie lächelten nicht. Waren sie gelangweilt? Besorgt? Oder neugierig? Sie standen mit dem Rücken zur Baustelle und schauten Richtung Wald in meine Kameralinse, aber hin und wieder warf einer von ihnen einen Blick über die Schulter auf das Geschehen.

Dort war ein weißes Zelt errichtet worden, um einen Teil der Baustelle abzudecken. Das Haus war verschwunden, doch nach dem Kutschenhaus, der Kieszufahrt, der Kapelle zu urteilen, war es wohl die Stelle, an der die Bibliothek gestanden hatte. Daneben waren einer ihrer Kollegen und ein Mann, den ich für den Bauunternehmer hielt, mit zwei anderen Männern ins Gespräch vertieft. Einer der beiden trug Anzug und Mantel, der andere Polizeiuniform. Das Wort führte der Bauunternehmer, und zwar schnell und mit emphatischen Gesten wie Kopfschütteln oder -nicken, doch als der Mann im Mantel eine Frage stellte, richtete er sie an den Polier, und als der antwortete, hörten ihm die anderen aufmerksam zu.

Er schien die Kälte nicht zu spüren. Er sprach in kurzen Sätzen; während seiner langen, häufigen Pausen schwiegen auch die anderen Männer, sahen ihn dabei aber gespannt und geduldig an. Einmal deutete er mit dem Finger auf den Bagger und mimte, wie die Schaufel mit den gezackten Zähnen sich in den Boden fraß. Zuletzt zuckte er mit den Achseln, runzelte die Stirn und fuhr sich mit der Hand über die Augen, als könne er sich so von dem Anblick befreien, den er gerade ausgemalt hatte.

In der Seite des weißen Zelts öffnete sich eine Klappe. Ein fünfter Mann trat heraus und gesellte sich zu der Gruppe.

Es gab eine kurze Besprechung mit ernsten Gesichtern, dann ging der Polier zu seinen Männern hinüber und redete kurz mit ihnen. Sie nickten, und als hätten sie genau das erwartet, was er ihnen sagte, machten sie sich daran, ihre Helme und Thermoskannen zu ihren Füßen zu sammeln, und liefen Richtung Haupttor zu ihren dort geparkten Wagen. Der Polizist in Uniform bezog wieder am Zelteingang Stellung, und der andere begleitete den Polier und seinen Chef zum Streifenwagen.

Ich ließ die Kamera langsam sinken und beobachtete weiter das weiße Zelt. Ich kannte die Stelle. Ich war selber da gewesen. Ich erinnerte mich nur zu gut an den trostlosen Anblick der entweihten Bibliothek. Die umgekippten Bücherregale, die Deckenbalken, die zu Boden gekracht waren. Diese jähe Angst, als ich über verbranntes und geborstenes Holz gestolpert war.

In diesem Raum hatte inmitten der verkohlten Seiten eine Leiche gelegen, in einem Bücherregal als Sarg. Ein Grab, das ein halbes Jahrhundert lang unter den heruntergebrochenen Balken versteckt gewesen war.

Ich konnte mich gegen den Gedanken nicht wehren. Ich hatte nach jemandem gesucht, und jetzt war offenbar jemand gefunden worden. Die Symmetrie war unwiderstehlich. Wieso hätte ich auch diese Verbindung nicht herstellen sollen? Hester hatte das Haus ein Jahr davor verlassen, oder? Wieso hätte sie zurückkommen sollen? Und dann traf es mich wie der Blitz, und die schlichte Logik sagte mir, dass es vielleicht stimmte.

*Wenn Hester nun gar nicht weggegangen war?*

Als ich an den Waldrand trat, sah ich die beiden blonden Kinder tief betrübt die Auffahrt herunterkommen. Sie stolperten und wackelten beim Laufen, denn unter ihren Füßen war der

Boden, dort, wo die schweren Baufahrzeuge sich ins Erdreich eingegraben hatten, von gebogenen schwarzen Rillen durchfurcht, und sie achteten nicht darauf, wohin sie liefen. Stattdessen blickten sie über die Schulter in die Richtung, aus der sie kamen.

Das Mädchen verlor in dem Moment den Halt und fiel beinahe hin, und als sie den Kopf umwandte, sah sie mich als Erste. Sie blieb stehen. Als auch ihr Bruder mich entdeckte, brüstete er sich mit seinem Wissen und sagte: »Sie können da nicht hin. Hat der Polizist gesagt. Ist verboten.«

»Verstehe.«

»Die haben ein Zelt hingemacht«, fügte das Mädchen schüchtern hinzu.

»Ja, hab ich gesehen«, erwiderte ich.

Im Bogen des Pförtnertors erschien ihre Mutter. Sie war ein wenig außer Atem. »Alles in Ordnung mit euch beiden? Ich hab einen Streifenwagen gesehen.« Und dann an mich gewandt: »Was ist denn passiert?«

Das Mädchen antwortete ihr. »Sie haben ein Zelt aufgestellt. Sie lassen einen nicht in die Nähe. Sie haben gesagt, wir müssen nach Hause gehen.«

Die blonde Frau sah zur Baustelle hinüber und betrachtete nachdenklich das weiße Zelt. »Machen sie das nicht, wenn …?« Sie brachte ihre Frage vor den Kindern nicht zu Ende, doch ich verstand, was sie meinte.

»Ich glaube, genau das ist passiert«, sagte ich. Ich sah ihr den Wunsch an, ihre Kinder zum Schutz an sich zu ziehen, doch sie rückte dem Jungen nur den Schal zurecht und strich ihrer Tochter das Haar aus den Augen.

»Kommt, ihr beiden«, sagte sie zu ihnen. »Es ist ohnehin zu kalt, um draußen zu bleiben. Gehen wir heim und trinken eine Tasse Kakao.«

Die Kinder schossen durch das Pförtnertor. Ein unsichtbares Band hielt sie zusammen und erlaubte ihnen, schwungvoll umeinander zu kreisen oder in irgendeine Richtung auszubrechen, weil sie wussten, dass der andere immer im selben Abstand des Bandes blieb.

Ich sah ihnen zu und empfand eine schreckliche Leere an meiner Seite.

Ihre Mutter blieb noch ein wenig bei mir stehen. »Ihnen täte ein Kakao vielleicht auch ganz gut? Sie sind weiß wie eine Wand.«

»Ich heiße Margaret«, sagte ich zu ihr. »Ich bin mit Aurelius Love befreundet.«

Sie lächelte. »Ich heiße Karen. Ich hüte hier das Wild.«

»Ich weiß. Aurelius hat es mir erzählt.«

Vor uns ging das Mädchen auf ihren Bruder los. Er drehte ab und rannte die Straße entlang, damit sie ihn nicht fing.

»Thomas Ambrose Proctor!«, brüllte meine Begleiterin. »Wirst du wohl wieder auf den Bürgersteig gehen!«

Ich zuckte zusammen, als ich den Namen hörte. »Wie, sagen Sie, heißt Ihr Sohn?«

Die Mutter des Jungen sah mich neugierig an.

»Ich frage nur – es gab einen Mann namens Proctor, der hier vor Jahren gearbeitet hat.«

»Mein Vater, Ambrose Proctor.«

Ich musste stehen bleiben, um klar denken zu können. »Ambrose Proctor … der Junge, der für John-the-dig gearbeitet hat – das war Ihr *Vater*?«

»John-the-dig? Meinen Sie John Digence? Ja. Der hat meinem Vater die Stelle in Haus Angelfield verschafft. Das war allerdings lange, bevor ich geboren wurde. Mein Vater war schon über fünfzig, als ich auf die Welt kam.«

Langsam setzte ich mich wieder in Bewegung. »Ich nehme Ihr Angebot mit dem Kakao gerne an, wenn ich darf. Und ich muss Ihnen etwas zeigen.«

Ich nahm mein Lesezeichen aus Hesters Tagebuch. Karen lächelte, kaum dass sie das Foto sah. Das ernste Gesicht ihres Sohnes, voller Stolz unter dem Helm, mit gestrafften Schultern und kerzengeradem Rücken. »Ich weiß noch, wie er an dem Tag nach Hause kam und sagte, er hätte einen gelben Helm aufgesetzt. Er wird sich so über das Foto freuen.«

»Ihre Arbeitgeberin, Miss March, hat die Tom je gesehen?«

»Tom gesehen? Natürlich nicht! Es sind übrigens zwei, wissen Sie, zwei Miss March. Eine von ihnen war immer ein bisschen zurückgeblieben, soweit ich weiß; demnach wird das Gut von der anderen verwaltet. Hat allerdings auch was von einer Einsiedlerin. Seit dem Brand ist sie nie wieder nach Angelfield gekommen. Selbst ich hab sie noch nie gesehen. Wir sind nur über den Anwalt in Kontakt.«

Karen stand am Herd und wartete, dass die Milch kochte. Hinter ihr waren durch das kleine Fenster der Garten zu sehen und dahinter die Felder, über die Adeline und Emmeline einmal Merrilys Kinderwagen gezogen hatten, mitsamt dem Baby darin. Es gab wohl wenige Landschaften, die sich so wenig verändert hatten.

Ich musste aufpassen, nicht zu viel zu sagen. Karen schien keine Ahnung zu haben, dass ihre Miss March von Angelfield dieselbe Frau war wie die Miss Winter, deren Bücher ich in dem Regal in der Diele ausgemacht hatte.

»Es ist nur so, dass ich für die Angelfields arbeite«, erklärte ich. »Ich schreibe über ihre Kindheit hier. Und als ich Ihrer Arbeitgeberin ein paar Fotos vom Haus zeigte, hatte ich den Eindruck, dass sie ihn erkennt.«

»Das ist unmöglich. Es sei denn …«

Sie griff nach dem Foto und betrachtete es noch einmal, dann rief sie nach ihrem Sohn im anderen Zimmer. »Tom? Tom, bring doch bitte mal das Bild auf dem Kamin, ja? Das in dem Silberrahmen.«

Tom kam, gefolgt von seiner Schwester, mit dem Bild.

»Sieh mal«, sagte Karen zu ihm, »die Dame hat ein Foto von dir.«

Ein glückliches, erstauntes Lächeln huschte über sein Gesicht, als er sich sah. »Kann ich das behalten?«

»Ja«, sagte ich.

»Zeig Margaret das von deinem Opa.«

Er kam um den Tisch herum auf meine Seite und hielt mir das Foto schüchtern hin.

Es war ein altes Foto von einem sehr jungen Mann. Noch ein halber Junge. Vielleicht achtzehn, vielleicht sogar noch jünger. Er stand an einer Bank mit gestutzten Eiben im Hintergrund. Ich erkannte die Umgebung sofort: der Formschnittgarten. Der Junge hatte die Mütze abgenommen und hielt sie in der Hand, und vor meinem geistigen Auge sah ich die Geste, wie er sich mit einer Hand die Mütze herunterzog und sich mit dem anderen Unterarm den Schweiß von der Stirn wischte. Er hatte den Kopf ein wenig zurückgelegt, um nicht in die Sonne blinzeln zu müssen, und es war ihm fast gelungen. Seine Hemdsärmel waren bis über die Ellbogen hochgekrempelt, und sein oberster Hemdknopf war geöffnet, doch die Knitterfalten in der Hose waren weggebügelt, und er hatte für das Bild die schweren Gartenstiefel gereinigt.

»War er in Angelfield beschäftigt, als der Brand ausbrach?«

Karen stellte die Henkelbecher mit dem Kakao auf den Tisch, und die Kinder kamen und setzten sich zu uns, um ihn zu trinken. »Ich glaube, da könnte er schon bei der Armee gewesen sein. Er war lange von Angelfield weg. Fast fünfzehn Jahre.«

Durch die körnige Patina sah ich mir das Gesicht des Jungen genauer an und war von der Ähnlichkeit mit seinem Enkel verblüfft. Er sah nett aus.

»Wissen Sie, er hat über seine jungen Jahre nie viel geredet. Er war ein verschlossener Mann. Aber manches wüsste ich gerne. Zum Beispiel, wieso er so spät geheiratet hat. Er war schon Ende vierzig, als er und meine Mutter zusammenkamen. Ich kann mir nicht helfen, aber ich denke, es muss da etwas in seiner Vergangenheit gegeben haben, vielleicht hat ihm jemand das Herz gebrochen? Aber als Kind, da kommt man nicht auf die Idee, solche Fragen zu stellen, und als ich dann erwachsen war…« Sie zuckte traurig die Achseln. »Man konnte sich keinen besseren Vater wünschen. Geduldig. Freundlich. Er hat mir immer bei allem geholfen. Und dabei denke ich jetzt, als Erwachsene, dass ich ihn nie richtig gekannt habe.«

Es gab noch etwas auf dem Foto, das mir ins Auge sprang.

»Was ist das?«, fragte ich.

Sie beugte sich vor, um näher hinzusehen. »Ein Beutel. Um Jagdbeute zu tragen. Fasanen vor allem. Man kann ihn flach auf dem Boden ausbreiten, um den Vogel draufzulegen, und dann schnürt man ihn zu. Ich weiß nicht, wieso der auf dem Foto ist. Er war nie Wildhüter, da bin ich mir sicher.«

»Er hat den Zwillingen immer wieder mal ein Kaninchen oder einen Fasan gebracht«, sagte ich, und sie schien sich zu freuen, dieses kleine Detail aus der Jugend ihres Vaters zu erfahren.

Ich dachte an Aurelius und sein Erbe. Bei dem Beutel, in dem er transportiert worden war, handelte es sich um eine Jagdtasche. Kein Wunder, dass eine Feder darin war – von einem Fasan. Und ich dachte an den Fetzen Papier. »Vorne so was wie ein A«, erinnerte ich mich an Aurelius' Worte, als er den Hauch von Blau ans Fenster hielt. »Und dann ein S. Da, kurz vor dem Ende. Natürlich ist es über die Jahre ein bisschen verblasst. Man muss genau hinsehen, aber Sie können es erkennen, nicht wahr?« Ich hatte es nicht erkennen können, er am Ende vielleicht doch. Und wenn nun nicht sein eigener Name auf dem Zettel stand, sondern der seines Vaters? Ambrose.

Von Karens Haus aus nahm ich ein Taxi zur Kanzlei des Anwalts in Banbury. Ich kannte die Adresse von unserer Korrespondenz über Hester. Erneut war es Hester, die mich zu ihm führte.

Die Empfangsdame wollte Mr. Lomax nicht stören, als sie feststellte, dass ich keinen Termin bei ihm hatte. »Es ist immerhin Heiligabend.«

Doch ich blieb hartnäckig. »Melden Sie ihm bitte Margaret Lea, es geht um Haus Angelfield und Miss March.«

Mit einem Gesichtsausdruck, der besagte, das ändere auch nichts an der Sache, ging sie in sein Büro, um ihm die Nachricht auszurichten. Als sie wiederkam, bat sie mich recht widerstrebend, gleich hineinzugehen.

Der junge Mr. Lomax war durchaus nicht besonders jung. Vermutlich war er etwa im selben Alter wie Mr. Lomax senior, als die Zwillinge in seiner Kanzlei aufgekreuzt waren, weil sie Geld für John-the-digs Beerdigung brauchten. Er schüttelte mir mit einem seltsamen Schimmer in den Augen und einem Anflug von Lächeln auf den Lippen die Hand, und ich verstand, dass ich für ihn so etwas wie eine Komplizin war. Jahrelang war er der einzige Mensch gewesen, der die andere Identität seiner Klientin Miss March kannte. Er hatte das Geheimnis von seinem Vater zusammen mit dem Kirschholztisch, den Aktenschränken und den Bildern an den Wänden geerbt. Jetzt, nach all den Jahren, kam jemand, der dieses alte Geheimnis mit ihm teilte.

»Freut mich, Sie kennen zu lernen, Miss Lea. Was kann ich für Sie tun?«

»Ich komme gerade von Angelfield. Von der Abrissstelle. Die Polizei ist da. Sie haben eine Leiche gefunden.«

»Oh! Um Gottes willen!«

»Meinen Sie, die Polizei wird mit Miss Winter reden wollen?«

»Dass sie die Eigentümerin des Anwesens kontaktieren, wird reine Routinesache sein.«

»Das dachte ich mir«, sprach ich hastig weiter. »Das Problem ist nur, sie ist nicht nur selber krank – ich nehme an, das wissen Sie?«

Er nickte.

»Darüber hinaus liegt ihre Schwester im Sterben.«

Er nickte ernst, ohne mich zu unterbrechen.

»Angesichts ihrer Gebrechlichkeit und des kritischen Zustands ihrer Schwester wäre es wohl besser, wenn sie die Nachricht über die Entdeckung nicht zu plötzlich bekäme. Sie sollte sie nicht von einem Fremden hören, und sie sollte nicht allein sein, wenn sie es erfährt.«

»Was schlagen Sie vor?«

»Ich kann noch heute nach Yorkshire zurück. Falls ich im Lauf der nächsten Stunde zum Bahnhof komme, bin ich am Abend dort. Die Polizei wird sich über Sie mit ihr in Verbindung setzen müssen, nicht wahr?«

»Ja, aber ich hätte die Möglichkeit, die Sache um ein paar Stunden zu verzögern, sodass Sie vorher dort sein können. Ich kann Sie auch zum Bahnhof fahren, wenn Sie möchten.«

In dem Moment klingelte das Telefon. Wir wechselten einen alarmierten Blick, während er sich meldete.

»Knochen? Verstehe... Sie ist die Eigentümerin des Anwesens, ja... Eine ältere Dame und bei schlechter Gesundheit... Eine Schwester in einem sehr kritischen Zustand... Ein Trauerfall steht möglicherweise unmittelbar bevor... Unter diesen Umständen wäre es vielleicht besser... Ich kenne zufällig jemanden, der noch heute Abend persönlich hinfährt... Überaus vertrauenswürdig... Genau... Selbstverständlich... Unbedingt.«

Er notierte etwas auf einem Block und schob ihn mir über den Tisch hinweg zu. Ein Name und eine Telefonnummer.

»Er möchte, dass Sie ihn nach Ihrer Ankunft anrufen und ihn wissen lassen, wie die Dinge mit der Dame stehen. Falls sie dazu in der Lage ist, wird er danach mit ihr reden; falls nicht, kann es warten. Die sterblichen Überreste stammen offenbar nicht aus jüngerer Zeit. Wann, sagten Sie, fährt Ihr Zug? Wir sollten besser los.«

Als er sah, dass ich meinen Gedanken nachhing, fuhr mich der nicht mehr so junge Mr. Lomax schweigend Richtung Bahnhof. Dennoch konnte er nicht verbergen, dass eine gespannte Neugier an ihm nagte, und als wir schließlich in die Bahnhofsstraße einbogen, hielt es ihn nicht länger. »Die dreizehnte Geschichte...«, sagte er. »Sie wissen nicht zufällig...«

»Ich wünschte, es wäre so«, sagte ich zu ihm. »Tut mir Leid.«

Er machte ein enttäuschtes Gesicht.

Als das Gebäude ins Blickfeld rückte, stellte ich meinerseits eine Frage. »Kennen Sie zufällig Aurelius Love?«

»Den Speiselieferanten! Ja, den kenne ich. Der Mann ist ein kulinarisches Genie!«

»Seit wann kennen Sie ihn?«

Er antwortete, ohne nachzudenken: »Wir sind sogar zusammen zur Schule gegangen«. Und mitten im Satz hatte er ein seltsames Zittern in der Stimme, als begriffe er eben erst, worauf ich mit meiner Frage zielte.

»Seit wann wissen Sie, dass Miss March Vida Winter ist? Erst seit Sie die Geschäfte von Ihrem Vater übernommen haben?«

Er schluckte. »Nein.« Blinzelte. »Schon viel länger. Ich ging noch zur Schule. Sie kam eines Tages zu uns nach Hause. Um meinen Vater zu sprechen. Ungestörter als in der Kanzlei. Sie hatten etwas Geschäftliches zu erörtern, und ohne vertrauliche Einzelheiten auszubreiten, wurde im Verlauf der Unterredung klar, dass Miss March und Miss Winter ein und dieselbe Person waren. Ich habe sie nicht belauscht, wissen Sie. Das heißt, nicht absichtlich. Ich hockte bereits unter dem Esstisch, als sie das Zimmer betraten – durch die Tischdecke war es wie eine Art Zelt, wissen Sie –, und ich wollte meinen Vater nicht blamieren, indem ich plötzlich hervorgekrochen kam, also muckste ich mich nicht.«

Was hatte Miss Winter noch zu mir gesagt? »In einem Haus mit Kindern kann es keine Geheimnisse geben.«

Wir hatten vor dem Bahnhof angehalten, und zerknirscht drehte sich der junge Mr. Lomax zu mir um. »Ich hab es Aurelius verraten. An dem Tag, als er mir sagte, er sei in der Nacht des Feuers gefunden worden. Ich hab ihm gesagt, dass es sich bei Miss Adeline Angelfield und Miss Vida Winter um ein und dieselbe Person handelt. Es tut mir Leid.«

»Machen Sie sich keine Sorgen. Das spielt jetzt ohnehin keine Rolle mehr. Ich wollte es nur gerne wissen.«

»Weiß sie, dass ich es Aurelius verraten habe?«

Ich dachte an den ersten Brief von Miss Winter und an Aurelius in seinem braunen Anzug, der nach den Ursprüngen seiner Geschichte suchte. »Falls sie es ahnt, dann bereits seit Jahrzehnten. Falls sie es weiß, dann können Sie, glaube ich, davon ausgehen, dass es ihr nichts ausmacht.«

Sein Gesicht hellte sich auf.

»Danke fürs Bringen.«

Und ich rannte zum Zug.

# Hesters Tagebuch II

Vom Bahnhof aus rief ich im Buchladen an. Mein Vater konnte seine Enttäuschung nicht verbergen, als ich ihm mitteilte, dass ich nicht nach Hause kommen würde. »Deine Mutter wird traurig sein«, sagte er.

»Wirklich?«

»Selbstverständlich.«

»Ich muss zurück. Ich glaube, ich habe vielleicht Hester gefunden.«

»Wo?«

»In Angelfield haben sie Knochen entdeckt.«

»Knochen?«

»Einer der Bauarbeiter ist heute darauf gestoßen, als er dabei war, die Bibliothek abzutragen.«

»Du liebe Zeit.«

»Sie müssen mit Miss Winter Kontakt aufnehmen, um sie dazu zu befragen. Und ihre Schwester liegt im Sterben. Ich kann sie da oben nicht allein lassen. Sie braucht mich.«

»Verstehe.« Seine Stimme klang ernst.

»Sag es Mutter nicht«, mahnte ich ihn, »aber Miss Winter und ihre Schwester sind Zwillinge.«

Er schwieg. Dann sagte er nur: »Du passt auf dich auf, Margaret, ja?«

Eine Viertelstunde später hatte ich mich auf meinem Sitz am Fenster niedergelassen und zog Hesters Tagebuch aus der Tasche.

⁂

*Ich würde gerne viel mehr von Optik verstehen. Als ich mit Mrs. Dunne im Wohnzimmer den Speiseplan für die Woche durchging, sah ich, wie sich im Spiegel etwas bewegte. »Emmeline«, rief ich irritiert, denn sie hatte um die Zeit im Haus nichts zu suchen, sondern sollte sich draußen an der frischen Luft ertüchtigen. Das war dumm von mir, denn ich brauchte nur aus dem Fenster zu schauen, um zu sehen, dass sie mit ihrer Schwester im Garten war und die beiden Mädchen ausnahmsweise einmal nett miteinander spielten. Was ich gesehen hatte – oder genauer gesagt, zu sehen geglaubt hatte –, war zweifellos nur ein Sonnenstrahl, der durchs Fenster drang und sich im Spiegel brach.*

*Bei näherer Betrachtung erklärt sich meine Sinnestäuschung mindestens so sehr aus einer falschen Erwartungshaltung wie aus einem optischen Phänomen. Denn ist man erst einmal daran gewöhnt, die Zwillinge in Bereichen des Hauses herumlaufen zu sehen, wo ich sie am wenigsten erwarte, und zu Zeiten, da ich sie ganz woanders vermute, verfällt man in die Gewohnheit, jede Bewegung aus dem Augenwinkel heraus als Beweis für ihre Anwesenheit zu deuten. So kann schon ein Sonnenstrahl, den ein Spiegel reflektiert, sich dem Gehirn als ein Mädchen in weißem Kleid einprägen. Um sich vor solchen Irrtümern zu hüten, müsste man sich zu einer völlig unbefangenen Haltung gegenüber allen Erfahrungen erziehen, müsste man alle Denkgewohnheiten aufgeben. Im Prinzip hat eine solche Haltung einiges für sich! Die ganz und gar unverbrauchte Sicht auf die Dinge! So viele wissenschaftliche Errungenschaften wurzeln in der Fähigkeit, die Anschauung und das vermeintliche Wissen von Jahrhunderten hinter sich zu lassen und etwas mit ganz neuen Augen zu sehen. Im Alltag kommt man jedoch mit solchen Grundsätzen nicht zurecht. Man stelle sich vor, wie viel Zeit es kosten würde, wenn wir stets und ständig jede Erfahrung von allen Seiten kritisch beleuchteten. Nein, um das Alltägliche abzustreifen, ist es unerlässlich, dass wir einen Großteil unseres Weltverständnisses an jene niederen Bewusstseinsschichten delegieren, die für das Angenommene, das Vermutete und das Wahrscheinliche zuständig sind. Auch wenn uns das manchmal auf Abwege bringt, sodass wir irrigerweise einen Sonnenstrahl für ein weiß gekleidetes Mädchen halten mögen, obwohl beides so verschieden ist wie nur irgendwas.*

*Mrs. Dunnes Gedanken schweifen zuweilen ab. Ich fürchte, von unserer Unterhaltung über geregelte Mahlzeiten ist herzlich wenig haften geblieben, und wir werden morgen alles noch einmal durchgehen müssen.*

*Ich habe hinsichtlich meiner Aktivitäten hier mit dem Doktor einen Plan ausgeheckt.*

*Ich legte ihm in aller Ausführlichkeit meine Überzeugung dar, dass Adeline an einer Form von Geistesstörung leidet, der ich noch nie begegnet bin und von der ich auch noch nie gelesen habe. Ich erwähnte die Abhandlungen, die ich über Zwillinge und ihre spezifischen Entwicklungsprobleme studiert habe, und ihm war anzusehen, dass er meiner Lesart zustimmt. Ich denke, er kann sich jetzt ein besseres Bild von meinen Fähigkeiten machen. Ein Buch, aus dem ich zitierte, kannte er nicht, und ich war in der Lage, ihm die Argumente und empirischen Untersuchungen darzulegen. Danach erläuterte ich ihm die wenigen Unstimmigkeiten, die mir ins Auge gesprungen waren, und erklärte ihm, wo ich, hätte ich das Buch geschrieben, in meinen Schlussfolgerungen und Empfehlungen anders verfahren wäre.*

*Am Ende meiner Ausführungen lächelte der Doktor mich an und sagte in beiläufigem Ton: »Vielleicht sollten Sie tatsächlich Ihr eigenes Buch schreiben.« Das war genau die Gelegenheit, auf die ich schon eine Weile gewartet hatte.*

*Ich wies ihn darauf hin, dass wir die perfekte Fallstudie für ein solches Buch vor Augen hatten, und zwar hier in Haus Angelfield. Dass ich ein paar Stunden täglich darauf verwenden könnte, meine Beobachtungen aufzuschreiben. Ich umriss ein paar Versuche und Experimente, die unternommen werden könnten, um meine Hypothese auf die Probe zu stellen. Und ich ging kurz auf den Wert ein, den das fertige Buch in den Augen der Schulmedizin genießen könnte. Danach beklagte ich die Tatsache, dass ich bei aller Erfahrung nicht über die nötigen formalen Qualifikationen verfügte, um einen Verlag zu gewinnen, um schließlich zu bekennen, dass ich als Frau mir nicht ganz zutraute, ein solch ehrgeiziges Projekt zu Stande zu bringen. Ein Mann, falls es einen solchen gäbe, der sich einfallsreich, verständnisvoll und wissenschaftlich an die Arbeit machte und über meine Erfahrung und meine Fallstudie verfügte, wüsste zweifellos, diese Chance zu nutzen.*

*Auf diese Weise legte ich bei ihm den Keim für eine Idee, die genau das beabsichtigte Ergebnis zeitigte: Wir werden zusammenarbeiten.*

*Ich fürchte, Mrs. Dunne ist nicht ganz richtig im Kopf. Ich schließe Türen ab, und sie schließt sie auf. Ich öffne Gardinen, und sie zieht sie wieder zu. Und bis heute bleiben Bücher nicht da, wo ich sie hingelegt habe. Sie versucht, sich herauszureden, indem sie behauptet, es spuke im Haus…*

*Rein zufällig fällt ihr Gerede von Geistern genau auf den Tag, an dem das Buch, das ich gerade lese, ganz verschwunden und gegen eine Novelle von Henry James getauscht worden ist. Ich verdächtige eigentlich nicht Mrs. Dunne, den Austausch vorgenommen zu haben. Sie kann selber kaum lesen und neigt nicht zu Streichen. Offensichtlich war es eines der Mädchen. Es ist besonders bemerkenswert, wie der Streich durch reinen Zufall geistreicher ist, als sie ahnen konnten. Denn das Buch ist eine ziemlich alberne Geschichte über eine Gouvernante und zwei geplagte Kinder. Ich fürchte, dass darin Mr. James' ganzes Ausmaß an Ignoranz zu Tage tritt. Er weiß wenig über Kinder und rein gar nichts über Gouvernanten.*

*Es ist geschafft. Das Experiment hat begonnen.*

*Die Trennung war schmerzlich, und wüsste ich nicht um den segensreichen Zweck, fände ich es grausam von mir, den Mädchen das aufzuerlegen. Emmeline heult sich das Herz aus dem Leibe. Wie ist es für Adeline? Schließlich ist sie diejenige, für die wir uns aus der Erfahrung eines unabhängigen Lebens die größte Veränderung erhoffen. Ich werde morgen mehr wissen, wenn wir uns zum ersten Mal treffen.*

*Es bleibt keine Zeit für irgendetwas außer der Forschung, doch immerhin ist es mir gelungen noch ein Übriges zu tun, was nützlich ist. Ich kam zufällig vor der Post mit der Schullehrerin ins Gespräch. Ich sagte ihr, ich hätte mit John über den Schulschwänzer gesprochen und sie könne zu mir kommen, falls der Junge noch einmal grundlos vom Unterricht fernblieb. Sie sagte, in der Erntezeit, wenn die Kinder mit ihren Eltern auf den Feldern Kartoffeln ausgraben, sei sie es gewohnt, vor der halben Klasse zu stehen. Aber es sei jetzt keine Erntezeit, entgegnete ich, und das Kind habe auf den Blumenbeeten Unkraut gejätet. Sie fragte mich, um welches Kind es sich handle, und ich kam mir so dumm vor, es ihr nicht sagen zu können. Der markante Hut ist dabei von keiner Hilfe, da die Kinder im Klassenzimmer keine Hüte tragen. Ich könnte mich noch einmal an John wenden, doch ich bezweifle, dass er diesmal auskunftsfreudiger wäre.*

*In letzter Zeit schreibe ich nicht viel Tagebuch. Oftmals bin ich, nachdem ich jeden Tag spätabends meinen Bericht über Emmeline verfasst habe, einfach zu müde, um zu meinen persönlichen Aufzeichnungen zu kommen. Und ich möchte das, was ich in diesen Tagen und Wochen tue, unbedingt festhalten, denn ich führe, mit dem Doktor, eine sehr wichtige Studie durch, und in späteren Jahren, wenn ich längst nicht mehr in Angelfield bin, mag es durchaus sein, dass ich mir diese Zeit ins Gedächtnis rufen will. Vielleicht kann meine Arbeit mit dem Doktor mir Möglichkeiten für weitere, ähnliche Forschungsunternehmungen eröffnen, denn ich finde diese Art von wissenschaftlicher und intellektueller Betätigung fesselnder und befriedigender als alles, was ich bisher getan habe.*

*Heute Morgen zum Beispiel hatten Dr. Maudsley und ich ein ausgesprochen stimulierendes Gespräch über Emmelines Gebrauch von Pronomen. Sie zeigt eine wachsende Bereitschaft, mit mir zu sprechen, und ihre Mitteilungsfähigkeit wächst mit jedem Tag. Ein Aspekt ihres Sprachgebrauchs allerdings sperrt sich gegen jede Entwicklung, denn sie beharrt auf der Verwendung der ersten Person Plural. »Wir sind in den Wald gegangen«, sagt sie, und jedes Mal korrigiere ich sie: »Ich bin in den Wald gegangen.« Wie ein kleiner Papagei spricht sie mir dann nach, »ich«, und erzählt schon im nächsten Satz, »Wir haben im Garten ein Kätzchen gesehen«, oder dergleichen. Der Doktor und ich sind von dieser Besonderheit fasziniert. Handelt es sich dabei einfach nur um ein eingefleischtes Sprachmuster, das sie von ihrer Zwillingssprache ins Englische übernommen hat und das sich mit der Zeit abschleifen wird? Oder ist das Zwillingsein in ihr so tief verwurzelt, dass sie sich selbst in ihrer Sprache der Vorstellung widersetzt, eine eigene, von ihrer Schwester getrennte Identität zu besitzen? Ich habe dem Doktor davon erzählt, wie viele gestörte Kinder sich Freunde ausdenken, und zusammen haben wir überlegt, was das für unseren Fall bedeuten könnte. Wenn nun die Abhängigkeit des Mädchens von seiner Schwester so groß ist, dass die Trennung ein schweres Trauma verursacht und die geschädigte Psyche zwingt, sich durch einen Phantasie-Zwilling Trost zu verschaffen, eine eingebildete Gefährtin? Zwar kamen wir zu keinem befriedigenden Schluss, trennten uns aber mit dem befriedigenden Gefühl, ein anderes Gebiet für unsere künftigen Studien ausgemacht zu haben: die Sprachwissenschaft.*

*Bei den vielfältigen Aufgaben, die ich zu erledigen habe, angefangen bei Emmeline über die Forschung bis hin zur allgemeinen Haushaltsführung, stelle ich fest, dass ich zu wenig schlafe. Trotz meiner Energiereserven, die ich durch eine gesunde Ernährung und körperliche Bewegung aufrechterhalte, erkenne ich die Symptome von Schlafentzug. Ich bin irritiert, wenn ich Dinge ablege und dann vergesse, wo ich sie gelassen habe. Und wenn ich abends mein Buch zur Hand nehme, dann sagt mir mein Lesezeichen, dass ich am Abend davor mechanisch umgeblättert haben muss, da ich mich an den Inhalt der aufgeschlagenen oder der vorhergehenden Seiten nicht erinnern kann. Diese kleinen Ärgernisse und meine ständige Müdigkeit sind der Preis, den ich für den Luxus bezahle, Seite an Seite mit dem Doktor zu arbeiten.*

*Darüber wollte ich eigentlich gar nicht schreiben. Ich wollte vielmehr über unsere Arbeit schreiben. Nicht über die Ergebnisse, die wir akribisch in unseren Aufzeichnungen festhalten, sondern darüber, wie mühelos wir uns verstehen, wie intuitiv wir begreifen, was der andere denkt, sodass wir fast ohne Worte auskommen. Wenn wir uns zum Beispiel beide gerade damit befassen, die Veränderungen im Schlafmuster unserer getrennten Versuchspersonen zu beleuchten, und er meine Aufmerksamkeit auf einen bestimmten Sachverhalt lenken will, dann braucht er nicht einmal etwas zu sagen, denn ich spüre seinen Blick, seine Gedanken auf mich gerichtet, und ich sehe erwartungsvoll von meiner Arbeit auf.*

*Skeptiker mögen das als reinen Zufall betrachten oder mir entgegenhalten, ich würde in meiner Phantasie etwas in diese Dinge hineingeheimnissen und einen Zufall zur Regel erheben, doch ich habe die Erfahrung gemacht, dass Menschen – ich meine intelligente Menschen –, die an einem gemeinsamen Projekt arbeiten, eine starke Form der Kommunikation entwickeln und damit ihre Leistung beflügeln. Die ganze Zeit über, in der sie sich der gemeinsamen Aufgabe widmen, sind sie sich der kleinsten Regung des anderen bewusst und dafür empfänglich, sodass sie sie entsprechend zu deuten verstehen. Und dies sogar, ohne die winzigsten äußeren Anzeichen dafür zu sehen. Dabei lassen sie sich nicht einmal von ihrer Arbeit ablenken. Im Gegenteil, ihre Leistung wird gesteigert, da das Begriffsvermögen beschleunigt wird. Ein kleines Beispiel mag genügen, das für sich belanglos ist, jedoch für zahllose andere Begebenheiten stehen mag.*

*Heute Morgen brütete ich über einigen Notizen und versuchte, aus dem, was der Doktor über Adeline stichwortartig festgehalten hatte, die ersten Anzeichen eines Verhaltensmusters zu destillieren. Als ich nach einem Bleistift griff, um eine Randbemerkung anzubringen, fühlte ich, wie die Hand des Doktors die meine streifte, um mir den Stift zu reichen, den ich suchte. Ich sah auf, um ihm zu danken, doch er war vollkommen in seine eigenen Papiere vertieft und sich seiner Geste überhaupt nicht bewusst. Unsere Zusammenarbeit gestaltet sich auf eine Weise, dass unsere Gedanken, unsere Hände stets aufeinander ausgerichtet sind und im Voraus wissen, was der andere braucht. Und wenn wir nicht zusammen sind, was für den größten Teil des Tages gilt, denken wir immer an kleine Details in Verbindung mit dem Projekt oder auch mit allgemeineren Aspekten des Lebens und der Wissenschaft, und selbst darin erweist sich so oft aufs Neue, wie gut wir zu diesem gemeinsamen Unternehmen taugen.*

*Aber ich bin müde, und auch wenn ich mich endlos darüber auslassen könnte, wie viel Freude es macht, gemeinsam eine Abhandlung zu verfassen, ist es wirklich Zeit, ins Bett zu gehen.*

*Fast eine Woche lang habe ich versäumt, mein Tagebuch zu schreiben, doch nicht aus den üblichen Gründen. Mein Tagebuch war verschwunden.*

*Ich habe mit Emmeline darüber gesprochen – freundlich und mit Strenge, mit Aussicht auf Schokolade und Androhung von Strafe (und, ja, meine Methoden haben versagt, aber offen gesagt, trifft es einen höchst empfindlich, sein Tagebuch zu verlieren) –, doch sie leugnet beharrlich. Und sie widerspricht sich nicht und klingt durchaus ehrlich. Wer die näheren Umstände nicht kennt, würde ihr glauben. So wie ich sie einschätze, kam der Diebstahl selbst für mich überraschend, und angesichts ihrer Fortschritte kann ich mir die Sache nicht erklären. Sie kann nicht lesen und interessiert sich nicht für das Innenleben und die Gedanken anderer Menschen, soweit sie sie nicht selbst betreffen. Wozu also sollte sie es sich nehmen? Vermutlich hat das glänzende*

*Schloss sie in Versuchung geführt – ihre Passion für alles, was glänzt, ist ungebrochen, und ich versuche auch gar nicht, daran etwas zu ändern. Gewöhnlich hält es sich in harmlosen Grenzen. Doch ich bin von ihr enttäuscht.*

*Wenn es nur nach ihren Unschuldsbeteuerungen und ihrem Charakter ginge, würde ich sagen, sie hat es nicht getan. Tatsache ist jedoch, dass es niemand anderes gewesen sein kann.*

*John? Mrs. Dunne? Selbst wenn ich annähme, dass die Bediensteten ein Interesse daran haben könnten, mein Tagebuch zu stehlen, was ich keine Minute lang glaube, so entsinne ich mich eindeutig, dass sie anderswo im Haus beschäftigt waren, als es verschwand. Nur für den Fall, dass ich mich täuschte, brachte ich das Gespräch auf ihre Aktivitäten, und John bestätigte, dass Mrs. Dunne den ganzen Morgen in der Küche gewesen war (und dabei eine Menge Krach gemacht habe, erzählte er mir). Sie wiederum bestätigte, dass John im Kutschenhaus gewesen war, den Brougham repariert und dabei »mächtig laut gescheppert« hatte. Es kann also keiner von den beiden gewesen sein.*

*Folglich bleibt mir nur, nachdem ich alle anderen Verdächtigen ausgeschlossen habe, Emmeline zu beschuldigen.*

*Aber trotzdem habe ich Zweifel. Ich sehe noch ihr Gesicht vor mir – so unschuldig, so bedrückt wegen der Anschuldigung –, und mich beschleicht der Gedanke, ob hier vielleicht ein zusätzlicher Faktor eine Rolle spielt, den ich nicht berücksichtigt habe. Wenn ich die Sache in diesem Licht betrachte, dann beschleicht mich ein gewisses Unbehagen, eine düstere Ahnung, dass ich am Ende zu keinem Ergebnis kommen werde. Seit ich in diesem Haus bin, gibt es etwas, das sich mir entgegenstellt, etwas, das jedes Projekt, das ich in Angriff nehme, vereiteln und zunichte machen will! Immer wieder habe ich meine Gedanken überprüft, habe ich jeden Schritt meiner Logik zurückverfolgt. Ich kann keinen Fehler entdecken, und trotzdem quälen mich Zweifel… Was übersehe ich nur?*

*Wenn ich diesen letzten Abschnitt noch einmal lese, schlägt mir die*

*Unsicherheit entgegen, die so gar nicht zu mir passt. Vermutlich ist das der Müdigkeit zu schulden. Ein müder Kopf neigt dazu, auf Abwege zu geraten. Vermutlich brauche ich mir nur einmal reichlich Schlaf zu gönnen.*

*Außerdem hat es sich ja erledigt, denn nun schreibe ich wieder in meinem Tagebuch. Ich habe Emmeline vier Stunden lang in ihrem Zimmer eingeschlossen, am nächsten Tag sechs, und sie wusste, dass es anderntags acht Stunden würden. Am zweiten Tag fand ich, kurz nachdem ich ihr Zimmer aufgeschlossen hatte und nach unten kam, das Tagebuch auf meinem Schreibtisch im Klassenzimmer. Sie muss sich ganz lautlos hinuntergeschlichen haben, um es dorthin zu legen, und ich habe sie nicht an der Tür von der Bibliothek zum Klassenzimmer vorbeikommen gesehen, obwohl ich sie absichtlich offen gelassen hatte. Doch es war wieder da. Demnach kein Grund mehr für irgendwelche Zweifel?*

*Ich bin so müde, und trotzdem kann ich nicht schlafen. Ich höre nachts Schritte, doch wenn ich an die Tür gehe und den Flur entlangsehe, ist niemand da.*

*Ich gebe zu, der Gedanke daran, dass sich dieses Büchlein auch nur für zwei Tage nicht in meinem Besitz befunden hat, bereitet mir Unbehagen – bis jetzt. Die Vorstellung, dass jemand anderes meine Worte liest, ist höchst beunruhigend. Unweigerlich denke ich darüber nach, wie jemand anderes bestimmte Dinge deutet, die ich geschrieben habe, denn wenn ich nur für mich selber schreibe und genau weiß, dass es stimmt, dann mag ich nicht jedes Wort auf die Waagschale legen. Ich drücke mich womöglich auf eine Weise aus, die ein anderer missversteht, weil er nicht weiß, was ich in Wirklichkeit sagen will. Wenn ich an ein paar Dinge denke, die ich geschrieben habe (der Doktor und der Bleistift, ein belangloser Vorfall, kaum der Rede wert), so sehe ich wohl, dass sie einem Fremden in einem Licht erscheinen mögen, das kaum beabsichtigt ist, und ich frage mich, ob ich diese Seiten herausreißen und vernichten sollte. Nur will ich das nicht, denn das sind die Seiten, die ich mehr als alle anderen behalten möchte, um sie später zu lesen, wenn ich alt bin und ganz woanders lebe und an das Glück unserer Arbeit und die Herausforderung unseres großen Projekts zurückdenke.*

*Wieso sollte eine Freundschaft unter Wissenschaftlern kein Grund zur Freude sein? Schließlich tut das der Wissenschaftlichkeit keinen Abbruch.*

*Doch vielleicht liegt die Antwort darin, mit dem Schreiben gänzlich aufzuhören, denn wenn ich schreibe, selbst in diesem Moment, bevor ich den Satz zu Ende gebracht habe, beschleicht mich das Gefühl, als gäbe es einen Geisterleser, der mir über die Schulter schaut, der mir die Worte und das, was ich sagen will, verdreht, sodass ich mir nicht mehr sicher bin, wie vertraulich meine eigenen Gedanken noch sind.*

*Ich werde nicht mehr schreiben.*

# ENDE

# Das Gespenst in der Geschichte

Nachdenklich sah ich von der letzten Seite in Hesters Tagebuch auf. Eine ganze Reihe von Dingen war mir bei meiner Lektüre ins Auge gesprungen, und jetzt, da ich es zu Ende gelesen hatte, konnte ich sie in Ruhe und geordnet Revue passieren lassen.

Ach so, dachte ich.

*Ach so.*

Und dann: *Ach so!*

Wie soll ich mein Heureka beschreiben? Angefangen hatte es mit einem beiläufigen *Was wäre, wenn...?*, einer kühnen Spekulation, einer undenkbaren Idee. Es war – na ja, vielleicht nicht gerade unmöglich, aber absurd! Zunächst...

Als ich mich gerade daranmachen wollte, die vernünftigen Gegenargumente ins Feld zu führen, stockte ich. Denn im Schwange einer plötzlichen diffusen Ahnung jagte ein Gedanke den anderen und trieb die neue Version der Ereignisse voran. In einem einzigen Moment nahezu Schwindel erregender Klarheit fiel die Geschichte von Miss Winter in sich zusammen, um sich augenblicklich neu zu ordnen. Ohne dass ich ein einziges Detail, ein einziges Ereignis hätte ändern müssen, war es plötzlich eine vollkommen andere Geschichte. Wie diese Bilder, auf denen, je nachdem, in welchem Winkel man sie hält, entweder eine junge Braut oder eine alte Vettel zu sehen ist. Oder diese Blätter mit beliebig vielen Punkten, die sich für den Betrachter zu Teekannen oder Clownsgesichtern oder der Kathedrale von Rouen zusammenfügen, wenn man nur lernt, sie richtig zu sehen. Von

Anfang an hatte ich die Wahrheit vor Augen gehabt, ohne sie zu erkennen.

Ich verbrachte eine endlose Stunde damit, nachzudenken. Indem ich mir jede Episode vornahm und sie aus unterschiedlichen Blickwinkeln betrachtete, ging ich noch einmal alles durch, was ich wusste. Alles, was ich gehört, und alles, was ich herausgefunden hatte. Ja, dachte ich. Und noch einmal, ja. Meine neuen Erkenntnisse erfüllten die Geschichte mit Leben. Sie atmete. Und nach und nach ergaben sie ein harmonisches Bild. Die unebenen Ränder glätteten sich. Die Lücken füllten sich. Die fehlenden Puzzleteile fügten sich ein. Rätselhaftes klärte sich, und Geheimnisse waren nicht länger geheim.

Nach all dem Fabulieren und all den Lügenmärchen, nach all den Vorspiegelungen und Gaukeleien, nach all den Bluffs hatte ich *begriffen.*

Ich wusste jetzt, was Hester an dem Tag vor Augen hatte, als sie glaubte, ein Gespenst zu sehen.

Ich wusste, wer der Junge im Garten gewesen war.

Ich wusste, wer Mrs. Maudsley mit einer Geige angegriffen hatte.

Ich wusste, wer John-the-dig getötet hatte.

Ich wusste, nach wem Emmeline unter der Erde gesucht hatte.

Einzelheiten ergaben plötzlich ein Bild. Emmeline, die hinter verschlossenen Türen Selbstgespräche führte, während ihre Schwester im Haus des Doktors war. *Jane Eyre,* das Buch, das im Verlauf der Geschichte auftauchte und wieder verschwand wie ein Silberfaden in einem Gobelin. Ich verstand, was es damit auf sich hatte, dass Hesters Lesezeichen weitergewandert war, wieso *Die Drehung der Schraube* aufgetaucht und ihr Tagebuch verschwunden war. Ich verstand, wieso John-the-dig beschlossen hatte, dem Mädchen, das einmal seinen Garten geschändet hatte, beizubringen, wie man ihn pflegt.

Ich verstand das Mädchen im Nebel und wieso es aus dem Dunstschleier getreten war. Ich verstand, wie es dazu hatte kommen können, dass ein Mädchen wie Adeline sich in Luft auflösen und Miss Winter an ihre Stelle treten konnte.

»Es waren einmal Zwillinge...«, hatte Miss Winter mir an jenem ersten Abend in der Bibliothek nachgerufen, als ich gerade gehen wollte. Worte, in denen so unerwartet meine eigene Geschichte nachhallte und die mich unwiderstehlich mit ihrer verbanden.

Nur dass ich es jetzt besser wusste.

Schon an jenem ersten Abend hatte sie mir einen Hinweis in die rechte Richtung gegeben. Hätte ich nur richtig hingehört.

»Glauben Sie an Gespenster, Margaret?«, hatte sie mich gefragt. »Ich erzähle Ihnen eine Geschichte.«

Und tatsächlich, sie *hatte* mir eine Geschichte erzählt, eine Gespenstergeschichte. Mit zwei kleinen Mädchen... Oder die andere Lesart: mit *dreien.*

Es war einmal ein Haus, in dem es spukte.

Das Gespenst war, so wie die meisten Gespenster, meistens unsichtbar, aber doch nicht ganz. Es gab die Türen, die sich schlossen, nachdem sie offen gelassen wurden, und andere, die sich öffneten, nachdem sie geschlossen wurden. Die blitzartige Bewegung in einem Spiegel, die einen dazu brachte, aufzusehen. Ein kaum spürbarer Windhauch hinter der Gardine, obwohl kein Fenster offen stand. Das kleine Gespenst machte sich bemerkbar, indem es Bücher von einem Zimmer zu einem anderen oder ein Lesezeichen von einer Seite zur anderen wandern ließ. Es nahm ein Tagebuch weg, um es zu verstecken und später wieder zurückzulegen. Wenn man einen Flur betrat und einen das seltsame Gefühl beschlich, als hätte man am anderen Ende gerade noch eine Schuhsohle um die Ecke verschwinden sehen, dann war das kleine Gespenst nicht weit. Und wenn man sich plötzlich von hinten beobachtet fühlte und umschaute, ohne etwas zu entdecken, dann konnte man sicher sein, dass das Gespenst sich irgendwo im leeren Zimmer verbarg.

Wer Augen hatte zu sehen, konnte seine Gegenwart auf vielfältige Weise erahnen. Doch gesehen wurde es nicht.

Es spukte leise herum. Auf Zehenspitzen, mit nackten Füßen machte es kein Geräusch, während es umgekehrt die Schritte sämtlicher Mitbewohner erkannte wie auch jede knarrende Diele und quietschende Tür. Jeder dunkle Winkel des Hauses war ihm vertraut. Das Gespenst kannte die Zwischenräume hinter Schränken und Regalen, die Rückseiten von Sofas und die Unterseite jedes Stuhls. Das Haus bot ihm hundertfach Unterschlupf, und es verstand es, unsichtbar von einem Versteck zum anderen zu huschen.

Isabelle und Charlie bekamen das Gespenst nie zu Gesicht. So wie sie jenseits jeder Logik, ohne Sinn und Verstand ihr Leben fristeten, focht das Unerklärliche sie nicht an. Dass Dinge abhanden kamen, zerbrachen oder verschwanden, entsprach für sie dem Normalzustand. Ein Schatten, der auf einen Teppich fiel, wo kein Schatten hingehörte, war für sie kein Grund, sich Gedanken zu machen; solche Schatten waren die natürliche Verlängerung der Schatten in ihrem eigenen Gemüt. Das kleine Gespenst war eine huschende Bewegung am Rande ihres Gesichtsfelds, das unbewusste Rätsel in ihrem Hinterkopf, der permanente Schatten, der sich ohne ihr Wissen an ihr Leben heftete. Wie eine Maus durchwühlte es ihre Speisekammer nach Essensresten, wärmte sie sich an der glimmenden Asche ihres Feuers, wenn sie zu Bett gegangen waren, verschwand in den verborgensten Winkeln ihres fortschreitenden Verfalls, sobald jemand auf der Bildfläche erschien.

Das Gespenst war das Geheimnis des Hauses.

Wie alle Geheimnisse hatte auch dieses seine Hüter.

Die Haushälterin hatte das Gespenst trotz ihres fortschreitenden Stars glasklar vor Augen. Und das war auch nötig. Ohne ihre Unterstützung wären nicht stets und ständig genügend Essensreste in der Speisekammer gewesen, genügend Brot vom Frühstückstisch, um das kleine Gespenst durchzufüttern. Denn es wäre ein fataler Irrtum gewesen zu glauben, dass dieses Gespenst zur Spezies der körperlosen, ätherischen Erscheinungen gehörte. Nein, dieses hier hatte einen Magen, der, wenn er leer war, gefüllt werden musste.

Doch es verdiente sich seinen Unterhalt. Denn so viel, wie es aß, steuerte es auch bei. Die andere Person nämlich, die in der Lage war, Gespenster zu sehen, war der Gärtner, und der freute sich über ein paar geschickte Hände. Es trug einen breitkrempigen Hut und ein altes Paar von Johns Hosen, an den Knöcheln abgeschnitten und mit Trägern gehalten, und wenn es im Garten spukte, kam das den Anpflanzungen zugute. In der Erde wuchsen unter seiner Obhut üppige Kartoffeln, über der Erde gediehen die Obststräucher und trugen schwere Beerendolden, die es unter den Blättern pflückte. Nicht nur für Früchte und Gemüse hatte es den grünen Daumen, sondern auch die Rosen blühten wie nie zuvor. Später lernte es, Buchs und Eibe ihren geheimen Wunsch nach einer geometrischen Form zu erfüllen. Auf sein Geheiß wuchsen Blätter und Zweige zu Ecken und Kanten und Kurven und mathematisch geraden Linien.

Im Garten und in der Küche brauchte das kleine Gespenst sich nicht zu verstecken. Die Haushälterin und der Gärtner behüteten es. Sie lehrten es, sich im Haus zurechtzufinden und darin sicher zu bewegen. Sie gaben ihm zu essen. Sie wachten über das Gespenst. Als eine Fremde ins Haus einzog, noch dazu mit einem besonders scharfen Blick und dem Bedürfnis, Schatten zu bannen und Türen zu verschließen, sorgten sie sich.

Und mehr als irgendetwas sonst liebten sie das Gespenst.

Doch wo kam es her? Was hatte es für eine Geschichte? Denn Gespenster spuken nicht zufällig irgendwo herum. Und dieses hier war in Angelfield zu Hause. In dieser Familie zu Hause. Auch wenn es keinen Namen hatte, wussten der Gärtner und die Haushälterin sehr wohl, wer es war. Seine Geschichte stand deutlich im kupferfarbenen Haar und den smaragdgrünen Augen geschrieben.

Denn jetzt kommt das Seltsamste an der ganzen Geschichte. Das Gespenst hatte eine geradezu unheimliche Ähnlichkeit mit den Zwillingen. Wie hätte es auch sonst so lange im Haus leben können, ohne dass jemand Verdacht geschöpft hätte? Drei Mädchen mit kupferfarbenem Haar, das ihnen in einer schweren Lockenpracht über den Rücken fiel. Drei Mädchen mit auffallend smaragdgrünen Augen. Seltsam, nicht wahr, wie ähnlich das Gespenst den Zwillingen war.

»Als ich geboren wurde«, hatte Miss Winter gesagt, »war ich nichts weiter als eine Nebenhandlung.« Und so fing sie an zu erzählen, wie Isabelle zu einem Picknick ging, wie sie Roland begegnete, wie sie mit ihm durchbrannte und ihn heiratete, um der finsteren, unbrüderlichen Leidenschaft ihres Bruders zu entkommen. Charlie seinerseits tobte sich aus Wut über die Vernachlässigung seiner Schwester aus und ließ seinen Zorn, seine Leidenschaft, seine Eifersucht an anderen aus –

den Töchtern von Grafen oder Ladenbesitzern, von Bankiers oder Schornsteinfegern. Ihm waren sie alle gleich. Mit oder ohne ihre Einwilligung warf er sich in seinem verzweifelten Versuch zu vergessen über sie.

Isabelle brachte ihre Zwillinge in einem Londoner Krankenhaus zur Welt. Zwei Mädchen, die nichts vom Ehemann ihrer Mutter an sich hatten. Kupferfarbenes Haar – genau wie ihr Onkel. Smaragdgrüne Augen – genau wie ihr Onkel.

Und so trug sich die Nebenhandlung zu: Etwa um die gleiche Zeit kam in irgendeiner Scheune oder dem trüben Schlafzimmer eines Cottages eine andere Frau nieder. Nicht die Tochter eines Grafen. Auch nicht die eines Bankiers. Die Wohlhabenden finden Mittel und Wege, wenn es Probleme gibt. Es handelte sich zweifellos um eine gewöhnliche, machtlose Frau. Auch sie gebar ein Mädchen. Kupferfarbenes Haar. Smaragdgrüne Augen.

Frucht des Zorns. Frucht einer Vergewaltigung. Charlies Kind.

Es war einmal ein Haus namens Angelfield.

Es lebten dort einmal Zwillinge.

Es kam einmal eine Cousine nach Angelfield, eine Halbschwester wohl eher.

Wie ich so mit dem zugeklappten Tagebuch von Hester auf dem Schoß im Zugabteil saß, verebbte das Mitgefühl, das ich für Miss Winter empfand, erst, als mir ein anderes uneheliches Kind zu Bewusstsein kam. Aurelius. Und mein Mitgefühl schlug in Ärger um. Wieso wurde er von seiner Mutter getrennt? Wieso ausgesetzt? Wieso im Stich gelassen, sodass er sich in der Welt allein behaupten musste?

Ich dachte auch an das weiße Zelt und die sterblichen Überreste darunter – nicht Hesters, wie ich jetzt wusste.

Es lief alles auf die Nacht mit dem Feuer hinaus. Brandstiftung, Mord, das Aussetzen eines Babys.

Als der Zug in Harrogate eintraf und ich auf den Bahnsteig trat, war ich überrascht, dass er knöcheltief im Schnee lag. Denn ich hatte zwar die letzte Stunde aus dem Fenster gestarrt, doch von der Landschaft draußen nichts mitbekommen.

Als es mir wie Schuppen von den Augen fiel, dachte ich, mir sei nun nichts mehr verborgen.

Als ich erkannte, dass es nicht zwei, sondern drei Mädchen in Angelfield gegeben hatte, war ich davon überzeugt, den Schlüssel zur ganzen Geschichte in Händen zu halten.

Doch als ich mit meinen Überlegungen zu Ende war, wusste ich, dass ich gar nichts wusste, solange ich nicht erfahren hatte, was in der Nacht passiert war, als es brannte.

# Knochen

Es war Heiligabend, es war spät, es schneite heftig. Der erste wie der zweite Taxifahrer weigerten sich, mich an einem Abend wie diesem so weit aus der Stadt zu fahren, doch der dritte, den offenbar nichts erschüttern konnte, ließ sich schließlich wohl doch von meinen flehentlichen Bitten erweichen, denn er zuckte die Achseln und winkte mich herein. »Schauen wir mal«, warnte er mich mürrisch.

Wir fuhren aus der Stadt, und es schneite weiter. Flocke um Flocke türmte sich der Schnee auf, peinlichst darauf bedacht, jeden Zentimeter Erde, jeden oberen Heckenrand, jeden Ast zu bedecken. Nach dem letzten Dorf, dem letzten Bauernhaus, fuhren wir durch ein weißes Einerlei, in dem sich die Straße zeitweise kaum von der flachen Landschaft ringsum unterschied, und ich sackte auf meinem Sitz zusammen und rechnete jeden Moment damit, dass der Fahrer die Segel strich und sich auf den Rückweg machte. Nur aus meiner genauen Wegbeschreibung konnte er schließen, dass wir uns wirklich auf einer Straße befanden. Ich stieg selber aus, um das erste Tor zu öffnen, und nach einer Weile kamen wir ans zweite, das Haupttor zum Haus.

»Hoffentlich finden Sie den Weg zurück«, sagte ich.

»Ich? Ich komm schon klar«, erwiderte er und zuckte noch einmal die Achseln.

Wie erwartet, war das Tor verschlossen. Da ich bei dem Fahrer nicht den Verdacht erwecken wollte, so etwas wie eine Diebin zu sein, kramte ich, während er wendete, zum Schein in der Tasche nach meinem Schlüssel. Erst als er schon ein

Stück gefahren war, packte ich die Gitterstäbe und kletterte über das Tor.

Die Küchentür war nicht verschlossen. Ich streifte meine Stiefel ab, schüttelte den Mantel aus und hängte ihn auf. Ich ging durch die verwaiste Küche und begab mich zum Wohntrakt von Emmeline, wo Miss Winter sein musste. Den Kopf voller Fragen und Vorwürfe, schürte ich meine Empörung; wegen Aurelius und wegen der Frau, deren Knochen seit sechzig Jahren in der ausgebrannten Ruine der Bibliothek von Angelfield lagen. Trotz des Sturms, der sich in mir zusammenbraute, betrat ich ohne anzuklopfen geräuschlos das Zimmer. Der Teppich saugte meinen Zorn mit meinen Schritten auf.

Die Gardinen waren zugezogen. An Emmelines Bett saß reglos Miss Winter. Sie schreckte auf, als sie mich bemerkte, und starrte mich mit einem ungewöhnlichen Schimmern in den Augen an.

»Knochen!«, zischte ich sie an. »In Angelfield haben sie Knochen gefunden!«

Meine Sinne warteten zum Zerreißen gespannt auf das Eingeständnis aus ihrem Mund. Ob in Worten oder durch ihre Mimik oder eine Geste, spielte keine Rolle. Sie würde sich schuldig bekennen, und ich würde es zu deuten wissen. Nur dass es etwas im Zimmer gab, das versuchte, mich von meiner richterlichen Befragung abzubringen.

»Knochen?«, fragte Miss Winter. Sie war aschfahl, und es war ein Ozean in ihren Augen, so weit, dass all meine Wut darin unterging.

»Ach«, sagte sie.

*Ach.* Wie viel in einer einzigen Silbe mitschwingen kann. Angst. Verzweiflung. Kummer. Resignation. Erleichterung, doch von der düsteren Art, die nicht tröstet. Und Trauer, abgründige, uralte Trauer.

Und dann wurde dieses hartnäckige Gefühl im Raum so übermächtig, dass es alles andere verdrängte. Was war das? Etwas Größeres als das Drama, das ich wegen der Knochen machte. Etwas, das meinem Eindringen vorausgegangen war. Für den Bruchteil einer Sekunde war ich verwirrt, dann fügten sich all die kleinen Dinge, die ich bemerkt hatte, ohne ihnen Bedeutung zu schenken, zusammen. Die Atmosphäre im Raum. Die verschlossene Gardine. Die glasigen, wässrigen Augen von Miss Winter. Die Tatsache, dass der stählerne Panzer in ihrem Innern von ihr gewichen schien.

Meine ganze Aufmerksamkeit galt einer einzigen Frage: Wo war das langsame Auf und Ab von Emmelines Atem? Kein Laut drang an meine Ohren.

»Nein! Sie ist...«

Ich fiel neben dem Bett auf die Knie und starrte geradeaus.

»Ja«, sagte Miss Winter leise. »Sie ist gegangen. Vor wenigen Minuten.«

Ich betrachtete Emmelines leeres Gesicht. Eigentlich hatte sich nichts geändert. Ihre Narben waren noch immer böse gerötet, ihre Lippen waren noch immer verzerrt, ihre Augen waren noch immer grün. Ich berührte das knorrige Flickwerk ihrer Hand und fühlte warme Haut. War sie wirklich gegangen? Absolut und unwiderruflich? Es schien unmöglich zu sein. Sie konnte uns doch nicht völlig im Stich gelassen haben? Bestimmt war etwas von ihr geblieben, um uns zu trösten? Gab es keinen Zauberspruch, keinen Talisman, keine Magie, die sie zurückholen konnten? Gab es nicht irgendetwas, das ich sagen konnte, um sie zu erreichen?

Es lag wohl an der Wärme ihrer Hand, dass ich mir einbildete, sie könnte mich hören. Von dieser Wärme ihrer Hand wallten all die Worte in meiner Brust auf und überschlugen sich, um bei Emmeline Gehör zu finden.

»Finde meine Schwester, Emmeline. Bitte finde sie. Sag ihr, ich warte auf sie. Sag ihr…« Meine Kehle hatte sich zu eng zugeschnürt, um all die Worte durchzulassen, und so rieben sie sich aneinander und brachen würgend und keuchend aus mir heraus. »Sag ihr, dass ich sie vermisse! Sag ihr, dass ich einsam bin!« Die Worte stürzten mir hastig von den Lippen. Inbrünstig bestürmte ich Emmeline. »Sag ihr, ich kann nicht länger warten! Sag ihr, sie soll *kommen*!«

Doch ich war zu spät. Die Wand hatte sich gesenkt. Unsichtbar. Unwiderruflich. Erbarmungslos.

Meine Worte flogen wie Vögel gegen eine Fensterscheibe.

»Ach, mein armes Kind.« Ich spürte die Berührung von Miss Winter auf meiner Schulter, und während ich über meine Worte weinte, die sich das Genick gebrochen hatten, spürte ich den leichten Druck von Miss Winters Hand.

Irgendwann wischte ich mir die Augen trocken. Es waren nur noch wenige Worte übrig, die ohne ihre alten Gefährten aus dem Konzept gebracht waren. »Sie war mein Zwilling«, sagte ich. »Sie war hier. Sehen Sie.«

Ich zog an dem Pullover, den ich in den Rock gesteckt hatte, und hielt meinen Oberkörper ans Licht. Meine Narbe. Mein Halbmond. Blass silberrosa, mit perlmuttartigem Schimmer. Die Linie, die trennt.

»Da war sie. An der Stelle waren wir verbunden. Und sie haben uns getrennt. Und sie ist gestorben. Sie konnte ohne mich nicht leben.«

Ich fühlte ein zartes Kitzeln, als Miss Winter mir mit den Fingern über den Halbmond strich, und sah dann das zärtliche Mitgefühl in ihren Augen.

»Die Sache ist die…« – die letzten Worte, die allerletzten Worte, danach brauche ich niemals wieder irgendetwas zu sagen – »ich glaube, ich kann ohne *sie* nicht leben.«

»Kind.« Miss Winter blickte mich an. Hielt mich mit dem Mitgefühl in ihren Augen in der Schwebe.

Ich dachte nichts. An der Oberfläche war es vollkommen still in mir. Doch in der Tiefe spürte ich den Sog der Unterströmung. Viele Jahre lang hatte ein Wrack dort am Boden festgesteckt, ein rostendes Schiff mit seiner Ladung Knochen. Jetzt war es in Bewegung geraten. Ich hatte es aufgestört, und es sorgte für Turbulenzen, die Sandwolken vom Meeresboden aufwühlten und Kieselstaub durch das unruhige, dunkle Gewässer wirbelten.

Die ganze Zeit umfing mich Miss Winter mit ihrem langen grünen Blick.

Dann endlich setzte sich ganz langsam der Sand, und die Knochen senkten sich wieder in ihre rostende Verankerung.

»Sie haben mich mal nach meiner Geschichte gefragt«, sagte ich.

»Und Sie haben geantwortet, Sie hätten keine.«

»Jetzt wissen Sie, dass ich doch eine habe.«

»Daran hatte ich nie gezweifelt.« Ein wehmütiges Lächeln huschte um ihre Lippen. »Als ich Sie hierher eingeladen habe, glaubte ich, Ihre Geschichte bereits zu kennen. Ich hatte Ihren Aufsatz über die Gebrüder Landier gelesen. So ein guter Essay. Sie wissen so viel über Geschwister. Sie scheinen eine Art ›Geheim-Wissen‹ zu besitzen, habe ich unwillkürlich gedacht. Und je genauer ich mir Ihren Aufsatz unter die Lupe nahm, desto mehr kam ich zu dem Schluss, dass Sie einen Zwilling haben müssen. Und so habe ich Sie mir als meine Biografin ausgeguckt. Weil Sie mir auf die Schliche kommen würden, falls ich nach all den Jahren, in denen ich mir Geschichten ausgedacht habe, der Versuchung erliegen würde, Sie anzulügen.«

»Ich *bin* Ihnen auf die Schliche gekommen.«

Sie nickte, ruhig, traurig, wenig überrascht. »Wird auch Zeit. Wie viel wissen Sie?«

»Was Sie mir erzählt haben. Nichts weiter als eine Nebenhandlung, so haben Sie sich ausgedrückt. Sie haben mir die Geschichte von Isabelle und ihren Zwillingen erzählt, aber ich habe nicht auf Ihre Worte geachtet. Die Nebenhandlung war Charlie mit seinen Ausschweifungen. Sie haben mich immer wieder auf *Jane Eyre* verwiesen. Das Buch über den Außenseiter in der Familie. Die mutterlose Cousine. Ich weiß nicht, wer Ihre Mutter war. Und wie Sie ohne sie nach Angelfield gekommen sind.«

Traurig schüttelte sie den Kopf. »Alle, die darauf vielleicht eine Antwort gewusst hätten, sind tot, Margaret.«

»Können Sie sich denn nicht erinnern?«

»Ich bin ein Mensch. Wie andere Menschen auch, kann ich mich nicht an meine Geburt erinnern. Bis wir unserer selbst bewusst werden, sind wir bereits kleine Kinder, und wie wir das Licht der Welt erblickt haben, liegt dann schon eine Ewigkeit zurück. Wir leben wie verspätete Theaterbesucher: Wir müssen uns, so gut wir können, hineinfinden und uns den Anfang aus den späteren Ereignissen erschließen. Wie oft bin ich an diese Schwelle meiner Erinnerung zurückgekehrt und habe in das Dunkel dahinter gestarrt? Aber an dieser Grenze lauern nicht nur Erinnerungen, sondern auch alle möglichen Trugbilder und Wahnvorstellungen. Die Albträume eines einsamen Kindes. Märchen, die der Hunger nach Geschichten dort eingenistet hat. Die Vorstellungen eines phantasiebegabten kleinen Mädchens, das sich das Unerklärliche zu erklären versucht. Ich rede mir nicht ein, dass die Geschichten, die ich an dieser Grenze aufgestöbert habe, die Wahrheit sind.«

»Alle Kinder mythologisieren ihre Geburt.«

»Ganz richtig. Das Einzige, dessen ich mir sicher bin, ist das, was John-the-dig mir erzählt hat.«

»Und was hat er Ihnen erzählt?«

»Dass ich wie ein Unkraut zwischen zwei Erdbeeren aufgetaucht bin.«

Sie erzählte mir die Geschichte.

&

Jemand machte sich an den Erdbeeren zu schaffen. Keine Vögel, denn die pickten daran und ließen eingekerbte, ausgehöhlte Beeren zurück. Und auch nicht die Zwillinge, da sie über die Pflanzen trampelten und quer über das Beet ihre Fußabdrücke hinterließen. Nein, ein leichtfüßiger Dieb nahm sich eine Beere hier und eine Beere dort. Fein säuberlich, ohne irgendetwas in Unordnung zu bringen. Ein anderer Gärtner hätte es nicht einmal bemerkt. Am selben Tag bemerkte John eine Wasserlache unter dem Hahn im Garten. Und der Hahn tropfte. Er drehte ihn fest. Er kratzte sich am Kopf und machte sich wieder an die Arbeit. Doch er hielt die Augen offen.

Am nächsten Tag sah er eine Gestalt zwischen den Erdbeeren. Eine kleine Vogelscheuche, mit einem übergroßen Schlapphut halb über dem Gesicht. Das Wesen rannte davon, als es ihn sah. Doch tags darauf war es so darauf versessen, seine Früchte zu bekommen, dass er brüllen und mit den Armen wedeln musste, um es zu verjagen. Hinterher dachte er, dass er nicht sagen konnte, wer das war. Wer im Dorf hatte so einen Wicht, so klein und unterernährt? Wer in dieser Gegend würde seinem Kind erlauben, anderer Leute Obst zu stehlen? Er wusste keine Antwort.

Außerdem war jemand in seinem Geräteschuppen gewesen. Er hatte die alten Zeitungen ja wohl nicht so hinterlassen, oder? Und diese Kästen – die waren ordentlich verstaut gewesen; das wusste er ganz genau.

Als er am Wasserhahn vorbeikam, stellte er fest, dass er wieder tropfte. Er drehte ihn energisch um hundertachtzig Grad, ohne darüber nachzudenken. Dann, indem er sich mit dem Gewicht darauf legte, noch einmal eine Vierteldrehung. Das sollte reichen.

In der Nacht wachte er, von einer rätselhaften Unruhe getrieben, auf. Wo würde man sich wohl schlafen legen, wenn man nicht in den Geräteschuppen kann, um sich in einer Kiste ein Lager aus Zeitungen zu richten? Und wo würde man Wasser bekommen, wenn der Hahn so fest zugedreht war, dass man ihn nicht bewegen kann? Er schimpfte über seine eigene mitternächtliche Dummheit und öffnete das Fenster, um zu fühlen, wie kalt es war. Zu spät für Frost. Aber für die Jahreszeit noch recht kühl. Und um wie viel kühler, wenn man Hunger hatte? Und wie viel dunkler für ein Kind?

Er schüttelte den Kopf und machte das Fenster zu. Es würde doch niemand ein Kind in seinem Garten aussetzen, oder? Natürlich nicht. Trotzdem war er vor fünf Uhr morgens wach und sprang aus dem Bett. Er machte früh eine Runde durch den Garten, inspizierte sein Gemüse, den Formschnittgarten, um die Arbeit für den Tag zu planen. Den ganzen Morgen über hielt er nach einem Schlapphut in den Obststräuchern Ausschau. Doch weit und breit war nichts zu sehen.

»Was ist los mit dir?«, fragte die Missus, als er schweigend an ihrem Küchentisch saß und Kaffee trank.

»Nichts«, sagte er.

Er leerte seine Tasse und ging zurück in den Garten, blieb stehen und suchte die Obststräucher ab.

Nichts.

In der Mittagspause aß er ein halbes Butterbrot, merkte, dass er keinen Hunger hatte, und ließ die andere Hälfte auf einem umgestülpten Blumentopf in der Nähe des Wasserhahns liegen. Auch wenn er sich sagte, er sei ein Narr, legte er einen Keks daneben. Laut vernehmlich ließ er das Wasser in eine Zinkgießkanne laufen, die er über dem nächstbesten Beet ausleerte, um sie wieder zu füllen. Das Plätschern des Wassers schallte durch den ganzen Gemüsegarten. Er achtete darauf, nicht aufzusehen und sich umzuschauen.

Dann entfernte er sich ein kleines Stück, kniete sich, mit dem Rücken zum Wasserhahn, ins Gras und machte sich daran, ein paar alte Blumentöpfe sauber zu schrubben. Es war eine wichtige Arbeit, die getan werden musste: Man konnte Krankheiten ausbreiten, wenn man zwischen zwei Pflanzungen die Töpfe nicht reinigte.

Hinter ihm das Quietschen des Hahns.

Er drehte sich nicht sofort um. Er scheuerte den Topf, den er gerade in Händen hielt, in Ruhe zu Ende.

Dann war er schnell. Auf den Beinen, über dem Hahn, schneller als ein Fuchs.

Doch die Eile war nicht nötig.

Das Kind versuchte vor Schreck zu fliehen, stolperte jedoch. Es rappelte sich auf und hinkte noch ein paar Schritte weiter, stolperte aber erneut. John holte es ein und hob es auf – das Gewicht einer Katze, nicht mehr – und drehte es zu sich um, sodass der Hut herunterfiel.

Der kleine Kerl war nur Haut und Knochen. Halb verhungert. Die Augen waren verkrustet, die Haare schwarz vor Dreck und stanken. Zwei heiße rote Flecken an den Wangen. Er legte dem Kind die Hand an die Stirn und fühlte, wie heiß sie war. Im Schuppen sah er sich die Füße an. Keine Schuhe, schorfig und geschwollen, mit einer Wunde, aus der Eiter durch den Dreck austrat. Ein Dorn oder etwas Ähnliches tief ins Fleisch getrieben. Das Kind zitterte. Fieber, Schmerzen, Hunger, Angst. Hätte er ein Tier in diesem Zustand gefunden, dachte John, dann hätte er sein Gewehr geholt und diesem Elend ein Ende bereitet.

Er schloss es im Schuppen ein und ging ins Haus, um die Missus zu holen. Sie kam. Sie sah sich das Gespenst aus nächster Nähe an, bekam den Geruch in die Nase und trat zurück.

»Nein, nein, keine Ahnung, wo der hingehört. Vielleicht sollten wir ihn ein bisschen waschen?«

»Du meinst, in den Wasserbottich tauchen?«

»Genau das hatte ich gemeint! Ich geh schon mal in die Küche und mach den Zuber voll.«

Sie schälten das Kind aus den stinkenden Kleidern. »Die gehören verbrannt«, sagte die Missus und warf sie in den Hof. Der Schmutz ging bis auf die Haut; das Kind war verkrustet. Der erste Bottich mit Wasser färbte sich augenblicklich schwarz. Um ihn auszuleeren und neu zu füllen, hoben sie das Kind heraus, und es stand schwankend auf dem gesünderen Fuß. Nackt und vom triefenden Wasser graubraun gestreift, nur Rippen und Ellbogen.

Sie sahen erst das Kind, dann einander an, dann wieder das Kind.

»John, ich mag ja schlechte Augen haben, aber sag du mir, ob du auch nicht siehst, was ich nicht sehe?«

»Und ob.«

»Von wegen kleiner Kerl! Es ist ein kleines Mädel.«

Sie kochten einen Kessel nach dem anderen, schrubbten Haut und Haare mit Seife, bürsteten die Dreckkrusten unter ihren Nägeln heraus. Als sie endlich sauber war, sterilisierten sie eine Pinzette, zogen ihr den Dorn aus dem Fuß – das Mädchen zuckte zurück, gab aber keinen Muckser von sich – und versorgten und verbanden die Wunde. In die Kruste um ihre

Augen rieben sie warmes Rizinusöl. Auf die Flohbisse träufelten sie Galmeilotion, auf die spröden, aufgesprungenen Lippen schmierten sie Vaseline. Sie kämmten ihr verfilztes, verknotetes Haar. Sie hielten ihr kühle Tücher an die Stirn und die brennenden Wangen. Am Ende wickelten sie die Kleine in ein sauberes Handtuch und setzten sie auf den Küchentisch, wo die Missus ihr löffelweise Suppe einflößte und John ihr einen Apfel schälte. Sie verschlang die Suppe und grapschte gierig nach den Apfelscheiben. Die Missus schnitt eine Scheibe Brot und schmierte Butter darauf. Das Kind stopfte sie sich mit Heißhunger in den Mund.

Sie sahen sie sich genauer an. Die von den Krusten gereinigten Augen schimmerten wie smaragdgrünes Glas. Das Haar trocknete zu leuchtendem Rotgold. Die Wangenknochen in dem hungrigen Gesicht traten breit und deutlich hervor.

»Denkst du, was ich gerade denke?«, fragte John.

»Und ob.«

»Willst du es ihm sagen?«

»Nein.«

»Aber sie gehört hierher.«

»Und ob.«

Sie überlegten eine Weile.

»Sollen wir den Doktor rufen?«

Die rosa Flecken im Gesicht des Kindes waren etwas verblasst. Die Missus legte dem Kind die Hand auf die Stirn. Immer noch heiß, aber schon besser.

»Schauen wir erst mal diese Nacht. Und holen den Doktor morgen Früh.«

»Falls nötig.«

»Ja, falls nötig.«

»Und so war die Sache abgemacht«, sagte Miss Winter. »Ich blieb.«

»Wie hießen Sie?«

»Die Missus versuchte, mich Mary zu rufen, aber der Name blieb nicht hängen. John nannte mich Shadow, weil ich ihm auf Schritt und Tritt folgte. Wissen Sie, er hat mir das Lesen beigebracht, anhand von Saatgutkatalogen im Schuppen, aber ich habe dann bald die Bibliothek entdeckt. Emmeline hatte überhaupt keinen Namen für mich. Brauchte sie auch nicht, denn ich war ja immer da. Nur für die Abwesenden braucht man Namen.«

Ich dachte eine Zeit lang schweigend über alles nach. Das Kindgespenst. Keine Mutter. Keinen Namen. Das Kind, dessen bloße Existenz schon ein Geheimnis war. Es war unmöglich, kein Mitleid zu haben. Und doch …

»Was ist mit Aurelius? Sie wussten, wie es ist, ohne Mutter aufzuwachsen! Wieso musste er ausgesetzt werden? Und die Knochen, die sie in Angelfield gefunden haben … Ich weiß, dass nur Adeline John-the-dig getötet haben kann, aber was passierte danach mit ihr? Erzählen Sie mir, was in der Nacht geschah, als es brannte.«

Wir redeten im Dunkeln, und ich konnte den Ausdruck in Miss Winters Gesicht nicht sehen, doch sie schien zu schaudern, als sie die Gestalt im Bett betrachtete.

»Bitte ziehen Sie ihr das Laken übers Gesicht, ja? Ich werde Ihnen von dem Baby erzählen. Und von dem Feuer. Aber würden Sie zuerst bitte Judith holen? Sie weiß es noch nicht. Sie muss Dr. Clifton anrufen. Es gibt einige Dinge zu erledigen.«

Als Judith kam, galt ihre erste Sorge den Lebenden. Sie warf einen eindringlichen Blick auf Miss Winters weißes Gesicht und bestand darauf, sie als Allererstes zu Bett zu bringen und ihr die

Medikamente zu geben. Zusammen rollten wir sie in ihre Zimmerflucht. Judith half ihr ins Nachthemd, und ich machte eine heiße Wärmflasche und schlug ihre Bettdecke zurück.

»Ich rufe jetzt Dr. Clifton an«, sagte Judith. »Bleiben Sie bei Miss Winter?« Doch es vergingen nur wenige Minuten, bis sie wieder in der Schlafzimmertür erschien und mich ins Vorzimmer winkte.

»Ich habe ihn nicht erreicht«, sagte sie im Flüsterton. »Das Telefon. Die Leitung ist unter dem Schnee heruntergekommen.«

Wir waren abgeschnitten.

Ich dachte an die Telefonnummer des Polizisten auf dem Zettel in meiner Tasche und war erleichtert, ihn vorerst nicht anrufen zu können.

Wir verabredeten, dass ich die erste Nachtschicht bei Miss Winter übernehmen würde, sodass Judith in Emmelines Zimmer gehen und sich um die Dinge kümmern konnte, die zu erledigen waren. Sie würde mich ablösen, wenn Miss Winter das nächste Mal ihre Tabletten nehmen musste.

Es wurde eine lange Nacht.

# Das Baby

In ihrem schmalen Bett war Miss Winters Gestalt nur durch das leichte Heben und Senken ihres Bettzeugs auszumachen. Vorsichtig nahm sie jeden Atemzug, als erwarte sie, jeden Moment in einen Hinterhalt zu geraten. Das Licht von der Lampe erspähte ihren abgemagerten Körper: Es fing ihre bleichen Wangenknochen ein und ließ den weißen Bogen ihrer Stirn aufleuchten; es versenkte ihr Auge in eine tiefe, schattige Mulde.

Über meiner Stuhllehne hing ein goldener Seidenschal. Ich drapierte ihn über den Lampenschirm, um das Licht zu dämpfen und zu wärmen, sodass es weniger brutal auf Miss Winters Züge fiel.

Still saß ich da, betrachtete sie, und als sie etwas sagte, war ihr Flüstern kaum zu hören.

»Die Wahrheit? Warten Sie …«

Die Worte drifteten ziellos von ihren Lippen in die Luft. Dort blieben sie unschlüssig in der Schwebe, bevor sie die Richtung fanden und sich auf den Weg begaben.

ঔ

Ich war nicht freundlich zu Ambrose. Ich hätte es sein können, ja, in einer anderen Welt vielleicht. Es wäre gar nicht mal so schwer gewesen: Er war groß und stark, und in der Sonne war sein Haar wie Gold. Ich wusste, dass er mich mochte, und umgekehrt war er mir nicht egal. Doch ich panzerte mein Herz. Ich war gegenüber Emmeline in der Pflicht.

»Bin ich dir nicht gut genug?«, fragte er mich eines Tages. Geradeheraus, einfach so.

Ich tat so, als hätte ich ihn nicht gehört, doch er beharrte auf einer Antwort.

»Wenn ich dir nicht gut genug bin, dann sag es mir ins Gesicht!«

»Du kannst nicht lesen«, sagte ich, »und du kannst nicht schreiben!«

Er lächelte. Nahm meinen Bleistift von der Fensterbank in der Küche und fing an, Buchstaben auf ein Stück Papier zu kritzeln. Er war langsam. Die Schrift war nicht ebenmäßig, aber deutlich zu lesen. Ambrose. Er schrieb seinen Namen, und als er fertig war, hielt er mir den Zettel entgegen.

Ich schnappte ihm das Papier aus der Hand, zerknüllte es und warf es auf den Boden.

Er kam nicht zu seiner Teepause in die Küche. Ich trank meinen Tee im Sessel der Missus. Mir fehlte die Zigarette, während ich auf das Geräusch seiner Schritte oder das Scheppern seines Spatens horchte. Als er mit dem Wild ins Haus kam, reichte er mir die Tasche ohne ein Wort, mit abgewandtem Blick und steinerner Miene. Er hatte aufgegeben. Als ich später in der Küche sauber machte, stieß ich auf den zerknüllten Zettel mit seinem Namen darauf. Ich schämte mich und steckte das Papier in seine Jagdtasche, die hinter der Küchentür hing, damit es aus dem Weg war.

Wann merkte ich, dass Emmeline schwanger war? Ein paar Monate später, der Junge kam schon lange nicht mehr zum Tee zu mir. Ich wusste es, bevor sie es selber wusste. Sie hätte wohl kaum die Veränderungen ihres Körpers bemerkt oder die Konsequenzen begriffen. Ich stellte ihr Fragen über Ambrose. Es war nicht leicht, ihr klar zu machen, worauf sie zielten, und sie konnte nicht verstehen, weshalb ich verärgert war. »Er war so traurig«, sagte sie nur. »Du warst zu garstig zu ihm.« Sie sprach sehr sanft, voller Mitgefühl mit dem Jungen, und fasste mich trotz ihrer Vorwürfe mit Samthandschuhen an.

Ich hätte sie packen und durchschütteln können.

»Aber dir ist schon klar, dass du jetzt ein Baby bekommen wirst, nicht wahr?«

Gelindes Staunen huschte über ihr Gesicht, dann war es wieder gleichmütig wie zuvor. Nichts, so schien es, konnte sie aus ihrer stets heiteren Fassung bringen.

Ich entließ Ambrose. Ich zahlte ihn für den Rest der Woche aus und schickte ihn weg. Während ich mit ihm sprach, sah ich ihn nicht an, nannte ihm auch keine Gründe. Er stellte keine Fragen. »Du kannst auch jetzt schon gehen«, sagte ich, doch das war nicht seine Art. Er setzte die restlichen Pflanzen in eine Reihe, bei der ich ihn unterbrochen hatte, reinigte gewissenhaft die Geräte so, wie John es ihm beigebracht hatte, verstaute sie wieder im Schuppen und ließ alles sauber und ordentlich zurück. Dann klopfte er an die Küchentür.

»Wie kommt ihr jetzt an Fleisch? Weißt du wenigstens, wie man ein Hühnchen tötet?«

Ich schüttelte den Kopf.

»Dann komm mit.«

Er deutete mit dem Kopf auf das Gehege, und ich folgte ihm.

»Du darfst keine Zeit vergeuden«, wies er mich an. »Ruck, zuck muss man es machen. Ohne groß nachzudenken.«

Er stürzte sich auf einen der Vögel mit den kupferfarbenen Federn, die uns um die Füße pickten, und hielt seinen Körper fest im Griff. Er mimte die Geste, mit der man ihm das Genick bricht. »Siehst du?«

Ich nickte.

»Du bist dran.«

Er ließ den Vogel los, der aufgeregt zu Boden flatterte, wo sein runder Rücken bald nicht mehr von den anderen zu unterscheiden war.

»Jetzt?«

»Was wollt ihr sonst zu Abend essen?«

Die Sonne schimmerte auf den Federn der Hennen, die nach den Körnern pickten. Ich griff nach einem Vogel, doch er hastete davon. Der zweite glitt mir wie der erste durch die Finger. Als ich mir den dritten packte, hielt ich ihn, wenn auch ungeschickt, fest. Er gackerte heftig und versuchte, in Panik mit den Flügeln zu schlagen und die Flucht zu ergreifen, und ich fragte mich, wie der Junge seinen so mühelos gehalten hatte. Während ich versuchte, ihn mir unter den Arm zu klemmen und zugleich meine Hände um seinen Hals zu legen, spürte ich den strengen Blick des Jungen.

»Ruck, zuck«, erinnerte er mich. Er traute es mir nicht zu, das war deutlich an seinem Tonfall zu hören.

Ich würde den Vogel töten. Ich hatte das beschlossen. Also packte ich den Hals und drückte zu. Doch meine Hände gehorchten mir nur halb. Ein ersticktes Krächzen drang aus der Kehle des Tiers, und eine Sekunde lang zögerte ich. Mit einer kräftigen Drehung und einem Flügelschlag wand sich das Huhn aus meinem Griff. Nur weil ich vor Panik wie gelähmt war, hielt ich das Tier immer noch am Hals. Es schlug mit den Flügeln, wehrte sich wild mit den Klauen und wäre mir beinahe entkommen.

Schnell und mit kräftigem Griff riss mir der Junge die Henne aus der Hand und brachte es mit einer einzigen Bewegung zu Ende.

Er hielt mir das tote Tier hin. Ich zwang mich, es zu nehmen. Reglos, warm und schwer.

Die Sonne schien ihm aufs Haar, und er sah mich an. Sein Blick war schlimmer als die Klauen, schlimmer als die schlagenden Flügel. Schlimmer als der erschlaffte Körper in meinen Händen.

Ohne ein Wort drehte er sich um und ging.

Was sollte ich mit dem Jungen? Ich konnte mein Herz nicht verschenken, es gehörte einem anderen Menschen, und zwar von Anfang an.

Ich liebte Emmeline.

Ich glaube, Emmeline hat mich auch geliebt. Nur dass sie Adeline mehr liebte als mich.

Es tut weh, einen Zwilling zu lieben. War Adeline da, ging Emmeline das Herz über. Sie brauchte mich nicht, und ich blieb außen vor, eine Verstoßene, das fünfte Rad am Wagen, eine bloße Beobachterin der Zwillinge und ihrer Verbundenheit.

Nur wenn Adeline allein umherschweifte, hatte noch jemand anderes in Emmelines Herzen Platz. Dann war ihr Kummer meine Freude. Nach und nach brachte ich sie dazu, ihre Einsamkeit zu überwinden, indem ich ihr Geschenke aus Silberfäden und schimmerndem Glitzerkram machte, bis sie fast vergaß, dass sie im Stich gelassen worden war, und sich ganz der Freundschaft und Kameradschaft überließ, die ich ihr bieten konnte. An einem Feuer spielten wir Karten, sangen und schwatzten miteinander. Zusammen waren wir glücklich.

Bis Adeline zurückkam. Wutschnaubend vor Kälte und Hunger stürmte sie ins Haus, und kaum war sie da, hatte es mit der Welt von uns beiden ein Ende, und ich war wieder die Außenseiterin.

Es war nicht fair. Obwohl Adeline sie schlug und an den Haaren zog, liebte Emmeline sie. Egal, was Adeline tat, Emmelines Liebe war bedingungslos.

Und ich? Ich hatte dasselbe kupferfarbene Haar wie Adeline. Meine Augen waren so grün wie ihre. In Adelines Abwesenheit konnte ich jeden täuschen. Aber niemals Emmeline. Ihr Herz fand die Wahrheit heraus.

Emmeline bekam ihr Baby im Januar.

Niemand erfuhr davon. Sowie sie an Gewicht zunahm, wurde sie auch träger; es machte ihr nichts aus, sich aufs Haus zu beschränken. Sie blieb drinnen und war zufrieden, in der Bibliothek, der Küche, ihrem Schlafzimmer zu gähnen. Ihr Rückzug blieb unbemerkt. Wieso auch nicht? Der einzige Besucher, der nach Angelfield kam, war Mr. Lomax, und der kam an festen Tagen und zu festgelegten Zeiten. Ein Kinderspiel, sie aus dem Weg zu haben, wenn er an die Haustür klopfte.

Wir hatten nur wenig Kontakt zu anderen Leuten. Hinsichtlich Fleisch und Gemüse waren wir Selbstversorger – ich habe mich nie daran gewöhnt, die Hühner zu töten, doch ich habe gelernt, es zu tun. Ansonsten holte ich Milch und Käse persönlich von einem Hof, und wenn der Laden einmal die Woche einen Jungen auf dem Fahrrad zu uns schickte, um uns einzudecken, kam ich ihm auf der Einfahrt entgegen und trug den Korb selbst ins Haus. Ich hielt es für eine vernünftige Vorsichtsmaßnahme, dass irgendjemand von Zeit zu Zeit einen zweiten Zwilling zu sehen bekam. Als Adeline einmal ruhig genug schien, gab ich ihr die Münze und schickte sie dem Jungen auf dem Fahrrad entgegen. »Heute war es die andere«, sagte er dann vermutlich daheim im Laden. »Die Seltsame.« Und ich fragte mich, wie der Doktor das deuten würde, was der Junge zu melden hatte, falls es ihm zu Ohren kam. Doch bald wurde es schlechterdings unmöglich, nochmals so auf Adeline zurückzugreifen. Emmelines Schwangerschaft übte eine eigenartige Wirkung auf ihren Zwilling aus: Zum ersten Mal im Leben hatte Adeline Appetit. Das Knochengestell entwickelte üppige Kurven und volle Brüste. Es kam vor, dass im Halbdunkel oder aus einem bestimmten Winkel selbst ich die beiden einen Moment lang nicht auseinander halten konnte. Und so wurde ich von Zeit zu Zeit mittwochmorgens zu Adeline. Ich zerwühlte meine Haare, verdreckte meine Fingernägel, verzog mein Gesicht zu einer angespannten, erregten Maske und ging dem Jungen mit dem Fahrrad auf der Einfahrt entgegen. An dem Tempo, in dem ich ihm auf der Kieseinfahrt entgegenkam, konnte er erkennen, dass es die andere war. Ich sah, wie sich seine Finger verkrampft um den Lenker legten. Mit einem verstohlenen Blick reichte er mir den Korb, steckte sein Trinkgeld in die Tasche und war froh, wieder wegzuradeln. Die Woche darauf lächelte er erleichtert, als ich ihm ohne Verstellung entgegenkam.

Die Schwangerschaft geheim zu halten, war nicht schwer. Doch ich machte mir in diesen Monaten Sorgen über die Geburt. Ich wusste, welche Gefahren auf Emmeline lauerten, wenn sie niederkam. Isabelles Mutter hatte ihre zweite Geburt nicht überlebt, und ich konnte den Gedanken nicht länger als ein paar Stunden verdrängen. Dass Emmeline leiden, dass ihr Leben in Gefahr sein sollte, war nicht auszudenken. Doch der Doktor war nicht eben unser Freund, und ich wollte ihn nicht um Hilfe bitten. Er hatte Isabelle gesehen und abholen lassen. Das durfte mit Emmeline nicht passieren. Er hatte Emmeline und Adeline getrennt. Das durfte nicht mit Emmeline und *mir* passieren. Außerdem, weshalb sollte er überhaupt kommen, solange es keine unmittelbaren Komplikationen gab? Und obwohl er geschluckt hatte, dass das Mädchen im Nebeldunst aus dem Panzer der stummen Marionette Adeline ausgebrochen war, die einmal mehrere Monate bei ihm verbracht hatte, würde er sofort die ganze Wahrheit begreifen, sobald er merkte, dass es drei Mädchen in Haus Angelfield gab. Für einen einzigen Besuch, zur Geburt selbst, konnte ich Adeline ins alte Kinderzimmer sperren, und niemand würde etwas merken. Doch sobald bekannt würde, dass es ein Baby in Angelfield gab, würden die Besuche kein Ende nehmen. Es wäre unmöglich, unser Geheimnis zu wahren.

Ich war mir sehr wohl bewusst, wie prekär meine Situation war. *Ich* wusste, dass ich hierher gehörte; *ich* wusste, dass dies mein Zuhause war. Ich hatte kein anderes Zuhause als Angelfield, keine andere Liebe als Emmeline, kein anderes Leben, doch ich machte mir keine Illusionen darüber, wie fragwürdig mein Anspruch in den Augen anderer sein würde. Was für Freunde hatte ich? Ich konnte wohl kaum erwarten, dass der Doktor sich für mich einsetzen würde, und obwohl Mr. Lomax bislang sehr freundlich zu mir war, musste seine Haltung sich zwangsläufig ändern, sobald er erfuhr, dass ich mich für Adeline ausgegeben hatte. Emmelines Zuneigung zu mir und meine zu ihr würden nicht zählen.

Emmeline selber, sanftmütig und ahnungslos, brachte die Tage, in denen sie aufs Haus beschränkt war, unbeschwert dahin. Ich dagegen quälte mich mit meiner Unentschlossenheit. Wie sollte ich Emmeline schützen? Wie schützte ich mich selbst? Jeden Tag verschob ich die Entscheidung auf den nächsten Tag. In den ersten Monaten war ich zuversichtlich, dass mir die Lösung früher oder später schon einfallen würde. Hatte ich nicht auch sonst allen Widrigkeiten zum Trotz alles andere gelöst? Dann ließ sich doch wohl auch hier etwas machen. Doch je näher der Zeitpunkt rückte, desto dringender wurde das Problem, und ich war einer Lösung nicht näher gekommen. Ich schwankte zwischen dem Impuls, meinen Mantel zu schnappen und auf der Stelle zum Haus des Doktors zu laufen, um ihm alles zu sagen, und dem entgegengesetzten

Gedanken: Wenn ich das tat, dann gab ich mein Geheimnis preis, und das wiederum konnte nur zu meiner Verbannung führen. Morgen, sagte ich mir und hängte den Mantel wieder an den Haken. Ich werde mir morgen etwas einfallen lassen.

Ich erwachte von einem Schrei. *Emmeline!*

Doch das war nicht Emmeline. Emmeline keuchte und prustete, wie ein Tier schnaubte und schwitzte sie, ihre Augen standen vor, und sie zeigte die Zähne. Doch sie schrie nicht auf. Sie fraß den Schmerz in sich hinein, und in ihrem Innern verwandelte er sich in Stärke. Der Schrei, der mich aufgeweckt hatte, und die Schreie, die im ganzen Haus widerhallten, kamen nicht von ihr, sondern von Adeline, und sie nahmen bis zum Morgen kein Ende, bis Emmelines Kind, ein Junge, geboren wurde.

Es war der siebte Januar.

Emmeline schlief. Sie lächelte im Schlaf.

Ich badete das Baby. Es öffnete die Lider und machte bei der Berührung mit dem warmen Wasser große Augen.

Die Sonne ging auf.

Die Zeit der Entscheidung war gekommen und gegangen, und keine Entscheidung war gefallen, doch da waren wir, hatten das Schlimmste hinter uns und waren in Sicherheit.

Mein Leben konnte weitergehen.

# Feuer

Miss Winter schien zu spüren, dass Judith gleich eintreten würde, denn als die Haushälterin zur Tür hereinschaute, fand sie uns schweigend vor. Sie hatte mir auf einem Tablett Kakao gebracht, sich aber auch erboten, mich abzulösen, falls ich schlafen gehen wollte. Ich schüttelte den Kopf. »Alles in Ordnung, danke.«

Auch Miss Winter lehnte ab, als Judith sie daran erinnerte, dass sie, falls nötig, mehr von den weißen Tabletten nehmen könne.

Als Judith gegangen war, schloss Miss Winter wieder die Augen.

»Was macht der Wolf?«, fragte ich.

»Sitzt still in der Ecke«, erwiderte sie. »Wieso sollte er auch nicht? Er ist sich seines Sieges sicher. Also wartet er geduldig, bis seine Zeit gekommen ist. Er weiß, dass ich ihm keinen Ärger mache. Wir haben eine Abmachung.«

»Und was für eine?«

»Er lässt mich meine Geschichte zu Ende erzählen, und dann bringt er es mit mir zu Ende.«

Sie erzählte mir die Geschichte mit dem Feuer, während der Wolf auf ihre letzten Worte lauerte.

❧

Bevor das Baby zur Welt kam, hatte ich nicht viele Gedanken daran verschwendet. Sicher, ich hatte mir überlegt, was es praktisch bedeutete, ein Baby im Haus zu verstecken, und ich hegte gewisse Pläne für seine Zukunft. Falls wir es eine Zeit lang geheim halten konnten, dann würden wir, so meine Absicht, seine Existenz später öffentlich machen. Auch wenn es viel Getuschel geben würde, könnten wir es als das Waisenkind eines entfernten Familienmitglieds ausgeben, und falls sich die Leute darüber die Köpfe zerbrechen wollten, wer genau seine Eltern waren, dann stand ihnen das frei. Sie mochten tun, was sie wollten, wir würden um nichts in der Welt die Wahrheit preisgeben. Als ich diese Pläne schmiedete, hatte ich in dem Baby ein Problem gesehen, das zu lösen war. Ich hatte übersehen, dass es mein eigen Fleisch und Blut sein würde. Ich hatte nicht damit gerechnet, dass ich es lieben würde.

Der Junge war Emmelines Kind, das war Grund genug. Und er war Ambroses Sohn. Dieses Thema klammerte ich lieber aus. Doch er gehörte auch zu mir. Ich staunte über seine perlmuttfarbene Haut, die rosa Wölbung seiner Lippen, die zaghaften Bewegungen seiner winzigen Hände. Der ungestüme Drang, ihn zu beschützen, überwältigte mich: Ich wollte ihn um Emmelines willen behüten, um seiner selbst willen und sie beide um meinetwillen. Wenn ich ihn und Emmeline sah, konnte ich mich von ihrem Anblick nicht losreißen. Sie waren schön. Mein ganzes Trachten zielte darauf, dass sie in Sicherheit waren. Und schon bald begriff ich, dass sie einen Beschützer brauchten, der über ihnen wachte.

Adeline war eifersüchtig auf das Baby. Eifersüchtiger als auf Hester, eifersüchtiger als auf mich. Es war nicht weiter verwunderlich: Emmeline hatte Hester gemocht, sie liebte mich, doch keine dieser Zuneigungen hatte an ihre Liebe zu Adeline herangereicht. Doch das Baby – ach ja, das Baby war etwas anderes. Das Baby vereinnahmte sie ganz.

Ich hätte mich eigentlich über das Ausmaß von Adelines Hass nicht wundern dürfen. Ich wusste, welch fratzenartige Züge ihr Gesicht annehmen konnte, war Zeuge ihrer Gewalttätigkeit geworden. Doch als ich das erste Mal begriff, wozu sie in ihrem Hass fähig war, konnte ich es kaum glauben. Als ich an Emmelines Schlafzimmer vorbeikam, schob ich geräuschlos die Tür auf, um zu sehen, ob sie noch schlief. Ich entdeckte Adeline. Sie beugte sich in einer Haltung über die Krippe neben dem Bett, die mich alarmierte. Als sie meine Schritte hörte, schrak sie zusammen, drehte sich um und eilte an mir vorbei aus dem Raum. In der Hand hielt sie ein kleines Kissen. Ich schoss zum Kinderbettchen. Das Kind schlief fest, die kleine Faust neben dem Ohr, und ich hörte seinen kurzen, zarten Babyatem.

Nichts passiert!

Bis zum nächsten Mal.

Ich fing an, Adeline nachzuspionieren. Dabei kamen mir meine frühen Jahre als spukendes Gespenst zupass, als ich sie, hinter Gardinen oder Eiben versteckt, beobachtet hatte. Was sie tat, war planlos: Sie lief ins Haus, dann zurück nach draußen; ohne Rücksicht auf die Tageszeit oder das Wetter erging sie sich in bedeutungslosen, wiederholten Aktionen. Sie folgten einem Diktat, das außerhalb meines Begriffsvermögens lag. Doch nach und nach weckte eine bestimmte Aktivität mein besonderes Interesse. Ein, zwei, drei Mal am Tag kam sie zum Kutschenhaus und verließ es, jedes Mal einen Kanister Benzin in der Hand. Sie nahm die Kanne mit ins Wohnzimmer, die Bibliothek, in den Garten. Dann schien sie das Interesse zu verlieren. Sie wusste, was sie tat, doch wie von ferne, wie in Gedanken. Wenn sie nicht hinsah, nahm ich die Kanister weg. Welchen Reim machte sie sich wohl auf das Verschwinden der Kanister? Sie musste wohl denken, sie hätten eine Art Eigenleben, dass sie sich aus freien Stücken irgendwo hinbewegen konnten. Oder sie hielt ihre Erinnerung daran, sie irgendwo hingebracht zu haben, für einen Traum oder ein Vorhaben, das sie noch umsetzen musste. Egal wieso, sie schien sich nichts dabei zu denken, dass sie sie nicht an der Stelle wieder fand, an der sie sie abgestellt hatte. Dennoch, bei allem Eigensinn, den die Benzinkanister entfalteten, beharrte sie darauf, sie aus dem Kutschenhaus zu holen und an verschiedenen Stellen im Haus zu verstecken.

Es kam mir so vor, als verbrächte ich den halben Tag damit, die Kanister dorthin zurückzubringen, wo sie hingehörten. Doch eines Tages stellte ich einen davon in der Bibliothek ab, da ich die schlafende Emmeline und ihr Baby nicht unbewacht lassen wollte, hinter einem Regal versteckt. Und ich kam auf den Gedanken, dass sie hier vielleicht am besten aufgehoben waren, denn wenn ich sie ständig zum Kutschenhaus zurückbrachte, sorgte ich nur dafür, dass es endlos so weiterging. Ein Karussell. Wenn ich sie ein für alle Mal aus dem Verkehr zog, konnte ich dem Spuk vielleicht ein Ende setzen.

Ihr ständig nachzuspionieren, erschöpfte mich. *Sie* dagegen! Sie wurde niemals müde. Ein bisschen Schlaf wirkte bei ihr Wunder. Sie konnte zu jeder Tages- und Nachtzeit auf sein und ihr Unwesen treiben. Und ich wurde müde. Eines Tages ging Emmeline am frühen Abend schlafen. Der Junge war in ihrem Zimmer in seinem Bettchen. Er hatte Koliken gehabt und den ganzen Tag jämmerlich geschrien, doch jetzt ging es ihm besser, und er schlummerte fest.

Ich zog die Gardinen zu.

Es war Zeit, mich auf meinen Rundgang zu begeben und nach Adeline zu sehen. Ich war es leid, immer auf der Hut zu sein. Da ich über Emmeline und ihr Baby wachte, wenn sie schliefen, und ansonsten auf Adeline achtete, kam ich kaum zur Ruhe. Wie friedlich es im Zimmer war. Emmelines Atem übte eine magische, entspannende Wirkung auf mich aus. Und daneben der zarte Lufthauch aus dem Mund des Babys. Ich entsinne mich, wie ich darauf lauschte, wie ich die Harmonie genoss, die friedliche Stille, und überlegte, ob ich es wohl in Worten beschreiben könnte – Dinge, die ich sah und hörte, in Worte zu fassen, war meine Art, mich zu unterhalten –, und mir kam der Gedanke, dass ich beschreiben müsse, wie mich der Atem durchdrang, wie er meinen übernahm, als seien wir alle drei ein Teil voneinander, ich und Emmeline und unser Baby, alle drei ein Atem. Dieser Gedanke, diese Vorstellung, nahm mich gefangen, und ich spürte, wie ich mit den beiden in den Schlaf hinüberdämmerte.

Etwas weckte mich auf. Wie eine Katze war ich hellwach, bevor ich auch nur die Lider öffnete. Ich rührte mich nicht, atmete gleichmäßig weiter und beobachtete Adeline mit fast geschlossenen Augen.

Sie beugte sich über das Bettchen, hob das Baby hoch und war schon halb aus dem Zimmer. Ich hätte sie rufen können, um sie aufzuhalten, tat es aber nicht. Hätte ich geschrien, hätte sie ihr Vorhaben nur verschoben. Ließ ich sie jedoch gewähren, konnte ich herausfinden, was sie im Schilde führte, und es endgültig unterbinden. Das Baby regte sich in ihren Armen. Es war dabei aufzuwachen. Der Kleine schlief bloß in den Armen seiner Mutter, und ein Baby lässt sich nicht von einem Zwilling täuschen.

Ich folgte ihr nach unten in die Bibliothek und lugte heimlich hinter der Tür hervor, die sie nur angelehnt hatte. Das Baby war auf dem Schreibtisch, neben einem Stapel von Büchern, die nie zurück in die Regale kamen, weil ich sie so oft las. Das Baby bewegte sich in seiner Decke, und ich hörte sein gedämpftes Grunzen. Der Kleine war wach.

Adeline kniete am Kamin. Sie nahm Kohlen aus der Schütte, Scheite von dem Stapel neben der Feuerstelle und packte beides planlos in den Kamin. Sie wusste nicht, wie man ein richtiges Feuer macht. Mir hatte die Missus beigebracht, wie man Papier, Zündstoff, Kohlen und Scheite anordnet. Adelines Feuer waren wilde, zufällige Angelegenheiten, die normalerweise gar nicht hätten brennen können.

Langsam dämmerte mir, welche Absicht sie hegte.

Es würde ihr nicht gelingen, oder? In der Asche war nur der letzte Rest an Glut, nicht genug, um Kohlen und Scheite anzufachen, und ich ließ grundsätzlich keine Streichhölzer oder dergleichen in ihrer Reichweite liegen. Ihre Feuer waren verrückt, sie loderten nicht richtig auf, ich wusste, dass sie es nicht zu Stande bringen würde. Doch die Zweifel blieben. Vielleicht genügte ja schon ihr Wunsch zu zündeln, und sie brauchte lediglich nach irgendetwas Brennbarem zu suchen, damit der Funke übersprang. Ihr Wesen war derart entflammbar, dass es gereicht hätte, Wasser in Brand zu setzen, solange sie es sich nur genügend wünschte.

Entsetzt beobachtete ich, wie sie das Baby, in seine Decken gehüllt, auf die Kohlen legte. Dann sah sie sich im Zimmer um. Wonach suchte sie? Als sie auf die Tür zuging und sie öffnete, sprang ich in den Schatten zurück. Doch sie hatte nicht bemerkt, dass ich sie beobachtete. Sie war hinter etwas anderem her. Sie ging um die Ecke und verschwand in dem Durchgang unter der Treppe.

Ich rannte zum Kamin und holte das Baby vom Scheiterhaufen. Hastig wickelte ich die Decke um ein mottenzerfressenes Polster der Chaiselongue und legte es anstelle des Kindes auf die Kohlen. Doch mir blieb keine Zeit zu fliehen. Ich hörte Schritte auf den Fliesen, dann das Geräusch von etwas, das über den Boden geschleift wurde, nämlich das Scheppern eines Benzinkanisters, und die Tür öffnete sich genau in dem Moment, als ich in eine der Buchten zwischen den Bücherregalen zurücktrat.

Psst, flehte ich stumm, jetzt bitte nicht weinen, und ich hielt mir das Kind dicht an den Körper, sodass es die Wärme seiner Decke nicht vermisste.

Wieder am Kamin, inspizierte Adeline, den Kopf zur Seite geneigt, ihr Feuer. Was stimmte nicht? Hatte sie die Veränderung bemerkt? Offenbar nicht. Sie sah sich im Zimmer um. Wonach suchte sie?

Der Kleine regte sich, er zuckte mit den Armen, strampelte mit den Beinen, spannte das Rückgrat an, so wie er oft einen Jammerschrei ankündigt. Ich verlagerte ihn ein wenig, sodass sein Kopf schwer auf meiner Schulter ruhte; ich fühlte seinen Atem im Nacken. Nicht weinen. Bitte nicht weinen.

Er war wieder still, und ich beobachtete, was als Nächstes geschah.

Meine Bücher. Auf dem Schreibtisch. Diejenigen, an denen ich nicht vorbeigehen konnte, ohne sie an einer beliebigen Stelle aufzuschlagen, um mir das Vergnügen von ein paar Worten als kurzen Gruß zu gönnen. Wie unpassend sie in ihren Händen erschienen. Adeline und Bücher? Es wirkte absurd. Dennoch dachte ich, als sie den Deckel öffnete, einen langen, bizarren Augenblick lang, sie würde tatsächlich *lesen*...

Sie riss büschelweise Seiten heraus und verstreute sie quer über den Tisch; einige glitten auf den Boden. Als sie mit dem Herausreißen fertig war, packte sie das Papier mit beiden Händen und zerknüllte es zu lockeren Bällen. Schnell! Sie war ein Wirbelwind! Meine ordentlich gestapelten Bücher auf einmal ein einziger Haufen Papier. Wenn man bedachte, wie viel Papier in einem Buch steckte! Ich wollte schreien, aber was?

All die Worte, diese wohlgesetzten Worte, zerrissen und zerknüllt, und ich stand sprachlos im Schatten.

Sie nahm einen Arm voll davon und ließ ihre Ladung auf die weiße Decke in der Feuerstelle fallen. Drei Mal sah ich sie, die Arme voller Papier, vom Schreibtisch zum Kamin hinübergehen, bis der Innenraum bis oben hin mit zerrissenen Büchern voll gestopft war. *Jane Eyre* und *Sturmhöhe* und *Die Frau in Weiß*… Papierknäuel fielen von dem Scheiterhaufen zu Boden, einige rollten bis auf den Teppich und gesellten sich dort zu denen, die ihr unterwegs heruntergefallen waren.

Eines rollte mir direkt vor die Füße, und lautlos bückte ich mich, um es aufzuheben.

Dieses empörende Gefühl von verkrumpeltem Papier, wild gewordene Worte, die sinnlos in alle Richtungen flogen. Mir brach es das Herz.

Mich überkam eine Woge des Zorns. Wie ein Stück Treibgut erfasste sie mich, sodass ich nicht klar sehen konnte und keine Luft bekam. Sie dröhnte mir wie ein Ozean im Kopf. Ich hätte vielleicht aufgebrüllt, wäre wie eine Furie aus meinem Versteck gesprungen und hätte sie geschlagen, doch ich hielt Emmelines Schatz in den Armen. Und so stand ich da, zitterte und weinte innerlich darüber, wie ihre Schwester meinen eigenen Schatz entweihte.

Endlich war sie mit ihrem Scheiterhaufen zufrieden. Doch, wie man es auch drehte und wendete, war der Papierberg purer Wahnsinn. Es ist alles genau verkehrt herum, hätte die Missus gesagt, so brennt das nie – das Papier gehört nach unten. Doch selbst wenn sie es richtig aufgeschichtet hätte, machte das keinen Unterschied. Sie konnte es nicht anzünden: Sie hatte keine Streichhölzer. Und selbst wenn sie sich welche hätte verschaffen können, so würde sie ihren Zweck nicht erreichen, denn der Junge, der ihr Opfer sein sollte, war in meinen Armen. Und der allergrößte Wahnsinn: Wäre ich nun nicht da gewesen und hätte das Kind gerettet, und sie hätte es lebendig verbrannt – wie konnte sie nur hoffen, ihre Schwester zurückzugewinnen, indem sie deren Kind verbrannte?

Es war das Feuer einer Wahnsinnigen.

In meinen Armen regte sich das Baby und öffnete den Mund, um zu wimmern. Was sollte ich tun?

Hinter Adelines Rücken schlich ich mich leise hinaus und in die Küche. Ich musste das Baby an einen Ort bringen, wo es in Sicherheit war, und mir anschließend Adeline vornehmen. Mir rauchte der Kopf, während mir ein Plan nach dem anderen in den Sinn kam. Emmeline wird für ihre Schwester keine Liebe mehr übrig haben, wenn sie erkennt, was sie versucht hat. Dann gibt es nur noch sie und mich. Wir werden der Polizei sagen, dass Adeline John-the-dig getötet hat, und sie nehmen sie mit. Nein, wir sagen Adeline, wir melden es der Polizei, wenn sie Angelfield nicht verlässt… Nein! Und plötzlich hatte ich es! *Wir* werden Angelfield verlassen. Ja! Emmeline und ich werden mit dem Baby gehen, und wir werden ein neues Leben anfangen, ohne Adeline, ohne Angelfield, aber zusammen.

Und es erschien mir so einfach, dass ich mich wunderte, wieso ich nicht schon viel eher darauf gekommen war.

An der Küchentür hing Ambroses Jagdtasche. Hastig öffnete ich die Schnallen und wickelte das Baby ein. Die Zukunft lag so strahlend vor mir, dass sie mir realer erschien als die Gegenwart, und ich steckte das Papierknäuel, eine Seite aus *Jane Eyre,* in die Tasche, um sie zu bewahren, außerdem einen Löffel, der auf dem Küchentisch lag. Wir würden ihn auf dem Weg in unser neues Leben brauchen.

Und jetzt wohin? Irgendwohin, nicht weit vom Haus, wo ihm kein Schaden zugefügt werden kann, wo er es in den wenigen Minuten, die es dauern würde, um zum Haus zurückzugehen und mir Emmeline zu schnappen und sie zu überreden, mitzukommen, warm genug hat.

Nicht das Kutschenhaus. Adeline ging manchmal dorthin. Die Kapelle. Dorthin kam sie nie.

Ich rannte die Einfahrt hinunter, durch das überdachte Friedhofstor und in die kleine Kirche. Auf den vorderen Bänken befanden sich kleine Gobelinkissen zum Knien. Ich legte sie zu einem Bettchen zusammen und das Baby in seiner Leinentrage darauf.

Jetzt zum Haus zurück.

Ich war fast da, als meine Zukunft zunichte gemacht wurde. Glassplitter fliegen durch die Luft, ein Fenster nach dem anderen zerspringt, und im leeren Fensterrahmen sehe ich flüssiges Feuer quer durchs Zimmer spritzen, als Benzinkanister in der Hitze platzen. Und *zwei* Gestalten.

*Emmeline!*

Ich renne. Schon in der Eingangshalle sticht mir der Brandgeruch in die Nase, obwohl der Steinboden und die Wände kühl sind und das Feuer hier nichts findet, um überzuspringen. Doch an der Bibliothekstür bleibe ich stehen. Die Flammen jagen einander die Vorhänge hoch, Bücherregale brennen lichterloh, der Kamin selbst ist ein einziges Inferno. Mitten im Zimmer die Zwillinge. Einen Moment lang bin ich bei all dem Getöse und der Hitze des Feuers wie erstarrt. Verblüfft. Denn Emmeline, die passive, gefügige Emmeline, gibt jeden Schlag, jeden Tritt, jeden Biss zurück. Noch nie hat sie sich gegen ihre Schwester zur Wehr gesetzt, doch jetzt tut sie es. Für ihr Kind.

Rund um die beiden, über ihren Köpfen eine blendend helle Explosion nach der anderen, als die Benzinkanister platzen und das Feuer auf den Raum herunterregnet.

Ich mache den Mund auf, um Emmeline zuzurufen, dass das Baby in Sicherheit ist, doch mein erster Atemzug ist nichts als Hitze, und ich ringe nach Luft.

Ich springe über Feuer, umgehe die Flammen, weiche den Brandfackeln aus, die auf mich herunterstürzen, streife die Flammen mit den Händen ab, schlage sie aus, die sich in meinen Kleidern ausbreiten. Als ich die Schwestern erreiche, kann ich sie nicht sehen, sondern taste nur blind durch den Rauch hindurch nach ihnen. Sie zucken unter meiner Berührung zurück und trennen sich augenblicklich. Es gibt einen Moment, in dem ich Emmeline sehe, sie ganz deutlich vor Augen habe und sie mich. Ich packe sie an der Hand und ziehe sie durch die Flammen, durch das Inferno, und wir erreichen die Tür. Doch als sie merkt, was ich tue – dass ich sie in Sicherheit bringe –, bleibt sie abrupt stehen. Ich zerre an ihr.

»Er ist sicher.« Meine Worte sind ein einziges Krächzen, aber dennoch deutlich genug.

Wieso versteht sie mich nicht?

Ich versuche es noch einmal. »Das Baby. Ich habe es gerettet.«

Sie hat mich doch gehört? Unerklärlicherweise wehrt sie sich, und ihre Hand rutscht aus meinem Griff. Wo ist sie? Ich sehe nur schwarzen Rauch.

Ich stolpere nach vorne in die Flammen, pralle gegen sie, packe sie und ziehe.

Noch immer will sie nicht bei mir bleiben und wendet sich zum zweiten Mal ab.

Wieso?

Sie ist an ihre Schwester gebunden.

Blind und mit brennender Lunge folge ich ihr in den Rauch.

Ich werde das Band zerreißen.

Die Augen gegen die Hitze geschlossen, stürze ich mich in die Bibliothek und taste mich mit ausgestreckten Armen voran. Als meine Hände sie zu fassen bekommen, lasse ich sie nicht los. Ich werde nicht erlauben, dass sie stirbt. Ich werde sie retten. Und obwohl sie Widerstand leistet, ziehe ich sie wild entschlossen zur Tür und nach draußen.

Die Tür besteht aus Eiche. Sie ist schwer und brennt nicht so leicht. Ich schiebe sie hinter uns zu, und der Riegel schnappt ein.

Neben mir tritt sie vor, um sie noch einmal zu öffnen. Etwas, das stärker ist als das Feuer, zieht sie in diesen Raum zurück.

Der Schlüssel, der im Schloss steckt und seit Hesters Zeit nicht mehr benutzt worden ist, glüht. Ich trage sonst keine Verletzungen davon in dieser Nacht, doch der Schlüssel versengt mir die Handfläche, und ich rieche mein verkohlendes Fleisch. Emmeline streckt die Hand aus, um den Schlüssel zu ergreifen und die Tür noch einmal aufzuschließen. Sie verbrennt sich am Metall, und als sie der Schock trifft, ziehe ich sie weg.

Ein gewaltiger Schrei erfüllt meinen Kopf. Ist er menschlich? Oder ist es das Geräusch des Feuers selbst? Ich weiß nicht einmal, ob er von dort drinnen kommt oder von draußen neben mir. Er beginnt mit einem tiefen, kehligen Laut und schwillt an, und wenn ich denke, dass ihm die Luft ausgeht, will er nicht enden – unmöglich leise, unmöglich lange, ein grenzenloser Laut, der die Welt erfüllt und sie verschlingt.

Dann verstummt der Laut, und ich höre nur noch das Tosen und Prasseln des Feuers.

Draußen. Regen. Der Rasen ist triefend nass. Wir sinken zu Boden, rollen uns im nassen Gras, um unsere glimmenden

Kleider und Haare zu löschen und das kühle Nass an unserem versengten Fleisch zu spüren. Dort bleiben wir flach an die Erde gedrückt auf dem Rücken liegen. Ich öffne den Mund und trinke den Regen. Er fällt mir aufs Gesicht, kühlt mir die Augen, und ich kann wieder sehen. Noch nie habe ich einen solchen Himmel gesehen, ein tiefes Indigoblau mit schnell dahinziehenden schiefergrauen Wolken, während der Regen mit Silberklingen die Luft zerschneidet. Dazwischen ab und zu ein leuchtend orangefarbener Sprühregen vom Haus, eine Feuerfontäne. Ein Blitzschlag spaltet den Himmel, dann noch einer und ein dritter.

Das Baby. Ich muss Emmeline sagen, was mit dem Baby ist. Sie wird glücklich sein, dass ich es gerettet habe. Am Ende wird alles gut.

Ich drehe mich zu ihr um und öffne den Mund, um etwas zu sagen. Ihr Gesicht…

Ihr schönes Gesicht ist schwarz und rot, nur Rauch und Blut und Feuer. Ihre Augen, ihr grüner Blick, verunstaltet, ohne zu sehen, ohne zu wissen.

Ich sehe ihr Gesicht und kann meine geliebte Schwester darin nicht erkennen.

»Emmeline?«, flüstere ich. »Emmeline?«

Sie antwortet nicht.

Ich fühle, wie es meinem Herzen den tödlichen Stoß versetzt. Was habe ich getan? Habe ich…? Ist es möglich, dass…?

Ich ertrage es nicht, es zu wissen.

Ich ertrage es nicht, es nicht zu wissen.

»Adeline?« Meine Stimme klingt gebrochen.

Doch sie – diese Person, dieser Jemand, diese eine oder andere, dieser Mensch, der es vielleicht ist oder nicht, dieses liebste Wesen, dieses Monster, dieser Jemand, von dem ich nicht weiß, wer er ist – antwortet nicht.

Es kamen Leute von der Einfahrt herübergelaufen, aufgeregte Stimmen in der Nacht.

Ich erhob mich und huschte geduckt davon. Ich blieb gebückt. Versteckte mich. Sie erreichten die junge Frau im Gras, und als ich sicher war, dass sie sie gefunden hatten, überließ ich sie ihnen. In der Kapelle schlang ich mir die Tasche über die Schulter, drückte mir das Baby in seiner Trage in die Seite und machte mich auf den Weg.

Im Wald war es still. Der Regen, den der Baldachin der Blätter dämpfte, fiel weich auf das Gestrüpp. Das Kind wimmerte und schlief dann ein. Meine Füße trugen mich zu einem kleinen Haus auf der anderen Seite des Waldes. Ich kannte das Haus. In meinen Spukjahren hatte ich es oft gesehen. Eine Frau lebte dort, allein. Wenn ich ihr durchs Fenster heimlich beim Stricken oder Backen zugesehen hatte, fand ich immer, dass sie nett aussieht, und immer wenn ich in meinen Büchern von gütigen Großmüttern las, verlieh ich ihnen ihr Gesicht.

Ich brachte das Baby zu ihr. Ich blickte, so wie früher, zum Fenster hinein und sah sie an ihrem gewohnten Platz am Feuer beim Stricken. In Gedanken vertieft und still. Sie trennte ihre Strickarbeit auf. Saß einfach nur da und zog ihre Maschen auf, die Nadeln neben sich auf dem Tisch. Unter dem Vordach gab es für das Baby ein trockenes Fleckchen. Ich legte den Kleinen dort hin und wartete hinter einem Baum.

Sie öffnete die Tür. Hob ihn auf. Als ich ihr Gesicht sah, wusste ich, dass er bei ihr in Sicherheit war. Sie schaute auf. In meine Richtung. Als hätte sie etwas gesehen. Hatte ich mit den Blättern geraschelt und mich so verraten? Einen Moment überlegte ich, ob ich aus meinem Versteck treten sollte. Gewiss wäre sie mir freundlich gesonnen. Ich zögerte, und der Wind wechselte in dieser Sekunde die Richtung. Ich roch das Feuer im selben Moment wie sie. Sie wandte sich ab, blickte in den

Himmel, schnappte nach Luft, als sie den Rauch sah, der über Angelfield aufstieg. Und dann stand ihr die Verwunderung ins Gesicht geschrieben. Sie hielt sich das Baby an die Nase und roch daran. Es hatte den Brandgeruch von meinen Kleidern angenommen. Noch ein Blick auf den Rauch, sie trat entschlossen ins Haus zurück und schloss die Tür.

Ich war allein.

Ohne Namen.

Ohne Zuhause.

Ohne Familie.

Ich war nichts.

Ich konnte nirgends hin.

Ich hatte niemanden, der zu mir gehörte.

Ich starrte auf meine verbrannte Hand, ohne den Schmerz zu spüren.

Was war ich für ein seltsames Ding? War ich überhaupt am Leben?

Ich könnte überall hingehen, doch ich lief nach Angelfield zurück. Es war der einzige Ort, den ich kannte.

Ich trat hinter den Bäumen hervor und näherte mich der Szene. Ein Löschzug. Dorfbewohner mit ihren Eimern, die benommen und mit rauchgeschwärzten Gesichtern den Profis bei ihrem Kampf mit den Flammen zuschauten. Frauen, die vom Rauch, der in den schwarzen Himmel stieg, wie gebannt zu sein schienen. Ein Krankenwagen. Dr. Maudsley, der über einer Gestalt auf dem Rasen kniete.

Niemand sah mich.

Ich stand unsichtbar am Rande des Treibens. Vielleicht war ich ja wirklich ein Nichts. Vielleicht konnte mich überhaupt niemand sehen. Vielleicht war ich im Feuer umgekommen und hatte es nur noch nicht gemerkt. Vielleicht war ich zu guter Letzt, was ich schon immer gewesen war: ein Gespenst.

Dann schaute eine der Frauen in meine Richtung.

»Seht mal«, rief sie und deutete mit dem Finger auf mich. »Da kommt sie!«, und die Leute drehten sich um. Starrten mich an. Eine der Frauen lief zu den Männern, um es ihnen zu sagen. Sie wandten sich vom Feuer ab und schauten ebenfalls in meine Richtung. »Gott sei Dank!«, sagte jemand.

Ich öffnete den Mund, um – ich weiß nicht, was – zu sagen. Aber ich sagte nichts. Stand nur da, bewegte stumm die Lippen, brachte jedoch keinen Ton heraus.

»Sie brauchen nichts zu sagen.« Dr. Maudsley war jetzt an meiner Seite.

Ich starrte auf das Mädchen auf dem Rasen. »Sie wird überleben«, sagte der Doktor.

Ich starrte auf das Haus.

Die Flammen. Meine Bücher. Ich musste an die Seite aus *Jane Eyre* denken, die zerknüllten Worte, die ich vor dem Scheiterhaufen gerettet hatte. Ich hatte sie bei dem Baby gelassen.

Ich weinte.

»Sie steht unter Schock«, sagte der Doktor zu einer der Frauen. »Halten Sie sie warm und bleiben Sie bei ihr, während wir die Schwester in den Krankenwagen verfrachten.«

Eine Frau kam auf mich zu und brachte ihre Anteilnahme zum Ausdruck. Sie zog ihren Mantel aus und legte ihn mir über die Schultern – behutsam, als zöge sie ein Baby an, und sie murmelte: »Keine Sorge, das wird schon wieder, Ihre Schwester kommt durch. Gott, Sie Arme.«

Sie hoben das Mädchen vom Rasen auf und legten es auf die Trage im Krankenwagen. Dann halfen sie mir hinein, setzten mich ihr gegenüber. Und sie fuhren uns ins Krankenhaus.

Sie starrte vor sich hin. Mit offenen Augen und leerem Blick. Nur einmal kurz sah ich hin. Der Sanitäter beugte sich über sie, vergewisserte sich, dass sie atmete, und wandte sich dann an mich.

»Was ist mit der Hand, hm?«

Ich hielt meine Rechte in der Linken. Obwohl ich mir der Schmerzen nicht bewusst war, verriet mein Körper mein Geheimnis.

Er nahm sie, und ich erlaubte ihm, meine Finger zu öffnen. Ein Mal hatte sich mir tief in die Handfläche eingebrannt. Der Schlüssel.

»Das heilt«, sagte er. »Keine Sorge. Also, sind Sie nun Adeline oder Emmeline?«

Er deutete auf die andere. »Ist das Emmeline?«

Ich konnte nicht antworten, konnte nichts fühlen, konnte mich nicht bewegen.

»Keine Sorge«, sagte er. »Alles zu seiner Zeit.«

Er gab es auf, sich mir verständlich machen zu wollen. Brummte nur ein bisschen vor sich hin. »Trotzdem, irgendwie müssen wir Sie nennen. Adeline, Emmeline – Emmeline, Adeline. Fünfzig zu fünfzig, stimmt's? Wird sich schon zeigen.«

Das Krankenhaus. Die Türen des Wagens gingen auf. Es war laut und hektisch. Stimmen, die schnell sprachen. Die Trage wurde auf ein Gestell gehoben und eilig weggefahren. Ein Rollstuhl. Hände auf meiner Schulter. »Kommen Sie, setzen Sie sich.« Der Stuhl bewegte sich. Eine Stimme in meinem Rücken. »Keine Sorge, mein Kind. Wir kümmern uns um Sie und Ihre Schwester. Sie sind jetzt in Sicherheit, Adeline.«

&

Miss Winter schlief.

Ich sah, wie ihr schlaffer Mund ein wenig geöffnet war, wie ihr ein widerspenstiges Haarbüschel unbändig von der Schläfe abstand. Im Schlaf schien sie sehr, sehr alt und sehr, sehr jung. Mit jedem Atemzug hob und senkte sich das Bettzeug über ihren dünnen Schultern, und jedes Mal, wenn es sich senkte, streifte ihr die Borte der Decke das Gesicht. Sie schien es nicht zu merken, dennoch beugte ich mich über sie, um die Decken ein wenig zurückzuschlagen und die helle Strähne wegzustreichen.

Sie rührte sich nicht. Schlief sie tatsächlich, oder war das schon Bewusstlosigkeit?

Ich kann nicht sagen, wie lange ich sie danach noch beobachtete. Es gab eine Uhr, doch die Bewegung der Zeiger war so bedeutungslos wie eine Karte von der Oberfläche des Meeres. Woge um Woge schwappte die Zeit über mich, während ich mit geschlossenen Augen dort saß und nicht schlief, sondern wie eine Mutter über den Atem ihres Kindes wachte.

Ich kann kaum sagen, wie ich das Nächste, was passierte, beschreiben soll. Ist es möglich, dass ich, müde, wie ich war, Halluzinationen hatte? Bin ich doch eingeschlafen und habe geträumt? Oder hat Miss Winter tatsächlich noch ein letztes Mal gesprochen?

*Ich werde deiner Schwester deine Botschaft überbringen.*

Ich riss die Augen auf, doch ihre waren geschlossen. Sie schien genauso fest zu schlafen wie eben.

Ich sah den Wolf nicht, als er kam. Ich hörte ihn nicht. Nur so viel: Kurz vor Morgengrauen wurde mir bewusst, wie still es geworden war, und ich merkte, dass nur noch mein eigener Atem im Zimmer zu hören war.

# ANFANG

# SCHNEE

Miss Winter starb, und es schneite weiter.

Als Judith kam, stand sie eine Weile mit mir am Fenster, und wir betrachteten das unheimliche Licht des nächtlichen Himmels. Als uns das veränderte Weiß dort draußen schließlich sagte, dass es Morgen war, schickte sie mich zu Bett.

Ich wachte am späten Nachmittag auf.

Der Schnee, der bereits das Telefon lahm gelegt hatte, erreichte jetzt die Fenstersimse und türmte sich an den Türen bis auf halbe Höhe. Er trennte uns so wirkungsvoll von der übrigen Welt wie ein Gefängnistor. Miss Winter war entkommen; ebenso die Frau, auf die Judith sich als Emmeline bezog und die ich bewusst nicht beim Namen nannte. Wir Übrigen, Judith, Maurice und ich, saßen in der Falle.

Der Kater war unruhig. Der Schnee verstimmte ihn; er mochte es nicht, wenn das Universum sein Aussehen derart veränderte. Auf der Suche nach seiner verlorenen Welt stieg er von einer Fensterbank zur anderen und miaute beharrlich hinter Judith, Maurice und mir her, als läge es in unserer Hand, es zu richten. Der Verlust seiner beiden Besitzerinnen war dagegen eine Kleinigkeit und ließ ihn, falls er ihn überhaupt bemerkte, einigermaßen kalt.

Der Schnee hatte einen bestimmten Punkt wie in einer Zeitschlinge eingefangen, und wir arrangierten uns jeder auf seine eigene Weise damit. Judith, durch nichts zu erschüttern, machte Gemüsesuppe und wischte die Küchenschränke aus. Als sie keine häuslichen Pflichten mehr fand, manikürte sie sich die Fingernägel und legte eine Gesichtspackung auf. Maurice, dem die Einschränkung mächtig zu schaffen machte, spielte unablässig Solitär, doch als er seinen Tee schwarz trinken musste, weil keine Milch da war, spielte Judith mit ihm endlose Runden Rommee, um ihn von seiner schlechten Laune abzulenken.

Ich selber verbrachte zwei Tage damit, meine letzten Notizen ins Reine zu schreiben, doch als ich fertig war, stellte ich fest, dass ich mich aufs Lesen nicht konzentrieren konnte. Nicht einmal Sherlock Holmes drang in der schneeverwehten Landschaft bis zu mir durch. Allein in meinem Zimmer, nahm ich eine ganze Weile lang meine Melancholie unter die Lupe und versuchte das zu benennen, was ich für ein neues Element darin hielt. Ich stellte fest, dass ich Miss Winter vermisste, und so begab ich mich in der Hoffnung auf menschliche Gesellschaft in die Küche. Maurice war froh, mit mir Karten zu spielen, auch wenn ich nur Kinderspiele kannte. Als Judiths Fingernägel trockneten, machte ich den Kakao und Tee ohne Milch und ließ Judith später meine eigenen Nägel feilen und lackieren.

Auf diese Weise saßen wir drei und die Katze, mit unseren Toten eingeschlossen, die zugeschneiten Tage aus, in denen das alte Jahr einfach nicht seinen Abschied nehmen wollte.

Am fünften Tag gab ich einem überwältigenden Gefühl der Trauer nach.

Ich hatte den Abwasch erledigt, und Maurice hatte abgetrocknet, Judith spielte unterdessen am Tisch Solitär. Wir waren alle froh über den Tausch. Da die Arbeit getan war, zog ich mich von ihnen zurück und begab mich allein ins Wohnzimmer. Das Fenster befand sich auf der Seite des Gartens, der im Windschatten des Hauses lag. Hier war der Schnee nicht so hoch. Ich öffnete das Fenster, kletterte in das Weiß hinaus und lief über die Verwehungen. Der ganze Kummer, den ich mir über die Jahre mithilfe von Büchern vom Halse gehalten hatte, brach jetzt über mich herein. Auf einer Bank, im Schutz einer hohen Eibenhecke, überließ ich mich einer Trauer, die so grenzenlos und tief wie die Schneedecke war und ebenso unberührt. Ich weinte um Miss Winter, um ihr Gespenst, um Adeline und Emmeline. Um meine Schwester, meine Mutter und meinen Vater. Am meisten und am heftigsten weinte ich um mich selbst. Meine Trauer war die eines kleinen Kindes, das soeben von seiner anderen Hälfte getrennt worden war. Um das Kind, das sich über eine alte Blechdose beugt und den schockierenden Sinn von ein paar Dokumenten begreift. Und um die erwachsene Frau, die im trügerischen Licht und der Stille des Schnees sitzt und weint.

Als ich zu mir kam, war Dr. Clifton da. Er legte den Arm um mich. »Ich weiß«, sagte er, »ich weiß.«

Natürlich wusste er nicht. Nicht wirklich. Dennoch sagte er es, und es beruhigte mich. Denn ich wusste, was er meinte. Wir alle haben unser Leid, und obwohl es für jeden von uns andere Konturen, ein anderes Gewicht und andere Dimensionen annimmt, ist der Kummer im Wesentlichen für uns alle gleich. »Ich weiß«, sagte er, da er ein Mensch war und es folglich in gewisser Weise stimmte.

Er nahm mich mit nach drinnen, ins Warme.

»Du liebes bisschen«, sagte Judith. »Soll ich Kakao machen?«

»Mit einem Schuss Brandy, denke ich«, sagte Dr. Clifton.

Maurice zog einen Stuhl für mich heran und schürte dann das Feuer.

Ich schlürfte den Kakao in kleinen Schlucken. Es gab Milch, der Doktor, der mit dem Bauern auf dem Traktor gekommen war, hatte sie mitgebracht.

Judith wickelte mich fest in ein Schultertuch und begann, die Kartoffeln fürs Abendessen zu schälen. Sie und Maurice und der Doktor ließen die eine oder andere Bemerkung fallen – was wir kochen könnten, ob es schon weniger heftig schneite, wie lange es wohl noch dauern würde, bis die Telefonleitung repariert war – und machten sich auf diese Weise an das mühsame Unterfangen, das Leben wieder in Gang zu setzen, nachdem der Tod uns alle hatte erstarren lassen.

Nach und nach verwoben sich die einzelnen Bemerkungen zu einer Unterhaltung.

Ich hörte ihnen zu und stimmte nach einer Weile ein.

# Herzlichen Glückwunsch zum Geburtstag

Ich kehrte heim.

In den Laden.

»Miss Winter ist tot«, sagte ich zu meinem Vater.

»Und du? Wie geht es dir?«, fragte er.

»Ich lebe noch.«

Er lächelte.

»Erzähl mir von Mama«, bat ich ihn. »Weshalb ist sie so, wie sie ist?«

»Als du zur Welt kamst, ging es ihr sehr schlecht. Sie hat dich nicht einmal sehen können, bevor sie dich ihr weggenommen haben. Deine Schwester hat sie überhaupt nie gesehen. Deine Mutter wäre fast gestorben. Als sie sich endlich erholt hatte, war die Operation schon vorbei, und deine Schwester...«

»Und meine Schwester war gestorben.«

»Ja. Und niemand konnte sagen, wie es bei dir ausgehen würde... Ich dachte, ich würde euch alle drei verlieren. Ich betete zu jedem Gott, von dem ich je gehört hatte, euch zu retten, und meine Gebete wurden erhört. Zum Teil. Du hast überlebt. Deine Mutter war nie wieder die Alte.«

Es gab noch etwas, das ich wissen musste.

»Wieso hast du es mir nie gesagt? Dass ich ein Zwilling bin?«

Als er mir sein Gesicht zuwandte, wirkte er völlig am Boden zerstört. Er schluckte und sagte schließlich mit heiserer Stimme: »Die Geschichte deiner Geburt ist so traurig. Deine Mutter fand, dass ein Kind so etwas nicht verkraften würde. Ich hätte es so gerne an deiner Stelle ertragen, Margaret. Ich hätte alles getan, um dir das zu ersparen.«

Wir saßen schweigend da. Ich dachte an all die anderen Fragen, die ich ihm hätte stellen können, doch jetzt, als der Zeitpunkt gekommen war, brauchte ich es nicht mehr.

Ich griff im selben Moment nach der Hand meines Vaters wie er nach der meinen.

Im Verlauf von drei Tagen ging ich zu ebenso vielen Beerdigungen.

Miss Winters Beisetzungsfeier war groß. Die ganze Nation trauerte um ihre beliebteste Geschichtenerzählerin, und Tausende Leser zollten ihr die letzte Ehrerbietung. Ich ging, sobald ich konnte, da ich mich schon zuvor von ihr verabschiedet hatte.

Die zweite fand in aller Stille statt. Nur Judith, Maurice, der Doktor und ich waren gekommen, um die Frau zu betrauern, die während des ganzen Gottesdienstes Emmeline genannt wurde. Danach verabschiedeten wir uns in aller Kürze und gingen auseinander.

Die dritte war noch einsamer. In einem Krematorium in Banbury war ich die einzige Zeugin, als ein Geistlicher mit ausdrucksloser Miene darüber wachte, wie ein paar Knochen von unbekannter Identität in Gottes Hände übergeben wurden. In Gottes Hände, nur dass ich es war, die später die Urne in Empfang nahm, »im Namen der Familie Angelfield«.

In Angelfield kamen die Schneeglöckchen. Zumindest bohrten sich die ersten Spitzen, grün und frisch, durch den gefrorenen Boden und den Schnee.

Als ich aufstand, hörte ich ein Geräusch. Es war Aurelius, der am Friedhofstor stand. Auf seinen Schultern hatte sich Schnee gesammelt, und er hatte Blumen mitgebracht.

»Aurelius!« Wie konnte er so traurig geworden sein? So bleich? »Sie haben … du hast dich verändert«, sagte ich.

»Ich bin von dieser aussichtslosen Suche erschöpft.« Seine Augen, stets milde, hatten denselben verwaschenen Blauton angenommen wie der Januarhimmel. Ihre Transparenz gewährte einen Blick direkt in sein enttäuschtes Herz. »Mein ganzes Leben lang wollte ich meine Familie finden. Wollte ich wissen, wer ich bin. Und in letzter Zeit hatte ich Hoffnung. Ich dachte, es gäbe eine echte Chance, meine Familie wiederzubekommen. Ich fürchte, ich habe mich geirrt.«

Wir liefen auf dem Graspfad zwischen den Gräbern und strichen den Schnee von der Bank, um uns hinzusetzen. Aurelius kramte in seiner Tasche und wickelte zwei Stücke Kuchen aus. In Gedanken reichte er mir eines und grub die Zähne in das andere.

»Ist das alles, was du mir noch geben kannst?«, fragte er mich, als sein Blick auf die Urne fiel. »Ist das alles, was von meiner Geschichte übrig ist?«

Ich reichte ihm die Urne.

»Ist sie nicht leicht? Wie Luft? Andererseits …« Er hob die Hand und legte sie ans Herz – er suchte nach einer Geste, die zum Ausdruck brachte, wie schwermütig er war. Als er keine fand, stellte er die Urne ab und nahm erneut einen Bissen von seinem Kuchen.

Als er den letzten Krümel gegessen hatte, sagte er: »Wenn sie meine Mutter war, wieso war ich dann nicht bei ihr? Wieso bin ich nicht hier zusammen mit ihr gestorben? Wieso hat sie mich zu Mrs. Loves Haus gebracht und ist dann hierher zurückgekommen, zu einem Haus, das in Flammen stand? Wieso? Das ergibt einfach keinen Sinn.«

Ich folgte ihm, als er vom Hauptpfad abzweigte und sich zwischen den schmalen Einfassungen der Gräber hindurchschlängelte. Er blieb vor einer Grabstätte stehen, die ich mir schon einmal angesehen hatte, und legte seine Blumen darauf. Der Stein war schlicht. »Joan Mary Love. In steter Erinnerung.«

Armer Aurelius. Er war der ganzen Suche so überdrüssig. Als ich mich bei ihm unterhakte, schien er es kaum zu merken. Doch dann drehte er sich zu mir um. »Vielleicht ist es besser, überhaupt keine Geschichte zu haben als eine, die sich ständig ändert. Mein ganzes Leben bin ich hinter meiner Geschichte hergejagt und habe sie nie ganz eingeholt. Dabei hatte ich immer Mrs. Love. Sie hat mich geliebt, weißt du.«

»Daran habe ich nie den geringsten Zweifel gehegt.« Sie war ihm eine gute Mutter gewesen. Besser, als es einer der Zwillinge hätte sein können. »Vielleicht ist es wirklich besser, es nicht zu wissen«, sagte ich.

Er sah vom Grabstein in den weißen Himmel auf. »Glaubst *du* das?«

»Nein.«

»Wieso sagst du es dann?«

Ich zog meinen Arm zurück und steckte die kalten Hände in die Ärmel meines Mantels. »Meine Mutter würde das sagen. Sie glaubt, eine leichtgewichtige Geschichte ist besser als eine, die zu schwer auf einem lastet.«

»Demnach ist meine Geschichte schwer zu ertragen.«

Ich sagte nichts, und als das Schweigen zu lange währte, erzählte ich ihm nicht seine Geschichte, sondern meine.

»Ich hatte eine Schwester«, fing ich an. »Einen Zwilling.«

Er drehte sich zu mir um. Seine Schultern ragten breit und kräftig in den Himmel, und er hörte mir mit ernster Miene zu.

»Wir waren zusammengewachsen. Hier …« Und ich strich mit der Hand über meine linke Seite. »Sie konnte ohne mich nicht überleben. Sie war auf mein Herz angewiesen. Aber ich konnte nicht mit ihr leben. Sie zehrte mich aus. Die Ärzte trennten uns, und sie starb.« Ich legte auch die zweite Hand über die Narbe und drückte fest. »Meine Mutter hat es mir nie gesagt. Sie dachte, es wäre besser für mich, wenn ich es nicht erfahre.«

»Eine leichtgewichtige Geschichte.«

»Ja.«

»Aber du hast es doch erfahren.«

Ich drückte fester. »Ich habe es durch Zufall rausbekommen.«

»Das tut mir Leid«, sagte er.

Ich merkte, wie er meine beiden Hände nahm und sie in seine große Faust einschloss. Dann zog er mich mit dem anderen Arm an sich. Ich spürte seinen weichen Bauch, und ich hörte ein Geräusch an meinem Ohr. Es ist sein Herzschlag, dachte ich. Ein menschliches Herz. An meiner Seite. So also hört sich das an. Ich lauschte.

Dann ließen wir uns los.

»Und ist es besser, es zu wissen?«, fragte er mich.

»Kann ich nicht sagen. Aber wenn man es erst mal weiß, gibt es kein Zurück.«

»Und du kennst meine Geschichte.«

»Ja.«

»Meine wahre Geschichte.«

»Ja.«

Er zögerte kaum. Holte nur einmal tief Luft und schien ein wenig mehr zu wachsen.

»Dann solltest du sie mir erzählen«, sagte er.

Ich fing an, und während ich erzählte, gingen wir weiter. Als ich beim Ende der Geschichte angelangt war, standen wir an der Stelle, wo die Schneeglöckchen durch die weiße Schneedecke lugten.

Die Urne in der Hand, stand Aurelius unschlüssig da. »Ich habe das Gefühl, das ist gegen die Regeln.«

Das vermutete ich auch. »Aber was bleibt uns anderes übrig?«

»Die Regeln passen nicht für diesen Fall, nicht wahr?«

»Es ist das einzig Richtige.«

»Dann los.«

Mit dem Kuchenmesser schabten wir eine Mulde in die gefrorene Erde über dem Sarg der Frau, die ich als Emmeline kannte. Aurelius kippte die Asche hinein, und wir füllten sie wieder mit Erde auf. Aurelius drückte die Erde mit aller Kraft fest, dann arrangierten wir die Blumen, um zu verbergen, dass wir die Ruhe der Toten gestört hatten.

»Wenn der Schnee schmilzt, ebnet es sich ein«, sagte er und strich sich den Schnee von den Hosenbeinen.

»Aurelius, du kennst noch nicht die ganze Geschichte.«

Ich führte ihn zu einem anderen Teil des Friedhofs. »Du weißt jetzt über deine Mutter Bescheid, aber du hattest auch einen Vater.« Ich zeigte auf den Grabstein von Ambrose. »Das A und das S auf dem Zettel, den du mir gezeigt hast. Das war *sein* Name. Das war auch seine Tasche. Sie diente dazu, Jagdbeute zu transportieren. Das erklärt die Feder.«

Ich hielt inne. Es war ein bisschen viel für Aurelius. Als er nach einer ganzen Weile nickte, fuhr ich fort. »Er war ein guter Mann. Du bist wie er.«

Aurelius starrte mich an. Benommen. Noch mehr Enthüllungen. Noch mehr Verlust. »Er ist tot, verstehe.«

»Aber das ist nicht alles«, sagte ich leise. Langsam wandte er den Blick, und ich las in seinen Augen die Angst, dass die Geschichte, wie er im Stich gelassen wurde, immer noch kein Ende fand.

Ich nahm seine Hand. Ich lächelte ihn an.

»Nachdem du geboren warst, hat Ambrose geheiratet. Er bekam noch ein Kind.«

Er brauchte einen Moment, um zu begreifen, was das bedeutete, und als es ihm dämmerte, war er so aufgeregt, dass seine ganze Gestalt schlagartig mit Leben erfüllt war. »Du meinst – ich habe – und sie – er – sie …«

»Ja, eine Schwester!«

Das Lächeln in seinem Gesicht wurde breiter.

Ich fuhr fort. »Und sie hat wiederum Kinder. Einen Jungen und ein Mädchen!«

»Eine Nichte und einen Neffen!«

Ich nahm seine Hände, damit sie nicht mehr zitterten. »Eine *Familie*, Aurelius. *Deine* Familie. Du kennst sie bereits. Und sie erwartet dich.«

Ich konnte kaum mit ihm Schritt halten, als wir durch das Friedhofstor zum weißen Pförtnerhaus am Haupteingang eilten. Aurelius sah sich kein einziges Mal um. Erst am Pförtnerhaus blieben wir stehen, und das lag an mir.

»Aurelius! Beinahe hätte ich vergessen, dir das hier zu geben.«

Er nahm den weißen Umschlag und machte ihn, vor lauter Freude nicht ganz bei der Sache, auf. Er zog die Karte heraus und sah mich an. »Was? Ist das dein Ernst?«

»Ja.«

»Heute?«

»Heute!« In diesem Moment musste ich irgendwie übergeschnappt sein, denn ich tat etwas, das ich mein ganzes Leben noch nicht getan hatte und mir nie hätte träumen lassen. Ich machte den Mund auf und brüllte aus Leibeskräften: »HERZLICHEN GLÜCKWUNSCH ZUM GEBURTSTAG!«

Wie gesagt, ich war wohl nicht ganz bei Trost. Jedenfalls war es mir peinlich. Nicht, dass Aurelius das kümmerte. Er stand, die Arme seitlich ausgestreckt, mit geschlossenen Augen und das Gesicht zum Himmel gereckt da. Alles Glück der Welt rieselte mit dem Schnee auf ihn herab.

In Karens Garten waren im Schnee die Spuren von Fangenspielen zu erkennen, kleine Fußabdrücke und noch kleinere, die einander in weitläufigen Kreisen folgten. Die Kinder waren nirgends zu sehen, doch als wir näher kamen, hörten wir ihre Stimmen aus dem ruhigen Plätzchen in der Eibe.

»Ich will Schneewittchen spielen.«

»Das ist nur was für Mädchen.«

»Was spielen wir dann?«

»Was mit Raketen.«

»Ich will keine Rakete sein. Wir könnten Boote sein.«

»Waren wir doch gestern.«

Als sie den Torriegel hörten, spähten sie aus dem Baum, und da ihr Haar von Kapuzen bedeckt war, konnte man Bruder und Schwester kaum auseinander halten.

»Es ist der Kuchenmann!«

Karen trat aus dem Haus und kam über den Rasen herüber. »Soll ich euch sagen, wer das ist?«, fragte sie die Kinder, und sie lächelte Aurelius schüchtern zu. »Das ist euer Onkel.«

Aurelius blickte von Karen zu den Kindern und wieder zu Karen, und seine Augen waren kaum groß genug, um sich an allem satt zu sehen. Er fand keine Worte, doch dann nahm er die Hand, die Karen ihm schüchtern entgegenstreckte.

»Es ist alles ein bisschen ...«, fing er an.

»Nicht wahr?«, stimmte sie zu. »Aber wir werden uns daran gewöhnen, nicht wahr?«

Er nickte.

Die Kinder starrten neugierig auf das, was bei den Erwachsenen vor sich ging.

»Was spielt ihr gerade?«, fragte Karen, um sie abzulenken.

»Wissen wir noch nicht«, sagte das Mädchen.

»Wir können uns nicht entscheiden«, sagte ihr Bruder.

»Kennst du viele Geschichten?«, fragte Emma Aurelius.

»Nur eine«, erwiderte er.

»Nur eine?« Sie war verblüfft. »Kommen da Frösche drin vor?«

»Nein.«

»Dinosaurier?«

»Nein.«

»Geheimgänge?«

»Nein.«

Die Kinder sahen sich an. Die Geschichte lohnte sich offensichtlich nicht.

»Wir kennen jede Menge Geschichten«, sagte Tom.

»Jede Menge«, plapperte sie ihm verträumt nach. »Prinzessinnen, Frösche, verwunschene Schlösser, gute Feen …«

»Raupen, Kaninchen und Elefanten …«

»Alle möglichen Tiere.«

»Alle möglichen.«

Über der gemeinsamen Betrachtung zahlloser verschiedener Welten verstummten sie.

Aurelius schaute die beiden an wie ein übernatürliches Ereignis.

Dann kehrten sie in die reale Welt zurück. »Millionen Geschichten«, sagte der Junge.

»Soll ich *dir* eine Geschichte erzählen?«, fragte das Mädchen.

Ich hätte gedacht, dass Aurelius an diesem Tag genug Geschichten gehört hatte, doch er nickte.

Sie hob einen imaginären Gegenstand auf und legte ihn in ihre rechte Hand. Mit der linken mimte sie das Öffnen eines Buchdeckels. Sie sah auf, um sicherzustellen, dass sie die volle

Aufmerksamkeit ihrer Zuhörer hatte. Dann wandte sie sich wieder ihrem Buch zu und fing an.

»Es war einmal …«

Karen und Tom und Aurelius: drei Augenpaare, die sich auf Emma und ihre Erzählung richteten. Sie würden sich gut verstehen.

Unbemerkt trat ich vom Tor zurück und schlüpfte hinaus auf die Straße.

# Die dreizehnte Geschichte

Ich werde die Biografie von Vida Winter nicht publizieren. Alle Welt mag auf die Geschichte erpicht sein, doch es liegt nicht an mir, sie zu erzählen. Adeline und Emmeline, der Brand und das Gespenst, das sind Geschichten, die jetzt Aurelius gehören. Die Gräber auf dem Friedhof stehen ihm zu und ebenso sein Geburtstag, den er begehen kann, wie es ihm gefällt. Die Wahrheit wiegt schwer genug, ohne dass die ganze Welt zusieht. Sich selbst überlassen, können er und Karen ein neues Kapitel aufschlagen und von vorn anfangen.

Doch die Zeit vergeht. Eines Tages ist Aurelius nicht mehr, und eines Tages wird auch Karen diese Welt verlassen. Die Kinder, Tom und Emma, sind schon wieder ein Stück weiter von den Ereignissen entfernt, die ich hier aufgezeichnet habe, als ihr Onkel. Mithilfe ihrer Mutter haben sie angefangen, ihre eigenen Geschichten zu erfinden, Geschichten, die stark und handfest sind und wahr. Es kommt der Tag, da die Leben von Isabelle und Charlie, Adeline und Emmeline, von der Missus, John-the-dig und dem Mädchen ohne Namen so lange zurückliegen, dass ihre alten Knochen keinem mehr Angst einjagen und wehtun können. Sie sind dann nichts weiter als eine alte Geschichte, die niemandem schadet. Und wenn dieser Tag kommt – ich bin dann selber alt –, dann werde ich Tom und Emma dieses Dokument überreichen. Damit sie es lesen und, falls sie sich dazu entscheiden, veröffentlichen.

Ich hoffe, dass sie es veröffentlichen werden. Denn bis sie es tun, wird mich der Geist dieses Gespenstermädchens verfolgen. Sie wird in meinem Kopf herumspuken, mich in meinen Träumen heimsuchen, weil mein Gedächtnis ihr einziger Tummelplatz ist. Es ist nicht eben viel, dieses postume Leben, das sie fristet, aber doch besser, als in Vergessenheit zu geraten. Bis Tom und Emma dieses Manuskript freigeben, muss das genügen, dann wird sie nach ihrem Tod realer existieren als zu Lebzeiten.

Und so wird die Geschichte des Gespenstermädchens frühestens in vielen Jahren publik, wenn überhaupt. Das heißt jedoch nicht, dass ich der Welt gar nichts anzubieten hätte, um ihre Neugier über Vida Winter hier und jetzt zu befriedigen.

Am Ende meiner letzten Begegnung mit Mr. Lomax war ich gerade dabei, mich zu verabschieden, als er mich bat, noch einen Moment zu bleiben. »Da wäre noch etwas.« Er öffnete seinen Schreibtisch und holte einen Umschlag heraus.

Ich hatte dieses Kuvert nun bei mir, als ich unbemerkt aus Karens Garten schlüpfte und zurück zum Haupttor lief. Das Gelände war für das neue Hotel eingeebnet worden, und als ich versuchte, mir das alte Haus ins Gedächtnis zu rufen, stieß ich in meiner Erinnerung nur auf Fotos. Doch dann kam mir wieder zu Bewusstsein, wie es immer in die falsche Richtung gezeigt hatte. Es war verdreht gewesen. Bei dem neuen Bau würden sie es besser machen. Das Haus würde mit der Fassade nach vorne weisen.

Ich verließ den Kiesweg und überquerte den schneebedeckten Rasen zum alten Wildpark und Wald. Die dunklen Zweige bogen sich unter der Last des Schnees, der sich zuweilen in weichen Streifen löste, wenn ich vorüberging. Endlich kam ich zu dem Aussichtspunkt am Hang. Von dort aus kann man alles sehen. Die Kapelle mit ihrem Friedhof, auf dem die Blumenkränze auf den weißen Gräbern leuchten. Das Pförtnertor, kreideweiß vor blauem Himmel. Das Kutschenhaus, inzwischen von seiner Dornenschicht entblößt. Nur das Haus war verschwunden, und zwar ganz. Die Männer in ihren gelben Helmen hatten die Vergangenheit auf ein unbeschriebenes Blatt reduziert. Der Wendepunkt war erreicht. Man konnte nicht länger von einer Abrissstelle sprechen. Morgen, vielleicht auch schon heute, würden die Arbeiter wiederkommen, um eine Baustelle daraus zu machen. Nachdem sie die Vergangenheit niedergerissen hatten, war es Zeit, die Zukunft aufzubauen.

Ich nahm den Umschlag aus meiner Tasche. Ich hatte gewartet, auf den richtigen Zeitpunkt, den richtigen Ort.

Die Buchstaben auf dem Umschlag waren seltsam deformiert. Die ungelenken Striche lösten sich entweder auf oder waren tief ins Papier eingefurcht. Es fehlte jeder Fluss: Jeder Buchstabe schien für sich, unter großen Mühen geschrieben zu sein, und jeder weitere stellte offenbar ein gewagtes Unterfangen dar. Es war wie die Handschrift eines Kindes oder eines sehr alten Menschen. Der Brief war an Miss Margaret Lea adressiert.

Ich schlitzte die Lasche auf, zog den Inhalt heraus und setzte mich auf einen gefällten Baum, da ich grundsätzlich nicht im Stehen lese.

*Liebe Margaret,*

*hier ist die Erzählung, von der ich sprach. Ich habe versucht, sie zu Ende zu bringen, stelle jedoch fest, dass ich es nicht kann. Und so ist die Geschichte, um die alle Welt so viel Aufhebens macht, eben so, wie sie ist, eine ziemlich dürftige Angelegenheit, allenfalls besser als gar nichts. Machen Sie damit, was Sie für richtig halten.*

*Was die Überschrift betrifft, so kommt mir spontan* Aschenputtels Tochter *in den Sinn, doch ich kenne meine Leser gut genug, um zu wissen, dass ich sie nennen mag, wie ich will, und sie trotzdem unter einem einzigen Titel bekannt werden wird, und das wird nicht der von mir gewählte sein.*

Es gab keine Unterschrift, keinen Namenszug.

Doch eine Geschichte gab es: Es war die Geschichte von Aschenputtel in einer Fassung, wie ich sie noch nie gelesen hatte. Lakonisch, hart und zornig. Miss Winters Sätze waren wie Scherben, schneidend und brillant.

*Man stelle sich Folgendes vor,* fängt die Geschichte an. *Ein Junge und ein Mädchen, der eine reich, die andere arm. Meistens ist es das Mädchen, das keine Goldschätze besitzt, und so ist es auch in der Geschichte, die ich erzähle. Wir kommen auch ohne goldene Kugel aus. Ein Waldspaziergang genügte, und die beiden begegneten einander. Es war einmal eine gute Fee, doch die meiste Zeit war keine zur Stelle. Diese Geschichte handelt von solchen Zeiten. Der Kürbis unseres Mädchens ist einfach nur ein Kürbis, und nach Mitternacht schleppt sie sich mit blutbeflecktem Unterrock, geschändet, heim. Morgen wird kein Lakai mit einem Schuh aus feinstem Baumwollsatin vor der Haustür stehen. Da macht sie sich nichts vor. Sie ist nicht dumm. Und jetzt ist sie schwanger.*

In der übrigen Geschichte bringt Aschenputtel ein Mädchen zur Welt, zieht es in Dreck und Armut groß und setzt es nach ein paar Jahren auf dem Anwesen aus, das dem Schänder gehört. Die Erzählung endet abrupt.

*Als das Mädchen in einem Garten, in dem es noch nie gewesen ist, frierend und hungrig eine Weile einen Pfad entlanggegangen ist, stellt es plötzlich fest, dass es allein ist. Hinter sich sieht es das Gartentor zum Wald. Es ist angelehnt. Steht ihre Mutter noch dort? Geradeaus befindet sich ein Schuppen, in den Augen des Kindes wie ein kleines Haus. Ein Ort, wo es Unterschlupf finden könnte. Wer weiß, vielleicht gibt es dort sogar etwas zu essen?*

*Das Gartentor? Oder das kleine Haus?*

*Tor oder Haus?*

*Die Kleine zögert.*

*Sie zögert…*

Und hier bricht die Geschichte ab.

Miss Winters früheste Kindheitserinnerung? Oder nur eine Geschichte? Die Vorstellung eines phantasiebegabten Kindes, um die Lücke zu füllen, die ihre Mutter hinterlässt?

Die dreizehnte Geschichte. Die letzte, berühmte, unvollendete Geschichte.

Ich las sie und trauerte.

Nach und nach wechselten meine Gedanken von Miss Winter zu mir selbst. Auch wenn sie nicht gerade vollkommen war, so hatte ich immerhin eine Mutter. War es schon zu spät, um noch etwas aus unserer Beziehung zu machen? Doch das stand auf einem anderen Blatt.

Ich steckte den Umschlag in meine Tasche, stand auf und strich mir die Rindenstückchen von der Hose, bevor ich den Rückweg zur Straße antrat.

Ich hatte die Aufgabe übernommen, Miss Winters Lebensgeschichte zu schreiben, und das habe ich getan. So erfülle ich den Vertrag. Eine Abschrift dieses Dokuments ist bei Mr. Lomax zu hinterlegen, der sie in einem Bankschließfach aufbewahren und anschließend eine hohe Geldsumme an mich auszahlen wird. Offenbar muss er nicht einmal überprüfen, dass ich ihm keine leeren Seiten aushändige.

»Sie hat Ihnen vertraut«, erklärte er mir.

Daran kann tatsächlich kein Zweifel bestehen. Der Vertrag, den ich weder je gelesen noch unterschrieben habe, macht ihre Absichten deutlich. Sie wollte mir die Geschichte erzählen, bevor sie stirbt, sie wollte, dass ich sie aufzeichne. Was ich danach damit mache, war mir überlassen. Ich habe dem

Anwalt mein Vorhaben hinsichtlich Tom und Emma mitgeteilt, und wir haben einen Termin vereinbart, um meinen diesbezüglichen Wunsch für alle Fälle testamentarisch festzuhalten. Und damit wäre die Sache eigentlich abgeschlossen.

Aber irgendwie habe ich das Gefühl, dass ich noch nicht ganz fertig bin. Auch wenn ich nicht weiß, wer oder wie viele Menschen dies lesen werden. Trotzdem fühle ich mich ihnen irgendwie verpflichtet. Und obwohl ich alles gesagt habe, was es über Adeline und Emmeline und das Gespensterkind zu sagen gibt, ist mir klar, dass das einigen Lesern nicht genügen wird. Ich kenne das Gefühl, wenn man ein Buch aus der Hand legt und einen Tag oder eine Woche später überlegt, was aus dem Metzger geworden ist oder wer die Diamanten bekommen hat oder ob die vornehme Witwe sich wohl je mit ihrer Nichte aussöhnen konnte. Ich kann mir gut vorstellen, dass sich der eine oder andere Leser fragt, was aus Judith und Maurice geworden ist und ob sich die Leute, die später in dem Haus lebten, um den prächtigen Garten gekümmert haben.

Für diesen Fall sei Folgendes erwähnt: Judith und Maurice sind geblieben. Das Haus wurde nicht verkauft. Miss Winter hatte in ihrem Testament verfügt, dass das Haus und der Garten in eine Art literarisches Museum umgewandelt werden sollten. Den größten Wert stellte natürlich der Garten dar (»ein unverhofftes Juwel«, wie es in einer der ersten Besprechungen einer Gartenzeitschrift hieß), doch Miss Winter war klar, dass vor allem ihr Ruf als Erzählerin und nicht so sehr ihre gärtnerischen Fähigkeiten die Besucherströme anlocken würde. Und so sollte es Führungen durch die Zimmer, eine Teestube sowie einen Buchladen geben. Die Busladungen mit Touristen, die zum Brontë-Museum pilgern, könnten sich anschließend einen Besuch in Vida Winters Geheimgarten gönnen. Judith ist noch immer Haushälterin und Maurice leitender Gärtner. Ihre erste Aufgabe bestand darin, Emmelines Zimmerflucht leer zu räumen. Diese sollte dem Besucher nicht zur Verfügung stehen, denn dort würde es nichts zu sehen geben.

Und Hester. Also, darüber werden Sie staunen; jedenfalls habe ich gestaunt. Ich bekam einen Brief von Emmanuel Drake. Um ehrlich zu sein, hatte ich ihn völlig vergessen. Systematisch und beharrlich hatte er seine Nachforschungen weitergeführt und Hester am Ende wider Erwarten tatsächlich ausfindig gemacht. »Die Spur, die nach Italien führte, hatte mich irregeleitet«, erklärte er in seinem Schreiben, »denn Ihre Gouvernante war in Wahrheit genau in die entgegengesetzte Richtung verschwunden – nach Amerika!« Ein Jahr lang hatte Hester als Assistentin bei einem Neurologen gearbeitet, und nun raten Sie mal, wer am Ende dieses Jahres auf einmal zu ihr stieß? Kein Geringerer als Dr. Maudsley! Seine Frau verstarb (schlicht und ergreifend an einer Grippe, ich habe das überprüft), und kaum war sie unter der Erde, bestieg er das nächste Schiff. Es war Liebe. Sie leben beide nicht mehr, aber ihnen war noch ein langes, glückliches Leben miteinander vergönnt. Sie hatten vier Kinder, von denen eines sich mit mir in Kontakt gesetzt hat, und ich habe ihm das Original des Tagebuchs vermacht, das seine Mutter geschrieben hat. Ich bezweifle sehr, dass dieser Sohn mehr als jedes zehnte Wort entziffern kann. Falls er mich nach den Hintergründen fragt, werde ich ihm schreiben, dass seine Mutter seinen Vater bereits hier in England, während der ersten Ehe seines Vaters, kennen gelernt hat, doch falls nicht, werde ich darüber Schweigen wahren. Seinem Brief an mich hat er eine Liste der gemeinsamen Publikationen seiner Eltern beigefügt. Sie haben Dutzende in der Fachwelt stark beachtete Forschungsartikel geschrieben (keinen über Zwillinge; ich denke, sie hatten begriffen, dass sie eine Grenze ziehen mussten) und sie zusammen veröffentlicht: Dr. E. und Mrs. H. J. Maudsley.

H. J.? Hester hatte einen zweiten Vornamen: Josephine.

Was könnte Sie noch interessieren? Wer sich um den Kater gekümmert hat? Also, Shadow habe ich zu mir in den Buchladen genommen. Er sitzt gern irgendwo in den Regalen, wo er eine Lücke zwischen den Büchern findet, und wenn ihn dort Kunden entdecken, dann erwidert er ihren erstaunten Blick mit sanftem Gleichmut. Von Zeit zu Zeit sitzt er am Fenster, aber nie lange. Die Straße, die Autos, die Passanten, die Gebäude gegenüber verwirren ihn. Ich habe ihm die Abkürzung, den schmalen Durchgang zum Fluss gezeigt, doch er findet es unter seiner Würde, davon Gebrauch zu machen.

»Was hast du denn erwartet?«, fragte mein Vater, kurz nachdem ich mit Shadow draußen gewesen war. »Was weiß ein Yorkshire-Kater mit einem Fluss anzufangen? Er sucht nach dem Moor.«

Vermutlich hatte er Recht. Voller Erwartung sprang Shadow auf die Fensterbank, sah hinaus und strafte mich dann mit einem langen, enttäuschten Blick.

Vielleicht hat er Heimweh, doch daran mag ich nicht denken.

Dr. Clifton hat uns im Laden meines Vaters besucht – er sei gerade zufällig in der Stadt, sagte er, und als ihm wieder eingefallen sei, dass mein Vater hier einen Buchladen führe, habe er sich gedacht, dass er vielleicht mal vorbeischauen könne. In der Hoffnung, ein bestimmtes Werk über die Medizin des achtzehnten Jahrhunderts zu finden, für das er sich interessierte. Wie es der Zufall wollte, hatten wir es tatsächlich, und er und mein Vater unterhielten sich bis nach Ladenschluss angeregt über das Buch. Als Wiedergutmachung dafür, dass er uns so lange aufgehalten hatte, führte er uns zum Abendessen aus. Es war sehr nett, und da er für eine zweite Nacht blieb, lud mein Vater ihn am nächsten Abend zum Essen zu uns nach Hause ein. In der Küche sagte meine Mutter zu mir, er sei »ein sehr netter Mann, Margaret, wirklich sehr nett«. Er hatte nur noch den nächsten Nachmittag. Wir machten einen Spaziergang am Fluss, diesmal allerdings nur wir beide, da Vater mit seiner Korrespondenz zu beschäftigt war, um uns zu begleiten. Ich erzählte ihm die Geschichte vom Angelfield-Gespenst. Er hörte aufmerksam zu, und als ich fertig war, gingen wir langsam schweigend weiter.

»Ich entsinne mich, dass ich diese Schatztruhe gesehen habe«, sagte er am Ende. »Wie kommt es, dass sie das Feuer überstanden hat?«

Ich blieb verblüfft stehen und überlegte. »Ehrlich gesagt, habe ich nie danach gefragt.«

»Jetzt werden Sie es nicht mehr erfahren, nicht wahr?«

Er nahm meinen Arm, und wir gingen weiter.

Jedenfalls, um wieder zum Thema zu kommen, zurück zu Shadow und seinem Heimweh: Als Dr. Clifton seinen Jammer sah, erbot er sich, Shadow zu sich zu nehmen. Der Kater wäre zweifellos sehr glücklich gewesen, wieder in Yorkshire zu sein. Doch so gut gemeint das Angebot auch war, hat es mich in peinliche Verlegenheit gebracht. Denn ich bin mir nicht sicher, ob ich die Trennung von Shadow ertragen könnte. Er würde meine Abwesenheit ganz sicher mit demselben Gleichmut hinnehmen wie das Verschwinden von Miss Winter, denn er ist ein Kater; da ich aber nun mal ein menschliches Wesen bin und ihn lieb gewonnen habe, hätte ich ihn doch, wenn irgend möglich, gerne weiterhin in meiner Nähe.

In einem Brief deutete ich diese Überlegungen gegenüber Dr. Clifton an. Er antwortete, in diesem Fall könnten wir ja vielleicht beide, Shadow und ich, auf einen Urlaub kommen. Er lud uns für einen Monat im Frühling ein. In einem Monat, sagte er, könne manches geschehen, und möglicherweise hätten wir am Ende einen Ausweg aus dem Dilemma gefunden, mit dem wir alle drei gut leben könnten. Ich weiß nicht, aber ich habe das Gefühl, dass Shadow noch sein Happyend bekommt.

Und das war's.

# POSTSCRIPTUM

Das heißt, fast. Man denkt, etwas ist abgeschlossen, und dann fehlt doch noch etwas.

Ich bekam Besuch.

Shadow bemerkte sie zuerst. Ich summte vor mich hin, während ich auf dem Bett meinen Koffer für unseren Urlaub packte. Shadow stieg ständig in das offene Gepäckstück und wieder hinaus, während er mit dem Gedanken spielte, sich aus meinen Socken und Jacken ein Nest zu bauen, als er plötzlich innehielt und gespannt zur Tür in meinem Rücken starrte.

Sie kam nicht als goldener Engel und ebenso wenig als Schreckgespenst. Sie war wie ich: eine hoch gewachsene, dünne Frau mit braunem Haar, die man nicht beachten würde, wenn sie einem auf der Straße begegnete.

Ich hätte gedacht, es gäbe hundert, ja tausend Dinge, die ich sie fragen wollte, doch ich war so überwältigt, dass ich kaum ihren Namen herausbekam. Sie trat auf mich zu, nahm mich in die Arme und drückte mich an ihre Seite.

»Moira«, flüsterte ich schließlich, »ich hatte schon fast Zweifel, dass es dich wirklich gibt.«

Doch sie war real. Ihre Wange an meine geschmiegt, ihren Arm über meine Schulter gelegt, meine Hand an ihrer Taille. Wir berührten uns Narbe an Narbe, und alle meine Fragen lösten sich in nichts auf, als ich fühlte, wie sich ihr Blutstrom mit meinem vermischte, ihr Herz mit meinem im Einklang schlug. Es war ein höchst verwunderlicher Moment, großartig und still. Und ich wusste, dass ich mich an dieses Gefühl *erin-*

*nerte.* Es war in mir verschlossen gewesen, ich hatte es weggesperrt, und jetzt war sie gekommen, um es freizulassen. Dieser beglückende Kreislauf, diese Einheit, die einmal normal gewesen war und mir jetzt, da ich sie wieder entdeckt hatte, wie ein Wunder erschien.

Sie kam, und wir waren zusammen.

Ich begriff, dass sie gekommen war, um mir Lebewohl zu sagen. Wenn wir uns das nächste Mal begegneten, wäre ich auf dem Weg zu ihr. Doch bis dahin war noch sehr viel Zeit. Es hatte keine Eile. Sie konnte warten und ich auch.

Ich spürte ihre Finger auf meinem Gesicht, während ich ihr die Tränen abwischte, dann fanden sich unsere Hände und verschränkten sich. Ich spürte ihren Atem an meiner Wange, ihr Gesicht in meinem Haar und grub meine Nase in ihren Hals, um in ihren lieblichen Duft einzutauchen.

Was für eine Freude.

Es machte nichts, dass sie nicht bleiben konnte. Sie war gekommen.

Ich bin mir nicht sicher, wie und wann sie wieder ging. Ich merkte nur, irgendwann war sie nicht mehr da. Ich saß ganz ruhig und sehr glücklich auf dem Bett. Ich hatte das seltsame Gefühl, als ob sich mein Blut neue Bahnen schaffte und mein Herz einen neuen Rhythmus fand, um für mich allein zu schlagen. Als sie meine Narbe berührte, hatte sie sie zum Leben erweckt. Jetzt kühlte sie allmählich ab, bis sie sich nicht anders anfühlte als mein übriger Körper.

Sie war gekommen und war gegangen. Diesseits des Grabes würde ich sie nicht wieder sehen. Mein Leben gehörte jetzt mir.

Im Koffer war Shadow eingeschlafen. Ich streckte die Hand

aus, um ihn zu streicheln. Er öffnete ein kühles, grünes Auge, betrachtete mich einen Moment und machte das Auge wieder zu.

# Danksagung

Zu Dank bin ich verpflichtet Jo Anson, Gaia Banks, Martyn Bedford, Emily Bestler, Paula Catley, Ross und Colin Catley, Jim Crace, Penny Dolan, Marianne Downie, Mandy Franklin, Anna und Nathan Franklin, Vivien Green, Douglas Gurr, Jenny Jacobs, Caroline le Marechal, Pauline und Jeffrey Setterfield, Christina Shingler, Janet und Bill Whittall, John Wilkes und Jane Wood.

Besonderer Dank gilt Owen Staley, der von Anfang an ein Freund dieses Buches war, und Peter Whittall, dem ich den Titel, *Die dreizehnte Geschichte,* und vieles mehr verdanke.

# *I*NHALT